De kleuren van de nacht

Kristin Hannah

De kleuren van de nacht

the house of books

Oorspronkelijke titel
True Colors
Uitgave
St. Martin's Press, New York
Copyright © 2009 by Kristin Hannah
Copyright voor het Nederlandse taalgebied © 2010 by The House of Books,
Vianen/Antwerpen

Vertaling
Cherie van Gelder
Omslagontwerp
Riverside Studio
Omslagdia
Tom Hallman
Opmaak binnenwerk
ZetSpiegel, Best

ISBN 978 90 443 2700 7
D/2010/8899/43
NUR 302

www.thehouseofbooks.com

Voor de vrouwen die hun intrede hebben gedaan in onze familie en ons leven met hun aanwezigheid hebben opgevrolijkt: Debra Edwards John en Julie Gorset John.

Voor twee vriendinnen, Julie Williams en Andrea Schmidt. Jullie hebben me op de gekste momenten laten lachen. Hartelijk dank daarvoor.

En zoals gewoonlijk ook voor Benjamin en Tucker, zonder wie ik heel wat minder zou ervaren van het leven, de liefde en vreugde.

Deel Een

Vroeger

Wat is passie? Het heeft vast en zeker te maken met iemands vorming... Met behulp van passie kunnen lichaam en geest zich uiten... Hoe extremer en openlijker die passie is, des te onverdraaglijker lijkt het leven zonder. Het herinnert ons eraan dat we, als de passie verdwijnt of ons ontzegd wordt, eigenlijk al een beetje dood zijn en dat, wat er ook gebeurt, het niet lang meer zal duren voordat we er helemaal niet meer zijn.

— JOHN BOORMAN, FILMREGISSEUR

Proloog

✤

1979

De vijftienjarige Winona Grey zat in de ranch, die al vier generaties eigendom van haar familie was, naar buiten te kijken om te zien of er iets veranderd was. Een verlies zoals zij hadden geleden moest toch sporen achterlaten… Zomergras dat ineens bruin was geworden, donkere wolken die maar niet wilden verdwijnen, of een boom die door de bliksem was getroffen. Zoiets.

Vanuit haar slaapkamerraam kon ze het grootste deel van hun grondgebied overzien. Aan de achterkant werd hun terrein afgebakend door een groepje enorme ceders en in de glooiende groene weiden ervoor liepen paarden die met hun hoeven zelfs het langste gras tot modder vertrapten. Boven op een heuvel stond de kleine blokhut die haar overgrootvader had gebouwd toen hij dit stuk land in bezit nam.

Alles zag er heel gewoon uit, maar Winona wist wel beter. Enkele jaren geleden was er een kind verdronken in het koude water aan de kust, niet ver bij hen vandaan. Het was gedurende maanden het gesprek van de dag. Mam had het Winona verteld en had haar gewaarschuwd voor de gevaarlijke onderstromen waarin je kon verdrinken, zelfs in laag water. Nu wist ze echter dat er elke dag andere bedreigingen op de loer lagen.

Ze draaide het raam de rug toe en liep naar beneden, in een huis dat sinds gisteren veel te groot en te stil aanvoelde. Haar zusje zat opgerold op de blauw met geel geblokte bank te lezen. De veertien-

jarige Aurora was knokig en zo mager als een lat en in dat vervelende stadium waarin je geen kind meer bent, maar ook nog niet
volwassen. Ze had een puntig kinnetje en donkerbruin, lang en steil
haar met een middenscheiding.

'Wat ben je al vroeg op, Spruit,' zei Winona.

Aurora keek op. 'Ik kon niet slapen.'

'Nee. Ik ook niet.'

'Vivi Ann zit in de keuken. Ik hoorde haar een paar minuten geleden huilen, maar...' Aurora haalde haar magere schouders op. 'Ik
weet niet wat ik moet zeggen.'

Winona wist hoeveel behoefte Aurora had aan rust in haar leven.
Zij was de vredestichter van het gezin, die altijd probeerde alles glad
te strijken en weer in orde te maken. Geen wonder dat ze er zo
breekbaar uitzag. Mooie woorden konden hen nu niet meer troosten. 'Ik ga wel,' zei Winona.

Ze vond haar twaalfjarige zusje aan de tafel met het gele formica-
blad waar ze zat te tekenen.

'Hoi, Boontje,' zei Winona, terwijl ze door het haar van haar zusje
woelde.

'Hoi, Erwt.'

'Wat ben je aan het doen?'

'Ik maak een tekening van ons drieën.' Ze hield op en keek schuin
omhoog. Haar lange, korenblonde haar was een warreling van wilde
krullen en haar groene ogen waren rood van het huilen, maar toch
was ze nog steeds beeldschoon, als een porseleinen poppetje. 'Die zal
mam vanuit de hemel toch wel kunnen zien?'

Winona wist niet wat ze daarop moest zeggen. Geloven was voor
haar altijd gemakkelijk geweest, even natuurlijk en moeiteloos als
ademhalen, maar dat was voorbij. 'Ja, natuurlijk,' zei ze dof. 'We
hangen hem wel op de koelkast.'

Ze liep weg bij haar zusje, maar dat was een vergissing en dat besefte ze ook meteen. De hele keuken puilde uit van herinneringen
aan haar moeder: de zelfgemaakte kanariegeel met blauwe katoenen
gordijnen, het 'Mountain Mama'-magneetje op de koelkastdeur, de
schaal met schelpen op de vensterbank. *Kom op, Winnie, dan gaan
we naar het strand om schatten te zoeken...*

Hoe vaak had Winona haar moeder de afgelopen zomer nul op het rekest gegeven? Ze had het veel te druk gehad om bij haar moeder te blijven en samen het strand af te stropen.

Die gedachte dreef haar rechtstreeks naar de koelkast. Ze trok de deur van het vriesvak open en zag een liter ijs staan. Dat was wel het laatste waar ze behoefte aan had, maar ze kon er geen weerstand aan bieden.

Ze pakte een lepel en leunde tegen het aanrecht. Door het keukenraam had ze uitzicht op de ongeplaveide oprit van de boerderij en de bouwvallige steenrode hooischuur die op de open plek stond. Daar reed de gebutste blauwe pick-up van haar vader net achteruit naar de roestige oplegger waar ze zes paarden in konden vervoeren. Hij kwam achter het stuur vandaan en liep naar de trekhaak.

'Vertel me nou niet dat hij naar de rodeo gaat,' zei Winona binnensmonds, terwijl ze een stapje naar voren ging.

'Ja, natuurlijk wel,' zei Vivi Ann, die weer zat te tekenen. 'Hij was al voor dag en dauw op om alles klaar te maken.'

'Naar de rodeo? Dat meen je niet.' Aurora kwam de keuken binnen en ging naast Winona voor het raam staan. 'Maar... hoe kan hij dat nou doen?'

Winona wist dat er van haar verwacht werd dat ze de plaats van haar moeder in zou nemen en eigenlijk zou moeten uitleggen waarom het niet erg was dat pa een dag nadat hij zijn vrouw had begraven zijn normale leven alweer oppakte, maar ze wist niet hoe ze zo'n flagrante leugen moest brengen, ook al zouden haar zusjes dan minder verdriet hebben. Maar misschien was het niet eens een leugen, misschien was dat wel de manier waarop volwassenen zich gedroegen. En op de een of andere manier was dat een nog veel angstaanjagender idee. Dat zou ze helemaal nooit onder woorden kunnen brengen. Er viel een stilte die Winona een onbehaaglijk gevoel bezorgde, maar ze wist niet wat ze moest zeggen om dit allemaal wat draaglijker te maken, hoewel ze heel goed besefte dat het eigenlijk haar plicht was. Van een grote zus mocht je verwachten dat ze voor de kleintjes zou zorgen.

'Waarom haalt hij Clem uit de wei?' vroeg Aurora, die de lepel van Winona afpakte en ook een hap van het ijs nam.

11

Vivi Ann maakte een geluid dat half op een snik en half op een schreeuw leek en holde naar de deur die ze zo hard opensmeet dat hij met een klap tegen de muur kwam.

'Hij gaat mams paard verkopen,' zei Winona scherp. Het ergerde haar dat ze daar niet meteen op was gekomen.

'Dat kan hij toch niet doen,' zei Aurora en keek toen hulpzoekend naar Winona. 'Of wel?'

Winona kon haar niet geruststellen. In plaats daarvan volgde ze het voorbeeld van Vivi Ann en holde naar buiten. Tegen de tijd dat ze bij de parkeerplaats voor de schuur was aangekomen, was ze buiten adem en maakte pas op de plaats naast Vivi Ann.

Haar vader hield Clem bij haar halster vast. De zon viel op zijn van zweet doortrokken cowboyhoed en weerkaatste in de grote ronde zilveren gesp aan zijn broeksriem. Zijn scherp besneden gezicht deed haar denken aan de bergen een eindje verderop: granieten vlakken en beschaduwde holtes. Er was geen greintje zachtheid te zien.

'U mag mams paard niet verkopen,' zei ze nog steeds hijgend.

'Wou jij me vertellen wat ik wel en wat ik niet mag doen, Winona?' vroeg hij terwijl zijn ogen een moment op het ijs bleven rusten.

Winona voelde dat ze rood werd. Ze moest al haar moed bijeenrapen om hem tegen te spreken, maar ze had geen keus. Er was niemand anders meer. 'Ze houdt... hield van dat paard.'

'We kunnen ons geen paard veroorloven dat niet wordt bereden.'

'Dan rij ik wel op haar,' beloofde Winona.

'Jij?'

'Ik zal gewoon nog beter mijn best doen om niet bang te zijn.'

'Hebben we wel een zadel waar jij in past?'

In de dodelijke stilte die daarop volgde, sprong Winona naar voren en trok het touw van de halster uit haar vaders hand. Maar ze bewoog te snel of ze sprak te hard – een van tweeën – en Clementine schrok en sprong opzij. Winona voelde haar huid branden toen het touw over haar handpalm schuurde en ze naar opzij struikelde.

Meteen daarna stond Vivi Ann al naast haar en hield Clementine met een enkel woord en gebaar in bedwang. 'Alles oké?' fluisterde ze tegen Winona toen het paard weer gekalmeerd was.

12

Winona schaamde zich zo dat ze niet eens kon antwoorden. Ze hoorde hun vader aan komen lopen, omdat ze het geluid herkende waarmee de hakken van zijn cowboylaarzen zich in de grond boorden. Samen met Vivi Ann draaide ze zich langzaam om en keek hem aan.

'Jij kunt niet met paarden omgaan, Winona,' zei hij. Dat had ze haar leven lang al van hem te horen gekregen. Iets ergers kon een cowboy niet zeggen.

'Dat weet ik wel, maar...'

Hij luisterde niet eens naar haar, maar keek naar Vivi Ann. Het was net alsof er een wisselwerking tussen hen bestond, alsof ze met elkaar communiceerden op een niveau dat Winona niet kon volgen. 'Ze is een heel vurig dier. En nog jong ook. Niet iedereen kan haar aan,' zei pap.

'Ik wel,' zei Vivi Ann.

Dat was waar en dat wist Winona. Vivi Ann was op haar twaalfde een stuk brutaler en minder onbevreesd dan Winona ooit zou worden.

Een plotseling gevoel van jaloezie laaide op alsof iemand haar met een elastiekje had beschoten. Ze wist dat het fout was – misschien zelfs wel een beetje gemeen – maar ze wenste dat haar vader niet zou toegeven aan Vivi Ann, en zijn mooiste dochtertje ook kennis zou laten maken met zijn snijdende minachting.

In plaats daarvan zei hij: 'Je mama zou heel trots op je zijn geweest,' en hij overhandigde Vivi Ann het versleten blauwe touw.

Winona had het gevoel dat ze van grote afstand stond toe te kijken hoe ze samen wegliepen. Ondertussen maakte ze zichzelf wijs dat het helemaal niets uitmaakte, dat ze alleen maar had willen voorkomen dat Clem verkocht zou worden, maar die leugentjes boden haar weinig troost.

Nu het drama achter de rug was, hoorde ze Aurora aankomen en tegen de heuvel oplopen. 'Is alles goed met je?'

'Prima.'

'Het enige wat telt, is dat hij Clem niet verkoopt.'

'Ja,' zei Winona, die wou dat ze er precies zo over kon denken. 'Wat kan het mij nou schelen wie op dat paard zit?'

13

'Precies.'

Maar toen ze jaren later terugdacht aan die week waarin haar moeder was gestorven, wist Winona dat alles door dat ene gebaar – het overhandigen van een touw – was veranderd. Vanaf dat moment was jaloezie een geniepige onderstroom in hun leven geworden. Maar dat had niemand begrepen. Toen niet, tenminste.

Een

❦

1992

Vivi Ann had het gevoel dat ze eeuwen had moeten wachten tot het eindelijk 25 januari werd. Op die dag werd ze zelfs nog vroeger dan anders wakker, gooide de dekens af en sprong uit bed. In haar kille en donkere slaapkamer trok ze haar winddichte overall aan en zette een wollen muts op. Nadat ze een paar versleten leren werkhandschoenen had gepakt, wurmde ze haar voeten in een stel grote rubberlaarzen en liep naar buiten.

Zonder het licht van de maan kon ze niets anders zien dan het spookachtige zilveren wolkje van haar eigen adem, maar als er één ding was dat Vivi Ann goed kende dan was dat het land van haar vader.

Water's Edge. De Waterkant.

Meer dan honderd jaar geleden had haar overgrootvader dit land in bezit genomen en het naburige plaatsje Oyster Shores gesticht. Anderen hadden de voorkeur gegeven aan een minder moeilijk gebied met meer inwoners, plaatsen die gemakkelijker te bereiken waren. Maar niet Abelard Grey. Hij was de gevaarlijke vlakten overgestoken en hier beland, na een reis waarin hij een zoon had verloren tijdens een overval door indianen en een andere aan influenza. Toch was hij verder getrokken naar het westen, gehoor gevend aan een droom die hem naar dit wilde en afgelegen hoekje van de Eeuwig Groene Staat had gelokt. Het land dat hij had uitgekozen, vijftig hectare tussen het warme blauwe water van het

15

Hood Canal en een beboste heuvelrug, was adembenemend mooi.

Ze liep over een hellend pad naar de manege die ze tien jaar geleden hadden laten bouwen. Onder een hoog, met hout betimmerd plafond, lag een grote rij-arena – de bak – met daaromheen een hek van vier metalen staven boven elkaar. Aan weerszijden van de bak waren twaalf paardenboxen. Nadat ze de grote schuifdeur had opengetrokken ging het licht in de manege aan met een geluid dat leek op een vingerknip en de paarden werden meteen rusteloos en begonnen te hinniken om haar duidelijk te maken dat ze honger hadden. Een uur lang bleef ze bezig met het ophalen van plakken hooi van de balen die in de hooischuur opgeslagen lagen, om ze met behulp van een roestige kruiwagen over de oneffen betonnen paden naar de stallen te brengen. Bij de laatste box hing een zelfgemaakt houten bordje met de officiële, maar zelden gebruikte naam van haar merrie: Clementine's Blue Ribbon.

'Hallo, meid,' zei ze. Clem hinnikte zacht en kwam naar haar toe, waarbij ze stiekem alvast een hapje van het hooi op de kruiwagen nam.

Vivi Ann gooide de twee plakken in de ijzeren ruif en deed de deur achter zich dicht. Terwijl Clem stond te eten bleef Vivi Ann naast haar staan en streelde de grote merrie over haar zijdezachte hals.

'Ben je klaar voor de rodeo, meid?'

De merrie drukte bij wijze van antwoord haar neus tegen haar zij, waardoor Vivi Ann bijna omviel.

In de jaren na mams dood waren Vivi Ann en Clementine onafscheidelijk geworden. Gedurende een poosje, toen pa zijn mond niet meer opendeed en aan de drank raakte en Winona en Aurora druk bezig waren met hun middelbare school, had Vivi Ann vrijwel al haar tijd met dit paard doorgebracht. Af en toe, als ze helemaal overstelpt werd door het verdriet en de leegte, was Vivi Ann haar slaapkamer uitgeglipt en naar de manege geheld, waar ze in de cederhouten snippers onder Clems hoeven in slaap was gesukkeld. Zelfs toen ze wat ouder en heel populair was geworden, beschouwde ze deze merrie nog steeds als haar beste vriendin. Haar grootste geheimen had ze alleen hier gedeeld, in de geurige kleine ruimte van de laatste box aan de oostkant.

Ze gaf Clem nog een klopje en liep de manege uit. Tegen de tijd dat ze bij het huis aankwam, was de zon een vage, geelbruine streep in de loodkleurige winterlucht. Vanaf dit punt kon ze het staalgrauwe water van het Canal zien en de getande, besneeuwde pieken van de bergen in de verte.

Toen ze de schemerige boerderij binnenkwam, hoorde ze het bekende gekraak van de houten vloer en ze wist dat haar vader ook op was. Ze liep naar de keuken, dekte de tafel voor drie personen en begon het ontbijt klaar te maken. Net toen ze een bord met een paar pannenkoeken in de oven schoof om ze op te warmen, hoorde ze hem de eetkamer binnenkomen. Ze schonk een mok koffie voor hem in, deed er een flinke schep suiker bij en liep naar hem toe.

Hij pakte de mok aan zonder op te kijken van zijn exemplaar van de *Western Horseman*. In zijn gebruikelijke kleren – afgedragen Wrangler-jeans, een geblokt flanellen overhemd, een riem met een grote ronde zilveren gesp en leren handschoenen die bij zijn broeksband in waren geprop – zag hij er precies zo uit als iedere ochtend. En toch was er ook iets anders aan hem: een subtiele verzameling groefjes en rimpels die zijn gezicht ouder maakten.

De jaren na mams dood waren moeilijk voor hem geweest. Ze hadden zijn gezicht scherper gemaakt en schaduwen toegevoegd waar ze eigenlijk niet hoorden: zowel in zijn ogen als in de vlezige wallen eronder. Zijn wervelkolom was kromgetrokken, volgens hem het typische kenmerk van de hoefsmid, een natuurlijk gevolg van een leven lang gebukt staan om nagels in paardenhoeven te slaan, maar het verlies had er wel degelijk ook een rol bij gespeeld. Dat wist Vivi Ann zeker. De last van die onverwachte eenzaamheid had hem net zo goed aangetast als de lange uren die hij gebukt doorbracht. Tegenwoordig stond hij alleen nog maar rechtop als hij zich in het openbaar vertoonde en ze wist hoeveel pijn het hem deed om de indruk te wekken dat het leven hem niet klein had gekregen.

Hij ging aan tafel zitten en bleef in zijn tijdschrift lezen, terwijl Vivi Ann de laatste hand legde aan het ontbijt voordat ze het opdiende.

'Clem heeft de afgelopen maand geweldig getraind,' zei ze, toen ze met haar bord tegenover hem ging zitten. 'Ik denk echt dat we een kans hebben om die rodeo in Texas te winnen.'

'Waar is de toast?'

'Ik heb pannenkoeken gemaakt.'

Pap slaakte duidelijk geïrriteerd een diepe zucht en wierp een strakke blik op de lege plek aan tafel. 'Heb je Travis vanmorgen al gezien?'

Vivi Ann keek door het raam naar de manege. Hun knecht was in geen velden of wegen te zien. Geen tractor in het veld, geen kruiwagen bij de manegedeur. 'Ik heb de paarden al gevoerd. Hij zal wel naar dat hek zijn om het te repareren.'

'Hoe ben je er toch in geslaagd hem uit te kiezen. Als je eens ophield met elk gewond paard tussen hier en Yelm te redden, dan hadden we hier helemaal geen hulp nodig. Bovendien kunnen we dat eigenlijk helemaal niet betalen.'

'Als we het toch over geld hebben, pap... Ik heb deze week driehonderd dollar nodig voor die rodeo en de koffiekan is leeg.'

Hij gaf geen antwoord.

'Pap?'

'Ik heb dat geld gebruikt om het hooi te betalen.'

'Is alles op?'

'De aanslag van de belasting is ook net binnen.'

'Dus we zitten in de problemen,' zei Vivi Ann fronsend. Het was allemaal niets nieuws, natuurlijk, ze had altijd geweten dat er niet veel geld was, maar voor de eerste keer raakte het haar echt. Ze begreep ineens waarom Winona altijd zo zat te zeuren dat ze geld opzij moesten leggen voor de belasting. Ze keek even op naar haar vader. Hij zat voorovergebogen met zijn ellebogen op tafel. Haar zusjes zouden dat onbeschoft hebben gevonden, maar Vivi Ann wist zeker dat zij de echte reden kende. 'Heb je weer last van je rug?'

Hij gaf geen antwoord en deed net alsof hij niets had gehoord.

Ze stond op, liep naar de keuken, pakte ibuprofen voor hem en legde de pilletjes voorzichtig tussen hen in op tafel.

Ze verdwenen meteen onder zijn gekloofde hoefsmidhand.

'Ik zal wel een manier vinden om aan geld te komen, pap. En deze week ga ik echt winnen. Misschien wel tweeduizend dollar. Zit er maar niet over in.'

Ze aten in stilte verder. Toen hij klaar was, schoof hij achteruit, stond van tafel op, pakte zijn bezwete, bruine vilten cowboyhoed die naast de deur hing en zei: 'Zorg dat ik trots op je kan zijn.'

'Komt in orde. Tot straks, pap.'

Nadat hij weg was, bleef Vivi Ann met een onbehaaglijk gevoel achter.

Gedurende het merendeel van haar vierentwintig jaar had ze zich als een blaadje op het water steeds maar met alle stromen laten meevoeren. Ze had een paar keer geprobeerd een andere koers in te slaan, maar iedere poging (zoals studeren) was er steeds heel snel op uitgelopen dat ze terugkeerde naar dit land.

Het kwam er gewoon op neer dat ze het hier heerlijk vond. Ze hield van paarden, ze vond het niet alleen leuk om ze af te richten maar ook om haar kennis door te geven aan de stralende kleine meisjes die haar op handen droegen omdat ze zo goed kon rijden. Ze vond het fijn dat iedereen in de stad wist wie ze was en respect voor haar en haar familie had. Ze hield zelfs van het weer. Massa's mensen klaagden altijd over de grauwe dagen die elkaar van november tot april opvolgden, maar daar had zij helemaal geen hekel aan. Geen regen, geen regenbogen. Dat was haar motto en daar had ze zich altijd aan gehouden vanaf het moment dat ze als twaalfjarig meisje naast een vers gedolven graf had gestaan en had geprobeerd om enige logica te vinden in een onbegrijpelijk verlies. Daarna had ze zichzelf ingeprent dat het leven maar kort was en dat je gewoon zoveel mogelijk plezier moest maken.

Maar nu werd het toch tijd dat ze volwassen werd. Om te beginnen had Water's Edge haar nu nodig in plaats van andersom. Ze wist niet zeker hoe ze daar verandering in kon brengen. Zakendoen en plannen maken waren niet bepaald haar sterkste punten, maar ze was slimmer dan de meeste mensen dachten. Ze moest er gewoon wat langer over nadenken.

Maar eerst moest ze zien of ze driehonderd dollar van een van haar zusjes los kon kloppen.

Ze moest gewoon zeggen dat het een goede investering zou zijn.

Winona vond het leuk om de baas te spelen. Over alles en nog wat. En daarbij bleef ze echt niet in de coulissen staan. Tijdens haar studie had ze al na één college bestuurskunde geweten wat ze wilde gaan doen. Nu, op haar zevenentwintigste, had ze min of meer het leven wat ze zich wenste. Niet helemaal natuurlijk (ze was niet getrouwd, ze had geen vriendje en geen kinderen, en ze had problemen met haar gewicht), maar wel voor het grootste deel. Ze was veruit de meest succesvolle advocaat in Oyster Shores. Het was algemeen bekend dat ze eerlijk, zelfverzekerd en intelligent was. Iedereen zei dat je haar maar beter aan jouw kant kon hebben. Wat Winona betrof, was haar reputatie bijna even veel waard als haar opleiding.

Ze stak haar hand uit naar de intercom op haar bureau en drukte een knop in. 'De raadsleden zullen hier over een minuut of tien zijn, Lisa. Zorg dat er voldoende koffie is.'

'Dat is al gebeurd,' antwoordde haar receptioniste prompt.

'Mooi.' Winona richtte haar aandacht op een dun stapeltje papieren dat voor haar lag. Een paar rapporten van de milieudienst, een voorstel tot ruilverkaveling en een verkoopcontract voor onroerend goed dat zij had opgesteld.

Het zou wel eens de redding kunnen zijn van Water's Edge.

Dit geheime hoekje van de staat Washington was weliswaar nog niet 'ontdekt' door de yups die goudgeld neertelden voor ruige landerijen aan het water, maar dat zou niet lang meer duren. Binnenkort zou een of andere projectontwikkelaar zich ineens realiseren dat hun slaperige stadje aan een adembenemend stuk strand lag, met uitzicht op de Olympic Mountain Range die een treffende gelijkenis vertoonde met de Zwitserse Alpen. En dan zou pa ineens tot de ontdekking komen dat hij op een bijzonder aantrekkelijke lap grond van vijftig hectare zat. De voortdurend stijgende belastingen zouden hem er uiteindelijk toe dwingen om het land te verkopen voordat het verbeurd werd verklaard en zij was kennelijk de enige die begreep dat dat onvermijdelijk was. Het was al op diverse plaatsen in de staat gebeurd.

Vandaar dat ze hem aan zijn verstand moest brengen hoe belangrijk dit was en dat zij een manier had gevonden om hem uit de moeilijkheden te redden en hem te beschermen. Het was ook absoluut noodzakelijk dat zij het probleem oploste. Misschien zou haar vader dan eindelijk eens trots op haar zijn.

De intercom zoemde. 'Ze zijn er, Winona.'

'Breng ze maar naar de vergaderkamer.' Winona schoof de documenten in een bruine papieren map en pakte haar blauwe blazer. Terwijl ze die aanschoot, viel het haar op dat hij weer strakker over de buste zat. Met een zucht liep ze naar de vergaderkamer.

Haar kantoor was gevestigd in een groot Victoriaans hoekhuis in het centrum van Oyster Shores. Ze had het vier jaar geleden gekocht en kamer voor kamer laten opknappen. Inmiddels was de hele benedenverdieping klaar, want natuurlijk mochten mensen geen aanmerkingen kunnen maken op haar werkruimte. Volgend jaar was de woonruimte op de eerste verdieping aan de beurt. Ze had het geld al bijna bij elkaar.

Met een geforceerde glimlach kwam ze het voormalige boudoir van de vrouw des huizes binnen. De achterwand bestond van plafond tot vloer uit glaspanelen waarin een stel antieke openslaande deuren waren gezet die toegang gaven tot de tuin. In het midden van de kamer stond een lange eiken tafel. De gemeenteraadsleden van Oyster Shores zaten eromheen, samen met haar vader, die steevast voor iedere bijeenkomst uitgenodigd werd, ook al was hij eigenlijk helemaal geen raadslid.

Winona ging op haar gebruikelijke plek aan het hoofd van de tafel zitten. 'Wat kan ik vandaag voor jullie doen?'

Ken Otter, de plaatselijke tandarts die naast haar zat, schonk haar een brede glimlach. Volgens hem was dat gewoon een soort gratis advertentie. 'We willen met je praten over die toestanden in het reservaat.'

Weer dat reservaat. 'Ik heb al eerder tegen jullie gezegd, dat we hen op geen enkele manier kunnen tegenhouden. Volgens mij…'

'Maar het gaat om een casíno!' zei Myrtle Michaelian. Haar ronde wangen werden rood van verontwaardiging. 'Dan is prostitutie geheid de volgende stap. Die indianen zijn…'

'Hou op,' zei Winona streng. Ze keek de tafel rond, waarbij ze haar ogen even liet rusten op elk van de aanwezigen. 'Om te beginnen zijn het autochtone Amerikanen en jullie hebben juridisch geen enkel recht om hen ervan te weerhouden een casino te bouwen. Jullie kunnen er een hoop geld in steken om ze tegen te houden, maar dat raken jullie gewoon allemaal kwijt.'

Ze bleven nog even doorpraten, maar die opmerking over het geld had hun de wind uit de zeilen genomen. Uiteindelijk moest hun onvrede pruttelend het loodje leggen en toen ze opstonden om weg te gaan bedankten ze haar hartelijk omdat ze hen zo goed had geholpen en hun geld had bespaard.

'Pap?' zei ze. 'Zou jij nog even kunnen blijven?'

Hij knikte kort en bleef met de armen over elkaar staan wachten tot de raadsleden vertrokken waren. Toen iedereen weg was, liep Winona terug naar haar plaats en ging zitten. Ze sloeg de kartonnen map open. Terwijl ze neerkeek op de papieren welde er onwillekeurig een gevoel van trots in haar op. Dit was een goed plan.

'Het gaat om Water's Edge,' zei ze toen ze uiteindelijk opkeek. Ze nam niet de moeite om te vragen of hij misschien wilde gaan zitten. Die les had ze inmiddels wel geleerd: Henry Grey kwam alleen in beweging als hij dat zelf wilde. Punt uit.

Hij bromde iets. Volgens haar was het niet eens een woord.

'Ik weet dat je momenteel behoorlijk krap zit, en er zijn veel dingen op Water's Edge aan reparatie toe. De afrasteringen zijn slecht, de hooischuur staat scheef en straks zakt er nog iemand weg in de modder van de parkeerplaats als daar geen laag grind op gestort wordt. En dan heb ik het nog niet eens over de belasting.' Ze duwde het ruilverkavelingsplan naar hem toe. 'We zouden bijvoorbeeld die vier hectare langs de weg kunnen verkopen – Bill Deacon is bereid je daar vijfenvijftigduizend dollar voor te betalen – maar we kunnen het ook in twee terreinen opdelen en er twee keer zoveel voor vragen. Hoe dan ook, op die manier zul je genoeg geld hebben om het weer jaren uit te zingen. Je moet het zo langzamerhand toch wel zat zijn om dag in dag uit zeven paarden te beslaan.' Ze glimlachte naar hem. 'Het is een volmaakt plan, vind je ook niet? Ik bedoel maar, je kunt die grond nauwelijks zien. Je zult het nooit missen en...'

Haar vader liep de kamer uit en sloeg de deur met een klap achter zich dicht.

Winona deinsde achteruit. Waarom had ze zichzelf toegestaan om opnieuw hoop te koesteren? Alwééér. Ze staarde hoofdschuddend naar de gesloten deur en vroeg zich af waarom zij als intelligente vrouw toch telkens opnieuw de sprong in het diepe waagde en verwachtte droog te blijven. Ze was niet goed wijs dat ze nog steeds probeerde om het haar vader naar de zin te maken.

'Je bent gewoon een stakker,' veegde ze zichzelf binnensmonds de mantel uit.

De intercom op de tafel zoemde luid, waardoor ze uit haar gedachten opschrok.

'Luke Connelly op lijn één, Winona.'

Ze drukte op het rode knopje. 'Zei je Luke Connelly?'

'Ja. Op één.'

Winona haalde diep adem om tot rust te komen voordat ze de telefoon oppakte. 'Met Winona Grey.'

'Hé, Win, met Luke Connelly. Weet je nog wie ik ben?'

'Ja, natuurlijk. Hoe is het in Montana?'

'Op dit moment koud en wit, maar daar zit ik nu niet. Ik ben hier, in Oyster Shores. Ik wou graag een afspraak met je maken.'

Ze hield haar adem in. 'Echt waar?'

'Iedereen zegt dat jij de beste advocaat uit de stad bent en dat verbaast me niks. Ik denk erover om de helft van de dierenartsenpraktijk van Doc Moorman over te nemen en ik zou de voorwaarden graag met jou willen bespreken. Komt je dat uit?'

'O, dus je hebt een advocaat nodig.' Ze onderdrukte haar teleurstelling. 'Natuurlijk.'

'Zou je morgen naar mijn huis willen komen? Ik zit hier tot aan mijn nek in het werk. De laatste huurders hebben er een puinhoop van gemaakt. Wat denk je ervan? Dan kunnen we samen een pilsje pakken, net als vroeger.'

'Om een uur of vier? Volgens mij heb je dan net trek in een drankje.'

'Prima. En Win? Ik kan niet wachten tot ik je weer zie.'

Ze legde de telefoon langzaam neer, alsof de lucht ineens vloeibaar was geworden en alle bewegingen vertraagde. *Ik kan niet wachten tot ik je weer zie.* Ze stond op en liep vanuit de vergaderruimte naar de grote hal, waar Lisa achter een antieke eettafel een brief zat te tikken op haar grote groene IBM Selectric.

23

'Ik moet weg,' zei Winona. 'Een spoedgeval. Over een uur ben ik terug.'

Ze liep haar rustige kantoor uit en wandelde over het trottoir naar de onberispelijk onderhouden rood stenen bungalow van haar zusje, twee straten verder.

Het duurde eeuwen voordat Aurora opendeed en toen ze eindelijk kwam opdagen, sleepte ze twee vierjarige kinderen op haar heupen mee, een jongen en een meisje. 'Je bent net Vivi Ann misgelopen. Ze heeft driehonderd dollar van me geleend voor de rodeo. Volgens haar was het een goede investering.'

'En dat zei ze zonder te lachen?'

Aurora grinnikte. 'Je kent Vivi Ann toch. Ze heeft altijd mazzel.'

Winona sloeg haar ogen ten hemel. Hun jongste zusje gaf vaak de indruk dat zij in een zonnestraaltje stond, waar de rest van de wereld naar kon fluiten. 'Is ze naar Texas vertrokken?'

'Ja. Ik hoop dat die ouwe kar van haar het haalt.'

'Als ze pech krijgt, komt ze bij een benzinestation gegarandeerd Tom Cruise tegen.' Winona liep langs haar zus naar de kleine bij-keuken, waar overal stapels opgevouwen wasgoed lagen. 'Kunnen we het nu voor de verandering even over mij hebben?'

Aurora bracht Ricky en Janie naar hun slaapkamer om een dutje te doen of hen voor de tv te parkeren. Even later was ze terug.

'Oké, wat is er aan de hand?' vroeg ze. Ze stond midden in de woonkamer in een strakke zwarte spijkerbroek en een vierkant gesneden jasje met overdreven grote schoudervullingen. Haar steile bruine haar zat in een paardenstaartvlecht.

Maar inmiddels had Winona geen zin meer om te vertellen waar-om ze zo halsoverkop hiernaartoe was gerend. Dus ze hield zich nog even op de vlakte en zei: 'Ik heb tegen pa gezegd dat hij de vier hec-tare aan de achterkant moet verkopen of ze in twee stukken moet hakken, die dan apart verkocht kunnen worden.'

'Wel ja. Je bent echt zo hardleers als een lemming.'

'Water's Edge balanceert op het randje van de afgrond. Waarom zou Vivi Ann anders haar entreegeld moeten lenen? Heb je wel ge-zien hoe vervallen alles eruitziet?'

Aurora ging op haar nieuwe bank zitten. 'Je kunt niet tegen hem

24

zeggen dat hij zijn land moet verkopen, Win. Hij verkoopt nog liever zijn sperma.'

'Het zijn maar een paar hectare die je niet eens kunt zien en het zou hem financiële zekerheid geven.'

Aurora leunde achterover en tikte met haar lange rode nagels op het glanzende blad van het mahoniehouten bijzettafeltje naast haar. 'Je weet best dat je eerst met Vivi of met mij moet praten voordat je zoiets doet.'

'Dat hoeft helemaal...'

'Wel waar. Jij denkt dat je veel slimmer bent dan wij en dat je voor iedereen hoort te zorgen omdat je de oudste bent, maar echt, Win, als jij iets in je kop krijgt, zie je door de bomen het bos niet meer.'

'Ik wilde alleen maar helpen.' Winona liep naar het raam, dat uitzicht bood op Aurora's kindvriendelijke achtertuin.

Aurora fronste. 'Ik heb je niet meer zo zenuwachtig gezien sinds die keer dat Tony Gibson vroeg of je een weekendje met hem op stap wilde.'

'Daar zouden we het niet meer over hebben.'

'Ja, dat zei jij. Maar ik zal van mijn leven niet vergeten hoe hij zich daar tot op zijn damesslipje stond uit te kleden.'

Winona kon zich niet meer inhouden. 'Luke Connelly heeft me vandaag gebeld,' flapte ze eruit.

'Sjonge, over een ver verleden gesproken. Het laatste wat ik van hem heb gehoord is dat hij voor dierenarts ging studeren.'

'Hij is weer terug en denkt erover om zich in de praktijk van Doc Moorman in te kopen. Hij wil dat ik de papieren regel.'

'Dus hij heeft je als advocaat benaderd?'

'Dat zei hij wel.' Winona haalde diep adem en draaide zich eindelijk om zodat ze haar zusje aan kon kijken. 'En dat hij niet kon wachten tot hij me weer zou zien.'

'Weet hij dat je hoteldebotel van hem was?'

Hoteldebotel. Wat een bespottelijk woord voor wat zij had gevoeld. 'Ik heb morgen om vier uur een afspraak met hem,' zei ze. 'Zou jij me willen helpen er zo goed mogelijk uit te zien? Dat zal een hele toer worden, dat weet ik best, maar...'

'Ja, natuurlijk,' zei Aurora zonder een spoor van een glimlach.

'Wat is er?' vroeg Winona. 'Je kijkt me aan alsof er iets mis is.'

'Breek me de bek niet open. Nou goed dan, ik zal je één vraag stellen. Het gaat toch wel om Luke, hè? Alleen maar om Luke?'

'Waar heb je het over?'

'Pa heeft altijd een oogje gehad op het land van de Connelly's. Doe maar niet alsof je dat niet weet. En hij kon ook goed met ze opschieten.'

'Dacht je soms dat ik alleen maar met iemand uitga als dat pa's goedkeuring kan wegdragen?'

'Soms denk ik wel eens dat je daarvoor tot alles bereid bent.'

Winona produceerde een gedwongen lachje dat niet bepaald overtuigend klonk. Daar was zij zelf ook wel eens bang voor. 'Nou ja, dit hele gesprek slaat nergens op, want ik ben toch veel te dik. Luke gaat vast niet met me uit. Dat heeft hij nooit gedaan.'

Aurora wierp haar een treurige blik toe die haar bekend voorkwam. 'Weet je waar ik me bij jou altijd zo over verbaas, Win?'

'Dat ik zo'n scherp verstand heb?'

'Dat je altijd zo'n verkeerd beeld van jezelf hebt wanneer je in de spiegel kijkt.'

'Zegt de voormalige cheerleader met haar maatje vierendertig.' Winona stond op. 'Kom je morgen om een uur of drie naar me toe?'

'Afgesproken.'

'En Aurora? Wil je hier alsjeblieft met niemand over praten? En zeker niet met Vivi Ann. Die stomme verliefdheid is al zo'n tijd geleden. Ik wil niet dat iemand denkt dat het nog steeds iets uitmaakt. Verdorie, waarschijnlijk is hij al lang en breed getrouwd, met drie kinderen.'

'Je geheimen zijn bij mij altijd veilig geweest, Win.'

De volgende dag bekeek Winona zichzelf 's middags in de grote passpiegel in haar slaapkamer. De huidige mode was niet echt flatteus voor een vrouw met haar postuur: brede schoudervullingen, hoog opgesneden jeans met smalle pijpen en cowboylaarzen deden haar figuur bepaald geen goed.

Aurora had echt haar best gedaan en Winona was dankbaar voor alle moeite, maar op sommige ondernemingen rustte gewoon geen zegen en dat gold ook voor alle pogingen om haar slanker te doen lijken. Ze schopte de laarzen uit en voelde zelfs een spoortje bevrediging toen ze tegen de muur ploften. In plaats daarvan trok ze een paar oude, platte schoenen aan.

Onderweg in haar auto bleef ze zichzelf voorhouden dat ze op weg was naar een zakelijke afspraak met een man die ze vroeger goed had gekend, maar nu niet meer. Ze moest het verleden en het heden niet door elkaar halen. Die verliefdheid was een puberale bevlieging geweest, zoiets was nooit blijvend.

Ze reed langs het grondgebied van Water's Edge en onwillekeurig viel haar weer op hoe armoedig de omheining eruitzag. Dat deed haar meteen weer denken aan de ontmoeting met haar vader. Ongeveer vierhonderd meter verder op de snelweg was de afslag naar Lukes land. Hoewel het grondgebied van de Connelly's aan dat van de familie Grey grensde, lag Lukes land al jarenlang braak. Onregelmatige graspollen waren hoog opgeschoten en de laatste paar jaar waren ineens overal wilde elzen als onkruid ontsproten, waardoor de hectares er spichtig en onverzorgd bij lagen. Het oude huis, een L-vormige bungalow uit het begin van de jaren zeventig, had dringend een likje verf nodig en de struiken eromheen waren helemaal verwilderd.

Ze zette haar auto naast zijn pick-up en draaide het sleuteltje om. 'Hij zal je echt alleen maar die papieren geven en zeggen dat het zo leuk is om je weer te zien. En meteen daarna word je aan zijn vrouw en kinderen voorgesteld.' Ze haalde even diep adem en stapte uit.

Bij de voordeur haalde ze haar hand door het haar dat Aurora met zoveel zorg had gekruld en met lak had bespoten. Daarna klopte ze op de deur.

Hij deed vrijwel meteen open en daardoor wist ze onmiddellijk dat ze problemen zou krijgen.

Op de middelbare school was hij lang geweest, maar ook slungelig en een tikje klunzig. Maar dat was verleden tijd. Hij was lang, met brede schouders en smalle heupen, zo'n vent die regelmatig aan fitness doet. Zijn haar was nog steeds dik en vaalbruin, de perfecte combinatie met zijn groene ogen. 'Win,' zei hij.

En daar was hij weer, de glimlach die een regelrechte aanslag pleegde op haar hart.

'L-luke,' stotterde ze. 'Ik kwam die papieren ophalen...'

Hij sloeg zijn armen om haar heen en trok haar even helemaal tegen zich aan voor het soort knuffel waarvan ze het bestaan al bijna was vergeten.

'Je denkt toch niet dat ik mijn beste vriendin van de middelbare school zomaar een stel papieren in de hand druk en weer weg laat gaan?'

Hij pakte haar hand en trok haar mee naar binnen. Het was alsof ze in een tijdmachine was gestapt toen ze ineens midden in de kamer stond die al jarenlang niet meer was veranderd. Op de grond lag nog steeds dezelfde donkeroranje vloerbedekking met het ingeperste motief, tegen de muur stond nog steeds dezelfde bruin met oranje en goud geblokte bank en de bijzettafeltjes pronkten nog steeds met dezelfde amberkleurige schemerlampen die met een kralenkettinkje aan en uit gedaan konden worden.

'Het enige wat er ontbreekt, is een blacklight,' zei Luke grinnikend terwijl hij de donkergroene koelkast open trok en er twee biertjes uit pakte. 'Het ruikt hier behoorlijk muf. Volgens mij rookten de laatste huurders. Zullen we buiten gaan zitten?'

'Dat zal niet de eerste keer zijn.' Ze liep achter hem aan naar de betonnen patio die langs het hele huis liep. Aan de linkerkant stond een barbecue weg te roesten en in de bloembakken aan de reling hingen de lijken van tientallen geraniums, maar het uitzicht was nog steeds even adembenemend. Dit stuk van het land keek net als Water's Edge uit over het Canal – dat er zo laat in de middag spiegelglad bij lag – met recht daarachter op de andere oever de gekartelde, met sneeuw bedekte Olympic Mountain Range. Een dikke rij bomen zorgde op beide grondgebieden voor absolute privacy.

Ze gingen samen op de tweepersoons schommelbank zitten die ooit Winona's lievelingsplekje was geweest.

'Ik denk dat we maar het beste bij het begin kunnen beginnen,' zei hij terwijl hij zijn biertje opentrok en achteroverleunend een slok nam. 'Nadat we naar Montana waren verhuisd, ben ik uiteindelijk aan Washington State University veeartsenijkunde gaan studeren. Waar heb jij je opleiding gehad?'

'Ik ben aan de University of Washington rechten gaan studeren.'

'Ik dacht altijd dat je de benen zou nemen om de wereld rond te gaan reizen. Ik was verbaasd toen ik hoorde dat je hier teruggekomen was.'

'Ze hadden me thuis nodig. En jij? Ben jij ooit nog in Australië beland?'

'Nee. Ik moest te veel studievoorschotten terugbetalen.'

'Ik weet precies wat je bedoelt.' Ze lachte, maar kreeg meteen daarna het gevoel dat het veel te stil werd. 'Ben je ooit getrouwd?' vroeg ze zacht.

'Nee. En jij?'

'Nee.'

'Ben je wel eens verliefd geweest?'

Ze kon er niets aan doen, ze moest hem aankijken. 'Nee. En jij?'

Hij schudde zijn hoofd. 'Ik denk dat ik gewoon nooit het juiste meisje ben tegengekomen.'

Winona leunde achterover en keek naar het uitzicht. 'Je moeder zal het wel erg vinden dat je weg bent gegaan.'

'Nee hoor. Caroline heeft vier kinderen en geen man. Daar heeft mam meestal de handen wel vol aan. En ze wist dat ik rusteloos begon te worden.'

'Rusteloos?'

'Soms moet je het leven echt opzoeken.' Hij nam opnieuw een slokje. 'Hoe gaat het met jouw zusjes?'

'Goed. Aurora heeft een paar jaar geleden een knul leren kennen die Richard heet – een dokter – en ze hebben nu een tweeling van vier. Ricky en Janie. En Vivi Ann is helemaal niet veranderd. Spontaan. Eigenwijs. Ze duikt overal in zonder er eerst over na te denken.'

'Vergeleken bij jou denkt niemand ooit na.'

Winona schoot in de lach. 'Wat moet ik daar nou weer op zeggen? Ik ben gewoon altijd de verstandigste geweest van het stel.'

Ze bleven kameraadschappelijk zwijgen en dronken langzaam hun biertjes op tot Luke op rustige toon zei: 'Volgens mij zag ik Vivi Ann gisteren bij het tankstation wegrijden.'

Er was iets aan zijn stem, een lichte hapering, waardoor Winona meteen op haar hoede was. 'Ze was onderweg naar Texas. Ze verdient geld door in het weekend aan rodeo's mee te doen. Zo leert ze tegelijkertijd een boel knappe cowboys kennen.'

'Dat verbaast me niets. Ze is mooi,' zei hij.

Die opmerking had Winona haar leven lang al van mannen gehoord, die daarna meestal meteen vroegen: *Denk je dat ze een afspraakje met mij zou willen maken?* Ze voelde hoe ze verstarde. 'Trek maar een nummertje,' mompelde ze binnensmonds.

Wat had ze zich in vredesnaam in haar hoofd gehaald? Hij was veel te aantrekkelijk voor haar, het was gevaarlijk om ook maar iets van hem te verwachten. Vooral nu hij de mooie Vivi Ann weer had gezien.

'Het is fijn om terug te zijn,' zei hij en gaf haar een vertrouwelijke schouderduw net als toen ze nog jong en de beste maatjes waren. Al die waarschuwende woorden aan haar eigen adres vielen prompt in het water.

'Ja,' zei ze, zonder hem aan te kijken. 'Het is fijn dat je weer thuis bent.'

Twee

❦

De volgende dag bleef Winona verlangend naar de telefoon kijken en schrok iedere keer als het toestel overging.

Eén dag.

Meer tijd was er niet voorbijgegaan sinds ze met haar voormalige boezemvriend een avondje op een schommelbank had gezeten. Eén dag. Natuurlijk zou hij nog niet bellen. Misschien belde hij wel helemaal niet. Per slot van rekening was ze model kamerolifant. Waarom zou zo'n aantrekkelijke man als Luke Connelly in vredesnaam verkering met haar willen?

'Hou je kop erbij, Winona,' zei ze terwijl ze de papieren doorkeek die hij haar gisteravond meegegeven had. Ze had al heel wat aantekeningen gemaakt, allerlei dingen die ze met hem moest bespreken en bepaalde voorzorgsmaatregelen die hij moest nemen om zijn belangen te beschermen. Ze betwijfelde of het wel verstandig zou zijn om de partner te worden van Woody Moorman, want de man stond bekend als een zware drinker en was in de loop der jaren een heleboel patiënten kwijtgeraakt.

Toen ze klaar was, sloeg ze het Connelly-dossier dicht en begon aan een andere zaak. Pas om vijf uur ging ze naar boven.

Meestal keek ze graag naar het avondnieuws, maar vanavond voelde ze zich rusteloos omdat ze nog steeds op een telefoontje zat te wachten. Dat begon haar de keel uit te hangen, dus trok ze een spijkerbroek aan, samen met een witte coltrui en een lang vest dat tot op haar dijen viel en ze besloot naar Water's Edge te lopen. In de koude avondlucht zou haar hoofd wel weer opklaren en de hemel wist dat ze de lichaamsbeweging best kon gebruiken. Van deur tot deur was het nog geen anderhalve kilometer.

Vergenoegd over dat besluit (zoveel leuker dan in je eentje tv te kijken) wandelde ze over Main Street. En hoewel ze alles al wel duizend keer had gezien, bleef ze onwillekeurig toch even op Shore Drive staan om te genieten van het adembenemende uitzicht. Op andere plaatsen in de wereld was een kanaal een smalle strook langzaam stromend water, waar je op je gemak rond kon dobberen in kano's of roeibootjes. Hier ging dat niet, want dit was een brede en woeste blauwe inham die deel uitmaakte van de Puget Sound, een zeearm die vijfenzeventig kilometer ver het land in sneed.

Ze sloeg linksaf en liep de stad uit. Toen ze langs het Waves Restaurant kwam, floepten de straatlantaarns aan. In dit koude seizoen, als er nauwelijks boten waren en nog minder toeristen, waren de straten bijna uitgestorven. In juni zou het hier wemelen van de zomergasten, die alle parkeerplaatsen bezet hielden en bij het strand in de rij stonden om boten te huren, maar nu was het nog stil. De stad hoorde toe aan de dertienhonderd mensen die hier thuis waren.

De ingang van de ranch werd aangegeven door een ruw bewerkt houten bord, dat Winona's overgrootvader in 1881 zelf had gemaakt. Ze liep eronderdoor en wandelde de lange, glooiende en met grind bestrooide oprit op. Aan weerszijden lagen groene weilanden, omringd door een gehavende metalen omheining. Het pad werd doorsneden door geultjes met bruin water en rottende zwarte espenblaadjes kleefden aan het grind vast. Overal waren kuilen die vol grauw regenwater stonden. Alles was toe aan een opknapbeurt.

Waarom wilde haar vader niet inzien dat ze hem kon helpen? Ze dacht voor de zoveelste keer terug aan het vernederende gesprek dat ze met hem had gehad, toen ze Lukes pick-up zag.

Ze bleef staan en keek om zich heen.

Daarginds, op de veranda. Luke en haar vader, die als de beste vrienden met elkaar stonden te praten. Toen ze dichterbij kwam, lachte Luke om iets wat pa had gezegd.

Winona zag haar vader glimlachen en daardoor bleef ze als aan de grond genageld staan. Het was net alsof de oceaan plotseling bloedrood werd en de maan groen. 'Hallo, jongens,' zei ze toen ze op de onderste tree van het verandatrapje stapte. De oude houten plank boog door onder haar gewicht, waardoor ze er niet alleen ineens aan moest denken dat ze veel te zwaar was, maar ook dat het trapje aan reparatie toe was.

Luke sloeg een arm om haar heen en trok haar even tegen zijn zij. Toen hij haar een tel later losliet, stond ze te wankelen op haar voeten. 'Als onze Winona er niet was geweest,' zei hij tegen pa, 'was ik nooit dierenarts geworden. Op de middelbare school maakte zij altijd mijn huiswerk Engels.'

'Ja, ze heeft beslist hersens. Haar laatste geweldige idee was dat ik het land van mijn familie maar moest verkopen.'

Winona kon haar oren niet geloven dat hij daar tegen Luke over begon. 'Ik probeerde alleen maar om je toekomst veilig te stellen.'

'Jij zult nooit begrijpen waarom Vivi en ik zo aan dit land gehecht zijn. Dat zit gewoon niet in je.'

Met een paar woorden had hij haar weer zonder moeite van de kudde gescheiden.

'Alles ziet er geweldig uit, Henry,' zei Luke in de onbehaaglijke stilte die daarop volgde. 'Precies zoals het me voor de geest stond. En ik moet je ook nog bedanken dat je voor de omheiningen hebt gezorgd. Daar wil ik je tussen twee haakjes nog wel voor betalen. Op de een of andere manier hebben mam en ik daar nooit meer aan gedacht.'

Pa knikte. 'Maar ik wil geen cent van je aanpakken, jongen. Dat was gewoon burenplicht. En trouwens, Vivi Ann heeft het meeste werk gedaan, samen met de laatste knecht die ze kon overhalen om hier te komen werken. Ze is helemaal verknocht aan dit land.' Pa keek Winona aan toen hij dat zei.

'Ik heb gehoord dat ze het fantastisch doet bij die rodeo's.'

'Ze is de beste uit de hele staat,' zei pap.

'Daar kijk ik echt niet van op. Volgens mij zat ze eeuwig op die merrie van Donna en als ik haar zag, probeerde ze altijd de geluidsbarrière te doorbreken.'

'Ja,' zei pap. 'Zij en Clem zijn een schitterend stel.'

Winona hield haar mond terwijl pa niet uitgepraat raakte over

Vivi Ann. Dat ze zo'n geweldige amazone was, dat iedereen altijd bij haar om hulp kon aankloppen en dat de mannen voor haar in de rij stonden, maar dat ze nog steeds de ware jakob niet had gevonden.

Uiteindelijk kreeg Winona er genoeg van. Ze viel hem letterlijk in de rede en zei: 'Ik kan er maar beter weer vandoor gaan. Ik kwam alleen maar even aanwippen...'

'O nee, geen denken aan,' zei Luke, terwijl hij haar arm vastpakte. 'Ik wil jou en Henry graag op een etentje in de stad trakteren.'

'Dat gaat niet,' zei Henry. 'Ik heb al met een paar van de jongens in de Eagles afgesproken. Maar toch bedankt.'

Luke draaide zich om. 'Winona?'

Haal je maar niets in je hoofd. Hij heeft je vader ook uitgenodigd. Die goede raad weergalmde door haar hoofd, maar toen ze naar hem opkeek, verdwenen de woorden als sneeuw voor de zon om plaats te maken voor het ergste gevoel dat er was: hoop.

'Tuurlijk.'

'Waar zullen we dan naartoe gaan?' vroeg hij.

'De Waves is vrij goed. Op de hoek van First en Short Drive.'

'Laten we dan maar gaan.' Luke gaf pa een hand. 'Nogmaals bedankt voor alles, Henry. En vergeet niet wat ik heb gezegd: als je ooit mijn weideland nodig hebt, hoef je dat alleen maar te zeggen.'

Henry knikte en liep terug naar binnen. Hij trok de deur stevig achter zich dicht.

'Klootzak,' mompelde Winona.

Luke grinnikte. 'Vroeger noemde je hem altijd een mafketel.'

'Mijn woordenschat is groter geworden. Ik zou nog wel een paar trefwoordjes kunnen bedenken als je daar behoefte aan hebt.' Met een glimlach liep ze de voortuin door en stapte in zijn pick-up. Op het moment dat hij het sleuteltje omdraaide, denderde 'Stairway to Heaven' door de cabine.

Ze keek hem aan en wist dat ze allebei aan hetzelfde dachten: hoe ze met z'n tweetjes tijdens een schoolavondje samen dansten – of in ieder geval een poging in die richting waagden – onder een zilveren discobal.

'Toen hebben we al die populaire lui wel een poepje laten ruiken, hè?' zei hij.

Ze begon onwillekeurig te lachen. Bij al die heisa van zijn plotselinge terugkomst was ze bijna vergeten hoe ze in dat eerste jaar na de dood van haar moeder op elkaar terug waren gevallen – een dik, teruggetrokken, vijftienjarig meisje dat alles opkropte en een slungelige knul met jeugdpuistjes die bijna tien jaar eerder zijn vader had verloren tijdens een zeilongeluk. *Het slijt.* Dat was het eerste wat hij tegen haar had gezegd dat haar echt had getroffen. Daarvoor was hij gewoon alleen maar de zoon van haar moeders beste vriendin geweest.

In de twee jaar daarna had bijna alles wat hij zei de juiste snaar getroffen. Toen verhuisde hij, zonder dat hij haar zelfs maar gekust had en hij had nooit meer gebeld. Ze hadden nog een tijdje met elkaar geschreven, maar daar kwam ook een eind aan.

Hij stopte voor het Waves Restaurant en liet de auto langs het trottoir staan. Een buitenlicht naast de hoofdingang verlichtte een tuin vol stenen kabouters die er in een zomerzonnetje heel schattig uitzagen, maar op deze winteravond ronduit griezelig aandeden. Ze liep voor hem uit het Victoriaanse huis in dat was verbouwd tot restaurant. Die avond waren ze de enige personen onder de zestig in het hele restaurant en de hostess bracht hen naar een hoektafeltje met uitzicht over het Canal en een paar tellen later stonden hun drankjes al op tafel. Een margarita voor haar, een biertje voor hem.

'Op onze oude vriendschap,' zei hij.

'Op onze oude vriendschap.'

Daarna vroeg hij: 'Heb je al tijd gehad om die papieren te bekijken?'

'Ja. Als je advocaat kan ik je vertellen dat alles in orde lijkt. Ik zou wel een paar dingen willen veranderen, maar niets belangrijks.' Ze keek hem even aan en dempte haar stem. 'Maar als vriend moet ik je wel vertellen dat Moorman geen al te beste reputatie heeft. Hij heeft al jaren een ernstig drankprobleem en daar doet hij eigenlijk niets aan. In feite geeft hij er gewoon aan toe. Een paar jaar geleden heeft hij een jonge dierenarts als partner aangenomen en het gerucht gaat dat hij die knul behoorlijk bedonderd heeft.'

'Echt waar?'

'Volgens mij zou je beter zelf een praktijk kunnen beginnen, Luke. De mensen hier zouden je met open armen verwelkomen. Je zou een kantoor aan huis kunnen nemen en de schuur met die vier paarden-boxen als praktijkruimte kunnen inrichten. Misschien ben je over een paar jaar dan al zover dat je een nieuwe kliniek kunt laten bouwen.'

Luke leunde achterover. 'Dat is een hele teleurstelling.'

'Sorry. Je vroeg hoe ik erover dacht.'

'Hoezo sorry? Ben je nou mal? Ik ben altijd dol op dat gezonde ver-stand van jou geweest. En ik weet dat ik je kan vertrouwen. Bedankt.'

Van dat hele antwoord bleven haar alleen de woordjes 'dol op' bij.

Vivi wachtte in de opzadelruimte op haar beurt in de barrage van de barrelrace. Er waren nog maar veertien andere vrouwen of meisjes aanwezig, allemaal te paard. Terwijl de tijden van de beste vijftien werden omgeroepen, werd er al een begin gemaakt met de afslui-tende ritten, te beginnen met de langzaamste tijd. Inmiddels was ze al bijna een week in Texas en het was een van de beste rodeo's van haar leven geweest.

Ze boog zich voorover en streelde de bezwete nek van haar mer-rie. 'Kom op, meid,' zei ze. 'We gaan winnen. Ben je zover?'

Het hart van de merrie bonkte als een heimachine. Clem was zover.

Even later hoorde Vivi Ann haar naam uit de enorme zwarte luid-sprekers komen en ze kreeg een adrenalinestoot waardoor ze alles vergat behalve wat haar te doen stond.

Ze schoof haar hoed over haar voorhoofd en Clem was met twee sprongen bij het hek. Vervolgens helde ze voorover, gaf Clem de vrije teugel en ze stormden de arena binnen met zoveel vaart dat alles om hen heen wazig werd. Vivi Ann zag alleen nog maar de drie vaten voor hen in het zand, knalgeel en opgesteld in een driehoek. Terwijl ze het parcours om de vaten aflegde, bleef ze haar hielen constant in Clems flanken zetten, om het paard aan te vuren. De seconden vlogen met een angstaanjagende snelheid voorbij, maar voor Vivi Ann speelde alles zich in slowmotion af. Toen ze de finish gepasseerd waren, nam Vivi met zachte hand de teugels in en dwong Clem terug naar een jolig drafje. Daarna hoorde ze de tijd die werd omgeroe-pen via de luidsprekers en ze begon eerst te grinniken, voordat ze in lachen uitbarstte.

14.09.

Ze zouden de grootste moeite hebben om daaronder te komen. Ze probeerde de totaalstand uit te rekenen, om te zien of ze de hele wedstrijd had gewonnen, maar dat lukte even niet. Ze had al een van de twee eerdere rondes gewonnen. Er waren nog een paar vrouwen over die haar konden bedreigen, maar eigenlijk zat dat er niet in. Ze had net bijna een nieuw baanrecord gereden.

'Goed gedaan, Clem,' zei ze terwijl ze de hals van de merrie streelde. Ze liet zich uit het zadel glijden en bracht haar terug naar de trailer. Nadat ze Clem een emmer water en wat met stroop vermengde haver had gegeven zadelde ze de merrie af en zette haar vast.

Daarna rende ze met een brede glimlach de tribune op, waar zich al een paar van de andere deelneemsters verzameld hadden, met name de meiden die de barrage niet hadden gehaald. Pam. Red. Amy.

'Goeie ronde, Vivi,' zei Holly Bruhn, die opzij schoof om plaats te maken.

Vivi Ann lachte. 'Voor zo'n ouwe taart heeft Clem het niet slecht gedaan, hè?'

'Zeker weten.' Holly viste een koud biertje uit de koelbox die naast haar stond. 'Hier. Maar je mag het alleen opdrinken als je tijd blijft staan.'

'Haha!' Vivi Ann pakte het flesje aan en zette het aan haar lippen.

Daarna gaf Holly haar een stuk papier. 'Dit is voor jou.'

Vivi Ann keek neer op de flyer die ze in haar hand had. Een van die dingen die ze al honderd keer onder ogen had gehad, misschien zelfs nog vaker. Een lijst met toekomstige barrelraces. Het enige nieuwe eraan was, dat dit een reeks was die in een paar opeenvolgende weekends werd afgewerkt en dat degene met de meeste punten aan het eind een hoog bedrag zou winnen.

'We proberen een wintercompetitie op te starten,' zei Holly. 'Nu het hier een beetje op gang begint te komen, wordt het tijd dat we er iets aan over gaan houden. Ik zou het geweldig vinden als jij mee zou doen. Geef het maar aan al je vriendinnen door.'

En ineens kreeg ze een idee. Kant-en-klaar en tot in de puntjes uitgedacht, een oplossing die zo voor de hand lag dat ze niet snapte waarom ze er niet eerder op was gekomen. 'Hoeveel mensen hebben zich al aangemeld?'

'Tot dusver een stuk of negentig. Zoals je ziet, zijn er verschillen in inschrijfgeld. En er is ook een competitie voor kinderen. Je moet minstens vier van de acht keer meedoen om voor de prijzen in aanmerking te komen, dus jij zou voor alle volgende wedstrijden moeten komen opdraven om je te kwalificeren.'

'Keren jullie voor die aparte wedstrijden ook geld uit?'

Holly knikte. 'Een grote prijs aan het slot, en per wedstrijd een winstpremie.'

'En organiseren jullie ook nog steeds andere wedstrijden, zoals lasso werpen?'

'Elke vrijdag. Het komt langzaam op gang, want het publiek begint de arena net te ontdekken. Maar iedere week boeken we vooruitgang.'

Vanaf dat moment kon Vivi Ann aan vrijwel niets anders meer denken. Nadat ze 's middags het zadel en haar prijzengeld had opgehaald zette ze Clem in de trailer en ging op weg naar huis in plaats van met haar vrienden te gaan stappen. Tijdens de lange rit vanuit Texas bekeek ze haar plan van alle kanten en probeerde tevergeefs een kink in de kabel te vinden. Ze had eindelijk het antwoord op de problemen van haar vader gevonden.

Dat had zíj voor elkaar gekregen. Die gedachte alleen bracht telkens opnieuw een glimlach op haar gezicht.

O ja, ze wist best hoe de mensen over haar dachten. Zelfs haar zusjes, die dol op haar waren, beschouwden haar alleen maar als een mooi wezentje. Nu kon ze eindelijk aan iedereen laten zien dat ze meer te bieden had.

Ze kon bijna niet meer wachten. Wat zouden ze allemaal trots op haar zijn! Toen ze uiteindelijk zaterdagnacht rond twaalf uur op Water's Edge aankwam, zette ze de pick-up op de parkeerplaats en liep naar achteren om de deur van de trailer open te maken.

'Hé, Clemmie,' zei ze met een tikje op de achterhand van de merrie. 'Ben jij net zo moe als ik, meid?'

Clem draaide zich om, drukte haar neus tegen haar zij en hinnikte zacht.

Vivi Ann klikte de leiriem aan Clems nylon halster vast en leidde haar achteruit de trailer uit. 'Nou hoef je niet meer in de box,' zei ze en ze bracht haar paard naar het weiland, waar ze de halster af deed. Ze gaf het dier een klap op haar achterhand en keek toe hoe Clem er als een haas vandoor ging. Het duurde niet lang tot de grote merrie over het gras lag te rollen.

De trailer kon ook de volgende dag schoongemaakt worden, dus sloeg ze de deur dicht en liep naar het huis. Maar onderweg zag ze ineens dat iemand de deur van de manege open had laten staan.

Ze liep naar binnen om te zien of alles in orde was en trof een puinhoop aan. De boxen waren smerig en een paar paarden hadden geen water.

Vivi Ann vloekte binnensmonds en liep over het zanderige, met gras begroeide pad naar de oude blokhut van haar grootouders. Dat werd al jaren gebruikt als onderkomen voor de mannen die ze in dienst hadden om op de boerderij te helpen. Ze klopte een paar keer aan, maar ze kreeg geen gehoor, dus deed ze zelf de deur open.

Binnen was het een nog grotere puinhoop dan in de manege. Het aanrecht stond vol vuile vaat en verdroogde etenswaren. Op elke tafel lagen lege pizzadozen en bierblikjes en op de stoelen en op de bank slingerden kleren.

In de slaapkamer hoorde ze het gesnurk van een man. Ze liep met grote passen de woonkamer door, gooide de slaapkamerdeur open en knipte het licht aan.

Travis lag volledig gekleed te slapen op het koperen bed. Hij had niet eens de moeite genomen om zijn laarzen uit te trekken, dus het chenillesprei van haar grootmoeder zat onder het zand.

'Travis,' snauwde ze. 'Word wakker.'

Ze moest zijn naam nog een paar keer herhalen, voordat hij omrolde en haar met wazige, bloeddoorlopen ogen aankeek.

'Hé, Vivi.' Hij streek met zijn hand over zijn kortgeknipte haar dat prompt rechtop bleef staan. Zijn gezicht was doodsbleek en hij had donkere kringen onder zijn ogen. Ze twijfelde er geen moment aan dat hij het de afgelopen twee dagen op een zuipen had gezet.

'De boxen zijn smerig, Travis, en de paarden hebben niet eens water. Heb je ze vandaag wel gevoerd?'

Hij kwam moeizaam overeind. 'Het spijt me. Ik had gewoon... Sally heeft een nieuwe vriend.' Hij zag eruit alsof hij ieder moment in tranen kon uitbarsten en Vivi ging naast hem op het bed zitten. Haar boosheid was op slag verdwenen. Travis en Sally hadden al vanaf de middelbare school verkering gehad.

'Misschien kunnen jullie het nog goedmaken,' zei ze.

'Dat denk ik niet. Ze... ze houdt gewoon niet meer van me.'

Vivi Ann wist niet wat ze daarop moest zeggen. Ze wist eigenlijk niets van het soort liefde dat je kon verscheuren, behalve dan dat ze daar heilig in geloofde. 'We zijn nog jong, Travis. Je vindt vast wel iemand anders.'

'Vijfentwintig is helemaal niet jong, Vivi. En ik wil helemaal geen ander. Wat moet ik nou doen?'

Vivi voelde met hem mee. Ze wist best wat haar eigenlijk te doen stond, wat pa en Winona zouden doen, maar dat zat gewoon niet in haar. Ze kon niet zomaar tegen hem zeggen dat hij daar maar mee moest leren leven en dat hij weer aan het werk moest. 'Ik zal de paarden vandaag wel voeren en water geven, maar ik wil wel dat je morgen alle boxen compleet uitmest, goed? Er ligt vers zaagsel in de hooischuur. Kan ik daarop rekenen?'

'Tuurlijk, Vivi,' zei hij, alweer half in slaap. 'Bedankt.'

Ze wist heel goed dat ze niet op hem kon rekenen, maar wat kon ze anders? Ze liep zuchtend het huisje uit en toen ze doodmoe weer op weg ging naar de manege begon het ook nog te regenen.

'Dat kan er ook nog wel bij.'

Ze zette haar kraag op, boog haar hoofd en draafde terug.

Op de eerste zondag van de maand ging het voltallige gezin Grey altijd lopend naar de kerk. Het was een traditie die generaties geleden was begonnen, in een tijd waarin het niet anders had gekund omdat de wegen 's winters in modderpoelen veranderden. Nu was het een bewuste keuze. Weer of geen weer, ze kwamen halverwege de ochtend in de boerderij bij elkaar en gingen dan op weg naar de stad. Voor hun vader was het van het grootste belang, cruciaal zelfs, dat de familie Grey in de stad gerespecteerd werd en dat hun bijdrage aan het ontstaan van Oyster Shores niet vergeten zou worden. Vandaar dat ze één keer per maand te voet naar de kerk gingen, om de mensen eraan te herinneren dat hun familie hier al woonde toen zelfs lichte rijtuigjes geen gebruik konden maken van de met zaagsel bestrooide wegen.

De eerste zondag in februari stond Vivi Ann een uur eerder op om de paarden te voeren, zodat pa niet te weten zou komen dat Travis alweer ingestort was. Zeker vandaag had ze geen zin om te horen dat ze altijd de verkeerde mensen in dienst nam. Want vandaag wilde ze hem verrassen met haar volmaakte plan.

Toen de klus erop zat, ging ze terug naar het huis om te douchen en zich om te kleden. Beneden stond de hele familie al op de veranda te wachten.

Aurora en Richard proberen samen te voorkomen dat de tweeling iets zou slopen, terwijl Winona tegen het hek om de veranda leunde en omhoog keek naar het mooie windklokje dat haar moeder zelf had gemaakt van stukjes glas en drijfhout.

Pap kwam naar buiten lopen en keek zoals gewoonlijk of iedereen er was. 'Laten we maar gaan.'

Ze gingen achter elkaar aan op weg, met pa voorop, zeker drie meter voor de anderen uit. Hij liep zo snel dat Richard en de kinderen hem nauwelijks bij konden houden. De meisjes volgden, drie op een rij zoals ze hun hele leven hadden gedaan.

'Ik zie dat pa weer zijn gewone imitatie van de Dodenmars van Bataan heeft ingezet,' zei Winona.

'Ik kan maar niet begrijpen waarom ik naar de boerderij moet komen rijden om naar de kerk te lopen,' zei Aurora. Het was een thema waarop ze iedere maand terugkwam. 'Hoe ging het bij de rodeo?'

'Geweldig. Ik heb een zadel en vijftienhonderd ballen gewonnen.'

'Goed zo,' zei Winona. 'De hemel weet dat jullie wel wat contant geld kunnen gebruiken.'

Daar moest Vivi Ann een beetje om lachen, want in gedachten zag ze al voor zich hoe enthousiast haar plan om geld te verdienen ontvangen zou worden. Dan zou Winona eindelijk inzien hoe slim haar jongste zusje was. 'Is er nog iets gebeurd in de tijd dat ik weg was?'

Het bleef heel even stil. Toen zei Aurora: 'Luke Connelly is weer in de stad.'

'Die jongen die naast ons woonde? Zat hij niet bij jullie op school?'

Vivi Ann probeerde zich te herinneren hoe hij eruitzag, maar dat lukte niet. 'Wat spookt hij hier uit?'

'Hij is dierenarts,' zei Aurora. 'Winona...'

'Ik help hem om alles te regelen,' viel Winona haar in de rede,

Vivi Ann fronste. Er klopte iets niet. Het was net alsof haar zusjes iets wisten wat haar ontging. Ze keek van de een naar de ander en haalde toen haar schouders op. Ze had nu echt wel iets anders aan haar hoofd. 'Ik kan me hem eigenlijk helemaal niet herinneren. Ziet hij er goed uit?'

'Dat is echt een opmerking voor jou,' zei Winona snibbig.

De rest van de weg bleven ze gewoon met elkaar babbelen. Vivi Ann kreeg meer dan eens de neiging om plompverloren over haar idee te beginnen, maar voor de verandering slaagde ze erin haar mond te houden.

Na de dienst voegden ze zich bij hun vrienden en buren voor de gebruikelijke koffie met broodjes in het souterrain. De onverwachte terugkeer van Luke Connelly was het gesprek van de dag. Het feit dat hij weer was komen opdagen maakte heel wat verhalen los uit de tijd dat de moeder van Vivi Ann en die van Luke de knapste meisjes van de stad waren geweest. Meestal zou Vivi Ann gretig naar al die verhalen hebben geluisterd, want ze kreeg altijd een heel bijzonder gevoel als er over haar mam gepraat werd, maar nu had ze te veel om over na te denken. En aangezien Luke niet in de kerk was, verloor ze al snel alle belangstelling voor hem.

Iets eerder dan normaal dreef ze haar familieleden samen en spoorde ze aan om naar huis te gaan, 'want dan zijn we voor de regen binnen', en dat was genoeg. Ze waren vaak genoeg met regen naar huis gelopen om te weten dat het bepaald geen pretje was.

In dezelfde opstelling als op de heenweg liepen ze terug en wandelden hun oprit op. Clementine hinnikte toen ze aan kwamen lopen en galoppeerde naar hen toe.

Vivi Ann hees haar witte rok op en glipte tussen de buizen van het hek door.

'Niet weer, hè,' zei Winona achter haar.

Lachend sprong Vivi Ann op Clems brede rug, zette haar hielen in de flanken van het paard en de merrie rende met een vaartje door het weiland naar het huis. Vivi Ann lag voorover, ze hield zich vast aan Clems manen en genoot met volle teugen, hoewel ze op de grond zou belanden als Clem ineens zou stoppen of onverwachts van richting zou veranderen.

Ze stond al op de veranda te wachten toen haar familie eindelijk kwam opduiken.

'Lekker voorbeeld geef je,' zei Aurora. 'Ik hoop dat je daarmee ophoudt als Janie aan haar lessen begint.'

'Ze had allang op les moeten zitten,' zei Vivi Ann. 'Wij waren drie toen mam ons leerde rijden, weet je nog?'

'Jij was drie,' zei Aurora. 'Jij was het wonderkind. Ik was vijf en Winona...'

'Laten we het maar niet over Winona en paarden hebben,' zei Winona.

De drie meiden schoten in de lach en liepen naar binnen, rechtstreeks de keuken in. Vervolgens maakten ze pratend en lachend het eten klaar. Tegen de tijd dat het stoofvlees gaar was, hadden ze al een fles chardonnay soldaat gemaakt en een tweede opengetrokken.

De zondagse maaltijd begon zoals gewoonlijk met pa die hen voorging in gebed. Meteen daarna begonnen ze allemaal door elkaar te praten. Vivi Ann probeerde te wachten tot er een stilte viel, maar nu ze eindelijk zat, kon ze niet langer wachten. Ze was veel te enthousiast.

'Ik heb iets bedacht,' flapte ze er abrupt uit. 'Een manier om met de ranch geld te verdienen.'

Iedereen keek op.

Winona fronste. Ze had kennelijk midden in een verhaal gezeten, maar dat was Vivi Ann niet eens opgevallen.

'In Texas heb ik heel wat tijd doorgebracht met Holly en Gerald Bruhn. Die hebben net in Hood River die grote arena laten neerzetten, weten jullie nog? Maar goed, Holly heeft voor de winter een barrelrace-competitie opgestart. Acht zaterdagen achter elkaar. Iedere week wordt de winnaar uitbetaald en aan het eind wacht een grote prijs op degene die de meeste punten heeft behaald.'

'Dat soort dingen win jij toch altijd,' zei Aurora.

'Nee, je snapt niet waar ik heen wil,' zei Vivi Ann. 'Ik wil hier op Water's Edge ook zo'n soort competitie houden.'

Pa schokschouderde. 'Zou kunnen.'

Vivi Ann lachte blij om die aanmoediging. 'Als het lukt, kunnen we ook andere wedstrijden gaan organiseren. Holly zei vorige week dat er meer dan vierhonderd ploegen hadden ingeschreven voor het lasso werpen.'

Daar keek haar vader van op. 'Dat kost een boel geld.'

'Ik heb eens om me heen gekeken en volgens mij hebben we niet meer dan honderdduizend dollar nodig.'

Winona lachte. 'Is dat alles?'

Vivi Ann was verrast en ook een tikje gekwetst. 'We kunnen dat geld toch lenen. Een hypotheek nemen?'

Iedereen was op slag stil.

'We hebben nog nooit een hypotheek gehad,' zei pap.

'De tijd staat niet stil, pap,' zei Vivi Ann. 'Ik denk echt dat we dit moeten proberen. Het enige wat we nodig hebben, is een stel stieren, een veeknecht, een nieuwe tractor en...'

Winona kon er niet om lachen. 'Dat is een grap, hè?'

'De hemel weet dat ik het beu ben om de hele dag paarden te beslaan en over de belastingen in te zitten,' zei pap. 'En nu Luke Connelly terug is, kunnen we zijn land ook gebruiken. Dan kunnen we de stieren daar houden, zodat we geen grote trailer nodig hebben.'

Winona sloeg haar ogen ten hemel. 'Maar als je een achterstand krijgt bij je hypotheekbetalingen, raak je je hele bezit kwijt. Dat weet je toch wel?'

'Zo stom ben ik echt niet.'

'Dat wilde ik ook helemaal niet suggereren,' zei Winona. 'Maar dit is gekkenwerk. Je kunt toch niet...'

'Wil je me nu alweer vertellen wat ik wel of niet kan doen, Winona?' vroeg hij. Met die opmerking stond hij van tafel op en liep naar de werkkamer. De deur viel met een klap achter hem dicht.

'Wat ben je toch een vals kreng,' beet Vivi Ann Winona toe. 'Je hebt gewoon de pest in omdat jij niet op dat idee bent gekomen. Maar jij hebt niks kunnen bedenken, juffrouw wijsneus.'

'En wat gebeurt er als je alles in de soep laat lopen, Vivi? Wat gebeurt er als er niemand komt opdagen en pa ergens duizend ballen per maand vandaan moet halen om zijn hypotheek te betalen? Blijf je dan gewoon toekijken hoe hij zijn hele bezit kwijtraakt? Het is het enige wat hij heeft.'

'En als hij het nu al begint kwijt te raken?' wilde Vivi Ann weten. Ze was vastbesloten om niet toe te geven.

'Het is hetzelfde als met Clem,' mompelde Winona, maar Vivi Ann had geen flauw idee waar ze het over had.

'Je bent gewoon jaloers omdat ik met het idee op de proppen ben gekomen,' zei Vivi Ann.

'O ja, ik ben echt jaloers op dat gezond verstand van je,' snauwde Winona terug.

'Hou daar eens mee op,' zei Aurora. 'Daar schieten we niets mee op.' Ze keek van de een naar de ander. 'Het is best een goed idee. Kunnen we een manier bedenken om het te laten slagen?'

Drie

In de afgelopen vierentwintig uur had Vivi Ann een notitieblok met aantekeningen gevuld. Het maakte niet uit dat haar vader er nog niet mee ingestemd had. Ze twijfelde er geen moment aan, dat hij het uiteindelijk met haar eens zou zijn. En datzelfde gold voor Winona, zodra ze zich had neergelegd bij het idee dat zij het niet voorgesteld had.

'Vivi Ann? Luister je wel?'

Ze keek op. Tien gretige gezichtjes staarden haar aan. De meisjes van de ponyclub zaten door de hele zitkamer verspreid. Ze varieerden in leeftijd van negen tot zestien en ze hadden allemaal dezelfde passie: paarden.

Het volgende uur babbelden ze honderduit over hun paarden en over de cursus barrelracen die Vivi Ann volgende week zou geven. Ze zaten nog steeds te kletsen en te lachen en haar met vragen te bestoken toen Vivi Ann de eerste auto hoorde aankomen. Het licht van de koplampen zwenkte door de keuken en verdween.

'O nee,' jammerde een van hen toen de deurbel overging. 'Daar zijn onze moeders al om ons op te halen. Zeg maar dat we nog niet klaar zijn, Vivi Ann.'

Ze liep naar de deur en zag tot haar verbazing een man op de veranda staan. Hij was lang, slank en aantrekkelijk, met een dikke bos keurig gekamd bruin haar. 'Kan ik u ergens mee van dienst zijn?' vroeg ze. Ze had moeite om boven het gekakel in de zitkamer uit te komen.

46

Hij sloeg zijn armen om haar heen en trok haar zo stijf tegen zich aan dat ze naar adem snakte. En niet alleen van verbazing. Maar toen hij zei: 'Je kent me niet meer, hè?' viel het kwartje.

'Luke Connelly,' zei ze, toen hij haar weer neerzette. 'Terug uit de rimboe van Montana.'

Hij lachte. 'Ik wist dat je wel een lichtje op zou gaan als ik je optilde.'

Ze wist niet wat ze daarop moest zeggen. Herinnerde hij zich iets dat zij was vergeten? 'Wat leuk om je weer te zien.'

'Idem dito.' Hij keek langs haar heen naar de kamer vol meisjes. 'Op de een of andere manier krijg ik het idee dat je vader niet thuis is.'

'Je bent hem helaas misgelopen, maar de meisjes van mijn ponyclub zouden het fantástisch vinden om met een echte veearts te mogen praten.' Ze draaide zich om. 'Waar of niet, meiden?'

Het werd in koor bevestigd.

Luke wond het stel binnen de kortste keren om zijn vinger terwijl hij met de meisjes praatte over hoe belangrijk het was om het juiste paard te kiezen. En hij bleef geduldig antwoord geven op hun vragen tot hun moeders op kwamen dagen.

Om negen uur, toen de rust in huis was weergekeerd, pakte Vivi Ann twee biertjes uit de koelkast en zei: 'Dat was heel sportief van je.'

'Ze behandelen je alsof je een of andere popster bent.'

'Ja, grappig, hè?'

Ze gingen op de bank zitten en legden hun voeten op de salontafel. In de open haard viel een houtblok van het rooster en spatte in een wolk van vonkjes uit elkaar.

'Je herkende me niet echt, hè?' zei hij. 'Vorige week stak ik bij het benzinestation mijn hand naar je op, maar je gaf geen krimp.'

'Ik wéét natuurlijk wel wie je bent, maar ik kan me je niet echt meer herinneren. Jij was gewoon de knul van hiernaast, de zoon van de beste vriendin van mijn moeder. Ik had het veel te druk met paarden om aandacht aan je te schenken. Je bent toch verhuisd toen ik een jaar of veertien was?'

'Ja, zoiets. Het enige wat ik me van jou kon herinneren was dat je altijd met een noodvaart op die kleine Welsh pony van je rondstoof als ik je zag. En later... op dat paard van je moeder.'

'Ik probeer nog steeds op Clem de geluidsbarrière te doorbreken.'

'Hoe komt het dat jij nooit bent gaan studeren zoals je zusjes hebben gedaan?'

Ze lachte. 'O, dat heb ik wel geprobeerd, maar ik was binnen de kortste keren weer terug. Te veel bier, te veel knullen en te weinig studie. Bovendien had mijn vader me nodig.'

Hij nam een slokje bier. 'Mijn moeder dacht wel dat je thuis zou wonen, ze gokte er zelfs op dat jij de ponyclub onder je hoede zou hebben.'

'Hoe kon ze dat nou weten?'

'Ze zei dat je sprekend op Donna leek. Met net zo'n groot hart.'

'Wat leuk om te horen. Ik kan me mam niet meer zo goed herinneren als ik zou willen. Waar wou je met mijn vader over praten?'

'Henry heeft een boodschap voor me achtergelaten dat hij met me wilde praten omdat hij een deel van mijn land wil gebruiken. Weet jij waarvoor?'

Vivi Ann schotelde hem meteen haar toekomstplannen voor Water's Edge voor, van de eerste barrelrace-competitie tot de ploegenjackpots voor lasso werpen, en wachtte gespannen op zijn reactie.

'Wat bedoel je met jackpots?'

'Een jackpot is een rodeo met maar één onderdeel, waardoor de ploegen meer kans krijgen om het tegen elkaar op te nemen. Dat gebeurt in een stel "go-rounds", zeg maar series, en de jongens kunnen in verschillende samenstellingen meedoen. Vijftig knullen kunnen wel tweehonderd ploegen of meer vormen. Daardoor krijgt iedereen meer kansen om te winnen.'

'Het lijkt me een goed idee.'

'Dat is het volgens mij ook, als we het tenminste van de grond kunnen krijgen. Maar daarvoor is wel wat geld nodig, en dat heeft pa eigenlijk niet. We kunnen de proef op de som nemen als ik begin met die barrelrace-competitie.'

'Nou, ik ben hier in de stad nieuw als veearts, dus ik zou best wat publiciteit kunnen gebruiken. Wat zou je ervan zeggen als ik de winnaar gratis mijn diensten aanbied? Tot een bedrag van honderdvijftig dollar.'

Vivi Ann had nog geen moment aan eventuele sponsoren gedacht, maar toen hij erover begon, begreep ze hoe logisch die stap was. Ze kon cadeaubonnen van alle winkels in de stad gebruiken als extra prijzen. De zaak in dierenvoer, de zadelmakerij en de sportzaak. 'Volgens mij is dat zo'n goed idee, dat je wel een ijsje hebt verdiend. Kom maar.' Ze pakte zijn hand en trok hem mee naar de keuken.

'IJs op bier? Valt dat wel goed?'

'IJs past overal bij. En dankzij Winona hebben we alle smaken.' Ze trok de vriezer open waar zeker zeven dozen ijs in lagen.

Hij bekeek de smaken en zei: 'Geef mij maar chocola met kersen.'

'Prima.' Ze pakte zelf een van de andere dozen en schepte een stel ijsbekers vol. Daarna liepen ze terug naar de zitkamer.

'Ik had wel gelijk. Dat bier smaakt voor geen meter meer.'

Ze grinnikte. 'Maak je geen zorgen. Die smaak van het ijs is zo weg.'

'Drink jij dan nog een biertje mee?'

'Reken maar, doc.'

Winona liep de hele week over de toekomst van Water's Edge na te denken. Het liefst had ze dat idee van Vivi Ann meteen verworpen, maar dat lukte niet. Toch ze liep er ook niet meteen warm voor en daar kwam nog bij dat ze zich wild ergerde omdat ze zelf niet op dat idee was gekomen. Uiteindelijk gaf ze het op en reed naar de ranch.

Nadat ze had aangeklopt, liep ze naar binnen. Alles was stil en behalve de lamp in de keuken was ook de schemerlamp bij de bank in de zitkamer aan. Ze liep over de honingkleurige vloer en bleef staan op het ovaalvormige blauwe kleed dat haar leven lang in deze kamer had gelegen. 'Pa?'

Ze hoorde het gerammel van ijsblokjes en zag hem in zijn werkkamer staan staren naar het in purperen en zwarte schaduwen gehulde Canal. Dat had ze al verwacht. Hij was hier altijd te vinden als hij zich ongelukkig voelde. Het eerste jaar na mams dood leek hij bijna op die plek vastgegroeid. Alleen Vivi Ann, die er nooit tegenop had gezien om zijn hand vast te pakken en hem mee te trekken, had hem van zijn plaats kunnen krijgen.

'Pa?'

Hij nam een slokje van zijn bourbon en zei zonder zich om te draaien: 'Kom je me weer vertellen wat ik met mijn eigen land moet doen?'

Op dat moment wist ze al waar dit op zou uitdraaien. Zijn besluit stond vast en hij had voor Vivi Ann gekozen... Wat een verrassing. Nu kon Winona besluiten om zich te schikken, of maken dat ze wegkwam. De keuze was niet moeilijk. 'Ik heb geld op de bank. Waarschijnlijk genoeg voor de stieren en een grotere tractor. De afzettingen hoeven niet zoveel te kosten. Het is een kwestie van materiaal, want we hebben genoeg vrienden die ons daarbij willen helpen.'

Ze wachtte tot hij antwoord zou geven, of in ieder geval iets zou zeggen, maar hij bleef zwijgend staan. Ze wenste ongeveer voor de duizendste keer in haar leven dat ze hem beter kende. 'Laat me op z'n minst helpen. Ik kan de financiële kant voor mijn rekening nemen en de rekeningen betalen. En ik zal ook het personeel aannemen. Vivi Ann maakt altijd de raarste fouten bij het uitzoeken van mensen. Die Travis Kitt kun je toch niet serieus nemen... en in de stad wordt al gezegd dat het ontzettend stom was om hem in dienst te nemen.'

'Zeggen ze dat?'

Winona knikte. 'Wat dat geld betreft...'

Hij bleef haar even strak aankijken met ogen waarin iets duisters school, iets wat van alles kon zijn: spijt, verdriet, boosheid. Ze kon zijn gezicht niet lezen, dat had ze nooit gekund. Voordat ze zich kon wapenen, voelde ze haar maag al samenkrimpen. Onwillekeurig werd ze bang dat het niet verstandig was geweest om te zeggen dat hij haar geld mocht gebruiken.

'Ik pak geen geld van mijn dochter aan.'

'Maar...'

'Ga maar met Luke praten. Hij vindt het goed dat we de stieren op zijn land laten lopen. Kijk maar wat hij daarvoor rekent. En neem iemand in dienst die er niet meteen weer vandoor gaat. Zorg ervoor dat hij met paarden om kan gaan.'

Voordat ze daar zelfs maar op kon reageren, liep hij weg en liet haar staan.

Hij had zelfs geen dank-je-wel voor haar over.

Een week later ging Winona op een kille grijze dag aan het hoofd van de eettafel zitten, op de plek die vroeger van haar moeder was geweest. Aurora zat links van haar en Vivi Ann rechts.

Haar vader zat aan het andere eind, met het vuil van zijn werkdag nog op zijn gezicht. Zijn haar was vochtig en lag plat op zijn voorhoofd als gevolg van de hoed die inmiddels aan een haakje naast de voordeur hing. Alleen iemand als Winona, die zich had aangewend om scherp op te letten op de minste of geringste verandering of emotie die op zijn gezicht te lezen stond, merkte op hoe gespannen zijn blik was. Ze wist niet zeker of hij wel echt door wilde gaan met de plannen van Vivi Ann, maar hij had zijn besluit genomen en dat ook kenbaar gemaakt, zodat hij er nu niet meer over zou piekeren om ervan af te zien. Nu kon Winona niet anders meer doen dan hem en zijn land zoveel mogelijk in bescherming te nemen.

'Oké,' zei ze. 'Ik heb alle documenten betreffende de lening en de financiering doorgenomen. Het goede nieuws is, dat het niet zoveel gaat kosten om alles op poten te zetten als we aanvankelijk dachten. Alles bij elkaar zullen we niet meer dan vijftigduizend dollar nodig hebben.' Ze schoof haar vader de papieren toe. 'Dit is het land dat als onderpand van de lening dient. Als de maandelijkse aflossingen niet op tijd gebeuren, heeft de bank het recht om de lening eerder op te eisen en als we daarbij in gebreke blijven, kunnen ze het onderpand verkopen.'

Niemand zei iets, dus duwde Winona hem opnieuw een velletje papier toe. 'Dit is wat je samen met Vivi Ann per maand binnen moet krijgen om quitte te spelen. Als je dat wilt, kan ik wel gedurende een jaar of zo de financiële boekhouding voor mijn rekening nemen. De rekeningen betalen en de kosten in het oog houden. Dat soort dingen. En natuurlijk zal ik iemand in dienst nemen die jullie hier de hele dag kan helpen.' Ze keek even veelbetekenend naar Vivi Ann en vervolgens naar haar vader. 'Ik regel het wel zo dat hij verplicht is om een tijdje te blijven.'

'Goddank,' zei Vivi Ann lachend. 'We weten allemaal dat ik daar helemaal geen kaas van heb gegeten.'

Pa bromde iets onverstaanbaars en stond van tafel op. Zonder om te kijken liep hij naar zijn werkkamer en trok de deur achter zich dicht.

Winona bleef achter, geërgerd dat ze zichzelf weer had laten verleiden om iets van hem te verwachten. Op zijn minst een beetje dankbaarheid.

'Zit nou maar niet in over pap,' zei Aurora. 'Je hebt het geweldig gedaan. In ieder geval zien wij dat wel, hè Vivi?'

'Ja, fantastisch gewoon,' beaamde Vivi Ann. 'Hij is gewoon bang. Volgens mij kunnen we het beter vieren met een hapje ijs.' Ze stond op en liep snel naar de keuken. Daarna ging ze met haar favoriete smaak naar de veranda.

Winona en Aurora liepen achter haar aan. Aurora pakte haar favoriete smaak – praline slagroomijs – en nam vast twee lepels mee.

Winona's lievelingsijs was er niet bij, dus nam ze maar een bak chocoladeijs met noten en ging bij haar zusjes staan. Het was een gewoonte die ze al jaren hadden: samen op de veranda staan kletsen met een bak ijs in de hand. 'Hé, wie heeft mijn chocoladeijs met kersen opgegeten?' vroeg ze.

'Luke Connelly kwam langs,' antwoordde Vivi Ann. 'Ik herkende hem niet eens. Hij zag er zo anders uit. Veel leuker dan ik me herinnerde.'

Aurora wierp Winona een scherpe blik toe.

'Wat wilde hij?' vroeg Winona. Ze hoopte dat het nonchalant genoeg klonk.

'Hij wilde pa spreken. Maar die arme knul kwam midden in de bijeenkomst van mijn ponyclub en ik heb hem met de meiden laten praten. Dat vond hij trouwens helemaal niet erg.' Vivi Ann nam opnieuw een hapje ijs en voegde eraan toe: 'Hij heeft gevraagd of ik met hem uit wilde.'

Winona wist dat ze daar niet gewoon kon blijven staan en net doen alsof het haar niet raakte. Dat had ze altijd gedaan als het om Vivi Ann ging, maar dit keer kon ze dat niet opbrengen. 'Ik moet ervandoor. Ik heb morgen een drukke dag voor de boeg... massa's papierwerk. Om door te nemen, bedoel ik.'

'Ik ook,' zei Aurora. Ze sloeg haar arm om Winona heen en liep samen met haar de verandatrap af naar hun auto's. Als Vivi Ann iets opviel aan hun gedrag, dan liet ze dat niet merken. Ze riep gewoon tot ziens en liep met het overgebleven ijs naar binnen.

Zodra de deur achter haar dichtviel, keek Aurora Winona aan. 'Wil je het haar zelf vertellen, of moet ik dat doen?'

'Haar wat vertellen?'

'Doe nou maar niet alsof ik gek ben. Je moet tegen Vivi Ann zeggen dat jij belangstelling hebt voor Luke.'

'Zodat ik helemaal een zielige figuur word? Nee, bedankt. Ik wist best dat hij me niet zou willen. Waarom heb ik mezelf wijsgemaakt dat dat anders was? Wie wil er nou zo'n dikkerd als je Michelle Pfeiffer kunt krijgen?'

'Vertel het nou maar aan Vivi Ann. Dan zegt ze meteen die afspraak af en kijkt nooit meer naar hem om.'

Winona kon gewoon proeven hoe vernederend een dergelijk gesprek zou zijn. 'Geen denken aan. En trouwens, Vivi Ann verslijt mannen bij de vleet. Luke is veel te bedaard voor haar, je weet best dat ze de voorkeur geeft aan wildere types. Het zal vast niet lang duren.'

'Daar kun je niet van op aan. Je moet het tegen haar zeggen.'

'Nee. En jij moet beloven dat je ook je mond houdt. Ik zou erin blijven als Luke wist hoe ik me voelde. Het lijkt me duidelijk dat hij er heel anders over denkt.' Toen Aurora nog steeds leek te aarzelen, zei Winona: 'Beloof het me nou maar.' Ze wist dat Aurora zich altijd aan haar beloftes hield.

'Ik zal niets zeggen. Het is jouw leven en je bent een volwassen vrouw... Maar je maakt echt een afschuwelijke vergissing. Je hebt je altijd minder gevoeld dan Vivi en dit zou wel eens op een minderwaardigheidscomplex kunnen uitdraaien. Wat weer niet eerlijk is tegenover Vivi, omdat ze geen flauw idee heeft wat er aan de hand is. Ze zou je nooit verdriet doen als ze het wist.'

'Beloof het nou maar.'

'Ik heb hier een slecht gevoel over, Win.'

'Beloof het.'

'O, verdomme, goed dan. Ik beloof het. En ik zal er verder geen woord meer over zeggen. Alleen dat het me een vervelend gevoel bezorgt. Het is een grote vergissing van je.'

'Goddank heb je niets gezegd,' zei Winona grimmig. 'Laten we nu maar naar huis gaan.'

In de tweede helft van februari en in maart werd Oyster Shores geteisterd door hevige regenbuien en dat weer paste echt bij Winona's humeur. Niet helemaal, natuurlijk. Dikke donkergrijze onweerswolken die zich boven je hoofd samenpakten, zouden nog beter zijn geweest, maar het kon ermee door. En toen de lucht in april zich heel even inhield en zelfs toeliet dat een waterig zonnetje tevoorschijn kwam, merkte ze zelfs dat ze de regen miste. Ze ergerde zich gewoon aan het zonlicht.

De schitterende pruimenbomen op Viewcrest stonden ineens in bloei en overal in haar tuin zag ze nieuw leven opkomen. Normaal gesproken was Winona dol op deze tijd vol bloemen, als de roze bloesempjes als plukjes gesponnen suiker door haar tuin zweefden en een tapijt op de grond vormden, maar dit jaar telde alleen het aantal dagen dat Vivi Ann met Luke doorbracht.

Ze hadden inmiddels al bijna drie maanden verkering en af en toe, als Winona 's avonds alleen in bed lag, begon ze uit te rekenen hoeveel dagen Vivi Ann van haar gestolen had. Zaterdagavonden die ze dansend met Luke in de Outlaw Tavern had kunnen doorbrengen. Zondagochtenden nadat ze naar de kerk waren geweest, de avonden thuis, als pa er ook was. Winona was niet stom en ze was evenmin geschift. Ze wist best dat die gefantaseerde momenten haar helemaal niet toebehoorden en dat Vivi Ann eigenlijk helemaal niets van haar had gestolen, maar toch voelde ze zich bedrogen. Iedere dag werd ze wakker met de gedachte: *Vandaag geeft ze hem de bons,* en zag ze in gedachten wat er zou volgen: hoe Winona hem zou troosten, zijn hand vast zou houden en hem zou laten praten tot hij haar eindelijk zou aankijken en de waarheid tot hem doordrong. En dat zou zijn redding zijn.

En iedere avond als ze alleen in bed stapte, dacht ze: *Nou ja, morgen dan.* Want van één ding was ze vast overtuigd: Vivi Ann hield niet van Luke. Haar mooie, roekeloze zus maakte die afspraakjes met Luke omdat ze niets anders te doen had.

Winona hoefde alleen maar haar gevoelens te verbergen en te wachten op het onvermijdelijke moment dat ze het uit zou maken.

Nu, op deze zaterdagavond, koos ze met zorg de kleren uit die ze bij de laatste wedstrijd van de barrelrace-competitie zou dragen: een zwarte spijkerbroek, een lange witte tuniek, een paar strengen stenen kralen in vrolijke kleuren en zwarte cowboylaarzen. Nadat ze haar haar had gekruld en stevig in de lak had gezet, maakte ze zich uitgebreid op en reed naar de ranch.

De oprit stond vol met pick-ups en trailers. Uit de openstaande deuren van de manege viel het goudkleurige licht naar buiten en omdat ze er tegenin keek, zag ze alleen maar schaduwen bewegen. De laatste barrelrace van Vivi-Anns competitie scheen een succes te zijn.

Toen ze naar de manege liep om even te gaan kijken, kon ze nog net een plaatsje vinden. In de bak bevonden zich zeker tweeëntwintig vrouwen en meisjes te paard. Een daarvan stoof net met een noodvaart om de eerste van drie gele olievaten, waarbij ze haar paard stevig aandreef en nog extra aanmoedigde door *Ha!* te schreeuwen, de anderen stonden kennelijk op hun beurt te wachten.

En Vivi Ann stond in het midden en zwaaide de scepter over al die onzin als een beeldschone, goudharige circusdirecteur. De vrouwen en meisjes hingen aan haar lippen en behandelden haar als een filmster, alleen maar omdat ze wist hoe ze een paard in minder dan veertien seconden om drie vaten kon laten rennen.

Vivi Ann zag Winona en zwaaide.

Winona zwaaide terug terwijl ze ondertussen om zich heen keek of ze Luke zag. Toen ze zeker wist dat hij niet in de manege was, liep ze naar het huis, ging naar binnen en riep: 'Hoi, pa.'

'Ik ben in de werkkamer,' antwoordde Luke.

Ze liep met een glimlach naar hem toe.

'Hoi,' zei hij, terwijl hij automatisch opstond. 'Je loopt je vader net mis.'

Goddank. Ze lachte stralend. 'Maakt niet uit. Ik kwam alleen maar de rekeningen ophalen.'

'Het is veel te laat om nu nog aan het werk te gaan,' zei Luke. 'Bovendien is het zaterdagavond. Wat zou je ervan zeggen als we eens een biertje pakten?'

'In de Outlaw?'

'Ik heb Vivi Ann beloofd dat ik zou wachten tot ze klaar was, dus zullen we het in plaats daarvan maar op de veranda houden?'

'Tuurlijk,' zei ze met een gedwongen lachje.

Ze pakte de biertjes en een wat warmer jasje en liep achter hem aan naar buiten, waar ze naast elkaar gingen zitten en als echte oude vrienden over de dag die ze achter de rug hadden zaten te kletsen.

Terwijl ze met elkaar zaten te praten voelde Winona hoe het gespannen gevoel in haar buik wegebde. In zijn nabijheid leek ze op een pakje boter dat door de warmte langzaam maar zeker inzakte. 'Je hebt me verteld dat je teruggekomen bent omdat je rusteloos was,' zei ze een tikje aarzelend. Ze wilde niet opdringerig lijken, maar eigenlijk wilde ze het liefst alles van hem weten. 'Wat zoek je dan?'

Hij haalde zijn schouders op. 'Mijn zus zegt dat ik veel te romantisch ben. En dat ik daar op een dag aan onderdoor zal gaan. Ik weet het niet. Ik wil gewoon iets anders. En ik heb mijn leven lang al die verhalen over mijn vader aan moeten horen over hoe hij dit land met de hand ontgonnen heeft en hier rust vond. Zoiets wil ik ook.'

'Ik kan me je vader nauwelijks herinneren,' zei Winona. 'Alleen maar dat hij heel groot was, met een stem als een grizzlybeer. Ik was altijd doodsbang als hij begon te schreeuwen.'

Luke leunde achterover. 'Heb ik je wel eens verteld dat ik na zijn dood niet meer wilde praten?'

'Nee.'

'Dat heeft een jaar geduurd. De hele vijfde groep op school. Ik wist best dat ik iedereen bang maakte – mijn moeder liep allerlei dokters met me af en ze deed niets anders dan huilen – maar ik kon gewoon geen woord meer uitbrengen.'

'Wat hebben ze gedaan?'

'Ik denk dat ik er gewoon overheen ben gegroeid. Op een dag zaten we aan tafel en ik keek mijn moeder aan en vroeg of ze de aardappels wilde doorgeven.'

Ze keek hem aan en herinnerde zich ineens weer hoe heftig het verdriet kon zijn als een van je ouders overleed. Daardoor leefde ze intens mee met het kleine jongetje dat hij was geweest en ze had het liefst haar armen om hem heen geslagen om te zeggen dat ze toch wel erg veel op elkaar leken. In plaats daarvan wendde ze haar gezicht af, voordat hij het verlangen in haar ogen zou herkennen. 'Wat zei Vivi Ann toen je haar dat vertelde?'

'O, Vivi Ann en ik praten niet over dat soort dingen.'

'Waarom niet?'

'Je kent Vivi Ann toch. Ze wil alleen maar pret maken. Daarom hou ik juist van haar. Er zijn al genoeg serieuze mensen op de wereld.'

Winona had het gevoel dat hij haar net een klap in het gezicht had gegeven, ook al was dat helemaal niet zijn bedoeling geweest. Nu zat ze vlak naast hem, ze kreeg al zijn geheimen te horen en hij keek nog steeds dwars door haar heen.

Mannen waren alleen geïnteresseerd in lichamelijke schoonheid. Het was een vergissing geweest om meer van hem te verwachten.

'Mag ik je een geheim vertellen?' vroeg hij.

Er kon geen glimlachje af, want de ironie trof haar recht in haar hart. 'Natuurlijk. Je kunt een advocaat al je geheimen toevertrouwen.'

Hij stak zijn hand in zijn zak en haalde er een klein blauw juweliersdoosje uit.

Winona wist niet eens hoe ze in staat was om haar hand uit te steken en het aan te pakken. Haar hart bonsde zo, dat ze de branding niet eens meer kon horen. Ze deed het langzaam open en zag dat er een diamanten ring in zat, die in het maanlicht als een sterretje tegen het blauwe fluweel vonkte. Heel even was ze verschrikkelijk bang dat ze zou gaan overgeven.

'Ik ga haar vragen of ze met me wil trouwen,' zei hij.

'Maar... jullie zijn pas drie maanden bij elkaar...'

'Ik ben achtentwintig, Win. Oud genoeg om te weten wat ik wil.'

Vanbinnen voelde ze iets afsterven tot er alleen een hoopje as achterbleef. 'En wat jij wilt, is Vivi Ann.' Zou hij horen hoe breekbaar haar stem klonk? Ze wist het niet en het kon haar ook niets schelen.

'Wens me geluk, Win,' zei hij.

Ze keek hem recht in de ogen en loog dat ze barstte.

Vier

❧

Op de avond dat de prijzen van de barrelrace-competitie werden uitgereikt wierp Vivi Ann een kritische blik op haar werk.

De grote zaal van de Eagles Hall was helemaal versierd. Ze had
slingers aan het plafond gehangen en rood-wit geblokte tafelkleed-
jes gehuurd. Vooraan in het vertrek was een tafel opgesteld en er was
een podium met een microfoon. Snoezige lenteboeketjes – geschonken door een plaatselijke bloemist – gaven de tafeltjes een feestelijk
uiterlijk. Aan de muren hingen tientallen prikborden vol foto's van
de deelnemers. Achter in de zaal stond een stel grote luidsprekers. Ze
zwegen nu nog, maar het zou niet lang duren voordat ze de zaal vul-
den met bonkende dansmuziek.

'Wat vind je ervan?' vroeg ze aan Aurora die haar het grootste
deel van de dag had geholpen. Buiten had het weer alle medewerking verleend en gezorgd voor een heldere, zonnige aprildag zonder
ook maar een wolkje aan de lucht.

'Beter kan die ouwe tent er niet uitzien,' zei ze. 'Je hebt het echt
geweldig gedaan, Vivi. De competitie was een groot succes en met
dit feest zullen alle tongen in beweging komen.'

'Ik hoop dat de meisjes hun vaders meebrengen. De eerste groeps-
lassowedstrijd is al over twee weken. Ik wil zoveel mogelijk deelnemers bij elkaar zien te krijgen.'

'Je kunt de stad niet in lopen zonder een van die flyers te zien. Die
kerels komen heus wel opdagen.'

'Ze zullen wel moeten. Die barrelraces waren een leuk begin – dat heeft ons niet zoveel gekost – maar als die lassowedstrijden de mist ingaan, zal ik me echt gepakt voelen.'

'Over gepakt voelen gesproken... Hoe is het met Luke?'

Vivi Ann lachte. 'Ik heb nooit gezegd dat ik me door hem laat pakken.'

'Je hebt het ook nooit ontkend. Maar eerlijk, Vivi, ik zag jullie gisteren samen in de Outlaw en jullie gedroegen je als een stel tortelduifjes.'

'Iedereen gedraagt zich in de Outlaw als een stel tortelduiven. Dat komt door de tequila.'

Aurora ging naast haar op de tafel zitten en keek haar aan. 'Hou je van hem?'

Vivi Ann wist dat er in de stad constant over Luke en haar gekletst werd. Iedereen wist dat hij verliefd op haar was. Als ze in het weekend in de Outlaw waren, vertelde hij aan iedereen die het wilde horen dat ze zijn hart had gestolen met een bak ijs. 'Ik wist het al op het eerste gezicht,' zei hij altijd.

Ze had geen flauw idee wat ze daarop moest zeggen of hoe ze erop moest reageren. Ze mocht Luke echt ontzettend graag. Ze hadden veel met elkaar gemeen en eigenlijk altijd pret samen.

Maar liefde?

Wat wist zij daar nou van af? Het enige wat ze zeker wist was dat ze al bijna drie maanden met elkaar gingen en dat hij nog steeds een beetje zenuwachtig met haar omsprong en haar alleen heel voorzichtig aanraakte, alsof hij bang was dat een beetje hartstocht haar zou breken. Toen hij haar gisteravond welterusten had gekust had ze eigenlijk veel meer gewild. En gewoon nodig gehad. Maar hoe moest je nou tegen zo'n brave vent zeggen dat hij zich wel eens van een stoutere kant mocht laten zien?

'Je bent verdacht stil,' zei Aurora.

'Ik weet niet wat ik moet zeggen.'

Aurora keek haar even aan. 'Dat is antwoord genoeg.'

Vivi Ann veranderde van onderwerp voordat ze dieper kon gaan graven. 'Waar is Winona? Ze heeft zich de laatste paar weken een beetje afzijdig gehouden. Is jou dat ook opgevallen?'

Aurora stond op en begon aan de bloemen te frunniken. 'Volgens mij is ze met een belangrijke zaak bezig.'

'Luke zei dat ze hem ook links laat liggen.'

'Je weet toch hoe Win is. Als die ergens mee bezig is...'

'Ja. Maar ik mis haar toch. Ze komt nooit meer langs.'

'Daar zul je aan moeten wennen. Je hebt Luke nu.'

'Wat heeft dat er nou mee te maken? Jij bent getrouwd en je komt nog steeds constant binnenvallen. En we gaan nog steeds op vrijdagavond samen naar de Outlaw. Omdat ik nou toevallig een vriendje heb, laat ik jou en Win echt niet vallen. Ik zou nooit toestaan dat een man tussen ons komt.'

Aurora zuchtte hoorbaar. 'Dat weet ik wel. En dat heb ik ook tegen haar gezegd.'

'Hebben jullie het er al over gehad? Wat zei ze? Wat is er dan aan de hand?'

Aurora keek haar aan. 'Ik heb haar verteld dat ze niet zo hard moet werken.'

'Mooi zo. Dat zal ik ook tegen haar zeggen als ze vanavond komt.'

'Eh... Ze komt niet.'

'Wat?'

'Dit is jouw avond.' Aurora zweeg even. 'En daar heb je de laatste tijd geen gebrek aan gehad. Laat haar nou maar gewoon even met rust. Ze moet zelf de dingen op een rijtje zetten. En momenteel is ze nogal breekbaar.'

'Winnie? Die is net zo breekbaar als een heimachine.'

'Kom op,' zei Aurora ten slotte, 'genoeg gepraat over Win. We zijn hier klaar, laten we ons maar gaan omkleden.'

Vivi Ann liep achter haar zusje aan naar de kleedkamers in de Eagles, waar ze hun avondjurken aan een paar haakjes hadden gehangen. Tijdens al het gedoe om zich klaar te maken vergat ze Winona en deed haar best om er zo goed mogelijk uit te zien.

De volgende twee uur was ze in de zevende hemel. Het banket was een enorm succes. Er kwamen twee keer zoveel mensen opdagen als ze had verwacht en iedereen vermaakte zich uitstekend. Tegen de tijd dat ze alle prijzen had uitgereikt en de mensen voor hun medewerking had bedankt, werd ze al bestookt met vragen over een eventuele najaarscompetitie.

'De volgende keer geef ik een zadel cadeau,' zei ze tegen Luke toen hij haar meesleepte naar de dansvloer. 'We moeten echt mooie prijzen hebben. En stapels contant geld. Dan blijven ze wel komen. We zouden ook twee jackpots per maand kunnen doen in plaats van één.' Ze schoot zelf in de lach om haar enthousiasme. Ze had een gevoel alsof ze te veel champagne had gedronken en ze wilde niet dat daar zomaar een eind aan kwam.

Toen iedereen eindelijk naar huis ging, had ze nog steeds geen zin om te vertrekken.

'Laten we maar een eindje gaan lopen,' zei Luke, die haar dikke wollen mantel had meegebracht.

'Dat lijkt me een geweldig idee.' Ze pakte een halfvolle fles champagne op en nam die mee. Hand in hand liepen ze door de stad, terwijl ze aan een stuk door bleef babbelen. Ineens zag ze, nog helemaal in de ban van haar succes, tot haar verbazing dat ze bij het Waves Restaurant waren. Het was inmiddels gesloten, maar Luke nam haar mee naar de veranda, waar een leeg smeedijzeren tafeltje met twee bijpassende stoelen stonden. Terwijl ze gingen zitten in het licht van een enkel buitenlampje en begeleid door het geluid van de golven die onafgebroken op het strand beneden sloegen, zei ze: 'Heb je gezien hoe pa vanavond zat te lachen?' Daar had ze de afgelopen uren voortdurend aan moeten denken. 'Ik weet hoeveel dit voor hem betekent. Hij heeft er nooit iets over gezegd, maar ik weet dat hij altijd het gevoel heeft gehad dat hij maar magertjes afstak bij zijn vader. Als wij nu van Water's Edge een succesvol bedrijf kunnen maken, dan heeft hij ook zijn stempel op dit land gezet en zal hij weer een Grey zijn die de mensen zich lang zullen heugen.'

'Ik denk dat er nog een andere reden was, waarom je pa zo vrolijk was.'

'O ja?'

'Ik heb gisteren met hem gesproken.'

'En heb je hem daarmee blij kunnen maken?' zei ze plagend terwijl ze de glazen die ze had meegenomen volschonk met champagne.

Hij stak zijn hand in zijn zak en haalde er een klein doosje uit. 'Wil je alsjeblieft met me trouwen, Vivi Ann?' vroeg hij. Toen hij het doosje opendeed, zat er een diamanten ring in.

Ze had het gevoel dat ze een klap op haar hoofd kreeg en probeerde een antwoord te bedenken, hoewel ze wist dat alleen het woordje 'ja' en een stortvloed van tranen hem echt gelukkig zou maken.

'Je vader was er heel blij om,' zei hij.

Vivi Ann voelde tranen in haar ogen prikken, maar het waren heel verkeerde tranen, niet het soort waar hij recht op had. 'Het is zo gauw, Luke. We hebben nog maar net verkering. We zijn nog niet eens...'

'De seks zal fantastisch zijn. Dat weten we allebei en ik heb er respect voor dat je wilt wachten tot je eraan toe bent.'

'Met betrekking tot seks is dat helemaal geen probleem. Maar...' Ze kon haar gedachte niet eens afmaken. Ze kon het absoluut niet opbrengen om te doen wat hij wilde: die ring aan haar vinger schuiven en haar lot bezegelen. Toen ze naar hem opkeek, welde een verdrietig gevoel in haar op. Ze had dom genoeg gedacht dat ze hun relatie een beetje op de lange baan kon schuiven door niet met hem naar bed te gaan. Maar dat was niet gelukt. Hij was toch verliefd op haar geworden. 'We kennen elkaar nauwelijks.'

'Natuurlijk kennen we elkaar wel.'

'Welk soort ijs vind ik dan het lekkerst?'

Hij leunde fronsend achterover. Ze begreep dat het tot hem door begon te dringen dat dit verkeerd zou aflopen. 'Chocolade met kersen. Donker en zoet.'

Het was een vraag die ze aan iedere man stelde die beweerde dat hij van haar hield, een soort lakmoesproef om te zien hoe goed ze haar kenden. Ze kozen altijd een bijzondere en zoete smaak, omdat die volgens hen bij haar paste, maar zo was ze helemaal niet. De meeste mannen met wie ze verkering had gehad – en dat gold ook voor Luke – konden hun ogen niet van haar gezicht afhouden en beweerden al na een paar maanden dat ze van haar hielden omdat ze dachten dat ze niet meer nodig hadden. 'Vanille,' zei ze. 'Vanbinnen ben ik gewoon ouderwets vanille.'

'Er is niets gewoons aan jou,' zei hij zacht en hij raakte haar wang zo teder aan dat ze zich nog ellendiger begon te voelen.

'Ik ben er nog niet aan toe, Luke,' zei ze ten slotte.

Hij bleef haar een hele tijd aankijken en bestudeerde haar gezicht alsof het een kaart was van een hem volkomen onbekend terrein. Daarna boog hij zich naar haar toe en gaf haar een kus.

'Ik wacht wel,' zei hij.

'Maar als ik nou...'

'Ik blijf gewoon wachten,' viel hij haar in de rede. 'Ik vertrouw je. Het komt vanzelf.'

Eigenlijk had ze het liefst willen zeggen: *Nee, dat denk ik niet,* maar de woorden bleven in haar keel steken.

Veel later, terug in de vertrouwde omgeving van de boerderij, keek ze verlangend naar de dichte slaapkamerdeur van haar vader en wenste dat ze nog een moeder had met wie ze hierover kon praten.

Toen ze in bed lag, moest ze nog steeds aan zijn aanzoek denken. Had ze nou maar iemand met wie ze erover kon praten. Het lag voor de hand het aan een van haar zusjes te vertellen, maar ze was bang voor wat ze zouden zeggen. Waarschijnlijk zouden ze geduldig naar haar luisteren om vervolgens hoofdschuddend te zeggen: 'Word eens volwassen, Vivi. Hij is een fijne vent.'

Moest ze daar tevreden mee zijn? Was het verkeerd dat ze naar passie hunkerde? Dat ze ervan droomde dat er iets was dat meer betekende? Of iemand? In haar verbeelding was liefde altijd onstuimig en wispelturig geweest, een emotie die haar in de zevende hemel kon brengen en haar ook kapot kon maken. Die van haar iemand anders zou maken.

Was het dom van haar om daarin te geloven?

Winona had het gevoel alsof er vanbinnen iets langzaam wegrotte, als een tomaat die te lang aan de plant zat. De afgelopen paar dagen had ze Lisa afgebekt, ze had een cliënt verloren en ze was vijf pond aangekomen. Ze kon er niets aan doen, ze had zichzelf niet meer in bedwang. Ze bleef maar wachten tot Vivi Ann zou opbellen met het nieuws dat ze verloofd was.

Natuurlijk wilde ze niets liever dan denken dat Vivi Ann hem uit zou lachen en dat bespottelijke aanzoek weg zou wuiven. De hemel wist dat haar jongste zusje er nog lang niet aan toe was om een gezin te stichten, maar Luke Connelly was een verdomd goede partij in deze stad en Vivi Ann kreeg altijd het beste van het beste.

Toen het inmiddels dinsdagmiddag was geworden, was ze een wrak. Haar jaloezie werd steeds groter en benam haar bijna de adem als ze eraan dacht wat Vivi Ann allemaal van haar gestolen had.

Op het moment dat ze het idee had dat ze niet dieper kon zinken, zei Lisa via de intercom: 'Hé, Winona, ik heb je vader op lijn één.'

Pa?

Ze probeerde zich tevergeefs te herinneren wanneer hij haar voor het laatst op haar werk had gebeld. 'Bedankt, Lisa.' Ze pakte de telefoon op.

'Die idioot van een Travis heeft de benen genomen,' zei hij dwars door haar begroeting heen. 'Zonder ook maar een woord te zeggen en de blokhut ziet eruit alsof er een bom in is ontploft.'

'Moet je daarvoor niet bij Vivi Ann zijn? Ik ben geen schoonmaakster.'

'Je hoeft me niet zo af te bekken. Je hebt toch zelf gezegd dat je iemand voor ons in dienst zou nemen?'

'Daar ben ik ook druk mee bezig. Ik heb al een paar sollicitatiegesprekken...'

'Sollicitatiegesprekken? Wie denk je dat we zijn, Boeing? We hebben alleen maar iemand nodig die met paarden kan omgaan en niet bang is om zijn handen uit de mouwen te steken.'

'Nee, je hebt ook iemand nodig die bereid is om de hele zomer te blijven. En die is niet gemakkelijk te vinden.' Dat had ze aan den lijve ondervonden. De zomer was het rodeoseizoen en alle mannen die op hun advertenties hadden gereageerd hadden geweigerd zich voor langere termijn vast te leggen. Het merendeel ervan was werkloos, maar cowboys waren op hun manier heel romantisch. Ze waren verslaafd aan hun manier van leven en ze moesten gewoon het circuit op de voet volgen, omdat ze er allemaal van overtuigd waren dat ze in de volgende stad hun slag konden slaan.

'Wou je soms zeggen dat je het niet klaarspeelt? Want de hemel weet dat je dat dan ook wel wat eerder had kunnen zeggen...'

'Ik red het heus wel,' zei ze scherp.

'Mooi zo.'

Hij hing zo plotseling op, dat ze naar een dode lijn zat te luisteren. 'Leuk dat je me even belde, pa,' mompelde ze terwijl ze de telefoon neerlegde. 'Lisa,' zei ze in de intercom, 'ik wil dat je de rest van vandaag en morgen vrij neemt. Die personeelsadvertentie moet in alle diervoederhandels in Shelton, Belfair, Post Orchard, Fife en Tacoma opgehangen worden. En het aantal advertenties in dat huis-aan-huisblad *Little Nickel* moet verdubbeld worden in de edities van Olympia tot Longview. Krijg je dat voor elkaar?'

'Nou, het is niet precies mijn idee van een dagje vrij, maar dat lukt me wel,' zei Lisa lachend. 'Tom heeft deze week toch avonddienst.'

Winona besefte ineens hoe ze was overgekomen. 'Het spijt me als ik een beetje snibbig klonk.'

Ze legde haar hoofd op haar armen en was zich nauwelijks bewust van de tijd die voorbijging terwijl ze met haar gezicht tegen haar ellebogen en een groeiende hoofdpijn droomde over de manier waarop haar leven zou kunnen veranderen.

Ze heeft me de bons gegeven, Win...

Ja, natuurlijk, dat zat er dik in. Kom maar bij mij, Luke, ik zal wel voor je zorgen...

Ze was zo verdiept in haar fantasiewereld dat het nauwelijks tot haar doordrong dat er iemand tegen haar stond te praten. Ze tilde langzaam haar hoofd op en deed haar ogen open.

Aurora stond haar aan te kijken. 'Hou op met dat gedroom over Luke. Je gaat met mij mee.'

'Hij is van plan Vivi ten huwelijk te vragen,' zei ze. Haar stem kwam nauwelijks boven gefluister uit.

Aurora's gezicht vertrok van medelijden. 'O.'

'Moet je nou niet tegen me zeggen dat ik dat met een vriendelijk lachje moet accepteren?'

'Ik zeg helemaal niets tegen je. Alleen dat je het echt meteen aan Vivi Ann moet vertellen. Anders gebeuren er nog nare dingen.'

'Wat heeft dat nou voor zin? Ze krijgt toch alles wat ze wil.' Winona voelde de bitterheid weer opwellen.

'Het is dodelijk om dat soort dingen te denken. We zijn toch zúsjes!'

Winona probeerde zich voor te stellen hoe het zou zijn om de goede raad van Aurora op te volgen en hoe ze dat dan onder woorden moest brengen. Maar het enige resultaat was dat ze zichzelf intens zielig vond overkomen. 'Nee, bedankt.'

Aurora zuchtte. 'Enfin, ze heeft kennelijk nog geen ja gezegd, anders hadden we dat wel gehoord. Misschien weet Vivi Ann wel dat ze er nog niet aan toe is. Je weet toch hoe romantisch ze is. Ze wil overdonderd worden. Als het om liefde gaat, zal ze zich er vanaf het begin met hart en ziel op storten, of ze moet er niets van hebben. En ze is niet echt helemaal ondersteboven van Luke.'

Winona voelde onwillekeurig een sprankje hoop oplaaien. Een heel klein sprankje, maar het was al een stuk beter dan de diepe donkere put waarin ze daarvoor had gezeten. 'Ik bid dat je gelijk hebt.'

'Ik heb altijd gelijk. Kom op. Travis heeft midden in de nacht de benen genomen. We moeten Vivi Ann helpen om de blokhut schoon te maken.'

'En als ze nou met haar ring loopt te pronken?'

'Jij bent zelf met al die leugens begonnen. Als je nou je billen brandt, moet je ook maar op de blaren zitten.'

'Ik ga wel even iets anders aantrekken.'

'Dan zou ik meteen ook maar iets aan die houding doen, Win.'

Winona negeerde die steek onder water – of was het goede raad? – en liep naar haar slaapkamer om een oude spijkerbroek en een oud, lubberend grijs sweatshirt aan te trekken. Binnen de kortste keren waren ze op weg naar de ranch.

In de blokhut troffen ze een volslagen puinhoop aan. Overal stond vuile vaat. Vivi Ann lag op haar knieën om een vlek van de houten vloer te boenen. Zelfs in haar oudste kleren, zonder make-up en met haar haar in een slordige paardenstaart slaagde ze er nog in om er verrukkelijk uit te zien.

'Jullie zijn toch gekomen,' zei ze en trakteerde hen op haar stralendste glimlach.

'Ja, natuurlijk zijn we gekomen. We horen toch bij de familie,' zei Aurora nadrukkelijk. Ze gaf Winona een zet, zodat ze struikelend naar binnen kwam.

'Het spijt me dat ik dat feest heb gemist, Vivi Ann. Ik heb gehoord dat het een groot succes was.'

Vivi Ann stond op en trok haar gele rubberhandschoenen uit. 'Ik heb je echt gemist. Het was hartstikke leuk.'

Winona zag aan de blik van haar zusje dat ze Vivi Ann gekwetst had. Soms vergat ze door al dat uiterlijke schoon hoe gevoelig Vivi Ann was. 'Het spijt me,' zei ze uit de grond van haar hart.

Vivi Ann accepteerde de verontschuldiging met weer zo'n stralende lach.

'Is er nog iets gebeurd nadat ik weg ben gegaan?' vroeg Aurora.

Vivi Anns gezicht betrok. 'Grappig dat je daarover begint. Ik wist echt niet hoe ik het aan jullie moest vertellen, maar Luke heeft me ten huwelijk gevraagd.'

'Hij had mij al verteld dat hij dat van plan was,' zei Winona. Haar opmerking leek pardoes in een onbehaaglijke stilte te vallen.

'O.' Vivi Ann fronste. 'Dan had je me wel eens mogen waarschuwen.'

'Meestal hoeft een vrouw voor dat soort dingen niet gewaarschuwd te worden,' zei Aurora vriendelijk.

Vivi Ann keek om zich heen. 'Hij past zo verschrikkelijk goed bij me,' zei ze ten slotte. 'Ik zou in alle staten moeten zijn.'

'Hoezo "zou"?' zei Winona.

Vivi Ann glimlachte opnieuw, maar dit keer een tikje gedwongen. 'Ik weet niet of ik al wel zover ben dat ik wil gaan trouwen. Maar Luke zegt dat hij genoeg van me houdt om op me te wachten.'

'Als jij twijfelt of je eraan toe bent, dan ben je nog niet zover,' zei Aurora.

Weer die onbehaaglijke stilte.

'Nou ja, dat dacht ik al,' zei Vivi Ann. 'Laten we dan nu dit hok maar gaan schoonmaken.'

Winona voelde een licht zuchtje ontsnappen. Misschien was er toch nog hoop. En daarvoor dankte ze de hemel op haar blote knieën. Ze had zich al afgevraagd wat voor vreselijke dingen ze zou doen als Vivi Ann met Luke trouwde.

Anderhalve week later zat Winona in de werkkamer van haar vader achter het grote, verweerde houten bureau waar ze uitkeek over het gladde blauwe water van het Canal. Op deze heldere dag leken de bomen aan de overkant zo dichtbij dat je ze aan kon raken, het was bijna niet te geloven dat ze meer dan anderhalve kilometer ver weg stonden. Ze wilde net de volgende rekening pakken toen ze een auto hoorde stoppen. Een paar tellen later bonkten voetstappen over de veranda en werd er aangeklopt.

Ze duwde de rekeningen opzij en ging opendoen.

Er stond een man voor de deur, die op haar neerkeek. Dat dácht ze tenminste, want het was niet echt te zien door de stoffige witte cowboyhoed die het bovenste stuk van zijn gezicht overschaduwde. Hij was lang en breedgeschouderd en droeg een kapotte, smerige spijkerbroek en een versleten Bruce Springsteen-T-shirt. 'Ik kom voor die baan.'

Ze hoorde een spoortje van een accent. Texas, of misschien Oklahoma. Hij nam zijn hoed af en streek meteen het lange steile haar dat tot op zijn schouders hing achterover. Zijn huid had de kleur van gelooid leer, waardoor zijn grijze ogen bijna eng licht leken. Hij had scherpe, strakke gelaatstrekken, waardoor hij niet echt knap was, en een spitse neus die hem een beetje gemeen maakte, een tikje wild. Hij was ook heel slank en pezig. Om zijn linker bovenarm waren zwarte, inheems-Amerikaanse – indiaanse – symbolen getatoeëerd, maar niet van de stammen hier uit de buurt. Deze afbeeldingen kende ze niet.

'Die baan?' zei hij opnieuw, waardoor ze besefte dat ze niet snel genoeg had gereageerd. 'Zoeken jullie nog steeds iemand?'

'Kun je met paarden omgaan? We hebben geen tijd om iemand op te leiden.'

'Ik heb op de Poe Ranch in Texas gewerkt. Dat is het grootste bedrijf in het heuvelgebied. En ik doe al bijna tien jaar mee aan groepslassowedstrijden.'

'Kun je met een hamer omgaan?'

'Goed genoeg om alles wat hier kapot gaat te repareren, als je dat bedoelt. En ik ben ook halfblank. Misschien geeft dat de doorslag.'

'Dat soort dingen interesseert me niet.'

'O, dus je bent beter dan de rest?'

Ze kreeg het gevoel dat hij haar uitlachte, maar aan zijn gezicht was dat niet te zien.

Ze wist dat haar vader deze man – van indiaanse afkomst – nooit in dienst zou nemen, maar ze waren inmiddels al meer dan een maand aan het adverteren en de eerste lassojackpot zou zaterdag plaatsvinden. Ze moesten iemand hebben en wel zo snel mogelijk.

Ze schopte haar dure blauwe pumps uit en stapte in Vivi Anns grote rubberlaarzen die altijd bij de deur stonden. 'Loop maar mee.'

Ze hoorde hoe hij langzaam achter haar aan liep, op versleten en afgetrapte cowboylaarzen die het grind lieten kraken. Maar ze wilde niet laten merken hoe zenuwachtig ze was. Dat was helaas een van de gevolgen van de omgeving waarin ze was opgegroeid en daar wenste ze niet aan toe te geven. Zij beoordeelde mensen niet naar hun huidkleur. 'Dit is de manege,' zei ze een beetje dom, omdat ze er al middenin stonden.

Hij kwam zonder iets te zeggen naast haar staan.

Aan de eerste box links naast hen hing een groot wit prikbord, vol tekeningen, foto's en lintjes. Daarboven stond in sierlijke letters vol krullen: *Hoi! Ik ben Magic, het paard van Lizzie Michaelian. We vormen een geweldig team. Vorig jaar hebben we meegedaan aan de Pee Wee Days en een rood lint gewonnen voor Uitrusting en Presentatie en een eervolle vermelding voor de schoonste box. We kunnen niet wachten tot de volgende wedstrijd.*

'Nou nou,' zei de man naast haar. 'Gezelligheid kent geen tijd.'

Winona schoot onwillekeurig in de lach. Ze liep verder en toonde hem de tuigkamer, de wasplaatsen en de hooiopslag. Toen ze alles gezien hadden wat er te zien was, nam ze hem weer mee naar buiten en keek hem aan. 'Hoe heet je?'

'Dallas. Net als de stad. Dallas Raintree.'

'Ben je bereid om minstens een jaar te blijven?'

'Wel ja, waarom niet?'

Winona nam een besluit. Daar ging het immers om, dat zij besloot wat er ging gebeuren. Als pa hem niet zag zitten vanwege zijn huidkleur, dan was het hoog tijd dat daar verandering in kwam. Nu ze erover nadacht, leek het bijna haar burgerplicht om hem in dienst te nemen. En trouwens, de mannen stonden niet echt in de rij om de baan te nemen. Als hij bereid was een tijd te blijven, waarom dan niet? 'Blijf hier maar even wachten.' Ze draaide zich om en haalde het contract op dat ze had opgesteld. 'De baan is inclusief onderdak en maaltijden en het salaris bedraagt vijfhonderd dollar per maand. Ben je nog steeds geïnteresseerd?'

Hij knikte.

Winona wachtte tevergeefs op een volgende reactie – iets meer dan die blik en die houding – en liep toen de helling op naar de oude blokhut. Boven op de heuvel liep ze door het enkelhoge gras naar de voordeur. 'Zoals je ziet, moet er nog wel iets aan de veranda gebeuren, maar mijn zusjes en ik hebben de hut vanbinnen helemaal schoongemaakt.' Ze knipte het licht aan en zag het interieur ineens door zijn ogen in plaats van overgoten met het gebruikelijke sentimentele familiesausje.

Een cederhouten vloer van brede planken, die in de loop van tientallen jaren behoorlijk afgetrapt en beschadigd was geraakt, een kleine zitkamer met pas geverniste grenen wanden en een bijeengeraapt allegaartje van meubels rondom de uit natuursteen opgetrokken open haard, die zwart geblakerd was van het gebruik. Een in een alkoof weggestopt keukentje met apparaten uit de jaren veertig, houten aanrechten en een blauw geschilderde tafel met eiken stoelen. Door de deur in de zitkamer was de slaapkamer te zien, compleet met het ijzeren bed en een stapel gewatteerde lappendekens. Het enige vertrek dat ze van hieruit niet kon zien was de badkamer en het beste wat daarover te zeggen viel, was dat alles het deed. De scherpe lucht van bleekwater kon de onderliggende geur van nat, rottend hout niet verdringen.

'Is dit goed genoeg?' vroeg ze.

'Daar red ik me wel mee.'

Ze wierp onwillekeurig een blik op zijn strenge profiel. Zijn gezicht leek uit brokken glas te bestaan, één en al scherpe hoeken en harde vlakken.

'Dit is ons werknemerscontract. Als je wilt, kun je dat eerst door je advocaat laten lezen.'

'Mijn advocaat, hè?' Hij wierp een blik op het papier voordat hij

70

haar aankeek. 'Daar staat toch in dat jullie me in dienst nemen en dat ik beloof om te blijven?'

'Dat klopt. De looptijd is één jaar.' Ze overhandigde hem het contract en een pen.

Hij liep naar de tafel en bukte zich om zijn handtekening te zetten. 'Wat wil je dat ik eerst ga doen?'

'Tja, ik werk hier eigenlijk niet. Mijn zusje en mijn vader hebben hier de leiding en die zijn momenteel allebei weg. Breng je spullen maar hierheen en meld je morgenochtend om zes uur bij de boerderij voor het ontbijt. Dan zul je wel te horen krijgen wat je moet doen.'

Hij gaf haar het getekende contract terug.

Ze wachtte tot hij nog iets zou zeggen, dank je wel of zo, maar toen het duidelijk was dat hij verder niets te melden had, liep ze de blokhut uit. Op het moment dat ze de verandatrap af was en door het lange gras naar het grindpad liep, hoorde ze hem de veranda op lopen.

Ze keek niet om, maar ze wist gewoon dat hij haar na stond te kijken.

De zusjes Grey hadden hun leven lang elke vrijdagavond met elkaar doorgebracht en die avond vormde geen uitzondering. Zoals gewoonlijk hadden ze afgesproken bij de Blue Plate Diner waar ze snel een hapje aten en daarna liepen ze over Shore Drive naar de Outlaw Tavern. Met de mannen die in hun leven opdoken spraken ze meestal af aan de bar in die tent, maar aan het etentje met z'n drietjes werd niet getornd.

Vanavond waren er weer de gebruikelijke klanten die altijd aan het eind van de lente kwamen opdagen. Er zaten een paar toeristen tussen, herkenbaar aan hun felgekleurde designkleding en hun glanzende terreinwagens die voor de deur stonden. De plaatselijke bevolking zat gewoon met een glaasje limonade de krant te lezen en rustig met elkaar te kletsen, zonder zelfs maar een blik te werpen op de gelamineerde menukaarten. De meesten van hen bestelden Gracies beroemde gehaktschotel, die al sinds het begin van de jaren tachtig niet meer op de kaart had gestaan.

Winona stak haar hand uit en pikte een frietje van Vivi Ann. 'Ik heb vandaag een knecht in dienst genomen,' zei ze, terwijl ze zich afvroeg wat Vivi Ann van Dallas Raintree zou vinden.

Vivi Ann keek op. 'Echt waar? Wie dan?'

'Een vent uit Texas. Hij beweert dat hij met paarden om kan gaan.'

'Wat is het voor type?'

Winona moest even nadenken en zei toen alleen maar: 'Geen idee. Hij had niet zoveel te zeggen.'

'Cowboys,' mompelde Aurora.

Ze rekenden af, liepen het restaurant uit en slenterden door de warme, lavendelkleurige avondlucht over Main Street.

'Wat jammer dat Luke niet mee kon komen,' zei Winona op een bestudeerd nonchalant toontje. De afgelopen tijd had ze vrijwel constant geprobeerd om gewoon te doen tegen Vivi Ann.

'Hij had een spoedgeval in de buurt van Gorst. Een merrie met koliek.'

Ze sloegen af naar Shore Drive en liepen langs het water terwijl de straatlantaarns, die ineens allemaal tegelijk aanfloepten, voor een feestelijk gouden tintje zorgden.

Op een gegeven moment ging het trottoir over in een grindpad. Hier was geen sprake meer van keurig aangeveegde stoepjes, er hingen geen bloembakken aan de lantaarnpalen en er waren ook geen souvenirwinkeltjes meer. Dit was alleen maar een oneffen stuk weg dat toegang gaf tot een grote parkeerplaats. Aan de kant van het water lag Ted's Boatyard met daarnaast een smal steegje dat naar het rommelige strandhuis van Cat Morgan liep. Daartegenover stond de door onkruid omgeven Outlaw Tavern. Achter de ramen waren de veelkleurige neon bierreclames te zien. Het platte dak was bedekt met een laag mos, dat ook hier en daar op de vensterbanken terug te vinden was. De hele parkeerplaats stond vol met afgejakkerde pick-ups.

Binnen worstelden ze zich door een meute bekenden en liepen om de mascotte van de tent, een opgezette grizzlybeer, heen. Iemand had een beha aan zijn voorpoot gehangen. Alles was wazig van de rook, waardoor ook de smakeloze kantjes verdwenen. Achter hen stond een band een nauwelijks herkenbare versie van 'Desperado' te blèren.

Toen ze bij de bar aankwamen, schonk de barkeeper drie borrels in en zette die voor drie lege krukken neer.

'Wat vinden jullie van die bediening, meiden?' vroeg Bud.

Aurora lachte en pakte de eerste kruk. 'Daarom slaan we ook geen enkele vrijdag over.'

Vijf

De Outlaw zat vol met de gebruikelijke vrijdagavondklanten. Terwijl de band een slappe, veel te langzame versie van 'Mamas, Don't Let Your Babies Grow Up To Be Cowboys' speelde, begon een aantal stelletjes aan een line-dance op de parketvloer. Vivi Ann zat op haar vaste barkruk mee te deinen op de muziek. Ze voelde zich heerlijk wazig. Terwijl ze zich omdraaide, keek ze om zich heen of ze iemand zag om mee te dansen, maar iedereen had al een partner gevonden. Aurora en Richard stonden samen bij de pooltafels een spelletje te spelen met een paar vrienden en Winona was in een ernstig gesprek verwikkeld met burgemeester Trumbull.

Vivi Ann wilde zich net weer omdraaien toen ze de indiaan zag die bij de kassa stond. Iedere onbekende sprong eruit tussen al die plaatselijke figuren, maar ze wist zeker dat deze vent in elk gezelschap zou opvallen. Met zijn lange haar, zijn donkere huid en zijn havikachtige trekken leek hij wel een beetje op Daniel Day-Lewis in *The Last of the Mohicans,* die nieuwe, met veel lawaai aangekondigde film.

Hij zag dat ze naar hem keek en lachte.

Voordat ze zich kon omdraaien of net kon doen alsof ze hem niet had gezien kwam hij al naar haar toe. Eigenlijk wilde ze de andere kant opkijken, maar het was net alsof ze zich niet kon bewegen.

'Dansen?'

'Nee, liever niet.'

Hij lachte, maar dat verzachtte de harde trekken van zijn gezicht nauwelijks. 'O, dus je bent bang. Ik snap het al. Leuke blanke meisjes zoals jij zijn altijd bang.'

'Ik ben helemaal niet bang.'

'Mooi.' Hij pakte haar hand en ze voelde hoe ruw zijn huid was – heel anders dan die van Luke – toen hij haar op een dominante manier meesleepte naar de dansvloer en zijn armen om haar heen sloeg. Ze keek echt op van zijn manier van doen, maar wat haar nog meer verraste, was dat ze een spoortje opwinding voelde.

'Ik ben Dallas,' zei hij toen de muziek even wat minder luid was.

'Vivi Ann.'

'Heb je een vriend? Blijf je daarom steeds om je heen kijken? Of ben je soms bang dat je buren het niet leuk vinden dat je met een indiaan danst?'

'Ja. Nee. Ik bedoel...'

'Waar is hij?'

'Niet hier.'

'Ik durf te wedden dat hij je als een soort kostbaar bezit behandelt. Alsof je in stukken breekt als hij je iets te ruw aanpakt.'

Vivi Ann hield heel even haar adem in en keek naar hem op. 'Hoe weet je dat?'

Hij gaf geen antwoord, maar trok haar naar zich toe en kuste haar.

Heel even – ze wist zeker dat het niet langer dan een onderdeel van een seconde was geweest – voelde Vivi Ann dat ze zich overgaf.

Toen trok iemand haar weg bij Dallas. Een groep mannen drong naar voren en schoof haar aan de kant. Ze stonden boos in zichzelf en tegen elkaar te mompelen, maar haar aandacht bleef op Dallas gevestigd. Hij zag er doodgemoedereerd uit en toen hij glimlachte, dacht ze: *Hij gaat iemand in elkaar slaan.*

'Maak dat je wegkomt. Vivi Ann zit niet te wachten op uitschot zoals jij.' Dat was Erik Engstrom, haar vriendje uit de vijfde groep.

'Hou op!' schreeuwde Vivi Ann. Haar stem brak door het geroezemoes en iedereen keek naar haar. 'Wat mankéért jullie?'

'We komen gewoon voor je op, Vivi,' zei Butchie terwijl hij zijn vuisten balde.

'Jullie zijn stuk voor stuk niet goed wijs. Ga maar weer zitten.'

De meute verspreidde zich knorrig, tot ze alleen overbleef met Dallas.

'Het spijt me,' zei ze en ze keek naar hem op. 'We zien hier niet vaak vreemden.'

'Dat kan ik me best voorstellen.' Lachend, alsof er helemaal niets was gebeurd, boog hij zich naar haar over, fluisterde 'lekker kusje' in haar oor en liep weg, zodat ze met een onbehaaglijk gevoel alleen onder de felle lampen achterbleef.

'Wat gebeurde er nou?' zei Winona, die een minuutje later zo snel aan kwam lopen dat ze naar adem hapte. 'Ik kwam net terug van het toilet en iemand zei...'

'Ik heb gewoon met iemand gedanst. Dat is alles.'

Aurora sloot zich bij hen aan. 'Je weet ze wel uit te zoeken, Vivi. Klasse.'

Vivi Ann wist niet wat ze moest zeggen. Ze had een raar gevoel in haar hele lichaam, als een motor die te veel toeren maakte. 'Wees niet zo'n kreng, Aurora.'

'Ik? Geen denken aan. Ik weet toch hoe dol je bent op getatoeëerde mannen,' lachte Aurora. 'En nog een indiaan op de koop toe.'

'Heeft ze met een indiaan gedanst?' vroeg Winona scherp. 'Met tatoeages? Hoe zag hij eruit?'

'Een stuk,' zei Aurora meteen.

Vivi Ann wendde haar blik af, om de afkeuring in Winona's ogen niet te zien. 'Hij heet Dallas.'

'Alsof zijn naam ertoe doet,' zei Aurora. 'Kuste hij lekker?'

'Heeft ze hem gekust?' vroeg Winona. 'Waar iedereen bij was?'

Vivi Ann had durven zweren dat haar zusje lachte toen ze dat zei. 'Ga nou maar mee,' snauwde ze. 'Ik heb behoefte aan een borrel.'

Aurora lachte. 'Dat geloof ik onmiddellijk.'

Toen Vivi Ann de volgende ochtend wakker werd, voelde ze zich nerveus en ongedurig en, nog erger, seksueel opgewonden. Ze trok haar ochtendjas aan en liep naar de badkamer om haar tanden te poetsen.

Haar vader stond voor de open haard in de zitkamer en zag haar de trap af komen.

Winona stond naast hem, al aangekleed om naar haar werk te gaan, in een blauwe jurk die te strak zat over haar borsten.

'Goeiemorgen,' zei Vivi Ann, terwijl ze de ceintuur van haar badjas wat strakker aantrok.

'Wat mij betreft, is die helemaal niet zo goed,' zei haar vader. 'Met een dochter die het in het bijzijn van Jan en alleman aanlegt met een indiaan.'

Ze struikelde bijna. Natuurlijk wist ze best dat hij het te horen zou krijgen. In zo'n stadje als dat van hen werd er druk gekletst over dat soort dingen. Ze had alleen gedacht dat zij hem wel eerst haar kant van het verhaal zou kunnen vertellen. Wat dat ook mocht inhouden. 'Er was echt helemaal niets aan de hand, pa, echt niet. Vraag het maar aan Win. Dat geklets is binnen de kortste keren over.'

'Ze waren samen aan het drinken en dansen,' zei Winona. 'Je weet zelf wel hoe ze altijd flirt als ze aangeschoten is.'

'Win!' zei Vivi Ann, geschrokken door het verraad van haar zusje. 'Dat is helemaal niet waar!'

'Ontsla hem maar,' zei pa.

'Wat bedoel je?' vroeg Vivi Ann.

'Dat gaat niet. Hij heeft een contract getekend.' Winona keek haar strak aan. 'Je hebt gisteren met onze nieuwe knecht staan vrijen.'

Het ging allemaal een beetje te snel voor Vivi Ann. Ze had het gevoel dat ze in een boot zat die langzaam maar zeker vol water liep.

'Ik schaam me voor je,' zei haar vader.

Vivi Ann was geschokt toen ze die harde woorden hoorde. Zoiets had hij nòg nooit tegen haar gezegd en ze had het ook nooit voor mogelijk gehouden dat ze hem ooit beschaamd zou maken. Hij was de rots, de vaste bodem van het gezin. Dat daar ooit een barst in zou kunnen komen was onvoorstelbaar.

Terwijl ze probeerde te bedenken wat ze daarop moest zeggen werd er op de deur geklopt. Ze wist wie dat was. 'Heb jij het aan hem verteld?' vroeg ze aan haar zus.

'De halve stad was erbij, Vivi,' zei Winona en eigenlijk had ze er boos uit moeten zien. Maar in dat rare, onwezenlijke moment dat

Vivi Ann in paniek begon te raken, had ze toch het idee dat Winona er vergenoegd uitzag. En ze had ook geen antwoord gegeven op haar vraag.

Toen de deur openging, stond Luke op de drempel, gewoon in een geblokt flanellen shirt en een katoenen broek, alsof het om een normaal ochtendbezoekje ging. Maar zijn haar was vochtig en ongekamd.

Ze liep naar hem toe in een wanhopige poging om aan al dat gedoe een eind te maken. 'Zeg alsjeblieft tegen hen dat er niets aan de hand is, Luke. Jij weet best dat we van elkaar houden.' Toen hij geen antwoord gaf, werd ze nog panischer. 'We gaan toch trouwen. Zeg alsjeblieft tegen pa dat hij zich geen zorgen hoeft te maken.'

'Zijn jullie dan verloofd?' vroeg pa.

Vivi Ann keek haar vader aan. 'We wachtten alleen maar op een goed moment om het aan iedereen te vertellen.'

Eindelijk brak er een glimlach door op pa's gezicht. 'Mooi. Dan is er dus niets aan de hand. Onze eerste jackpot begint over twee uur en we hebben nog meer dan genoeg te doen. Ik ga wel even met die nieuwe vent praten en hem vertellen waar hij zich aan te houden heeft. Hij kan maar beter op zijn tellen passen anders schop ik hem toch de laan uit. Contract of geen contract.'

Zodra hij weg was, wilde Vivi Ann zich losmaken van Luke, maar hij bleef haar hand vasthouden.

'Heb je hem teruggekust?' vroeg hij.

'Nee, natuurlijk niet.' Ze voelde dat Winona aan de andere kant van de kamer naar hen stond te kijken.

Hij tilde haar kin op. Een seconde voordat ze zijn gezicht zag, wist ze al dat het bezorgd zou staan en dat er in die eerlijke, open ogen een waas van twijfel zou hangen. Maar ze wist ook dat hij haar zou geloven, omdat hij dat wilde.

'Is alles goed tussen ons?' vroeg hij.

'Alles is prima.'

'Je hebt van mij de gelukkigste man in Oyster Shores gemaakt.'

Het had een heel romantisch moment moeten zijn.

Maar ze wist nu al dat ze een vergissing had gemaakt.

Je hebt van mij de gelukkigste man in Oyster Shores gemaakt.

Dat zinnetje bleef maar door Winona's hoofd malen. In gedachten zag ze steeds opnieuw dat dramatische moment in slowmotion: Vivi Ann die de trap afkwam en de verbaasde trek die op haar mooie gezichtje verscheen toen ze besefte wat er aan de hand was... pa die zich voor de verandering eens een keer tegen Vivi Ann keerde en zei dat hij zich voor haar schaamde... en vervolgens de binnenkomst van Luke, met ogen waarin twijfel en verdriet te lezen stonden.

Winona was het liefst naar hem toe gegaan om te zeggen: *Ze is een echte hartenbreekster,* en hem te ondersteunen. Ze had zichzelf even toegestaan om dat te denken, om daarop te hopen. En toen...

We gaan toch trouwen.

Vier woordjes die alles op z'n kop hadden gezet, vier woordjes die Vivi Anns reputatie meteen weer hadden opgepoetst, vier woordjes die hun vader een lach hadden ontlokt.

Winona zat nog steeds roerloos in de zitkamer en hoorde hen tegen elkaar praten zonder echt te luisteren. Ze begreep zo ook wel waar het over ging. Het waren ongetwijfeld de zoete woordjes die pasverloofde mensen overal ter wereld uitwisselden. Gezeur over liefde en plechtigheden en dromen.

Ze stond langzaam op, trok een bestudeerd effen gezicht en liep naar hen toe. Ze had al bijna een stijve gelukwens op de lippen, maar toen trok Luke Vivi Ann in zijn armen en kuste haar.

Het was de eerste keer dat Winona hen echt had zien kussen en ze bleef gebiologeerd staan kijken.

Maar meteen daarna kwam ze weer in beweging, liep de zitkamer door, stapte de veranda op en ging naar haar auto. Ze reed veel te snel de oprit af en merkte tot haar verbazing dat ze zat te huilen toen ze bij Orca Way aankwam. Ze veegde meteen haar tranen weg en sloeg rechtsaf.

Bij de volgende zijstraat trapte ze op de rem en bleef midden op de weg stilstaan.

We gaan toch trouwen.

Hoe konden Luke en pa zo stom zijn? Zagen ze dan niet dat Vivi Ann uit pure wanhoop handelde?

'Denk er maar niet meer aan,' mompelde ze hardop. Ze moest

hoe dan ook proberen zich er niets van aan te trekken. Aurora had gelijk. Zusjes waren belangrijker dan mannen. Ze móést gewoon ophouden met hunkeren naar Luke, anders zouden ze er allemaal aan kapotgaan. Maar hoe kreeg je zoiets voor elkaar? Elke verstandelijke aanpak had gefaald. Er was een zaadje van onvrede in haar geplant en zelfs op dit moment kon ze voelen hoe het begon te wortelen.

Een paar uur na afloop van de lassowedstrijd zat Vivi Ann op de reling rond de bak en staarde naar het met leem vermengde bruine zand. De afgelopen vierentwintig uur waren zo'n beetje de akeligste van haar leven geweest. Het geklets over wat er gisteravond was gebeurd had zich als een lopend vuurtje door de stad verspreid. Het nieuws van haar verloving met Luke had de vlammen weer gedoofd, maar de mensen hielden haar nu echt in de gaten en begonnen te fluisteren als ze langsliep.

'Hoi.'

Ze keek opzij.

Dallas stond in de deuropening van de manege, een lange schaduw tegen het donkerpaarse avondlicht. Bij alle doffe ellende van die dag was ze hem bijna vergeten. Bijna.

'Hoe lang sta je daar al?'

'Lang genoeg.'

Ze gleed van de reling en liep naar hem toe.

'Heeft iemand je al eens verteld dat je niet weet hoe je een jackpot moet leiden?'

Ze zuchtte. Dat zou iedereen inmiddels wel doorhebben. 'Heb je iets te eten gehad?'

'Ja hoor.' Hij schoof zijn hoed zo ver naar achteren dat ze net zijn ogen kon zien. Ze waren net zo grijs als de Sound in de winter. Ondoorgrondelijk. 'En wie gaat me nu ontslaan? Jij of je pappie?'

Het was nog maar een dag geleden, maar ze had al zoveel gezeur over die kus aan moeten horen dat ze er ziek van werd. 'We leven in 1992, Dallas, niet in 1892. Ik heb er problemen door gekregen, jij niet.'

'Heb ik je smetteloze reputatie bezoedeld?'

'Zoiets. Ik had eigenlijk verwacht dat je de benen zou nemen na dat fiasco in de kroeg.'

'Zie ik eruit als een vent die zich uit de voeten maakt?' Hij kwam naar haar toe. 'Of denk je soms dat alle indianen klungels zijn? Kreeg ik daarom al die vrienden van je op mijn dak nadat ik je gekust had?'

'Niemand maakt zich druk over het feit dat jij indiaan bent. Dat ging om mij. Ze hebben mij verdomme tot de Parelprinses verkozen. Al vier keer. En iedereen vindt mijn vriend een aardige vent. Je had net zo blank als Dracula kunnen zijn, dan hadden ze je nog steeds een trap onder je kont willen geven.'

'De Parelprinses, hè?' Hij lachte en kwam nog iets dichterbij staan. 'Dan moet je wel een speciaal talent hebben. Kun je goed jongleren met brandende majorettestokjes of ben je een echte muzakzangeres?'

'Ik heb vooral een vriend. Een verloofde,' verbeterde ze terwijl ze naar hem opkeek. 'Is dat tot je doorgedrongen?'

'Die verloofde van je,' zei Dallas op een fluistertoontje terwijl hij zich naar haar boog, 'weet die ook dat jij me terugkuste?'

Vivi Ann duwde hem opzij en liep weg terwijl ze hem over haar schouder toevoegde: 'Morgen is het zondag. Jij gaat vast niet naar de kerk, maar wij wel. Vandaar dat ik geen ontbijt klaarmaak. En het is ook de enige dag dat ik de paarden voer. Zorg maar dat je precies om vier uur 's middags naar het huis komt, anders voer ik je eten aan de meeuwen.'

Toen ze het huis binnenstapte, zag ze dat haar vader op haar stond te wachten. 'Hè ja,' mopperde ze terwijl ze haar laarzen uittrok en naast de deur zette. Ze had echt geen zin om met haar vader te praten. Wat zou het onderwerp van gesprek zijn? Dat geroddel over gisteravond? Haar verloving? De volkomen in de soep gelopen lassowedstrijd? Dallas?

'Ik ga naar bed, pa. We praten morgen wel verder.' Ze liep zonder hem aan te kijken naar de trap. Ze was al halverwege toen ze hem hoorde zeggen: 'Je blijft bij die indiaan uit de buurt.'

Ze zei niets en liep gewoon door. Toen ze zich stond uit te kleden, hoorde ze weer dat gebiedende toontje.

Die indiaan.

Ze had wel degelijk gehoord hoe anders de stem van haar vader klonk toen hij dat zei, vol afkeer en vooroordelen, en voor het eerst van haar leven schaamde ze zich voor hem.

Maar toch wist ze dat het een goede raad was.

Zes

Een stralend zonnetje stond aan de hemel toen mei zich aan het Canal
meldde. Overal langs de kusten werden voorbereidselen getroffen
voor de zomer en van de ene op de andere dag stonden de potten
en de bakken op de veranda's en de terrassen vol kleurige bloemen.
Iedereen wist dat het een pure illusie was, dit tastbare bewijs van de
komende hitte, maar daar trok niemand zich iets van aan. Een paar
zonnige dagen in mei maakten dat de plaatselijke bevolking zich bij
een regenachtige juni kon neerleggen.

De eerste paar dagen deed Vivi Ann haar best om Dallas Raintree
te ontlopen. Ze stond vroeger op dan gewoonlijk en maakte dan het
ontbijt voor hen drieën klaar, maar ze zorgde er wel voor dat ze niet
in de buurt was als Dallas zich om zes uur meldde. Iedere ochtend
legde ze een lijstje met de dingen die hij moest doen op de keukentafel in de wetenschap dat haar vader er nog opdrachten bij zou zetten, maar rond etenstijd (als ze zich opnieuw uit de voeten maakte)
was alles gedaan. Zelfs haar vader, die niet snel tevreden was, moest
toegeven dat Dallas 'wist wat er op een ranch moest gebeuren'. Tegen
het eind van de week was er geen hond meer die zich druk maakte
over Vivi Anns misstap in de kroeg. Door de opwinding over haar
trouwplannen was dat allemaal van de baan.

O, er werd nog steeds over gekletst, maar Henry Grey had Dallas
als zijn nieuwe knecht geaccepteerd en daarmee was de discussie gesloten. Toen er in de stad naar gevraagd werd, had iemand pa horen

zeggen dat hij er wel van stond te kijken, maar dat die indiaan alles van het boeren wist en dat was dat.

Vivi Ann wenste dat zij het zo gemakkelijk kon vergeten.

Hij stond nu in een stralend middagzonnetje de manege uit te vegen. Het was te laat om te doen alsof ze hem niet gezien had, dus glimlachte ze tandenknarsend en liep naar hem toe.

'Kun jij even naar de diervoederhandel om wat weegbree te halen? Dat is op. Chuck weet wel wat we nodig hebben en hij kan het gewoon op de rekening zetten. Heb je mijn pick-up nodig?'

'Ik heb zelf een pick-up.'

'Prima,' zei ze en ze wilde weer weglopen.

Hij glimlachte.

Ze aarzelde heel even en dwong zichzelf toen om verder te lopen. Ze dacht dat ze hem zacht hoorde grinniken, maar ze weigerde om te kijken.

De rest van de dag werd opgeslorpt door paardrijlessen die Vivi Anns volledige aandacht opeisten. Toen de laatste les voorbij was, wreef ze over haar nek en liep naar het huis waar ze een pan spaghettisaus maakte en die op het gas zette om gaar te sudderen terwijl zij boven ging douchen.

Ze was weer beneden en schonk net een glas wijn in toen er op de deur werd geklopt.

Hij was precies op tijd.

Ze vermande zich en deed de deur open. 'Hallo, Dallas.'

Ze wachtte tot hij iets zou zeggen, maar hij bleef haar alleen maar aankijken. Het was de eerste keer dat ze zichzelf toestond om hem goed te bekijken en ze zag meteen een rafelig, bijna onzichtbaar litteken dat van zijn haargrens over zijn slaap naar zijn oor liep. Het was scheef en ongelijk, alsof een dronken naaister het met een gewone naald en draad dicht had genaaid en onwillekeurig vroeg ze zich af hoe hij die wond had opgelopen. Zonder erover na te denken, liet ze haar vingertop over de rafelige lijn glijden. Ze wilde net vragen hoe hij eraan was gekomen, maar voordat ze de kans kreeg, zei hij rustig: 'Voorzichtig, Vivi Ann. Straks wil ik jou ook aanraken.'

Ze trok haar hand met een ruk terug.

'Weet je zeker dat je niet door wilt gaan?' vroeg hij. Er klonk een lach in zijn stem, en nog iets anders: een soort van begrip dat haar mateloos irriteerde.

Ze draaide zich om en liep de keuken in met de opmerking: 'De spaghettisaus staat op het vuur en de pasta staat in een vergiet in de gootsteen. Bedien je zelf maar.'

Ze wist dat hij nog steeds naar haar keek, dus liep ze naar de telefoon en belde Luke, die vrijwel onmiddellijk opnam.

'Goddank,' zei hij. 'Ik werd stapelgek van het wachten tot je zou bellen. Ik dacht... misschien...'

'Je hoeft je helemaal geen zorgen te maken,' zei ze iets te vinnig. 'Zullen we een borrel gaan pakken? Ik word stapelgek hier op de ranch.'

'Prima idee,' zei hij. 'Ik kom je om acht uur ophalen. En Vivi... ik hou van je.'

Ze wist wat haar antwoord daarop moest zijn, maar dat kon ze niet over haar lippen krijgen. In plaats daarvan fluisterde ze: 'Schiet een beetje op, Luke' en legde de telefoon neer.

Daarna draaide ze zich langzaam om naar Dallas en zag weer dat lachje van hem.

'Goed idee, Vivi Ann. Vlucht maar gauw naar dat mooie vriendje van je. Hij ziet eruit als een schoothondje dat het jou maar al te graag naar de zin wil maken. Ga maar eens kijken of hij iets tegen die kriebels kan doen.'

'Ik heb helemaal niet de kriebels.'

Maar op het moment dat ze dat zei, wist ze ineens dat ze loog.

En dat Dallas dat ook wist.

Het was een doordeweekse dag, dus het was rustig in de Outlaw. Er zaten alleen een paar tobberige vaste klanten aan de bar die loom aan hun drankjes nipten. De meesten rookten. Achterin stond een stel oudere vrouwen met lang, gepermanent haar te biljarten. Bij de deur van het toilet stonden een paar indianen met een biertje. Uit de jukebox denderde een oude hit van Elvis.

Vivi Ann liet zich door Luke meetronen naar een van de geverniste houten tafeltjes links van de bar.

'Een margarita?' vroeg hij.

Ze knikte afwezig en zei: 'Met klontjes. En zonder zout.'

Toen hij wegliep, zuchtte ze en probeerde naar de muziek te luisteren, maar ze kon de stem van Dallas niet uit haar hoofd krijgen. Zijn woorden bleven door haar brein tollen als knikkers in een blikken trommel. Rammelend en tinkelend.

Voorzichtig, Vivi Ann...

Straks wil ik jou ook aanraken.

Alsof ze hem met haar gedachten op had geroepen kwam hij op dat moment de Outlaw in lopen. Door de rokerige ruimte ontmoetten hun ogen elkaar en ze hield haar adem in.

Toen kwam Luke terug en blokkeerde haar blik op Dallas.

'Alsjeblieft,' zei hij en ze zette een lichtgroene margarita op het wiebelende tafeltje. 'Kijk eens wie ik bij de pooltafels vond?'

Winona dook naast hem op. 'Hallo, Vivi Ann.'

Er klonk iets door in Winona's toon, iets zuurs waarover ze eigenlijk moest nadenken, maar Vivi Ann vond het de moeite niet waard. Om eerlijk te zijn was Winona de laatste tijd gewoon een kreng geweest en Vivi Ann was het zat om te proberen uit te vissen wat ze nu weer misdaan had. En haar gedachten werden trouwens helemaal door Dallas in beslag genomen.

Ze leunde iets opzij om naar de deur te kijken, maar hij was verdwenen.

Ze stond op. 'Ik heb mijn tas nodig, maar die staat nog in jouw auto. Ik ben zo terug.'

'Zal ik hem even ophalen?'

'Nee. Ga maar lekker met Winona praten, ik weet hoe goed jullie met elkaar kunnen opschieten.' Ze gaf een klopje op Lukes schouder, alsof hij een... *schoothondje* was.

'Ik ben zo terug.' Ze negeerde Winona die haar fronsend aankeek.

'Oké,' zei Luke. 'Gauw dan maar.'

Met een schuldig gevoel rende Vivi Ann de kroeg uit. De parkeerplaats was leeg.

Hij had niet op haar gewacht.

Ze holde naar de straat en zag hem op de hoek langs Myrtle's Ice Cream Shop lopen. Hij hield zijn hoofd een beetje schuin, alsof hij naar iets luisterde en liep toen het duistere steegje ernaast in.

'Blijf staan, Vivi,' zei ze hardop. 'Anders kom je in de problemen.' Maar ze liep toch achter hem aan, ver genoeg weg om te voorkomen dat hij haar zou horen. Het steegje was een van de weinige plekjes in de stad waar Vivi Ann nog nooit was geweest, ook niet als kind. Het was smal en donker en het lag vol afval: bierblikjes, lege drankflessen en sigarettenpeuken. Aan het eind bleef ze staan en keek om zich heen.

De bouwvallige bungalow van Cat Morgan lag op een ruitvormig stukje land dat zich met pure wilskracht aan de kust leek vast te klampen. De tuin was één grote puinzooi en hetzelfde gold voor het huis. Een paar gebroken ruiten waren met ducttape aan elkaar geplakt en de voordeur hing scheef. Het hele dak zat onder het mos, dat van de schoorsteen iets ziekelijk groens had gemaakt. In de loop der jaren had Vivi Ann heel wat schokkende verhalen gehoord over alles wat zich in dat huis afspeelde.

Muziek denderde naar buiten, keiharde heavy metal die Vivi Ann niet herkende, en door het raam kon ze dansende mensen zien.

Dallas liep naar de voordeur en klopte.

De deur ging met een zwaai open en Cat Morgan kwam naar buiten. Ze droeg een zwart fluwelen haltertopje dat de nadruk legde op haar grote borsten en een strakke zwarte spijkerbroek waarvan de pijpen in zilverkleurige cowboylaarzen waren gepropt. Haar rossige haar viel in woeste krullen om haar zwaar opgemaakte gezicht en ze droeg een stuk of tien zilveren armbanden om een van haar polsen.

'Hoi,' zei Dallas.

Cat zei iets dat Vivi Ann niet verstond en wenkte hem vervolgens naar binnen. Achter hen viel de hordeur met een klap dicht.

Vivi Ann bleef nog heel even staan wachten, maar toen het duidelijk werd dat Dallas niet meer naar buiten zou komen, liep ze terug naar het nettere deel van de stad. Hooguit drie minuten later was ze weer terug in de Outlaw, aan het tafeltje tegenover Luke en Winona.

Veilig. Zoals altijd.

'Ik had al eerder over onze bruiloft willen beginnen,' zei Luke. 'En nu we toch allemaal bij elkaar zijn, komt dat vast wel uit, hè?'

Ze lachte gedwongen. 'Tuurlijk, Luke. Laten we het daar maar eens over hebben.'

'Er is echt iets mis, Aurora.'

'Sjonge, jonge, daar kijk ik echt van op. Zal ik je eens vertellen wat er mis is, Win? Jij bent gewoon niet goed wijs. Zelfs met al die hersens waar jij zo prat op gaat, had je niet door wat er recht voor je neus gebeurde en nu zit je met de gebakken peren. Je kleine zusje is verloofd met de man van wie jij houdt.'

'Ik heb nooit gezegd dat ik van hem hield.'

'Maar je wist het wel meteen.'

Winona leunde achterover en zette zich af. Ze zaten op de schommelbank die bij haar zusje op de veranda stond. Door de beweging begonnen de oude kettingen te knarsen. 'Ze houdt niet van hem, Aurora.'

'En wat ga je daaraan doen?'

'Wat kan ik eraan doen? Het is voorbij.'

'Het is pas voorbij als alles voorbij is. Je hoeft Vivi Ann alleen maar de waarheid te vertellen. Dan zal ze er meteen een eind aan maken en niet met hem trouwen. Dat garandeer ik je.'

Winona staarde naar de beschaduwde tuin van haar zusje. Het was tien uur op een doordeweekse avond en de meeste huizen in de buurt waren donker. In de lente ging Oyster Shores vroeg onder de wol. 'Dus het enige wat ik hoef te doen, is toegeven dat ik van een man houd die mij een geweldige advocaat en een fantastische vriendin vindt en tegen mijn beeldschone jongere zus zeggen dat ik meer waarde hecht aan mijn eigen geluk dan aan het hare. En als klap op de vuurpijl mag ik dan ook nog eens door het stof kruipen en aan pa vertellen dat het land van Luke toch niet door een huwelijk in ons bezit zal komen, omdat die zielige Winona daar een stokje voor heeft gestoken.'

'Ja, jemig, als je het zo formuleert...'

'Zo is het gewoon. Misschien had ik er in het begin nog iets aan kunnen doen. Ik geef toe dat ik oerstom ben geweest, maar nu is het te laat. Ik moet er maar mee leren leven.'

'Denk je dat je je iets minder krengerig kunt gedragen terwijl je daarmee bezig bent? Ermee te leren leven, bedoel ik.'

Winona zuchtte. 'Ik weet het... Ik zou het liefst willen...' Ze kon haar nieuwste wens niet eens onder woorden brengen, omdat die zo

88

duister was dat ze zich ervoor schaamde. Ze wilde niet langer alleen maar dat Luke ineens van haar zou gaan houden. Dat was niet meer genoeg. Ze wilde ook dat het Vivi Ann verdriet zou doen, zodat ze eindelijk eens zou gaan begrijpen hoe het was om het onderspit te delven.

'Het gaat om ons, Win,' zei Aurora rustig, terwijl ze haar hand pakte. 'Om de zusjes Grey. Je kunt niet toestaan dat Luke meer voor je gaat betekenen dan wij.'

'Dat weet ik wel,' zei ze en dat was ook zo. Ze wist wel degelijk wat juist was en hoe ze zich moest gedragen. Ze kon het alleen niet opbrengen en dat besef deed haar evenveel verdriet als de rest. Zelf-beheersing was nooit een van haar sterke punten geweest. Vroeger had dat meestal betekend dat ze te veel at en te weinig bewoog. Maar tegenwoordig kon ze haar emoties al evenmin in bedwang houden als haar verlangens. Af en toe, als ze midden in de nacht weer eens tot de ontdekking kwam dat ze wenste dat Vivi Ann iets heel dramatisch zou overkomen (de dood hoefde er niet aan te pas te komen, als het maar iets ergs was waardoor Luke haar zou ver-laten), vroeg Winona zich wel eens af waartoe ze allemaal in staat zou zijn. 'Hou nou maar gewoon Vivi Ann eens in de gaten. Dan zul je vanzelf zien dat ze niet van Luke houdt.'

'Ach, Win,' zei Aurora. 'Je snapt er helemaal niets van. Waar het om gaat, is dat hij van haar houdt.'

'Dat zou vast niet zo zijn als hij alles wist.'

Inmiddels zat Aurora haar strak aan te kijken en zelfs in het vage maanlicht was duidelijk zichtbaar dat ze zich zorgen maakte. 'Je bent toch niet van plan om iets stoms te doen?'

Winona lachte. Het kostte nauwelijks moeite. 'Ik? Ik ben de ver-standigste persoon die je kent. Ik doe nooit stomme dingen.'

Aurora ontspande meteen. 'Goddank. Je deed me ineens een beetje aan *Single White Female* denken.'

Vanuit de eetkamer kon Vivi Ann de achtertuin, de manege en de paddock zien. In het rozige ochtendlicht leek alles zacht en een tikje onwerkelijk.

Ze maakte zichzelf wijs dat ze gewoon bezig was de tafel te dekken en dat ze helemaal niet bij het raam stond te wachten, maar toen ze Dallas zag aankomen, besefte ze dat ze zichzelf voor de gek hield. Terwijl ze haastig haar gezicht in de plooi trok, deed ze de deur open. 'Hoi,' zei ze, terwijl ze haar handen aan een roze doekje droogde. Het was de eerste keer dat ze samen met hem zou ontbijten en ze wist nu al dat het een vergissing was.

Ik zou maar uitkijken, Vivi Ann.

'Moet die verrekte deur de hele ochtend openblijven?' vroeg haar vader die ineens achter haar opdook.

'Kom binnen, Dallas. Ga zitten,' zei ze en ze liep voor hem uit naar de tafel.

Vivi Ann had zolang ze leefde bijna altijd in stilte het ontbijt naar binnen gewerkt. Haar vader was net als andere cowboys niet bepaald een kletsmajoor, maar die ochtend werkte zijn zwijgzaamheid op haar zenuwen. Ze wist dat Dallas haar aankeek toen ze zei: 'De volgende lassowedstrijd staat alweer voor de deur. Ik heb iemand nodig om de posters op te hangen.'

'Dat kan ik wel doen,' zei Dallas. 'Zeg maar waar je ze wilt hebben.'

Ze knikte. 'En dat lekkende dak van de hooischuur...'

'Dat heb ik gisteren al gerepareerd.'

Ze keek hem verrast aan. 'Dat had ik niet eens opgeschreven.'

'Hoe kom je er eigenlijk bij dat ik kan lezen?'

Pa produceerde iets wat op gesnuif leek en bleef verdiept in zijn tijdschrift.

Ze wendde met moeite haar ogen af van Dallas en keek haar vader aan. 'Kun je vandaag met me mee naar Sequim?'

'Ik zit helemaal vol, Vivi,' zei pa terwijl hij het mes in zijn spek zette. 'Ik moet zes paarden beslaan. En de laatste staat helemaal in Quilcene. Is er weer een paard dat gered moet worden?'

Ze knikte.

'Ik kan je wel helpen,' zei Dallas.

'Nee, dank je. Ik vraag het wel aan mijn verloofde,' zei ze.

'Wat je wilt.'

Ze stond op van tafel en begon aan de afwas. Tegen de tijd dat ze klaar was, waren ze allebei verdwenen en was het weer stil in huis.

De volgende vijf uur werkte ze aan één stuk door. Ze moest les-geven, de merrie van de familie Jurikas africhten en flyers maken. Om halftwaalf liep ze weer naar huis om de lunch klaar te maken en pakte de helft ervan in een picknickmand. De andere helft liet ze ingepakt op de keukentafel staan voor Dallas. Toen liep ze naar de gele telefoon in de keuken en belde Luke, die vrijwel meteen opnam.

'Hoi. Ik wil je vandaag ontvoeren,' zei ze. 'Er staat een mishandeld paard in Sequim dat daar weggehaald moet worden. Dan zouden we eerst op het strand kunnen gaan picknicken.'

'Verdomme, ik wou dat je eerder had gebeld. Ik heb net beloofd dat ik naar de Winslows toe zou gaan. Hun jonge merrie is kreupel.'

'Zeker weten?'

'Het spijt me. Maar dat etentje van vanavond gaat wel door, hè?'

'Natuurlijk.'

'Dan zie ik je om zeven uur.'

Ze legde de telefoon neer en liep naar buiten. Vanaf de veranda zag ze Dallas die in de tractor naar haar toe kwam rijden. Toen hij haar zag, begon hij te lachen en ze wist dat hij erop had gerekend dat ze op hem zou staan te wachten.

'Ik heb geen keus,' zei ze hardop. 'Het is gewoon werk.'

Ze liep over de parkeerplaats en bleef naast de tractor staan.

'Bij nader inzien zul je me toch moeten helpen om dat paard op te halen,' zei ze. Zonder op antwoord te wachten liep ze naar de pick-up en stapte in. Tien minuten later, toen ze de grote trailer eraan had gekoppeld, drukte ze ongeduldig op de claxon.

Zodra hij naast haar zat, zette ze de auto in de versnelling en reed weg.

'Weet je hoe je een schichtig paard in een trailer moet krijgen?' vroeg ze een hele tijd later.

'Yep.'

Het bleef een hele tijd stil.

Ze reden net Sequim binnen toen hij zijn mond weer opendeed. 'Die eerste jackpot was een lachertje. Dat weet jij ook wel, hè?'

Vivi Ann wist eigenlijk niet wat ze verwacht had: misschien wat schuine praatjes of een gladde poging om haar te versieren. Of op-merkingen over Luke. Maar dit... Ze fronste. 'Dat is me wel verteld.

Herhaaldelijk. Hoewel niemand heeft aangeboden me een handje te helpen.'

'Ik zal je wel helpen. Je prijzen waren veel te duur, er waren te veel voorronden en het inschrijfgeld was te laag. Maar het belangrijkste was dat je geen mailinglist probeert op te bouwen. Je hebt meer vaste klanten nodig. Ik kan wel les gaan geven in lasso werpen. Daar hoef je niet veel geld voor te vragen. Het is gewoon de bedoeling dat die kerels er gewend aan raken om naar ons toe te komen. Dan gaat het nieuws wel als een lopend vuurtje rond.'

Ze zag meteen in dat al die maatregelen succes zouden hebben. Eigenlijk had ze dat zelf ook kunnen bedenken. 'Hoe weet je dat allemaal?'

'We hebben het op de Poe Ranch ook gedaan. Daar kwamen wel zeshonderd ploegen opdagen voor een jackpot.'

'En zou je dat kunnen? Lesgeven in lasso werpen?'

'Daar heb ik wel een paard voor nodig.'

'Dat is geen enkel probleem.'

Vivi Ann keek even naar de velden langs de snelweg en zag hoe de wind door het hoge gras zwiepte. Alles kon er van het ene op het andere moment ineens heel anders uitzien. Een beetje wind, een paar inlichtingen...

'Bedankt,' zei ze na een poosje. Waarschijnlijk had ze nog meer moeten zeggen, maar daar kon ze op dit moment niet op komen en het scheen hem toch niets uit te maken.

'Ik sta ervan te kijken dat je dat soort dingen van niemand te horen hebt gekregen.'

Ze kwamen bij de Deer Valley Road en ze remde, wachtend op een gelegenheid om linksaf te slaan. 'De mensen nemen mij niet serieus. Ze beschouwen me allemaal als een barbiepop. Ze denken dat ik een dom blondje ben.'

'Dat verklaart Kaki Ken.'

Ze schoot onwillekeurig in de lach, maar ze verstrakte bijna meteen weer toen hij zei: 'Ik heb niet het idee dat je een leeghoofd bent.'

Ze wierp hem een verbaasde blik toe en wendde haar ogen meteen weer af. 'Bedankt,' zei ze en schakelde terug om de heuvel op te rijden. De oude pick-up en de trailer schokten en kreunden voordat ze weer op gang kwamen.

'Hoeveel paarden heb je al gered?'

'Tien of elf, geloof ik. Ik was twaalf toen ik me over de eerste ontfermde.'

'Waarom?'

Vivi Ann was opnieuw verbaasd. Dat had niemand ooit gevraagd. 'Dat was het jaar dat mijn moeder was gestorven.'

'Hielp het?'

'Een beetje.' Ze reed voorzichtig een karrenspoor vol kuilen op, dat kronkelend door een bos met enorme naaldbomen liep, tot ze bij een open plek kwamen met een charmant houten huis, een stal met vier boxen en een klein, omheind weiland. Daar zette ze de auto neer. 'De dierenbescherming trof deze ruin in slechte toestand aan en heeft hem hier gebracht. Hopelijk zitten de mensen die hem dit aangedaan hebben nu achter slot en grendel. Whitney Williams – de eigenares van dit huis – is aan het werk, maar ze weet dat we hem komen halen.' Ze pakte een leidsel uit de laadbak van de pick-up en liep naar de stal. 'Wacht hier maar.'

Het was stoffig en schemerig in de stal en ze bleef bij de deur van de laatste box staan. De zwarte ruin werd min of meer door de schaduwen opgeslokt, het enige wat ze goed kon zien waren de gele tanden onder zijn opgetrokken lip en het wit van zijn ogen. Zijn oren lagen plat op zijn hoofd en toen hij snoof, kwam er niet alleen lucht maar ook snot uit zijn neusgaten.

'Rustig maar, jochie.' Vivi Ann trok de deur van de box open en deed voorzichtig een stap naar voren. Het paard ging op zijn achterbenen staan en sloeg met zijn voorbenen naar haar.

Ze kon de aanval gemakkelijk vermijden door opzij te stappen en klikte het leidsel aan zijn halster toen zijn hoeven met een klap op de houten vloer terechtkwamen.

Het kostte haar nog een kwartier om het doodsbange paard de donkere, stinkende stal uit te leiden, maar toen ze eindelijk in het zonlicht stonden, waren de littekens duidelijk te zien.

Op de plekken waar de zweep of iets anders zijn huid opengescheurd had, was het haar wit teruggegroeid.

'Verdomme nog aan toe,' mompelde Dallas naast haar.

Vivi Ann voelde de tranen in haar ogen springen, maar verdrong ze voordat Dallas kon zien hoe zwak ze was. Hoe vaak ze dit ook deed, ze raakte nooit echt gewend aan de aanblik van mishandelde paarden. Ze dacht aan Clementine en hoe dat paard haar had gered toen zij hulp nodig had en haar hart brak als ze bedacht hoe wreed mensen konden zijn. Ze probeerde het paard over zijn fluwelen neus te strelen, maar hij week achteruit, met ogen die wild door de kassen rolden. 'Laten we hem maar in de trailer zetten en maken dat we wegkomen.'

'Als je er zo overstuur van raakt, waarom doe je het dan?' vroeg Dallas op de terugweg.

'Moet ik ze dan maar laten lijden omdat het zo naar is om ze te helpen?'

'Je zou niet de eerste zijn die dat deed.'

'Dit paard – hij heet Renegade – heeft nog maar vier jaar geleden de Western Pleasure-dressuurprijs van de staat gewonnen. Ik heb hem die dag zien lopen. Hij was schitterend. En nu beweren ze dat hij niet meer bereden kan worden. Ze wilden hem laten afmaken voordat hij iemand zou verwonden. Alsof het zijn schuld is dat hij zo wild is.'

'Pijn kan elk dier vals maken.'

'Dat klinkt alsof je weet waar je het over hebt.'

Hij begon iets zachter te praten. 'Hij zou je iets aan kunnen doen.'

'Ik kan wel op mezelf passen.'

'O ja?'

Vreemd genoeg kreeg Vivi Ann ineens het idee dat ze het niet meer over Renegade hadden.

Ze concentreerde zich op de weg en hield haar mond tot ze weer thuis waren en Renegade uit de trailer haalden. 'We eten wat later,' zei ze, nadat ze het paard had losgelaten in de met gras bedekte paddock achter de manege. Ze wist uit ervaring dat paarden als Renegade alleen wilden zijn. Af en toe waren ze zo verknipt dat ze nooit meer een kudde om zich heen duldden.

Dallas kwam iets dichterbij staan. 'Je hoeft over mij niet in te zitten. Ik ga uit eten met Cat Morgan.'

'O. Nou ja.' Ze week een stap achteruit en maakte zichzelf wijs dat ze niet teleurgesteld was. 'Dan kan ik maar beter naar binnen gaan.' Maar ze verroerde zich niet. Ze wist niet eens waarom, tot hij vlak voor haar stond.

Heel even dacht ze dat hij haar zou kussen en ondanks alles wilde ze ook dat hij dat zou doen, maar hij fluisterde alleen maar in haar oor: 'We weten allebei dat Cat niet de vrouw is die ik wil.'

Zeven

Na het etentje in het Waves Restaurant reden Vivi Ann en Luke terug naar de boerderij, en Vivi Ann was zich bewust van alle geluiden van de zachte avond. In de week nadat ze samen met Dallas Renegade had opgehaald had ze het gevoel gekregen dat er ergens gevaar dreigde waarvoor ze constant op haar hoede moest zijn. Ze voelde een spanning in haar binnenste die voortdurend toenam.

Ze keek naar Luke, en de manier waarop hij tegen haar glimlachte was precies goed: vrolijk, stralend en eerlijk. Eigenlijk moest ze nu teruglachen en iets romantisch zeggen, maar als ze wat langer in zijn ogen keek, kreeg ze steeds sterker het gevoel dat ze in de val zat. Ineens bestond haar leven met hem alleen maar uit dit: samen in zijn pick-up. En dat was een benard en pretentieloos leven, waar ze helemaal niet op zat te wachten. Wat zij wilde was hartstocht, vuur en magie. Misschien had ze een fout gemaakt door niet met Luke naar bed te gaan. In het begin had ze zich ingehouden omdat hij alles zo serieus nam en zij helemaal niet en ze wilde niet dat seks haar zou verleiden tot een verkeerd soort liefde. Maar nu zat ze er toch aan vast en de ironie wilde dat hij dacht dat hun gebrek aan intimiteit een teken van liefde was, in zekere zin zelfs het bewijs dat ze van elkaar hielden. En als seks met Luke nou toevallig fantastisch bleek te zijn, werd ze er misschien wel door meegesleept en zou ze vanzelf verliefd worden...

En niet langer aan Dallas denken.

Zodra ze voor de boerderij stopten en uitgestapt waren, liep ze met uitgestoken armen naar hem toe. 'Ik wil nu echt proberen om van je te houden, Luke. Nu meteen.' Eigenlijk had ze gewoon willen zeggen *Ik wil nu van je houden,* maar ze kon haar woorden niet meer inslikken.

Ze drukte haar lichaam stijf tegen hem aan, terwijl ze verleidelijk begon te schurken en haar blouse uittrok, die ze achteloos opzij gooide. 'Toe, Luke...' smeekte ze. 'Maak me gek...'

Hij kuste haar stevig en week toen achteruit, terwijl hij op haar neerkeek. 'Dit is niet de manier waarop we dit voor het eerst moeten doen. Laten we maar naar binnen gaan.'

Vivi Ann voelde een golf van teleurstelling opkomen. Al dat gekus en verder niets. Het was precies wat ze aldoor al had gedacht: deze lieve, knappe, beminnelijke man zou haar nooit in vuur en vlam kunnen zetten. Ze glimlachte gedwongen. 'Je hebt gelijk. Onze eerste keer moet heel bijzonder zijn. Rozengeur en maneschijn.' Ze bukte zich om haar blouse op te pakken en weer aan te trekken. 'En niet op een avond waarop ik een paar glaasjes wijn te veel op heb.'

Hij sloeg zijn arm om haar heen en bracht haar naar het huis. 'Ik denk dat ik voortaan maar beter een oogje op je kan houden en je eraan herinneren dat twee glazen je limiet is.'

Ik durf te wedden dat hij je als een soort kostbaar bezit behandelt.

Ze kon geen woord uitbrengen, maar toen ze op de veranda stonden en Luke haar welterusten kuste, kon ze maar met moeite haar tranen inhouden.

'Wat is er aan de hand, Vivi?' vroeg hij terwijl hij haar losliet. 'Je weet toch dat je mij alles kunt vertellen, hè?'

'Ik ben gewoon moe, anders niet. Morgen zal alles wel weer in orde zijn.'

Dat accepteerde hij en hij gaf haar nog een afscheidszoen. Ze keek hem zuchtend na, voordat ze naar haar slaapkamer liep.

Daar keek ze uit over het donkere grondgebied van de ranch en naar het maanlicht op het dak van de manege. Ze wilde zich net omdraaien toen ze een flits opving van iets gebroken wits. Een cowboyhoed.

Het was Dallas, naast de paddock met Renegade, en hij had naar haar staan kijken. Hij had gezien hoe ze haar blouse uittrok...

Ze liep weg bij het raam en stapte in bed, maar het duurde heel lang voordat ze in slaap viel.

Op zaterdag, toen Dallas en pa nog bezig waren om de stieren uit de wei aan de achterkant te halen, kwam de toeloop naar Water's Edge al bij het krieken van de dag op gang. Om elf uur, toen de jackpot officieel begon, stonden bijna driehonderd ploegen ingeschreven. Vivi Ann was al voor zonsopgang in de weer geweest en ze bleef doorgaan tot de wedstrijden achter de rug waren.

Pas toen de laatste ronde was geweest en de prijzen waren uitgereikt, haalde ze een glas limonade uit de koelkast en leunde tegen de warme zijkant van de manege.

De parkeerplaats was een wirwar van mensen. Cowboys en hun gezinnen waren druk bezig hun paarden in de trailers te laden, hun tuig op te bergen en hun stoelen dicht te klappen. Inmiddels was de verkeersstroom ook al op gang gekomen, een lang lint van pick-ups met aanhanger sukkelde langzaam over de oprit in de richting van de stad.

De jackpot van vandaag was niet zomaar een succes geweest. Dat woord was niet genoeg om te omschrijven wat er gebeurd was. Het was een bonanza geweest. Een triomf. Bij de laatste telling hadden ze meer dan tweeduizend dollar verdiend. En dan had ze nog niet eens de winst meegerekend van de hapjes die ze in hun snackkraampje verkocht hadden.

Winona kwam naast haar staan. Terwijl ze aan een plastic bekertje met cola light nipte, zei ze: 'Je ontloopt me.'

'Dat lijkt me logisch, hè? Je bent de laatste tijd een regelrecht kreng geweest. Zou je erin blijven als je me gewoon feliciteerde? En "goed zo, Vivi" zei? De jackpot van vandaag was echt uit de kunst.'

'Dat zou ik allemaal allang tegen je gezegd hebben, als je me niet had ontlopen.'

'Ik ontloop je niet. Ik heb alleen geen zin om naar je te luisteren.'

'Naar wat?

'Dat weet je best.'

'Hij houdt van je,' zei Winona rustig. 'En hij ziet misschien niet dat er iets niet klopt, maar ik wel.'

Dat was nou precies wat Vivi Ann niet wilde horen. 'Ik ga toch met hem trouwen?'

'Ja. En waarom precies?'

'Vraag je me dat als een vriendin van hem of als mijn zusje?'

'Maakt dat dan verschil?'

'Een heleboel.'

Daar moest Winona kennelijk even over nadenken, maar toen zei ze: 'Nou, goed. Dan ben ik nu heel even je zusje. Laten we het maar eens over Dallas hebben. Ik maak me zorgen...'

'Jij maakt je altijd zorgen.' Vivi Ann ging rechtop staan. 'Ik moet ervandoor, Win. Al dit gedoe maakt de paarden stapelgek.' Ze rende haast naar de ingang van de manege en dook naar binnen. Bij de box van Clem schoof ze de deur open, stapte naar binnen en drukte haar voorhoofd tegen de zachte hals van de merrie. 'Ze heeft gelijk, Clem, er klopt iets niet, en ik weet niet wat ik eraan moet doen.'

Haar paard hinnikte en duwde zacht tegen haar dijbeen. Vivi Ann kriebelde haar achter de oren en fluisterde: 'Ik weet het, meid. Ik zal me gedragen.'

Daarna liep ze de box uit, deed de deur op slot en liep aan de achterkant de manege uit, het schemerduister in.

Renegade galoppeerde wild door de hele paddock, waarbij hij aan het ene eind heftig moest remmen voordat hij zich omdraaide om weer terug te stuiven.

'Ho maar, jochie,' zei ze terwijl ze naar hem toe liep. 'Niets aan de hand. Het lasso werpen is voorbij. Zo meteen is alles weer rustig.' Ze stak haar hand uit om hem over zijn zijdezachte nek te strelen, maar hij bokte en draaide zich met een ruk om. 'Al goed, jochie,' zei ze in een poging om hem met haar stem te kalmeren.

'Ik kan je niet uit mijn hoofd zetten,' zei Dallas zacht. Hij stond ineens achter haar.

Ze draaide zich om. Hier was ze naar op zoek geweest, dit was de reden waarom ze hier was, al had ze dat tot op dit moment niet willen toegeven. Ze hief haar gezicht op en wachtte...

Ze had nog nooit zoiets meegemaakt als die kus, die haar het gevoel gaf dat ze begon te zweven en als een wildeman rondtolde voordat ze met een klap weer op de aarde terechtkwam. Ze klemde zich aan hem vast zoals ze zich nog nooit aan iemand had vastgeklampt, in ieder geval niet sinds ze volwassen was. Alsof hij de enige was die haar zou kunnen redden.

'Vivi Ann!'

Ze hoorde haar naam roepen alsof de stem zich ergens onder water bevond, heel ver weg. Er was nog een tweede keer nodig, voordat ze weer terug was in de werkelijkheid.

'Ik moet ervandoor,' zei ze en ze duwde Dallas van zich af.

Hij pakte haar bij haar elleboog en hield haar vast. 'Ik wil je,' zei hij zacht. 'En jij hunkert net zo naar mij.'

Ze rukte zich los en rende langs de manege terug. Op de parkeerplaats stonden haar beide zusjes samen met Richard en Luke op haar te wachten.

'O, daar ben je,' zei Winona met een scherpe blik op het terrein achter haar. Was ze soms op zoek naar Dallas? Vermoedde ze iets? 'Het leek ons een goed idee om uit te gaan en het succes van de jackpot te vieren.'

'O,' zei Vivi Ann die haar best moest doen om niet onverschillig te klinken. 'Dat lijkt me leuk.'

Later, een paar minuten over één in de morgen, zat Vivi Ann op het bovenste treetje van de verandatrap tussen haar zusjes in. Ze was lekker aangeschoten, maar helaas niet genoeg om haar gedachten opzij te zetten. 'Wie wil er een glaasje pure tequila?'

'Nee, bedankt,' zei Aurora. 'Ik moet naar huis. Richard zou opblijven tot ik thuis was.'

'Win?' zei Vivi Ann. 'Doe jij wel mee?'

'Ben je nou helemaal mal? Ik ben kapot.'

Vivi Ann leunde achterover en keek omhoog langs het dak van de veranda naar de donkere lucht. Op de heuvel achter de manege ging een lamp aan, als een klein kleurig vuurvliegje in het duister.

Ik wil je... En jij hunkert net zo naar mij.

Ze keek Aurora aan, die naast haar zat en de kleine vlaggetjes op haar vuurrode nagels bestudeerde. 'Aurora, hoe wist je dat Richard de ware was?'

Aurora keek even kort opzij, genoeg om oogcontact te maken. In het oranjeachtige schijnsel van de buitenlamp leek haar gezicht een masker van licht en schaduw. 'Omdat hij bleef vragen.'

'Was dat alles? Dat hij je ten huwelijk vroeg?'

'Nee, omdat hij me alles vroeg. Was ik wel warm genoeg? Vond ik de film leuk? Waar wil je gaan eten? Richard is... lief. Net als Luke.' Aurora maakte een beweging met haar hoofd die op zich al een vraag inhield. 'Ik heb ook verkering gehad met mannen die helemaal niet lief waren. En ik had meer dan genoeg van verdriet toen ik Richard leerde kennen.'

'Waarom geef je niet gewoon toe dat je niet weet of je van Luke houdt, Vivi?' zei Winona.

'Ze weet best of ze van hem houdt,' zei Aurora. 'En ze weet het ook als ze niet van hem houdt. Wat zij wil weten, is of ze daar genoegen mee moet nemen.'

'Genoegen mee moet nemen?' zei Winona scherp. 'Doe niet zo belachelijk. We hebben het wel over Luke Connelly.'

Aurora keek Winona aan. 'Je bent háár zusje,' zei ze. 'Dat mag je niet vergeten, Win.'

'Alsof ik daar de kans toe krijg,' mompelde Winona.

'Na de dood van mam zijn we altijd met ons drietjes geweest,' zei Aurora die Winona nog steeds aankeek. 'Erwt, Boon en Spruit. We kunnen ons aan elkaar ergeren, we kunnen schreeuwen, ruziemaken en janken, dat maakt allemaal niets uit, dat hoort er gewoon bij als je zusjes bent. Maar we blijven voor elkaar opkomen. Op dit moment komt Vivi Ann aan met een stel moeilijke vragen. Misschien hadden we alles op kunnen lossen als we een paar maanden geleden onze mond open hadden gedaan, maar dat is niet gebeurd en daar moeten we dan nu maar mee leven. Heb je dat begrepen? Daar moeten we nu mee leven.' Ze keek Vivi Ann aan. 'Ik zal je precies zeggen waar het op staat, Vivi: er zijn ergere dingen dan trouwen met een fatsoenlijke vent en hopen dat je daar tevreden mee zult zijn.'

'Maar hoe zit het dan met hartstocht?' vroeg Vivi Ann.

'Hartstocht slijt,' zei Aurora. Ze deed haar best om te glimlachen, maar in haar ogen stond iets heel anders te lezen.

Voor het eerst vroeg Vivi Ann zich af of Aurora al die make-up droeg om iets te camoufleren. Om te verbergen dat ze ongelukkig was in haar saaie huwelijk. 'En er zijn betere dingen. Dat wil je toch eigenlijk zeggen?' Terwijl ze dat zei, dwaalde haar blik onwillekeurig naar de top van de heuvel, maar dat gele stipje.

'Weet je wel zeker dat je met Luke wilt trouwen?' vroeg Winona. 'Want als dat niet zo is, maakt het ook niets uit. Dan moet je dat alleen toegeven.'

Vivi Ann dwong zichzelf om te glimlachen. Hoe kon ze iets toegeven wat ze niet wist? Ze was niet goed wijs om zo naar Dallas te hunkeren. Dat zou nooit iets blijvends kunnen zijn. Ze moest gewoon ophouden met constant aan hem te denken. 'Ik ben alleen maar zenuwachtig, anders niets. Een huwelijk is heel belangrijk.'

Winona zat haar strak aan te kijken en leek niet overtuigd. Had ze Vivi Anns onwillekeurige blik naar de blokhut opgevangen?

Maar Aurora zei: 'Dat is heel normaal', waarmee het gesprek een natuurlijk einde kreeg.

'Nou, ik ben bekaf,' zei Vivi Ann. 'Bedankt dat jullie vandaag zo behulpzaam zijn geweest.' Ze gaf haar beide zusjes een knuffel en liep mee naar hun auto's. Toen ze weg waren, ging ze naar binnen. Bij haar slaapkamerraam bleef ze nog even kijken naar het goudkleurige lichtje tussen de bomen. Hij was nog op. Hij wachtte.

'Ik kom toch niet,' zei ze en ging naar bed.

Acht

Tot het eind van juni werd Vivi Ann bij het krieken van de dag wakker en maakte dan een ontbijt voor drie personen klaar dat ze op tafel zette. En elke dag verzon ze weer een ander excuus om zich bij haar vader te verontschuldigen dat ze niet mee kon eten. In plaats daarvan concentreerde ze zich volkomen op het beheer van Water's Edge en de ranch werd succesvoller dan ze ooit voor mogelijk had gehouden. Inmiddels waren alle boxen vol en er was zelfs een wachtlijst. De lessen en cursussen die Vivi Ann gaf, waren volgeboekt en hetzelfde gold voor Dallas. Voor het eerst van zijn leven hoefde haar vader alleen paarden te beslaan als hij daar zin in had. De rest van de tijd werkte hij op de ranch en deed dingen die jarenlang verwaarloosd waren, zoals het schilderen van hekken en het repareren van de steiger.

Vivi Ann zou in de zevende hemel moeten zijn en in veel opzichten was dat ook zo. Ze stond tegenwoordig een stuk steviger in haar schoenen en haar zelfvertrouwen was toegenomen. Het enige probleem was Dallas.

Iedere keer als ze hem zag of aan hem dacht, herhaalde ze in gedachten de belofte die ze had afgelegd: *Ik ga toch niet naar hem toe.* Het zinnetje werd haar mantra. Als ze Dallas zag die in een bezweet T-shirt aan het werk was en plotseling opkeek om haar toe te lachen…

Ik ga niet naar hem toe.

Of als hij even ophield met het uitmesten van een box en met zijn getatoeëerde bovenarm leunend op een hooivork naar haar stond te kijken...

Ik doe het niet.

Maar ze moest er wel de tol voor betalen. De afgelopen maand had ze zich meer dan eens voor haar gedrag moeten verontschuldigen. Een paar keer had ze tegen haar zusjes of Luke gezegd dat ze zich niet lekker voelde en, zoals dat vaak gaat met leugentjes, dat werd uiteindelijk nog waar ook. Ze had voortdurend last van hoofdpijn, die zich concentreerde in haar linkerslaap, en de druk op haar borst werd steeds groter. Af en toe snakte ze gewoon naar adem. Wat ze zichzelf ook inprentte en hoe snel ze zich overdag ook uit de voeten maakte, haar verlangen naar Dallas groeide alleen maar, tegelijk met haar schuldgevoel.

Ze was kapot. Ze had eigenlijk verwacht dat haar zusjes wel iets zouden zeggen over haar ongebruikelijke zwijgzaamheid, maar kennelijk viel hun niets op. Nu was het zaterdagavond en zaten ze met z'n allen te wachten op Richard om samen naar de Silverdale Fairgrounds te gaan. Vandaag was de laatste dag van de staatsrodeo en voor het eerst in jaren had Vivi Ann zich niet ingeschreven voor de barrelrace. Ze had het gewoon veel te druk.

'Wat vind jij daarvan, Vivi Ann? Vivi?'

Ze keek op en besefte dat ze niet had geluisterd. Iedereen keek haar aan.

'Voel je je wel goed?' vroeg Aurora.

'Ik heb hoofdpijn,' zei Vivi Ann terwijl ze over haar slaap wreef.

'Wil je een aspirientje?'

'Nee, dank je.'

'Misschien moet je die rodeo maar laten lopen,' zei Winona die haar scherp in de gaten hield. De laatste tijd hield Winona haar altijd in de gaten. 'Het wordt vanavond vast laat en anders kun je morgenochtend misschien niet mee naar de kerk.'

'Maar ze heeft met Luke afgesproken,' zei Aurora.

Dat gaf de doorslag. Ze had geen zin in een ontmoeting met haar verloofde. Het kostte haar steeds meer moeite om zijn gezelschap te verdragen. Elke rustige en beschaafde kus deed haar verlangen naar meer. Van iemand anders. En het schuldgevoel als hij tegen haar zei dat hij van haar hield, was bijna ondraaglijk.

'Winona heeft gelijk,' zei Vivi Ann. 'Het laatste wat ik vanavond wil, is laat opblijven. Misschien voel ik me beter als ik wat kan slapen. Gaan jullie maar zonder mij en zeg tegen Luke dat ik me niet lekker voel.'

'Weet je het zeker?' deed pa ook een duit in het zakje, een opmerking die haar eraan herinnerde dat de familie Grey altijd samen naar de rodeo in Silverdale ging. Maar ook dat liet haar tegenwoordig koud. 'Ja, heel zeker.'

Toen haar vader knikte, had ze het voor elkaar.

Nadat Richard eindelijk was komen opdagen, liep Vivi Ann mee naar zijn grote Suburban en zwaaide hen uit. Weer in huis schonk ze een glaasje wijn in en liet een lekker, heet bad vollopen.

Veel later, toen alles donker en stil was en ze in bed lag te lezen, hoorde ze ineens een geluid. Aanvankelijk leek het op een kloppend hart: ka-doeng, ka-doeng, ka-doeng. Mooi gelijkmatig en langzaam.

Ze ging rechtop zitten om te luisteren. Het was een paard, dat langs de omheining draafde. Coyotes?

Ze stond op, trok een badjas aan en liep haastig naar het slaapkamerraam. De maan scheen, maar desondanks duurde het even voordat ze het dravende paard zag. Renegade.

Vanaf de plek waar ze stond, was hij niet meer dan een schaduw die op zijn gemak langs het hek draafde. Eigenlijk voelde ze hem meer dan dat ze hem zag, het enige wat ze in het maanlicht goed kon onderscheiden was een gebroken witte hoed.

Ze wist dat ze er niet naartoe moest gaan, precies zoals ze ook wist dat ze toch ging. Terwijl ze de badstofceintuur strakker aantrok, liep ze de trap af en de tuin door, waarbij ze goed oplette dat ze in de schaduw bleef.

Dallas bereed Renegade zonder zadel.

Alleen was berijden daar een veel te gewoon woord voor. Vivi Ann kon haar ogen niet geloven. Het leek alsof het hem geen enkele moeite kostte om de ruin met haast onzichtbare bewegingen te vertellen wat hem te doen stond, om hem te laten keren en draaien.

'Goed zo, jongen,' zei Dallas rustig. 'Je weet het allemaal nog best, hè? Een kampioen vergeet nooit iets.'

Vivi Ann bleef bijna een uur lang in schaduwen gehuld toekijken, tot ze Dallas eindelijk hoorde zeggen: 'Ho, Renegade.'

Het paard bleef abrupt staan en Dallas liet zich met één vloeiende beweging op de grond glijden. Daarna verwisselde hij het bit voor een halster en liefkoosde het paard nog even voordat hij de heuvel op liep.

In zijn blokhut ging het licht aan. Het deed haar denken aan de vuurtoren van Dungeness Split, die zeelieden niet alleen de weg naar huis wees, maar ook waarschuwde voor gevaarlijke klippen.

En toen liep ze er ineens naartoe. Met iedere stap raakte ze er meer van doordrongen dat het een vergissing was om naar boven te gaan, dat ze iets in hem zag wat er niet was, maar dat telde allemaal niet meer. Dit moment en deze overgave waren onvermijdelijk, alsof de keuze al lang geleden was gemaakt.

Zonder te kloppen deed ze de deur open en zag hem met een biertje bij de bank staan. 'Eén keer,' zei ze en ze hoorde zelf hoe smekend en onzeker ze klonk, hoe angstig en opgewonden. Maar alles wat ze die avond deed, leek onvermijdelijk, alsof ze een wereld had ontdekt die evenwijdig lag aan de werkelijkheid. Een wereld met dezelfde smaken, geuren en verlangens, maar zonder de bijbehorende regels. Een nieuwe wereld waarin ze onbeschaamd, sexy en brutaal kon zijn. Voor één nacht. 'We doen het één keer en dan kunnen we het voorgoed van ons afzetten. Niemand zal het ooit te weten komen.'

'Dus dan ben ik jouw grote, duistere geheim?'

Vivi Ann knikte en liep naar hem toe.

Hij tilde haar met een zwaai op en liep met haar naar het bed, waar hij de stapel doorgestikte dekens van haar grootmoeder opzij duwde en haar neerlegde. Daarna rukte hij zijn Levi's open, schoof de spijkerbroek over zijn blote benen naar beneden en schopte hem uit. Zijn shirt volgde.

Zijn borst was bedekt met littekens, waarvan er één in een hoopje gerimpeld vlees onder zijn ribbenkast uitkwam. In het zachte maanlicht leken ze zilverachtig en bijna mooi, maar ze had genoeg mishandelde paarden gezien om te weten waar ze naar keek. 'Mijn god, Dallas, wat...'

Hij kuste haar tot ze naar adem snakte en helemaal niets meer over haar eigen lichaam te vertellen had. Hij pakte haar alles af en dwong haar om zo wanhopig naar hem te verlangen dat het bijna pijn deed. Toen hij haar had uitgekleed en haar onder zich had getrokken, gaf ze zich zonder enige schaamte over terwijl ze zijn naam schreeuwde en zich aan hem vastklampte. Het enige wat nu nog telde was zijn lichaam samen met het hare en het gevoel dat ze nu pas begon te leven.

Midden in de nacht werd Vivi wakker omdat ze weer naar hem verlangde. Ze draaide zich om en wilde zijn schouder kussen, maar toen kwam ze tot de ontdekking dat ze alleen in bed lag.

Ze duwde de dekens van zich af, pakte haar badjas die in een hoopje op de grond lag en ging op zoek naar Dallas. Ze vond hem op de veranda waar hij op de bovenste tree een biertje zat te drinken en ging naast hem zitten. 'Heb ik je wakker gemaakt? Je een klap verkocht, of zo?'

'Ik slaap nooit.'

'Iedereen slaapt.'

'O ja?'

Dat drukte haar niet alleen met haar neus op het feit dat ze niets van hem wist, maar ook dat ze slechts een dorpsmeisje was in een grote boze wereld. Ze keek uit over de ranch, die haar ineens heel onbekend voorkwam en wist dat ze eigenlijk op moest staan. Dan kon ze hem bedanken voor de fantastische seks en weggaan om gewoon haar eigen leven weer op te pakken. Maar op het moment dat ze in gedachten die harde opmerking formuleerde, moest ze weer denken aan zijn tedere tong die haar zoveel genot had bezorgd dat ze het uitschreeuwde.

'Ik moet ervandoor,' zei ze ten slotte.

Hij bleef gewoon naar de weilanden zitten staren. 'Doe die badjas uit, Vivi.'

Op een toon die haar deed huiveren. Eigenlijk wilde ze niet toegeven, want ze moest terug naar huis. Als ze wachtte tot zonsopgang zou ze gemist worden. 'Maar één keer, hadden we afgesproken,' fluisterde ze en ze hoorde zelf hoe hol en weinig overtuigend dat klonk.

'Dat heb jij gezegd. Ik niet.'

Meteen daarop sprong hij op en trok haar badjas los.

'Dit is krankzinnig,' zei ze.

'Krankzinnig,' mompelde hij en kuste haar keel, de welving van haar borsten en het spleetje ertussenin.

'Nog één keer,' zei ze en deed haar ogen dicht.

Het laatste wat ze hoorde voordat hij haar kuste, was dat hij in de lach schoot.

De volgende ochtend, toen Vivi Ann in haar eigen bed wakker werd, nog beurs van de hartstocht die ze de afgelopen nacht had beleefd, wist ze dat ze veranderd was. Haar leven lang had ze zich ingebeeld dat ze wild was, terwijl ze in werkelijkheid een beschut en veilig leventje had geleid. Om met halsbrekende snelheid op een paard rond te rijden betekende niets, dat was zo simpel als wat, want één ruk aan de teugels was al genoeg om het dier tot stilstand te brengen.

Maar op die manier zou ze Dallas niet in kunnen tomen. Ze kende hem natuurlijk niet zo goed – eigenlijk helemaal niet – maar ze wist dat er voor hen samen maar twee mogelijkheden waren: hollen of stilstaan.

En stilstaan was nu geboden.

Ze stapte uit bed en kleedde zich aan om naar de kerk te gaan. Met haar haar in een staart en in een enkellange jurk van spijkerstof met een brede ceintuur zag ze er volkomen normaal uit.

Ze ging naar beneden, zette een bord met eten voor Dallas in de koelkast en ging op zoek naar haar vader. Samen liepen ze naar zijn pick-up. 'Hoe was het gisteren bij de rodeo?'

'Luke maakte zich zorgen om je. Hij zei dat hij je zou bellen.'

'O ja? Dan zal ik de telefoon wel niet gehoord hebben. Ben je nog steeds van plan om na de dienst naar Jeff te gaan?' Het was het enige wat ze kon bedenken om van onderwerp te veranderen.

'Ja.'

Ze reden in stilte naar de kerk. Buiten, op de parkeerplaats, troffen ze Luke en de rest van de familie en liepen naar hun vaste bank, waar Vivi Ann zich opgesloten voelde tussen Luke en haar vader. Tijdens de hele dienst had ze het gevoel dat ze aan de kaak werd gesteld. Ze was ervan overtuigd dat pastoor MacKeady ieder moment naar haar kon wijzen en *zondares* zou roepen.

Toen de dienst voorbij was, schoot ze haastig de bank uit en holde naar de betrekkelijke rust van het souterrain, waar koffie met gebak werd geserveerd. Daar voegde ze zich bij haar vrienden en buren in een poging om het overstelpende lawaai van haar eigen geweten te dempen. En terwijl ze daar domme grapjes stond te maken met haar vrienden en koffie dronk, dacht ze: *Dallas*. Anders niet. Alleen maar zijn naam. Telkens opnieuw.

Met iedere minuut die voorbijging, nam de spanning in haar toe, tot ze het idee kreeg dat ze zou barsten. Alleen hij kon haar bevrijden.

Nog één keertje dan.

'O, hier ben je,' zei Luke ineens. Hij sloeg een arm om haar heen en trok haar tegen zich aan.

Meteen daarna doken Winona en Aurora op.

'Laten we maar gaan,' zei Aurora. 'Ik sterf van de honger.'

Vivi Ann liet zich gewillig meetronen door Luke en haar zusjes en samen liepen ze de kerk uit, op weg naar Winona's huis. Daar gingen ze in de woonkamer zitten om champagne met sinaasappelsap te drinken en zelfgemaakte kaneelbroodjes te eten. Het hele huis rook naar kruiden en geurkaarsen. Overal waar Vivi Ann keek, stond iets leuks. Was dat waar het in het leven om draaide? Dat je op zoek ging naar dingen die je wilde hebben, om daar vervolgens lege en nietszeggende kamers mee te vullen? Ze liep naar de tuinkamer en keek naar buiten. De tuin was een weelderige mengeling van tamme en keurig geordende kleuren. Iedere plant had de vorm die Winona zelf bepaald had. Maar alles was veel te netjes, vond Vivi Ann.

Ze keek opzij en wenste dat ze van hieruit de ranch kon zien. Wat zou hij nu doen? Achter haar hoorde ze haar zusjes praten, maar dat waren loze geluiden. Ze kon zich de afgelopen nacht tot in de kleinste bijzonderheden voor de geest halen en verlangde naar meer... en naar hem.

'Vivi? Luister je wel?' Dat was Winona, die bijna stond te schreeuwen.

'We hebben het over je receptie en waar we die moeten houden,' zei Aurora scherp.

Vivi Ann draaide zich langzaam om en kwam tot de ontdekking dat ze haar allemaal aankeken. 'O, neem me niet kwalijk. Ik stond naar de tuin te kijken. Die ziet er echt schattig uit, Winona.'

Luke sloeg zijn armen om haar heen. 'Ik maak me zorgen over je, lieverd.'

'Dat geldt voor ons allemaal,' zei Aurora.

'De ranch wordt te zwaar voor haar,' zei Winona. 'Misschien moeten we meer hulp nemen.'

Ze kwamen nog dichter om haar heen staan – Aurora, die veel te veel begreep en nu stond te fronsen, en Winona, die veel te veel wilde, en nu behoorlijk pissig was. En dan was Luke er nog... van wie ze zo graag wilde houden, van wie ze moest houden... zonder dat het lukte. Ze vormden een gesloten front en ze wist dat al die bezorgdheid haar een veilig gevoel moest geven en haar gerust moest stellen, maar in plaats daarvan voelde ze zich ingesloten. Ze wilde alleen nog maar terughollen naar de blokhut om bij Dallas te zijn en die behoefte joeg haar de stuipen op het lijf. Ze moest een eind maken aan die waanzin, nu meteen, voordat ze erdoor verteerd werd. 'Misschien moeten we er eens tussenuit gaan, Luke. Gewoon met ons tweetjes. Om te zien of we elkaar wel vierentwintig uur per dag kunnen verdragen.'

'Dat noemen ze een huwelijksreis,' zei hij glimlachend. 'Ik zat aan Parijs te denken. Ik weet hoe graag je de wereld wilt zien.'

'O ja?'

Ze kon zich tot in de kleinste bijzonderheden voorstellen hoe die reis zou verlopen: een redelijk geprijsde hotelkamer – met uitzicht op de Eiffeltoren als ze geluk hadden – en etentjes in restaurants die werden aanbevolen in een reisgids. Ze zouden alle bezienswaardigheden van de Lichtstad aflopen en ze zouden gezellig met elkaar kletsen als ze over de Champs-Élysées of langs de Seine liepen. Alles zou heel romantisch zijn, maar er zou geen sprake zijn van kleren die ongeduldig van elkaars lijf gerukt werden, of van dagen die naakt en vrijend in bed werden doorgebracht. 'Ik voel me echt niet goed,' zei ze, zich bewust van de scherpe manier waarop Winona haar in het oog hield. Vivi Ann zorgde ervoor dat ze haar beide zusjes niet aankeek.

'Ik breng je wel even thuis,' zei Luke.

'Nee,' zei Vivi Ann fel, maar ze zwakte die uitroep meteen af met een glimlach. 'Alsjeblieft.' Ze hoorde de wanhopige ondertoon in haar stem, maar ze kon er niets aan doen. Als ze hier nog een minuut langer bleef, spatte ze uit elkaar. 'Het is een heerlijke dag voor een wandelingetje.'

'Laat haar maar gaan,' zei Winona tot ieders verrassing.

'Weet je het zeker?' vroeg Luke aan Vivi Ann.

'Heel zeker.' Ze ging op haar tenen staan en gaf hem een kus, maar ze week achteruit voordat hij die echt kon beantwoorden. 'Ik zie jullie straks wel.'

Ze lette goed op dat ze langzaam liep, alsof ze zich echt niet lekker voelde. Dat hield ze buiten ook vol terwijl ze door First Street naar het water liep. Pas toen ze de hoek om was en in de schaduw van een oude boom stapte, kon ze eindelijk weer ademhalen.

En daar was hij ook. Hij stond voor het Waves Restaurant met zijn stoffige witte cowboyhoed laag over zijn voorhoofd getrokken, zo laag dat ze zijn ogen niet kon zien. De inktzwarte tatoeage op zijn gebruinde bovenarm was duidelijk te zien en stak vreemd af bij het veelgewassen grijs van zijn T-shirt.

Ze deed net alsof ze hem niet zag en liep door, maar toen ze aan de voetstappen op het trottoir aan de overkant hoorde dat hij haar volgde, ging ze nog wat sneller lopen.

Op Water's Edge ging ze naar binnen en trok de deur achter zich dicht. Ze hoorde de klik van het koperen slot dat haar scheidde van een wereld, waarvan ze het bestaan niet eens had geweten. 'Pa? Ben je thuis?'

Geen antwoord.

Helemaal alleen in huis stond ze te wachten.

Hij kwam het huis binnen als een hete windvlaag. Ze struikelde en kwam met haar heup tegen de eettafel terecht. Daarna drukte hij haar tegen de zware houten tafel, perste zijn heupen tegen de hare en kuste haar zo lang en zo intens dat ze niet eens de adem kon vinden om te zeggen dat hij moest ophouden. Ze voelde zijn hand over

111

haar blote been glijden en de stof van haar rok tot een prop tussen zijn vingers frommelen. Zijn andere hand glipte in haar onderbroekje.

Ze friemelde aan de knopen van zijn spijkerbroek, rukte ze open en trok de broek omlaag. Haar handen dwaalden wanhopig over zijn lichaam, duwend en trekkend, en haar begeerte was zo groot dat ze zich niet meer in kon houden. Ze schreeuwde zijn naam toen hij haar achterover op de tafel duwde en diep bij haar naar binnen drong.

Toen het voorbij was en ze zichzelf weer een beetje hervonden had, voelde ze zich beverig en uit het lood geslagen. Daar lag ze dan, op de eettafel van haar moeder, met haar rok tot aan haar middel opgeschort en haar broekje om haar enkels. En ze wist dat ze zich moest schamen. 'Dit is waanzin,' zei ze rustig. 'Zo kan ik niet leven. Met al die leugens...'

Hij raakte even haar wang aan, zo teder dat ze ervan opkeek. 'Het zal niet lang duren, Vivi Ann. Dat weten we allebei. Uiteindelijk ga je toch met Kaki Ken trouwen en zal niemand dit ooit te horen krijgen. Dus ga nou maar mee naar mijn bed.'

'Oké.' Meer kon ze niet uitbrengen. Het was het verkeerde antwoord – immoreel, pijnlijk en fout – maar toch pakte ze zijn hand.

Negen

Die zomer leerde Vivi Ann liegen. In de resterende weken van juli en augustus maakte ze lange uren in de manege, soms samen met haar vader, maar meestal alleen.

En daar dankte ze de hemel voor, want ze was gewoon verslaafd aan Dallas. Zo simpel was het. Of zo ingewikkeld? Zeker vijf keer per week ging ze midden in de nacht naar zijn blokhut toe. Daar rolle-bolden ze als een stel geile tieners op het koperen bed van haar groot-moeder en bedreven de liefde tot zonsopgang.

Of misschien mocht je het geen liefde noemen. Misschien was het alleen maar seks, pure seks. Dat wist ze niet zeker en eerlijk gezegd kon het haar ook niets schelen. Hij was drank, heroïne en tabak op een hoop gegooid: een slechte gewoonte waar ze niet van af kon ko-men. En ze leerde van minuut tot minuut te leven en elke gelegen-heid aan te grijpen om bij hem te kunnen zijn.

Zoals nu.

Het was een heerlijke vrijdagavond achter in augustus: de opening van de zomerfeesten in Oyster Shores. De voorbereidingen waren al weken aan de gang en in voorgaande jaren zou Vivi Ann er tot aan haar nek in gezeten hebben. Maar dit jaar had ze steeds weer een ex-cuus gevonden, tot Aurora die ochtend naar haar toe was gekomen en haar mee had gesleurd naar de pick-up met de mededeling: 'Nu is het mooi geweest.'

Dus was Vivi Ann nu op Main Street samen met haar zusjes om de laatste plooitjes glad te strijken. Overal waren mensen bezig met het ophangen van de borden en het inrichten van de kraampjes, terwijl de politie al dranghekken voor de optocht van zondag neerzette. Aan het eind van de straat was een band bezig met de soundcheck. 'Test, test, een, twee, drie...' galmde het door het duister.

Vivi Ann had het allemaal al wel honderd keer eerder gedaan, maar die avond ging het tegen heug en meug. De band was veel te luid, er moest nog veel te veel gedaan worden en Winona hield haar constant in de gaten. Ze leek op een leeuwin die in het hoge gras op jacht is.

'Wat is er nou?' snauwde Vivi Ann tegen haar.

'Je bent behoorlijk prikkelbaar vandaag,' zei Winona. 'Luke zegt dat je nooit over de bruiloft wilt praten. Waarom niet?'

'Waarom begin je steeds weer over Luke?' zei Vivi Ann. 'Ik word doodziek van al die trouwplannen en ik ben ook dat constante gezeur van jou zat. Ga verdomme zelf een vriendje zoeken en laat die van mij met rust.'

'Misschien kun jij beter Luke met rust laten.'

Aurora kwam meteen tussenbeide. 'Hé, denk erom, we zijn hier niet alleen.'

'Maar dat vindt Vivi Ann juist leuk, hè? Ze staat graag in het centrum van de belangstelling, nietwaar Vivi Ann?'

Vivi Ann had haar buik vol van dat gezeur. 'Luister eens, Win...'

'Nee, jíj moet eindelijk eens luisteren. Jij blijft maar eisen, aan een stuk door, en je denkt geen moment aan anderen, hè? Alleen maar aan jezelf!'

'Winona, hou op,' waarschuwde Aurora.

'Waarmee? Mag ik mevrouw de Parelprinses niet vertellen waar het op staat?' Winona keek haar aan. 'Je bent verwend en egoïstisch en je staat op het punt om Lukes hart te breken zonder dat het je ook maar iets kan schelen. En daarna zal hij nooit meer van een ander kunnen houden, omdat jij altijd op de eerste plaats zult blijven staan.' Nadat ze haar dat voor de voeten had gegooid draaide Winona zich met een ruk om en verdween tussen de mensen.

Vivi Ann stond te trillen op haar benen, want Winona had de spijker op de kop geslagen. 'Ze heeft gelijk,' was het enige wat ze kon uitbrengen. Ze was zo bang en beschaamd dat ze er misselijk van werd.

'Ik weet zeker dat ze dat helemaal niet meende. Ik ga wel even met haar praten.'

Vivi Ann wist dat ze met Aurora mee moest gaan om Winona te zoeken en het uit te praten, maar toen Aurora zei: 'We zien je wel bij het straatfeest' dacht Vivi Ann meteen aan Dallas.

Ze wist waar hij was. Hij bracht iedere vrijdag- en zaterdagavond in het huis van Cat door. Dat was in de hele stad bekend. Het gerucht ging dat hij ontzettend goed kon pokeren en dat hij alle andere aanwezige kerels onder tafel kon drinken.

'Je moet echt naar het straatfeest toe,' zei ze hardop toen Aurora was weggelopen. Maar ze kon haar eigen goede raad niet opvolgen. Haar bloed kookte omdat ze zo naar hem verlangde. Dus liep ze naar het water en probeerde zoveel mogelijk de straatverlichting te mijden. Gelukkig was er zoveel aan de hand in de stad, dat niemand haar scheen op te merken.

Aan het eind van het steegje stond het huis van Cat Morgan aan de kust, sjofel en overhellend als een dronkenman. De veranda was scheef en er zat nog steeds ducttape op de ruiten. Maar ze kon zien dat ze binnen aan het feestvieren waren, vage menselijke gestalten dansten voor de openstaande ramen. Muziek – AC/DC of Aerosmith of zo, in ieder geval iets met een dreunende beat – bonkte zo luid dat ze nauwelijks de golven kon horen die tegen de kademuur sloegen.

Vivi Ann had zich nog nooit in de buurt van dit huis gewaagd, maar ze vermande zich en liep over het armoedige tuinpaadje naar de voordeur.

'Als dat niet Vivi Ann Grey is die daar op mijn stoep staat.'

Het was zo donker op de veranda dat het even duurde voordat Vivi Ann zag wie dat had gezegd. Daarna ving ze een glimp op van rossig geverfd haar.

Cat stond in een hoek van de veranda een sigaret te roken. In haar strakke zwarte spijkerbroek en een zwart colbertje dat rond haar middel met een glitterceintuur was vastgesnoerd leek ze zo weggelopen uit de cast van *Urban Cowboy*. In het duister kon je de rimpels in haar gezicht zien. Vivi Ann had geen flauw idee hoe oud ze was. Een jaar of veertig?

'Ik... eh... ik ben op zoek naar Dallas Raintree. Hij werkt bij ons. Een van onze paarden is ziek.'

'Een van jullie paarden?' Cat nam een flinke haal aan haar sigaret. 'Volgens mij moet je dan bij een dierenarts zijn.'

'Zou je hem even voor me willen roepen? Er is nogal haast bij.'

Cat bleef haar nog even aankijken en maakte toen haar sigaret uit. 'Ik zal wel tegen Dallas zeggen dat er een paard ziek is. Dan komt hij vast meteen opdraven. Die man heeft een zwak voor dieren.'

Vivi Ann bedankte Cat en liep door de stad terug naar haar pick-up. Ze reed terug naar huis en parkeerde de auto zo dat hij verborgen stond tussen de bomen om zijn blokhut.

In zijn slaapkamer trok ze haar kleren uit en kroop in bed, waar ze ongeduldig bleef wachten.

Al een paar minuten later hoorde ze een pick-up met piepende remmen tot stilstand komen en een portier dat werd dichtgeslagen.

Dallas gooide de deur van de blokhut zo hard open dat die tegen de muur vloog, waardoor het hele huis stond te schudden. 'Wat heb je je in gódsnaam in je hoofd gehaald?'

'Ik heb alleen maar tegen haar gezegd dat ik jou zocht. Wat is daar mis mee?'

'Maak dat je wegkomt, Vivi Ann. Het is uit tussen ons.'

Ze begreep er niets van. 'Waarom doe je nou zo?'

'Ga nou maar. Ik heb al genoeg dingen gedaan waar ik spijt van heb.'

Ze stapte uit bed, liep achter hem aan en pakte zijn arm. 'Dallas, alsjeblieft...'

Hij greep haar pols zo stijf vast dat ze voelde dat die blauw zou worden. 'Ga jij nou maar gauw terug naar Kaki Ken en die andere kerkgangers. Naar al die mensen om wie jij zoveel geeft.'

'En als ik nou ook om jou geef?' Die vraag was eruit voordat ze zichzelf in bedwang had.

'Doe niet zo idioot, Vivi Ann.'

'Ik hou van je, Dallas.' Voor het eerst van haar leven kostte het geen enkele moeite om dat te zeggen.

'Ach, Vivi,' zei hij, terwijl hij zijn vingers ontspande. 'Je bent zo naïef...'

Ze glimlachte naar hem en wist precies wat haar te doen stond.

Die woordjes hadden alles veranderd, precies zoals het hoorde. 'Kus me, Dallas,' fluisterde ze. 'Je weet toch dat je niets liever wilt...'

Op deze eerste avond van de Oesterdagen waren de straten vol mensen, niet alleen inwoners maar ook toeristen. Op het parkeerterrein van de bank stond een band te spelen. Het podium was zo hoog dat de muzikanten over de hoofden van de dansende meute de lichtjes langs Shore Drive konden zien.

Winona probeerde zich sportief te gedragen, maar ze was zo boos dat zelfs dansen met Luke haar geen plezier deed. Maar toen hij weer over de bruiloft begon, dook er ineens iemand op die voorkwam dat ze antwoord moest geven. 'Sorry, lui,' zei Julie John. 'Peanut, ons veulen, heeft last van koliek. Kent laat hem op en neer lopen, maar we maken ons echt zorgen. Het spijt me verschrikkelijk, Luke, ik weet dat je je vermaakt, maar...'

'Dat geeft niet,' zei hij. 'Ik ben over een kwartiertje bij jullie. Zeg maar tegen Kent dat hij hem in beweging houdt. Peanut mag onder geen beding gaan liggen.' Hij keek Winona aan. 'Zeg maar tegen Vivi dat ik zodra ik klaar ben naar haar toe kom.'

Toen ze weg waren, stond Winona naar de mensen te kijken en voelde zich eenzamer dan ze ooit in haar eigen stad voor mogelijk had gehouden. Een moment later dook Aurora op. 'Ik heb je overal gezocht.'

'Probeer je weer voor vredestichter te spelen, Aurora? Volgens mij kun je beter een andere familie zoeken.'

'Je moet hiermee ophouden, Win. Door jou drijven we helemaal uit elkaar.'

'Dacht je soms dat ik dat niet wist?' zei Winona, met het gevoel alsof er vanbinnen iets kapotging toen ze dat erkende. 'Ze is mijn zusje en ik hou van haar, maar...'

'Ja, ja, je houdt ook van hem. Maar daar zul je toch mee moeten leren leven. Daar heb je zelf voor gekozen.'

Winona schudde haar hoofd. 'Niet hiervoor. Als ze van hem hield, zou ik dat kunnen accepteren. Dan kon ik er misschien wel overheen komen.'

'O ja?'

Ze trok zich los. 'Ik ga ervandoor. Zeg maar tegen Luke en Vivi Ann dat ik ze veel plezier wens.' Ze rende weg toen de tranen haar in de ogen sprongen.

Wat was er toch met haar aan de hand? Waarom kon ze dit niet van zich afzetten? Die jaloezie nekte haar en maakte alles kapot waar ze het meest om gaf: haar familie.

Ik ben bang dat je iets stoms zult doen. Dat had Aurora al tijden geleden tegen haar gezegd en nu moest Winona daar ineens aan terugdenken.

'Winona?' riep iemand.

Ze hapte naar adem en bleef even op het trottoir staan om over haar ogen te wrijven voordat ze zich – glimlachend – omdraaide. Het was Myrtle Michaelian. 'Je vader zit in de Eagles Hall stennis te schoppen. Volgens mij kan iemand hem beter naar huis rijden.' Myrtle keek haar fronsend aan. 'Is er iets aan de hand, liever?'

Winona moest even slikken. 'Nee hoor, Myrtle.' Ze draaide zich opnieuw om en liep met ferme pas naar de Eagles. Ze was de rokerige zaal nog niet eens binnen toen ze haar vader al hoorde, die met dubbelslaande tong weer een van zijn Vivi-Ann-is-volmaakt-verhalen zat te vertellen.

'Kom op, pap,' zei ze en ze pakte hem bij zijn arm. 'Hoog tijd om naar huis te gaan.'

Hij was te dronken om zich te verzetten en ze sleepte hem mee naar buiten, waar ze hem in haar auto zette. 'Je zou eens wat minder moeten drinken, pa.'

'Zegt de vrouw die alles eet wat los en vast zit.'

Tijdens de rit naar de ranch zei Winona geen woord meer tegen hem. Thuis bracht ze hem naar zijn slaapkamer en keek toe hoe hij op het bed neerviel en meteen begon te snurken.

'Graag gedaan,' zei ze, nadat ze hem zijn laarzen had uitgetrokken en een deken over hem had gelegd.

Met een zucht liep ze weer naar buiten en stapte in haar auto. Toen ze langs de manege reed, zag ze ineens de pick-up van Vivi Ann tussen de bomen naast opa's blokhut staan. De auto van Dallas stond ernaast.

Winona trapte op de rem en bleef naar de beide pick-ups staren.

118

Ineens herinnerde ze zich een aantal voorvallen die bij elkaar een logisch patroon vormden. Het was een paar keer gebeurd dat Vivi Ann nergens te vinden was of ondanks haar belofte niet was komen opdagen. En ondertussen had Luke gewoon vol vertrouwen op haar zitten wachten.

Zou Vivi Ann hen allemaal bedrogen hebben?

Die kus. Was daarmee iets in beweging gezet?

Ze reed de met gras begroeide oprit op, zette haar auto naast de beide pick-ups en liep naar de voordeur. Zonder te kloppen liep ze naar binnen. 'Hallo?'

Ze zag hen meteen, in een wirwar van beelden die over elkaar heen tuimelden. Dallas, die naakt op zijn zij in bed lag... met een borst vol lelijke, kronkelige littekens en een getatoeëerde arm die bezitterig om haar zusje was geslagen. Zelfs vanaf deze afstand kon ze zien hoe ze elkaar aankeken en elkaar aanraakten. De hele blokhut rook naar seks, lust en kaarsvet...

Hij schoot overeind toen ze binnenkwam en keek Winona strak aan.

Vivi probeerde haastig haar naakte lichaam te bedekken. 'Ik kan alles uitleggen...'

Winona was het liefst in lachen uitgebarsten. Maar ze hield zich in. Dit was het dan. Het eind van Vivi en Luke. 'O ja? Dat waag ik te betwijfelen.'

'Ze begrijpt het toch niet,' zei Dallas. 'Daarvoor hoef je haar alleen maar aan te kijken.'

Vivi Ann wikkelde oma's roze lappendeken om zich heen en strompelde het bed uit. 'Winona, laat me alsjeblieft uitleggen...'

'Leg het je verloofde maar uit.'

'Dat zal ik ook doen, Win, echt waar. Ik zal alles rechtzetten. Ik weet best dat ik je teleurgesteld heb...'

'Doe maar geen moeite, Vivi. Ze is veel te jaloers om naar je te luisteren.' Dallas stond op en ging spiernaakt naast Vivi Ann staan, zo brutaal als de beul.

Ze voelde dat hij dwars door haar heen keek en week achteruit. 'Jaloers? Mocht je willen.'

Hij raapte zijn zwarte boxershort van de grond en trok die aan. 'Geloof me, Winona, ik weet alles van begeerte. En het vreet aan je.'

Ze draaide zich om en rende terug naar haar auto. Achter zich hoorde ze Vivi Ann roepen dat ze terug moest komen, maar ze sprong in de auto en trok het portier dicht. Nadat ze de motor gestart had, bleef ze nog even door de vuile voorruit naar haar zusje kijken, die gewikkeld in een ouderwetse lappendeken op de veranda stond.

Winona trapte het gaspedaal in en reed weg. Bij de manege schoot het door haar hoofd dat het eindelijk zover was. Na vijfentwintig volmaakte jaren was Vivi Ann door de mand gevallen.

Dallas ging naast Vivi Ann op de veranda staan.

Ze keek hem met betraande ogen aan. Ze stond te trillen op haar benen, maar ondanks alles voelde ze zich toch ook opgelucht. 'Nu hoeven we niet stiekem meer te doen. Ik ga gewoon naar Luke toe, dan komt alles wel in orde.'

'Ben je nou gek geworden? Waarschijnlijk is Winona al op weg naar zijn huis.'

'Nee hoor, dat doet ze niet. Ze is mijn zusje.'

Hij streelde haar gezicht. 'Je vergist je.'

Ze kuste hem zacht. 'Kijk niet zo bezorgd. Alles komt heus weer in orde. Ik ga nu met Luke praten, dan ben ik binnen de kortste keren weer terug. Jij blijft toch hier, hè?'

'Ja, ik blijf hier,' zei hij, maar dat idee scheen hem helemaal niet te bevallen.

Winona ging naar huis en schonk een glas pure tequila in. Nadat ze dat achterover had geslagen, nam ze er nog een. En daarna nog een.

Het was voorbij.

Eindelijk.

Eindelijk zou Vivi Ann Luke kwijtraken.

Tenzij ze loog. Toen die gedachte tot Winona doordrong, werd ze op slag misselijk. Het was echt waar. Haar beeldschone, geliefde zusje zou kunnen doen wat ze altijd had gedaan: haar schouders ophalen en alles met een glimlach afdoen. Als Dallas morgen verdwenen was, kon Vivi Ann met Luke trouwen zonder dat er een haan naar kraaide. Dan zou pa gewoon met zijn volmaakte, jongste dochter naar het altaar lopen en haar overdragen aan Luke, die vervolgens haar hand zou pakken om zijn ring aan haar vinger te schuiven en te zweren dat hij altijd van haar zou blijven houden. Dan zou niemand ooit achter de waarheid komen.

Ze stond op en begon door de kamer te ijsberen om daarover na te denken, maar door al die tequila die ze op had, kon ze de dingen niet meer op een rijtje zetten. Wat moest ze nu doen? Ze was zo verdiept in al die problemen dat ze nauwelijks hoorde dat er aangebeld werd. En ineens kwam Luke de kamer in lopen.

Winona verstarde. Dat hij daar op dit moment ineens voor haar stond, compleet met die stralende, eerlijke glimlach, was meer dan ze kon verdragen. Ze voelde de tranen in haar ogen springen. Ze had hem even hard nodig als de lucht die ze inademde, maar toch kon ze haar armen niet naar hem uitsteken. Ondanks alles wat Vivi Ann had gedaan. Per slot van rekening was het haar zusje.

Hij sloeg zijn armen om haar heen en hield haar vast alsof ze iets voor hem betekende. 'Je bent dronken,' fluisterde hij lachend. 'Ik dacht dat je op mij zou wachten.'

Ze keek naar hem op. 'Alleen maar een beetje aangeschoten.' Met een roekeloos gebaar raakte ze zijn gezicht aan. Dat had ze al zo lang willen doen. 'Je bent naar mij toe gekomen.'

Hij glimlachte. 'Omdat ik op zoek was naar Vivi. Heb jij haar gezien?'

Eeuwig en altijd Vivi.

'Zoek jij Vivi Ann? Ga dan maar naar de blokhut van Dallas.'

'Wat?' Hij deed een stap achteruit. In zijn ogen stond verbazing te lezen, die veranderde in schrik en vervolgens in woede.

Ze stak haar armen naar hem uit in een wanhopige poging om hem vast te houden en hem met de neus op de waarheid te drukken. Zíj was degene die van hem hield, de enige die hij kon vertrouwen. 'Ik heb toch tegen je gezegd dat ze je hart zou breken?'

Hij stoof naar buiten en sloeg de deur met een harde klap achter zich dicht. Daarna hoorde Winona buiten een autoportier dichtvallen. Een motor werd gestart en banden gierden over het wegdek.

Op dat moment besefte ze pas wat ze had gedaan.

Tien

Terwijl Vivi Ann naar Lukes huis reed, probeerde ze te bedenken wat ze moest zeggen.

Het spijt me, het was nooit mijn bedoeling om je verdriet te doen. Ik had nooit verwacht dat ik zoiets zo doen. Het overkwam me gewoon.

Het klonk allemaal zo prozaïsch, zo bedacht, maar dat gold ook voor de waarheid. Hoe kon ze die hartstocht die ze voor Dallas voelde onder woorden brengen? Het was zoveel meer dan seks. In zijn armen, in zijn bed, had ze het gevoel dat ze compleet was. Het sloeg nergens op, dat begreep ze zelf ook wel, maar het was toevallig wel de waarheid.

Ze stopte voor Lukes huis en rende naar binnen.

Hij was niet thuis.

Nee, natuurlijk was hij niet thuis. Hij was ergens in de stad en stond tussen de menigte op haar te wachten. Ze bleef even voor het aanrecht staan en trok haar verlovingsring af, die ze achterliet op een van de groene tegeltjes. Daarna liep ze terug naar haar pick-up en ging naar de stad. Terwijl ze langs het benzinestation reed, kwam een ambulance haar met gillende sirene en zwaailichten achterop.

Ze week uit om de ziekenwagen te laten passeren en reed langzaam de stad door, op zoek naar Lukes pick-up. Ze was al bijna bij de bowling toen ze toevallig naar links keek. In de verte kon ze het begin van het grondgebied van Water's Edge zien, de in schaduwen gehulde glooiende weilanden. In het donker zag ze opnieuw de zwaai-lichten. De ambulance stond bij haar huis.

Vivi Ann trapte het gaspedaal in en reed snel naar huis, waar ze onder aan de heuvel stopte en uit de auto sprong. Ze holde net de met gras begroeide oprit op, toen twee broeders uit de blokhut kwamen, met een brancard waarop Dallas vastgesnoerd lag.

Ze bleef abrupt staan. Zijn rechterwang lag open. Eén oog was gezwollen en begon al blauw te worden.

'Hé, prinsesje,' zei hij met een van pijn vertrokken gezicht en hij probeerde te lachen.

'O Dal... het spijt me...'

'We moeten hem in de ambulance leggen,' zei een van de broeders en ze knikte.

'Ik kom wel naar het ziekenhuis,' beloofde ze.

'Doe dat maar niet.'

Ze bukte zich en kuste zijn gezonde wang.

'Het is daarginds geen leuke toestand, Vivi...'

'Mijn eigen schuld. Had ik maar niet moeten liegen.'

Ze hadden geen tijd om meer te zeggen. De broeders brachten hem naar de ambulance, legden hem erin en reden weg.

In de plotselinge duisternis bleef Vivi Ann naar de blokhut van haar grootvader staren en moest even moed verzamelen om Luke onder ogen te komen. Daarna liep ze naar de deur en stapte naar binnen.

Maar Luke was niet alleen. Hij stond bij het aanrecht, geflankeerd door Winona en pa.

Vivi Ann aarzelde even, maar liep toch naar hen toe.

'Het spijt me, Luke. Ik ben naar je huis gereden om je alles te vertellen...'

'Te laat, Vivi Ann,' zei hij.

'Maar...'

'Dat laffe vriendje van je heeft zich niet eens verdedigd.' Hij duwde haar opzij en liep de blokhut uit. De deur viel met een klap achter hem dicht.

Vivi Ann bleef staan en hoorde zijn pick-up starten en wegrijden. In de stilte die volgde, keek ze haar vader en Winona aan. 'Het spijt me, pa. Maar jij moet hetzelfde gevoeld hebben toen je mam leerde kennen...'

Hij gaf haar zo'n draai om haar oren dat ze bijna viel.

'Morgen ga jij gewoon mee naar de optocht. De hemel weet dat je geen tweede kans krijgt om mij te schande te maken.'

Vivi Ann bleef de hele nacht in de oorfauteuil van haar grootmoeder zitten. Als ze al een oog dicht deed, dan waren het korte dutjes. Ze zat voornamelijk uit het raam te kijken naar het donkere grondgebied van Water's Edge.

Jij gaat gewoon mee naar de optocht. Je krijgt geen tweede kans om mij te schande te maken.

Ze twijfelde geen moment aan de betekenis die daarachter school. Haar vader herinnerde haar aan het feit dat ze een Grey was en dat ze in die hoedanigheid één lijn moest trekken met de rest van de familie. Hij wist net zo goed als zij dat haar ontrouw haar wel vergeven zou worden, net als het feit dat ze Luke verdriet had gedaan. Het zou geen pretje worden, maar na verloop van tijd zou ze vergiffenis krijgen. In Oyster Shores werden dingen nu eenmaal op een bepaalde manier gedaan en iedereen kende de regels. Het enige wat ze hoefde te doen als ze weer thuiskwam, was spijt betonen en te erkennen dat ze gezondigd had.

Zijn ultimatum moest haar eraan herinneren dat familiebanden sterk waren. Haar leven lang had ze dat als een vaststaand en onuitroeibaar feit geaccepteerd. Maar gisteravond had ze een flits van broosheid gezien die haar onbekend voorkwam, een breuklijn onder de oppervlakte van haar familie. Het was nooit eerder tot haar doorgedrongen dat als er een verkeerde keuze werd gemaakt en iemand een misstap beging, die ooit zo vaste grond onder hun voeten weg zou kunnen vallen.

Het was duidelijk dat ze zou moeten kiezen: Dallas of haar familie. Het was alsof je moest kiezen tussen een arm of een been, tussen longen of een hart.

Ten slotte werd het toch licht op Water's Edge. De dag ontfermde zich over het staalgrijze Canal en zette de besneeuwde bergtoppen aam de overkant in vuur en vlam. Ze liep naar de manege om de paarden te voeren en ging toen terug naar de blokhut, waar ze op de veranda bleef zitten.

Ze zat er nog steeds toen pa het huis uitkwam en naar zijn pick-up liep.

Keek hij naar boven? Dat kon ze niet goed zien. Maar hij reed weg en remde niet af toen hij langs haar pick-up kwam. Hij zou binnen de kortste keren bij het eettentje zijn, waar hij samen met zijn vrienden had afgesproken voor het ontbijt. Daarna zou hij rond het middaguur naar Grey Park rijden. Voor elke gebeurtenis in de stad trof de familie elkaar altijd op dezelfde plek. Voor hem was het heel belangrijk dat ze samen kwamen opdagen, als een soort subtiele herinnering aan het feit dat ze in deze stad een familie van belang waren. Haar pa zou eerst Aurora begroeten (zij was altijd de eerste) en daarna Winona.

Ze was verbaasd hoe verdrietig ze werd bij die gedachte, dus zette ze die meteen van zich af. Haar zusje had haar gisteravond verraden, maar dat was iets waar ze later wel mee zou afrekenen.

Nu moest er eerst een beslissing worden genomen. Ze kon teruggaan naar haar familie of ze kon naar Dallas gaan. Ze wenste dat het besluit haar moeilijk zou vallen, maar de waarheid was dat ze Dallas Raintree wilde.

Dat was waar het uiteindelijk altijd op zou uitdraaien, vanaf die eerste keer dat hij haar hand had gepakt en haar had meegetrokken naar de dansvloer.

Ze kleedde zich aan en liep naar haar pick-up. Terwijl ze de stad uit reed, hoorde ze de optocht beginnen, maar bij het benzinestation was alles alweer rustig, zodat ze de tijd had om na te denken en zich zorgen te maken.

Wilde hij haar eigenlijk wel? Hij had het woordje 'liefde' tegenover haar nooit in de mond genomen.

In het ziekenhuis zag ze hem in zijn kamer bij het raam staan en naar buiten kijken. Toen hij de deur hoorde, draaide hij zich om. 'Ga weg, Vivi. Het is uit tussen ons.'

Ze liep naar hem toe. Haar blik bleef op zijn gezicht rusten. Het was haar schuld dat hij er nu ook nog een litteken op zijn jukbeen bij zou hebben. 'Je had jezelf moeten verdedigen.'

'O ja?'

'Jij hebt niets misdaan. Ik was degene die verloofd was.'

'Laat me met rust, Vivi Ann.'

Zijn lichte, grijze ogen vertelden haar dat het een leugen was. 'Van welk soort ijs houd ik het meest?'

'Van vanille. Hoezo?'

'Trouw met me,' zei ze tot haar eigen verbazing.

'Je bent stapelgek.'

'We zijn vanaf het eerste begin stapelgek geweest.'

De tijd stond even stil. Ze besefte hoe graag ze wilde dat hij 'ja' zou zeggen en ze werd ineens bang. Haar leven lang had ze alles gekregen wat ze wilde. Stel je voor dat daar nu een eind aan kwam, nu het er echt om ging?

'Zeg iets,' smeekte ze.

Winona hoorde hoe haar voordeur werd opengegooid en wist precies wie dat was. Ze ging op het voeteneind van haar bed zitten en wachtte af.

Aurora kwam binnen in een wolk van Giorgio-parfum. 'Wat is er verdomme gebeurd?'

Winona was klaar voor de optocht, maar ze wist dat ze er niet goed uitzag, ondanks haar krullen en de hoeveelheid make-up die ze had gebruikt. 'Dus je hebt het al gehoord.'

'Geintje, zeker? Iedereen heeft het gehoord. En trouwens, nog bedankt dat je me niks hebt verteld. Toen Myrtle Michaelian met het verhaal aankwam, heb ik gezegd dat ze meteen moest ophouden met dat soort leugens.'

Winona zuchtte. 'Het was allemaal nogal heftig gisteravond.'

'Wat is er gebeurd?'

'Vivi Ann heeft zich door Dallas Raintree laten pakken.'

Aurora viel met een diepe zucht neer op de stoel bij het raam. 'Jezus. Nou ja, dat verklaart veel. Hoe is Luke erachter gekomen?'

Winona keek neer op de vingernagels die ze de afgelopen nacht helemaal afgeknaagd had. 'Toen ik bij de blokhut aankwam, was Luke bezig Dallas in elkaar te rammen. Hij bleef gewoon staan, zonder iets te doen, en grijnsde alsof hij het allemaal één grote grap vond. Ik ben naar huis gehold en heb pa opgehaald om er een eind aan te maken. Maar toen Vivi Ann terugkwam, gaf hij haar een draai om haar oren en zei dat ze hem te schande had gemaakt.'

'Gaf pa haar een draai om haar oren?' zei Aurora fronsend.

Winona kon zien dat het verhaal bij haar zusje stukje bij beetje op zijn plaats begon te vallen. Voordat die er een lacune in zou vinden, zei ze: 'Waarschijnlijk is het maar het beste zo.'

Aurora verstarde. 'Wat heb je gedaan, Winona?'

'Hoe bedoel je?'

'Jij hebt het aan Luke verteld, hè? Ik wíst dat het fout zou aflopen toen je Vivi Ann de waarheid niet wilde vertellen.'

Winona stond op. 'Doe niet zo belachelijk. Laten we maar naar de optocht gaan. Vivi Ann komt ook. Dallas zal de benen wel nemen, dan komt alles weer in orde. Wacht maar af.'

'Denk jij echt dat Vivi Ann komt opdagen?'

'Wat moet ze anders doen?'

'En als ze je dit nou eens niet vergeeft?'

Winona gaf geen antwoord. In plaats daarvan sleurde ze Aurora mee naar buiten. Onderweg naar Grey Park probeerde ze niet aan de vorige avond te denken, maar door Aurora's opmerking speelde alles weer door haar hoofd. Nu kon ze niets meer vergeten... Haar gekmakende jaloezie, haar wanhopige verlangen, de opwelling van bitterheid...

Ze was met een noodgang teruggereden naar de blokhut, achter Luke aan, om alles wat ze had gezegd ongedaan te maken. Maar toen ze daar aankwam, had ze gezien hoe hij Dallas in elkaar sloeg en bij wijze van hulp had ze pa uit bed gesleurd.

Luke is bezig Dallas in elkaar te slaan. Je moet mee.

Luke... slaat Dallas in elkaar? Waarom?

Omdat Vivi Ann met hem heeft liggen vrijen.

Al die dingen bleven door haar hoofd tollen. Ze kon zichzelf wel wijsmaken dat het in een opwelling van hartstocht was gebeurd, maar dat geloofde ze zelf niet. Ze had het ook echt aan haar vader wíllen vertellen.

Toen ze de hoek om liepen en aankwamen bij het park dat haar grootvader aan de stad had geschonken, zag ze haar vader naast

Richard en de kinderen staan, onder een schitterende aardbeiboom. Al meer dan vijftien jaar hadden ze hier gestaan, bij elk feest en elke optocht in de stad. Het was een traditie die door haar moeder was begonnen in de tijd dat ze drie kleine meisjes en een groep van de ponyclub, allemaal te paard, in toom moest houden. Maar toen ze zich daar vandaag opstelden, was alleen degene die ontbrak belangrijk.

Met iedere minuut die voorbijging, begonnen de fundamenten van hun familie meer barstjes te vertonen. Toen het uiteindelijk vijf voor twaalf was, liep pa naar de vuilnisbak aan de straat, gooide zijn lege plastic bekertje weg en keek hen aan. Zijn gezicht, zoals altijd kil en gegroefd, zag er ineens ouder uit. 'Kennelijk staat haar besluit vast. Laten we maar gaan.'

Aurora wierp een verwarde blik op Winona. Ze stond op haar met een vlaggetje versierde kunstnagel te knagen alsof het een worteltje was. 'We kunnen toch niet weggaan. Ze komt heus wel. Denk je niet?'

Winona moest toegeven dat het een hele schok was. Dit had ze niet verwacht.

'Ga mee,' zei pa scherp. Hij was al bij de hoek.

Winona wist niet wat ze anders moest doen, dus liep ze maar achter hem aan.

De volgende twee uur stond ze naast haar vader en verwachtte iedere minuut dat ze Vivi Ann voorbij zou zien komen op Clem of op een of andere praalwagen.

Maar haar zusje kwam niet opdagen.

'Dit wordt een probleem,' zei Aurora toen de laatste wagen van de optocht voorbij was. 'Een groot probleem. Vertel me nou eens precies wat er is gebeurd. Waarom heb je…'

Winona liep weg. 'We spreken elkaar later wel, Aurora,' riep ze over haar schouder.

Tegen de tijd dat ze bij haar auto aankwam, rende ze bijna om al het geroddel op straat te ontlopen. Ze sprong erin en reed naar het huis van Luke. Hij zou als enige begrip voor haar hebben en dankbaar zijn voor wat ze had gedaan. Toen ze daar aankwam, zat hij op de veranda voor zich uit te staren, precies zoals ze had verwacht. Hij had schrammen en gedroogd bloed op zijn linkerhand.

'Hoi,' zei ze.

Hij schonk nauwelijks aandacht aan haar, een knikje was alles wat ze kon krijgen.

Ze ging naast hem op de schommelbank zitten en voelde een steek in haar hart omdat hij zo verdrietig was. Net zo verdrietig als zij was geweest vanaf het moment dat hij voor Vivi Ann had gekozen. 'Ik sta altijd voor je klaar.'

Hij gaf geen antwoord en keek haar niet eens aan. Op de een of andere manier werd ze daar een beetje zenuwachtig van en ze probeerde haar arm om hem heen te slaan. 'Eigenlijk is het maar het beste zo. Als ze niet van je hield, moest je dat toch weten. Nu kun je weer verder.'

Hij duwde haar arm weg.

'Luke?'

'Waarom moest je me dat vertellen?'

'Hè? Omdat je dat moest weten. Wat zij met die man deed, daar klopte niets van. Ik wist dat het je ontzettend veel verdriet zou doen.'

'Precies.' Hij stond op en liep naar de balustrade van de veranda, zo ver mogelijk bij haar weg. Met zijn rug naar haar toe bleef hij over zijn land staren.

'Het is míjn schuld niet, Luke. Ik ging niet met hem naar bed. Ik heb je niet bedrogen en je hart niet gebroken. Wat zij heeft gedaan was fout. Natuurlijk werd ze betrapt. Ik ben degene die probeert je eroverheen te helpen. Kijk me aan, Luke.'

Hij draaide zich niet om. 'Ga nou maar weg, Winona. Ik kan nu niet met je praten.'

Ze wist niet hoe ze daarop moest reageren. Hier snapte ze helemaal niets van. 'Maar...'

'Ga weg. Alsjeblieft.'

Het was dat laatste woordje waardoor ze weer vaste grond onder de voeten kreeg. Ze was te snel naar hem toe gegaan, dat was alles. Natuurlijk was hij nog niet zover dat hij behoefte had aan troost. Maar dat zou vanzelf komen. De tijd heelde alle wonden. Ze moest gewoon geduldig zijn. 'Goed. Maar je kunt altijd op me rekenen. Bel me maar als je behoefte hebt aan vriendschap.'

'Vriendschap,' zei hij, met een vreemde nadruk op dat woord.

Ze was al halverwege de deur toen zijn stem haar tegenhield.

'Was ze bij de optocht?'

'Nee,' zei ze bitter en ze keek om. 'Daar had ze het lef niet voor.'

'O nee? Denk je dat echt?' Hij zuchtte, maar keek haar nog steeds niet aan. 'Je had het nooit aan me moeten vertellen.'

'Mijn hart brak toen ik ze samen in bed zag,' zei ze rustig. 'Ik wist precies wat je zou denken.'

'Ik hou van haar.'

'Je híéld van haar,' verbeterde ze terwijl ze de deur opentrok. 'Maar je had geen flauw idee hoe ze is.'

Vivi Ann en Dallas trouwden in Mason County voor een vrederechter, met een medewerker van de rechtbank als getuige. Na de plechtigheid stapten ze in de pick-up en zetten de radio aan. Het eerste liedje dat door de cabine blèrde, was 'My Heroes Have Always Been Cowboys' van Willie Nelson en Vivi Ann begon te lachen. *Dat zal voortaan ons liedje zijn,* dacht ze.

Onderweg naar het regenwoud in de Olympic Mountains zaten ze aan een stuk door te praten. Toen het donker werd en de weg tussen de eeuwenoude bomen door begon te kronkelen, kwamen ze aan bij het Sol Duc Vakantiepark en huurden ze een van de blokhutten.

'Volgens mij zijn wij een echt blokhuttenstel,' zei Dallas toen hij haar over de drempel de naar dennen geurende kamer binnen droeg. Ze bleven vier dagen lang in bed liggen en deden niets anders dan vrijen, liefkozen en praten. Vivi Ann vertelde Dallas alles wat er te weten viel: wanneer ze ontmaagd was en door wie, hoe het had gevoeld om haar moeder te verliezen, waarom ze zoveel van Oyster Shores hield en zelfs aan welk eten ze een hekel had. Terwijl ze zo lag te kwebbelen, begon hij steeds vaker te lachen en de behoefte om hem een glimlach te ontlokken werd steeds groter.

Op de vijfde dag maakten ze een trektocht over de schitterende wilde wandelpaden naar de beroemde waterval van Sol Duc. Daar, helemaal alleen in het oeroude regenwoud en omringd door het donderende geraas en gespetter van het water, vrijden ze met elkaar op een open plekje aan de voet van een tweehonderd jaar oude ceder.

'Ik heb je door, hoor,' zei ze toen het voorbij was en ze met haar rug tegen de bemoste stam van een jonger boompje zat.

Hij pakte zijn zakmes en begon nonchalant een hart te kerven in de geribde stam van de grote boom. 'O ja?'

'Ik heb je alles verteld wat er over mij te vertellen valt, maar jij hebt me helemaal niets verteld. Iedere keer als ik iets vraag, begin je me te kussen.'

'Dat is het enige wat telt.' Hij kerfde zijn initialen in de boom en begon aan de hare.

'Dat is niet waar. We zijn getrouwd. Ik moet antwoord kunnen geven als iemand iets over jou vraagt.'

'Gaan we dan meedoen aan een quiz?'

'Daar moet je geen grapjes over maken. Ik meen het echt.'

Hij was klaar en toen hij zijn mes neerlegde, keek hij haar eindelijk aan. 'Als jij iemand ergens aan de rand van een afgrond zag staan en dacht dat hij van plan was om te springen, wat zou je dan zeggen?'

'Kom eens een stapje achteruit, voordat er ongelukken gebeuren.'

'Kom eens een stapje achteruit, Vivi.'

'Hoe kan het nou ongeluk brengen als ik meer over je te weten kom?'

'Misschien zou je dingen te horen krijgen die je helemaal niet leuk vindt.'

'Je moet me vertrouwen, Dallas, anders komt er niets van ons terecht.'

Het bleef een hele tijd stil, voordat hij zei: 'Goed dan. Vraag maar.'

'Waar ben je geboren?'

'Vreemd genoeg in Dallas, Texas. Mijn moeder en vader hebben elkaar daar in een restaurant leren kennen. Ze woonde bij haar zusje in het reservaat.'

'Hoe heet ze?'

'Haar echte naam was Lacht Als De Wind. Haar man noemde haar Mary. Maar ze is dood.'

'En je vader?'

'Die leeft.'

Ze raakte de littekens op zijn borst aan. In het schemerige licht leken ze op zilverkleurige stukjes vislijn die in zijn vlees waren vast-gegroeid. 'Hoe kom je daaraan?'

'Elektriciteitssnoeren en sigaretten. Die ouwe gebruikte alles wat hij bij de hand had.'

Vivi Anns gezicht vertrok. 'En je moeder? Heeft die niet...'

'Dat is voorlopig wel genoeg,' zei hij zacht. 'Wat zou je ervan zeggen als we eens begonnen over dingen die echt belangrijk zijn?'

'Zoals?' Ze ging tegen hem aan liggen en keek omhoog naar de purperen lucht die tussen het dichte bladerdak zichtbaar was.

'Winona.'

Vivi Ann zuchtte. Daar hadden ze de afgelopen dagen geen woord over vuil gemaakt, maar ze had er wel aan gedacht. 'Wat wij... wat ík Luke aandeed, werd haar gewoon te veel en daardoor knapte er iets in haar. Win is altijd een zwart-wittype geweest. Het was goed of het was slecht. Ik weet wel dat ik eigenlijk boos op haar zou moeten zijn, en dat ben ik ook wel, maar uiteindelijk heeft ze me een dienst bewezen. Hoe kan ik boos op haar blijven nu ik met jou getrouwd ben?'

'Dus je wilt weer teruggaan,' zei hij.

'Ik hoor daar thuis,' zei ze rustig. 'En ik wil dat jij en onze kinderen daar ook thuis gaan horen.'

'Dat zal niet meevallen. Er zal flink gekletst worden.'

'Mensen kletsen altijd en nu hebben ze eindelijk iets om over te praten.'

'Ik hou van je, Vivi,' zei hij en de intensiteit die in zijn stem doorklonk, was opwindend en angstaanjagend tegelijk. 'Ik zal nooit toestaan dat iemand je pijn doet. Zelfs Winona niet.'

Ze lachte. 'Maak je geen zorgen, meneer Raintree. De familie Grey bestaat uit ranchers. We kunnen onszelf verdedigen.'

Op de eerste zaterdag van september werd Winona ver voor zonsopgang wakker en sleepte ze haar vermoeide lijf naar de ranch. Onderweg pikte ze Aurora op, die erin slaagde om op dit godsonmogelijke uur een klaarwakkere indruk te maken.

'Ik kan niet geloven dat ze nog steeds niet terug is,' zei Aurora toen ze voor de boerderij stopten.

'Ze wil ons gewoon het bloed onder de nagels vandaan halen. En dat lukt haar ook nog. Pa begint te beseffen dat hij niet zonder haar kan.'

'Zo denkt zij er niet over.'

'Jij gaat ervan uit dat ze denkt.'

Aurora sloeg haar ogen ten hemel. 'God, wat kun jij toch een kreng zijn. Hoe gaat het eigenlijk met Luke? Heeft hij je al zijn eeuwige liefde verklaard?'

Winona trapte zo hard op de rem dat haar zusje automatisch haar mond hield. 'Het deeg voor de koekjes staat in de koelkast. Maak er maar zoveel als je kunt en neem dan alle etenswaren mee naar het kraampje.'

'Jawel, majoor.' Aurora stapte uit en verdween naar binnen.

Winona vond haar vader in de manege, waar hij de vloer klaarmaakte voor de jackpot van die dag. Ze zwaaide naar hem en liep naar het hokje van de omroeper om de geluidsinstallatie aan te zetten.

Daarna zette ze zich aan de lijst van dingen die gedaan moesten worden, van het opstellen van de hekken tot het omwikkelen van de hoorns van de stieren. Om tien uur was ze terug in het hokje en begon gewapend met een stapel inschrijvingsformulieren de ploegen voor de eerste ronde bij elkaar te zoeken. En wat haar daarbij de meeste problemen bezorgde, was het handicapsysteem. Elke lassowerper had een bepaalde classificatie die hem door de bond verleend was en al die cijfertjes moesten bij elkaar opgeteld worden om tot een bepaalde handicap te komen, zodat de juiste ploegen tegen elkaar uitkwamen. Maar daarvoor moest je verdorie wiskunde gestudeerd hebben.

De deur werd met een ruk opengetrokken. Haar vader stond op de drempel en wierp haar een geïrriteerde blik toe. 'Waarom duurt het zo lang, Win? Je hebt verdomme zeven jaar op de universiteit gezeten. Kom op met die verrekte cijfers.'

'Ik kom er niet uit.'

'Die universiteiten zijn geen knip voor de neus waard.' Hij greep de geldkist van de plank en stapte naar buiten.

Winona liep achter hem aan naar de parkeerplaats, waar tientallen mannen te paard zich verzameld hadden.

'Wat is er aan de hand, Henry?' vroeg Deke, terwijl hij zijn hoed achteruit schoof.

'We gooien de tent voor vandaag dicht,' zei pa. 'Iedereen krijgt zijn geld terug. Winona krijgt de handicaps niet op een rij.'

Ze voelde het bloed naar haar wangen stijgen.

Hij deed de geldkist open en was net begonnen met het geld uit te tellen, toen er weer een pick-up het parkeerterrein op kwam rijden. Winona was nog zo bezig met haar eigen vernedering dat het even duurde voordat ze besefte dat de naam van Vivi als een lopend vuurtje rondging.

Ze keek op en tuurde langs de mensen.

Het was inderdaad de pick-up van Vivi Ann.

De mannen te paard gingen verzitten en keken om. Het eerste wat Winona dacht, was: goddank. Toen zag ze Vivi Ann en Dallas die hand in hand kwamen aanlopen alsof ze gewoon een van de vele stelletjes waren die naar het lasso werpen kwamen kijken en Winona wist meteen dat dit slecht zou aflopen. In haar afgedragen spijkerbroek en een verkreukeld T-shirtje was Vivi Ann nog steeds zo mooi dat het gewoon pijn aan je ogen deed. En als zij een stralend en gouden zonnetje was, dan was Dallas de koele en duistere schaduw.

De menigte was griezelig stil. Iedereen besefte wat er aan de hand was en ze wisten niet zeker hoe ze moesten reageren. Zeker de mannen niet, die dit soort zaken meestal aan hun vrouwen overlieten.

'Hé, pa,' zei Vivi Ann doodleuk. 'Heb je hulp nodig?'

Pa zweeg net lang genoeg om te laten merken dat hij boos was, maar niet lang genoeg om te tonen dat de familie verdeeld was. 'Je bent veel te laat,' zei hij, terwijl hij haar de geldkist in de handen drukte.

En zo nam Vivi haar plaats weer in, alsof er niets aan de hand was. De cowboys lachten haar meteen weer toe en riepen welkom thuis, terwijl Dallas op zijn gemak tussen hen door liep en een paar van de jongere knullen advies gaf.

Winona kon haar ogen niet geloven. Ondanks alles – de vrijpartij, de leugens en de oorvijg – kon Vivi Ann gewoon weer op Water's Edge opduiken en met open armen verwelkomd worden. Ze liep met grote stappen naar het eettentje, waar Aurora druk bezig was met het omdraaien van de hamburgers.

'Je gelooft nooit wat er net gebeurd is.'

Aurora keek om. 'Wat dan?'

'Vivi Ann is weer terug. Samen met Dallas.'

'Zijn ze al die tijd bij elkaar geweest?'

'Denk je soms dat ik helderziend ben? Ik zou het niet weten, maar ze doen wel erg plakkerig.'

'Dit kan niet goed aflopen. Heb je tegen haar gezegd dat je er spijt van hebt?'

'Ik? Zij is ermee begonnen.'

'Nee,' zei Aurora streng. 'Het probleem ligt bij jou.'

'Hoe kom je daar nou bij? Heb ik dan met Dallas Raintree liggen vrijen terwijl ik verloofd was met Luke? Leg me dat maar eens uit, Aurora.'

'Luke is een vriend, Winona. Vivi is familie. Toen het erop aankwam, heb jij voor Luke gekozen. Dat weet de hele stad. Hoe lang heb je gewacht voordat je het aan hem en aan pa hebt verklikt?'

'Wordt daar echt in de stad over gekletst? Dat ik het aan Luke heb verteld?'

Aurora zette de bakplaat uit en veegde die schoon. 'In een stad als deze zijn er geen geheimen.'

'Maar dat is niet eerlijk. Ik heb juist gehandeld. Dat zal iedereen uiteindelijk moeten toegeven.'

Aurora zuchtte. 'Ik ga naar Vivi Ann toe. Ga je mee of blijf je je verstoppen?'

Winona slikte een gemene opmerking in en liep achter haar zus aan naar de parkeerplaats. De vertrekkende pick-ups kropen met hun aanhangwagens als een veelkleurige slang over de oprit. Toen iedereen weg was, bleven Winona en Aurora bij het hek staan wachten. Hun vader stond bij de hooischuur.

Vivi Ann en Dallas kwamen hand in hand naar hen toe lopen.

Daar stonden ze dan met z'n vijven, in de purperen schemering en omringd door donkere weilanden en het geluid van paarden die op en neer liepen langs de hekken gecombineerd met dat van de golven die bij laag tij terugkeerden naar de zee.

135

'Hij is hier niet langer welkom,' zei pa.

Dallas ging dichter bij Vivi Ann staan en sloeg zijn arm om haar heen. 'We zijn getrouwd.'

Niemand zei iets en even leek het net alsof de tijd stil stond. Vivi Ann keek pa recht in de ogen. 'Ik wil dat wij ons hier thuis kunnen voelen, pa, en het beheer van de ranch op ons nemen, maar als jij ons niet wilt hebben…'

Ineens begreep Winona dat Vivi Ann helemaal niet dom was. Om haar zin te krijgen had ze hun vader voor het blok gezet.

'Dan heb ik niet veel keus, hè?' zei hij. Meteen daarna draaide hij zich om en liep het huis binnen. De deur viel met een klap achter hem dicht.

Aurora stapte naar voren en sloeg haar armen om Vivi Ann heen. 'Hij draait wel bij. Maak je geen zorgen.'

Vivi Ann klampte zich aan Aurora vast. 'Dat hoop ik wel.'

Daarna omhelsde Aurora Dallas een beetje onhandig en liep naar haar auto. Terwijl de motor van de BMW brullend aansloeg, stond Winona daar nog steeds, te overstuur om iets te zeggen.

Vivi Ann liep naar haar toe, maar bleef tegelijk Dallas' hand vasthouden. Het was net alsof ze haar eraan wilde herinneren dat ze nu een echtpaar waren. En bij elkaar hoorden. 'Hoe wil jij dit aanpakken, Win?' vroeg ze rustig.

'Ik heb pa er alleen bij gehaald omdat Luke Dallas in elkaar sloeg.' Winona hoorde zelf dat haar stem oversloeg en dat maakte haar behoorlijk nijdig. Ze klonk zwak, terwijl ze juist sterk wilde overkomen. 'Ik probeerde Dallas juist te beschérmen.'

Daarop stapte Dallas naar voren, alsof het zijn goed recht was, alsof hij zich met dingen mocht bemoeien die alleen de beide zusjes aangingen. 'Jij wilde alles wat zij had,' zei hij.

'Dat is niet waar,' zei Winona, maar ze wist best – en dat gold voor hen allemaal – dat het wel degelijk zo was.

'Je hebt me een dienst bewezen, Win,' zei Vivi Ann. 'Ook al wilde je me alleen maar pijn doen. Maar eerlijk gezegd laat al die onzin me nu koud. Ik heb de man gevonden van wie ik hou en we kunnen op de ranch blijven. De rest interesseert me niet. Ik weet wel dat vergeven en vergeten niet bepaald jouw sterkste punt is, maar het is het enige wat ons nu overblijft. Ik zal daar geen moeite mee hebben. En jij?'

Winona werd al net zo voor het blok gezet als haar vader. Het enige wat ze daarop kon zeggen was 'goed'. Elk ander antwoord zou kinderachtig en wraakgierig overkomen. 'Ja, natuurlijk,' zei ze en ze liep naar haar zusje toe om haar zonder veel animo te omhelzen. 'Vergeven en vergeten.'

Elf

❧

Winona had zich tegen heug en meug door Aurora laten meeslepen naar de blokhut. En toen Vivi Ann de deur opendeed, zei Aurora kortaf: 'We gaan naar de Outlaw.'

'Ja natuurlijk, het is vrijdag,' zei Vivi Ann.

Dallas stond op en kwam achter Vivi Ann staan. Aurora keek hem met samengeknepen ogen aan. 'En als je van haar houdt, dan ga je ook mee. Zo hoort dat hier.'

'Ik weet het niet...' zei Vivi Ann. 'Misschien is Luke er ook wel.'

Dallas sloeg zijn armen om haar heen. 'We hoeven niets te doen waar jij geen zin in hebt.'

Winona was verrast door de zachte toon van zijn stem. Geen wonder dat hij haar zusje had verleid. Vivi Ann, die altijd de goede kanten van iemand zag.

'Je kunt hem niet eeuwig blijven ontlopen,' merkte Aurora op.

Uiteindelijk knikte Vivi Ann. 'Geef ons een minuutje,' zei ze en ze pakte Dallas bij de hand. Toen ze in de slaapkamer verdwenen, zei Winona: 'Bij het eerste teken van seks ben ik weg.'

'Ja, dat zit er dik in,' lachte Aurora.

Vijftien minuten later kwamen de zusjes Grey en Dallas bij de Outlaw aan en liepen achter elkaar naar binnen. Toen Dallas als laatste opdook, ging er een lichte schok door de zaal. Iedereen keek op, drankjes bleven op mondhoogte hangen en gesprekken stokten. Zelfs de drummer raakte even uit de maat.

De eerste die naar hen toe kwam, was Luke.

'Opgepast, ex-verloofde op één uur,' mompelde Aurora.

'Hij weet hoe het hoort,' zei Winona, die zichzelf moest beheersen om niet naar hem toe te lopen.

Dallas ging wat dichter bij Vivi Ann staan en pakte haar hand vast.

'Hoi, Vivi,' zei Luke.

Het werd stil in de kroeg. Het enige geluid dat te horen was, kwam achter uit het vertrek, waar een paar poolballen tegen elkaar tikten.

'Ik heb gehoord dat jullie zijn getrouwd,' zei Luke met een effen gezicht. 'Gefeliciteerd.'

'Ik had het je eerlijk moeten vertellen,' zei Vivi Ann tegen hem.

'Ik wou maar dat je dat had gedaan.'

Winona bestudeerde zijn gezicht tot in de kleinste details. De manier waarop hij vlak voordat hij iets ging zeggen heel even zijn ogen dichtdeed. De trek rond zijn mond. Ze had verwacht dat hij iets anders zou hebben gezegd, iets gemeens dat hard aan zou komen – zoals Vivi Ann verdiende – maar terwijl ze bleef kijken, drong er langzaam maar zeker iets tot haar door. Luke was niet boos op Vivi Ann.

Hij hield nog steeds van haar. Na alles wat er was gebeurd.

'Het spijt me echt,' zei Vivi Ann.

Haar zusje bleef praten, een aaneenschakeling van nietszeggende woorden zonder enige betekenis, en iedereen luisterde er glimlachend naar en accepteerde het. Als gevolg daarvan begonnen Winona's oren te tintelen tot ze alleen maar geruis en haar eigen hartslag hoorde. Ze was zo verdiept in haar eigen gedachten, zo bezig met haar eigen bittere teleurstelling (hoezo karma? hoezo afgerekend worden op wat je misdaan had?) dat het alweer voorbij was voordat ze het in de gaten had.

De muziek begon weer. Mensen liepen terug naar de dansvloer.

Ze knipperde en keek om zich heen, op zoek naar Luke.

Dallas stond haar aan te kijken en iets in die griezelige lichtgrijze ogen bezorgde haar een onbehaaglijk gevoel. Hij liet Vivi Anns hand los en kwam naar haar toe lopen. Winona keek naar de sexy manier waarop hij liep, met soepele heupen, en wist precies waarom hij dat deed. Alleen zou het bij haar niet werken.

'Arme Luke,' zei Dallas met een zoetgevooisde stem die haar een beetje zenuwachtig maakte. 'Hij zal vast wel behoefte hebben aan een schouder om op uit te huilen.'

'Jij weet niets van mij.'

'Ik weet alles van jou,' zei hij met een brede glimlach.

Hij is gevaarlijk, schoot ineens door Winona's hoofd. En Vivi Ann had hem in hun familie gehaald. Dat was voor Winona het bewijs dat ze gelijk had gehad met haar pogingen om Vivi Ann voor deze man te beschermen. 'Je kunt haar maar beter nooit verdriet doen,' zei ze. 'Want ik hou je in de gaten.'

'Misschien dat ze ooit vergeet wat jij gedaan hebt, Winona, maar dat geldt niet voor mij. Het komt er gewoon op neer dat je haar verraden hebt. Dus denk er maar aan: ik blijf jóú in de gaten houden. Zij zal je misschien vergeven, maar ik niet.'

Winona zat in haar auto die geparkeerd stond bij het politiebureau. Ze zou niet naar binnen moeten gaan. Ze wist dat heel zeker. Sommige dingen kon je beter niet weten. Maar wanneer een idee zich eenmaal in haar hoofd had genesteld was er geen ontkomen meer aan. En ze dacht dat Dallas misschien wel gevaarlijk kon zijn.

Ze liep naar binnen en bij de receptie aangekomen hield Helen op met het vijlen van haar nagels en keek haar aan. 'Hallo Winona.'

'Hallo, is sheriff Bailor er? Ik wil hem even spreken.'

'Ja hoor, je hebt een afspraak, nietwaar? Ga maar naar binnen.'

Winona liep naar het kantoor van sheriff Albert Bailor en zag dat hij een sandwich zat te eten.

'Dag Winona, ga zitten.'

Ze wilde geen tijd verliezen. 'Ik kom iemands verleden checken.'

'Gaat het om de indiaan?'

'Ja.'

'Ik dacht precies hetzelfde toen Vivi met hem trouwde. Om je de waarheid te zeggen, had ik je al verwacht.' Hij verliet het kantoor en kwam even later terug met een bruine map. 'Ik kom zo terug.'

Zodra hij weg was, opende Winona de map. *Dallas Raintree DOB*

5/05/65. Ze las het dossier door, het was een lange lijst met klachten, arrestaties en veroordelingen. Zijn jeugddossier was door de rechterlijke macht verzegeld en er stond dat hij psychiatrische behandeling nodig zou hebben.

'Mijn god,' zei Winona.

'Zeg dat wel,' zei Albert, die terugkwam.

'Wat betekent dit allemaal?' vroeg Winona.

'Het betekent dat je zwager iemand is met driftbuien, en die geen respect heeft voor de wet. En dat hij als kind iets vreselijks heeft meegemaakt. Volgens de psychiatrische evaluaties is hij niet erg stabiel. Men zegt dat jij degene bent die hem in dienst heeft genomen. Waarom heb je hem toen niet nagecheckt?'

Ze klemde haar kaken opeen. 'Wat kan ik nu doen?'

'Nu?' Albert haalde zijn schouders op. 'Hij is met je zus getrouwd. Nu kun je niets meer doen.'

'Is hij gevaarlijk?'

'Onder bepaalde omstandigheden zijn we allemaal gevaarlijk. Hou hem gewoon in de gaten.'

'Dat zal ik zeker doen,' zei Winona.

Eind november stond er een ijzige wind over het Canal, die het meestal zo rustige water opzweepte tot nerveuze witgekruinde golven, die tegen de betonnen en stenen kademuren langs de kust sloegen. Schuimend water stroomde de keurig onderhouden tuinen in, waardoor het groene gras bruin werd. Plotseling waren alle vogels verdwenen, samen met hun ochtendgezang en avondgekwetter. Kale bomen huiverden van de kou, terwijl hun laatste veelkleurige blaadjes door de wind werden afgerukt. Diezelfde blaadjes lagen nu zwart en slijmerig opgehoopt in de greppels aan weerskanten van de weg. En de toeristen bleven van de ene op de andere dag thuis, alsof er een memo naar de trendy oostkust was gestuurd.

Zonder de zon zag alles er vaal uit, vooral als het regende, en het regende bijna altijd. Geen harde, striemende buien, maar een soort aanhoudende, druilerige nevel. Op de vierde vrijdag in november, de dag na Thanksgiving, kwamen de leden van de ponyclub samen met hun familie naar Water's Edge om kransen te maken. Dat was al jaren een traditie. Vivi Ann had er altijd aan meegedaan, eerst als hulpje van haar moeder, later als lid van de ponyclub en nu had ze de leiding.

Het evenement duurde van 's ochtends vroeg tot 's avonds laat en om eerlijk te zijn had ze er nooit meer van genoten dan dit jaar. Toen alles achter de rug was, liep ze samen met Dallas over de kletsnatte weg naar hun blokhut. 'Ik zag dat je met Myrtle Michaelian stond te praten,' zei Vivi Ann.

'Ze bleef constant haar handtas vastklemmen. Volgens mij was ze bang dat ik die zou stelen.'

Lachend deed ze de deur open en ging naar binnen.

In de hele blokhut rook het naar Kerstmis. Dallas had in de hoek bij de open haard een prachtig gevormd boompje neergezet en de overgebleven slingers over de schoorsteenmantel gedrapeerd. 'Prettige kerstdagen,' zei hij.

Hij had Vivi Ann opnieuw verrast. Haar leven lang hadden mannen in de rij gestaan om haar cadeautjes te geven en haar te overstelpen met presentjes die door winkelpersoneel waren ingepakt en waren betaald met een creditcard. Maar dit, een eenvoudig, nauwelijks versierd boompje, betekende meer voor haar dan al die andere dingen, omdat ze wist dat haar man niets om Kerstmis gaf. Hij had dit voor haar gedaan omdat zij er wél om gaf.

'Die vriendin van je die in de drugstore werkt – Trayna – heeft me geholpen met het uitzoeken van de ballen en zo.'

Vivi Ann schoot in de lach bij de gedachte aan een angstig kijkende Dallas die achter Trayna aanliep om engeltjes en ballen uit te zoeken. Ze hield zoveel van hem dat het bijna niet meer uit te houden was.

'Wat is er zo grappig? Heb ik iets fout gedaan?'

'Nee, Dallas Raintree, je hebt alles goed gedaan.' Ze pakte zijn hand en trok hem mee naar de slaapkamer waar ze hem op wel tien manieren toonde hoeveel ze van hem hield.

Na afloop lagen ze elkaar in bed aan te kijken. Door de openstaande deur zag ze hun eerste kerstboom die in het donker stond te twinkelen.

'Ik dacht dat je vandaag een bezoeking zou vinden,' zei ze.

'Nee hoor.'

'Heb jij als kind dat soort domme dingen ook gedaan?'

'Nee,' zei hij en dit keer klonk zijn stem vlak. Ze wist dat ze een tere snaar had geraakt.

'Is er iemand die je voor de kerst wilt uitnodigen?'

'Dat is de zoveelste keer dat je die vraag stelt, Vivi,' zei hij. 'Nee, er is niemand. Alleen jij.'

Ze snapte niet hoe dat mogelijk was, hoe iemand zo alleen kon zijn als hij deed voorkomen. Ze hees zich omhoog op haar elleboog en keek op hem neer. 'Wat is er gebeurd, Dallas?' Het was de eerste keer dat ze hem dat rechtstreeks vroeg.

'Hij heeft haar vermoord,' zei hij rustig. 'Dat zal wel zijn wat je zo graag wilt weten. Hij heeft haar jarenlang in elkaar geslagen en toen op een avond doodgeschoten.'

'Was jij...'

'Ja. Ik was erbij.'

Op dat moment begreep Vivi Ann ineens alles: de littekens op zijn borst, de woede die hij af en toe niet onder controle kon houden en de problemen die hij had om in slaap te vallen. In gedachten zag ze hem voor zich als een jongetje dat dingen te horen kreeg die kinderen niet zouden mogen horen, dat vreselijke dingen zag gebeuren. Geen wonder dat hij niet over zijn verleden wilde praten. Ze schoof dichter naar hem toe en sloeg haar armen om hem heen. En terwijl ze hem zo tegen zich aandrukte, probeerde ze hem met behulp van haar lichaam, haar hart en haar ziel een deel van haar jeugd mee te laten beleven.

Hij hield haar zo stijf vast, dat ze begreep dat hun gesprek oude wonden had opengereten. De manier waarop hij naar haar keek was een afschuwelijke, prachtige combinatie van geluk en verdriet en ze vroeg zich plotseling af of hij daar altijd mee zou moeten leven, met dat onverdraaglijke duo. Ze kuste zijn lippen en drukte vervolgens haar mond tegen zijn wang voordat ze in zijn oor fluisterde: 'We krijgen een baby.'

Hij zei niets, maar trok haar nog vaster in zijn armen.

'Ben je er wel klaar voor?' vroeg ze.

Hij week iets achteruit om haar aan te kunnen kijken en de liefde die uit zijn ogen straalde, was het enige antwoord dat ze nodig had.

Als Winona haar herinneringen had opgeslagen in bruine archief-mappen, zou ze de kerst van 1992 het etiket hebben meegegeven van de op één na naarste Kerstmis die de familie Grey ooit had beleefd. Alleen het jaar waarin hun moeder was gestorven was nog erger geweest.

Ze had geprobeerd om net te doen alsof alles in orde was. Ze was naar de boerderij toe gekomen om te helpen met de kerstversiering. En ze was keer op keer de zoldertrap op gesjouwd om de stoffige dozen met kerstspulletjes op te halen.

Maar het had helemaal niet goed aangevoeld. Aurora en Vivi Ann hadden gelachen en grapjes gemaakt en geruzied over welk kerst-album er gedraaid moest worden, terwijl Winona zich steeds eenzamer ging voelen. Ze wist dat het niet goed van haar was, dat ze die oude grieven en al die bitterheid van zich af moest zetten en haar gewone leven weer moest oppakken. Maar kennelijk was ze daar niet toe in staat.

Het probleem was Dallas. Hij was een soort gezwel binnen hun familie en alleen zij wist hoe kwaadaardig hij was.

Het maakte niet uit dat hij net deed alsof hij van Vivi Ann hield (*net deed alsof* was waar alles volgens Winona om draaide) of dat hij het fantastisch deed op de ranch. Het enige wat telde, was dat hij niet te vertrouwen was. Ze had hem nagetrokken en ontdekt dat hij een strafblad had. Dat was voor haar voldoende bewijs. Op de een of andere manier zou hij haar familie kwaad doen.

Iedereen die vanavond bij het kerstdiner aan tafel zat, zou dat eigenlijk moeten inzien. Alles stond op de gebruikelijke plaats, blinkend en volmaakt. Pa had een nieuwe donkerblauwe Wrangler-spijkerbroek aan en een fris gesteven wit overhemd, dat tot bovenaan was dichtgeknoopt. Aurora, Richard en de kinderen zagen eruit alsof ze zo uit een Nordstromcatalogus waren gestapt en Vivi Ann leek op een gouden prinsesje in haar groene, fluwelen japon.

En dan was er Dallas, die naast zijn vrouw zat en er een beetje onbehaaglijk uitzag, kennelijk geïrriteerd door alles wat zich afspeelde. Winona gluurde door haar wimpers naar hem. Zijn lange haar en het lichtblauwe overhemd maakten hem niet zachter, integendeel. Nu hij zo netjes aangekleed was, leek hij nog gevaarlijker.

Als Winona een manier had kunnen bedenken om de waarheid te onthullen, had ze dat zeker gedaan, maar Dallas was slim. Hij drong zich nooit op, hij eiste nooit zijn deel. Hij bleef rustig afwachten en deed net alsof hij bereid was om te werken voor wat hij kreeg. De cowboys hadden hem al geaccepteerd en de vrouwen in de stad hadden het de laatste tijd steeds vaker over de 'grote liefde' tussen Vivi Ann en Dallas. Zelfs Aurora wilde niets over zijn criminele verleden horen en had tegen Winona gezegd dat ze daarover op moest houden.

Vivi Ann tikte met haar vork tegen haar wijnglas om de aandacht op te eisen.

Winona keek over de tafel naar haar zusje, zoals van haar verwacht werd, en zag ineens een paar dingen die maar tot één conclusie konden leiden: Vivi Ann was nog mooier dan anders, ze straalde zelfs, en ze dronk water.

'We verwachten een baby,' zei Vivi Ann en haar glimlach vulde de kamer met zonneschijn.

Winona hoorde die aankondiging alsof het in slowmotion werd gezegd en alsof zij diep onder water zat, of achter een muur van oneffen glasblokken. Ze zag iedereen behalve haar vader opspringen om Vivi Ann te feliciteren, ze hoorde de gilletjes en de opgetogen kreten en zag hoe Aurora Vivi Ann omhelsde en begon te huilen.

Winona wist dat ze ook op moest staan, maar dat kon ze niet. Ze bleef gewoon zitten. Van nu af aan zou Dallas deel uitmaken van deze familie, wat er ook gebeurde. Het kankergezwel had zich uitgezaaid.

Ze keek opzij en zag dat Dallas haar aan zat te kijken. Ze schoof een beetje onbehaaglijk heen en weer en tilde haar wijnglas op om een toost uit te brengen. 'Op Vivi Ann... die een baby gaat krijgen...' *Ook nog.* Ze probeerde niet te denken aan het feit dat ze zelf nog steeds alleen was, maar daar kon ze niet omheen. Zij was de oudste van de drie zussen en als enige nog ongetrouwd en kinderloos.

Daarna ging de avond aan Winona voorbij als een film zonder geluid. Ze deed alles wat er van haar verwacht werd. Ze hielp de tafel afruimen, deed samen met haar zusjes de afwas, zette haar lievelings kerstalbum van Elvis op, danste door de keuken en las haar

145

neefje en nichtje een verhaaltje voor... allemaal met een onwezenlijk gevoel.

'Je slaagt er niet echt in om te doen alsof je blij bent.'

Winona had hem niet eens horen aankomen. Kennelijk was hij er
goed in om mensen te besluipen. Ze draaide zich even om en zag dat
Dallas naast haar stond, met een glas bier in zijn hand. 'Ik heb nooit
goed kunnen doen alsof,' antwoordde ze. 'En mij hou je echt niet
voor de gek. Ik heb je strafblad gezien.'

'Zij is heel gelukkig, hoor,' zei hij.

'En jij? Ik had jou nooit voor een vadertype gehouden.'

'Hoe ik me voel, interesseert je niets.'

Het was een opluchting dat hij dat begreep en dat ze de schijn niet
hoefde op te houden. 'Dat klopt.'

'Waarom niet?'

'We waren een gelukkig gezin voordat jij kwam opdagen.'

Dallas keek de kamer rond en zijn blik bleef even rusten op
Aurora en Richard die zacht bij de boom stonden te kibbelen.
Daarna keek hij naar pa, die zijn derde whisky al bijna achter de
knopen had en naar een oude foto van mam zat te staren. 'O ja?'
zei hij. 'Dus jij was echt gelukkig dat Vivi Ann verkering had met
jouw vriendje.'

'Hij was mijn vriendje niet.'

Dallas schonk haar een glimlach vol begrip. 'Ja, dat was het hele
probleem, hè?'

'Val dood.'

Hij lachte. 'Is dat een traditionele kerstwens?'

Ze duwde hem opzij en liep weg. De rest van de avond probeerde
ze weer net als vroeger te zijn, omringd door de mensen van wie ze
hield, maar hij bleef voordurend aanwezig, alsof hij vanuit de coulissen naar hen zat te kijken. Vooral naar haar.

Winona telde de dagen tot Luke terug zou zijn van zijn vakantie
in Montana. Ze hadden elkaar op eerste kerstdag nog aan de telefoon gehad en hij had beter geklonken. Eindelijk. Hun vriendschap
voelde nog steeds een beetje broos aan, de brokstukken waren nog
steeds niet echt gelijmd, maar Winona deed haar best om geduldig

te zijn. Hij had gewoon tijd nodig. Hij zou zich wel bedenken. Voor Luke kon ze dat wel opbrengen.

De avond dat hij thuiskwam, zouden ze samen naar de bioscoop gaan en tegen de tijd dat ze zich had omgekleed en naar zijn huis was gereden, was het al donker. Toen hij de deur opendeed, sloeg ze meteen haar armen stijf om zijn nek. 'Ik ben zo blij dat je weer terug bent.'

Hij maakte zich voorzichtig los en nam haar mee naar de zitkamer waar een vuur in de open haard vlamde en de kerstlichtjes in de boom die ze samen met hem had opgetuigd nog steeds aan waren. Ze ging zitten en hij liep naar de keuken en kwam terug met twee glazen wijn.

'Drank. Goddank,' zei ze terwijl ze haar glas aanpakte en opzij schoof om plaats voor hem te maken. Ze schopte haar losse enkellaarsjes uit en legde haar kousenvoeten op de salontafel. Zoals de laatste tijd gebruikelijk was, had hij niet veel te vertellen. Zij moest het gesprek gaande houden. 'Je hebt geen idee, hoe raar de feestdagen zijn geweest. Dallas verpestte alles en niemand schijnt dat door te hebben. Ik krijg steeds meer de neiging om Vivi Ann eens flink door elkaar te schudden. Misschien kan ik wel een manier verzinnen om ervoor te zorgen dat ze zijn strafblad te zien krijgt. Dan zal ze wel anders piepen.'

'Hè toe nou, Win,' zei Luke zuchtend. 'Moet je daar nu iedere keer weer opnieuw over beginnen? Dat is oud nieuws. Ze zijn getrouwd.'

'En nu komt er ook nog een baby.'

'Is ze in verwachting?'

'Ja, nu al. Daar keek ik zelfs van op en meestal ben ik toch wel op het ergste voorbereid.'

Luke stond op, liep naar de haard en staarde naar de vlammen.

'Een baby,' zei hij zacht. Zijn stem klonk verdrietig.

Winona kon zichzelf wel voor haar hoofd slaan. Het was een van haar slechtste eigenschappen, dat ze zich zo op de details concentreerde dat het eigenlijke plaatje haar ontging. Ze bleef maar denken dat hij inmiddels wel over Vivi Ann heen zou zijn. Ze stond op en liep naar hem toe. 'Het spijt me, Luke. Ik dacht er helemaal niet bij na. Ik had het je op een andere manier moeten vertellen.'

Hij wendde zijn gezicht af en keek langs de kerstboom naar de regenachtige nacht. 'Ik kan het niet opbrengen.'

'Wat niet?'

'Ik dacht dat ik het wel aan zou kunnen om te zien hoe Vivi Ann van iemand anders houdt, maar dat is niet zo.'

'Maar...' Winona wist niet wat ze moest zeggen, hoe ze haar plotselinge vrees in een zinnig verzoek moest omzetten. 'Je kunt toch niet weggaan...'

'Wat blijft me anders over, Win?'

Ze voelde zich als zo'n oud Eskimovrouwtje dat op een ijsschots wordt gezet om te sterven. Ze wist dat als ze nu haar hand niet uitstak, als ze zich nu niet aan hem vastklampte, ze alleen zou wegdrijven. 'Luke, alsjeblieft...'

'Hoe bedoel je, alsjeblieft?'

Ze slikte en probeerde haar angst te verdringen. Het was doodeng om hem de waarheid te vertellen – daar was ze nog niet aan toe en hij ook niet – maar ze had geen keus. Ze kon nog net de moed opbrengen om zijn pols vast te pakken. 'Ik weet dat je nog niet zover bent, dat je dit wilt horen, Luke, maar... ik hou van je. Als je me gewoon een kans wilt geven, zouden we samen gelukkig kunnen worden.'

Ze wist het antwoord al voordat hij zijn mond opendeed. In de stilte waarin de knisperende vlammen te horen waren, zag ze hoe verbaasd hij reageerde. Meteen daarna kwam het medelijden.

Haar maag kromp samen. Ze had haar moordenaar zelf het mes overhandigd en haar borst ontbloot. Als ze een manier had geweten om hem de mond te snoeren, had ze dat gedaan, maar hij was niet meer te houden.

'Ik hou ook van jou,' zei hij en hij liet zijn stem zakken voordat hij eraan toevoegde: 'als een vriendin.'

Ze liet hem los en draaide zich om. 'Dat bedoelde ik ook,' zei ze dof, hoewel ze allebei wisten dat het een leugen was.

'Ik denk dat ik terugga naar Kalispell,' zei hij van zijn plek bij de haard.

'Misschien kun je daar wel een leuk slank meisje vinden,' zei ze, terwijl ze haar jas pakte.

Hij kwam naar haar toe, pakte haar schouders vast en draaide haar om. 'Winona, je weet best dat het daar niet om gaat. Alleen...'

Ze deed echt ontzettend haar best om haar tranen in te houden, maar dat lukte niet en ze brandden in haar ogen. *Pathetisch*. Ineens was ze weer dat dikke meisje, dat smeekte of haar moeders paard mocht blijven. 'Ik begrijp het, Luke. Geloof me, ik begrijp het best.'

De maandag daarna hoorde ze van Aurora dat Luke terug was gegaan naar Montana.

Twaalf

Op het water gleed de tijd voorbij in getijden die steeds dichter naar de kust toe golfden. In de winter waren de golven heftig en driftig, met witte kruinen die door de wind fanatiek werden opgezweept. En het regende bijna dagelijks. De kleuren van het landschap vervaagden. Zelfs de naaldbomen verloren iets van hun warme tint en staken zwart af tegen de grauwe lucht, de grauwe wolken en het grauwe water.

Een beetje zonneschijn bracht daar al verandering in en in mei, als de regen even een adempauze nam, verschenen van de ene op de andere dag overal de roze en paarse bloemen van de azalea's en ook het groengeel van nieuwe scheuten – in de gazons en de verse nieuwe blaadjes aan de bomen langs de wegen. 's Nachts zaten de kikkers zo luid tegen elkaar te kwaken dat de mensen overal in de stad hun bed uit kwamen om de ramen dicht te doen.

In juni kwamen de zomergasten terug. Het eethuisje bleef langer open en zette een paar nieuwe, trendy, vegetarische broodjes op het menu en alle souvenirwinkeltjes openden hun deuren. De bloembakken vol paarsblauwe lobelia's en rode geraniums werden weer aan lantaarnpalen gehangen.

Vivi Ann merkte iedere verandering op. Jarenlang had ze dat kennelijk allemaal geaccepteerd zonder ervan op te kijken, omdat elke seizoenswisseling voor haar niets anders was dan het voorbijgaan van de tijd.

Door haar zwangerschap had ze daar nu een heel andere kijk op gekregen. Nu hield ze de tijd per dag bij en soms zelfs per uur. En het was niet alleen haar lichaam dat veranderde. Alles voelde de laatste tijd anders aan. Ze was nog nooit zo opgewonden over iets geweest als over de komst van deze baby. Maar tegelijkertijd was ze doodsbang. Er ging geen dag voorbij dat ze haar moeder ontzettend miste en niet op die kinderlijke manier van vroeger. Dat gevoel veranderde in een hevig, schrijnend verdriet. Ze had zoveel vragen waar ze geen antwoord op kreeg.

Haar angst – ook al iets nieuws – zat diep in haar binnenste verborgen. Als ze 's nachts naast de slapende Dallas lag, was ze bang dat ze te egoïstisch was om een goede moeder te zijn en te onvolwassen om een ander menselijk wezen door het leven te begeleiden. Ze maakte zich ook zorgen over zijn of haar indiaanse afkomst en of ze wel in staat zou zijn om haar kind te helpen door beide groeperingen geaccepteerd te worden. Ze was inmiddels tien maanden getrouwd, maar in al die tijd was ze nauwelijks iets over de man van wie ze hield te weten gekomen. Hij hield van haar – dat was overduidelijk – maar van de rest van zijn gevoelens liet hij niet veel blijken. Woede was het enige dat af en toe de kop opstak en bij de zeldzame gelegenheden dat ze die kant van hem zag, werd ze altijd bang.

Vergeet niet, had hij een keer tegen haar gezegd toen ze ruzie hadden, *dat pijn elk dier vals kan maken. Ik heb je gewaarschuwd.* Hij had geprobeerd haar van zich af te houden, dat begreep ze nu pas. Er was maar één ding waar hij bang voor was en dat was hun liefde.

Hij begreep ook niet echt dat ze niet alleen maar van hem hield. Ze leefde voor hem. Hij was nog steeds een verslaving, waar ze niet van af kon komen.

'Je droomt weer weg,' zei Aurora terwijl ze een frietje van Vivi Anns bord jatte. 'Hete seks vanmorgen?'

Vivi Ann lachte en wreef over haar dikke buik. 'Jij hebt me zelf verteld dat hartstocht slijt.'

'Ja. En toen leerde je Tattoo Boy kennen.'

'Ik kan niet geloven dat ik zoveel van hem hou. Dat weet je toch wel, hè?'

'Waar ik van sta te kijken is dat hij kennelijk stapelgek op jou is. Hij houdt je als een havik in het oog. Af en toe krijg ik het idee dat hij geen moment zonder je kan.'

Vivi Ann hoorde de weemoedige toon in de stem van haar zusje en besefte ineens dat ze steeds vaker zo klonk. 'Wil je erover praten?'

'Waarover?'

'Over Richard. Wat is er aan de hand?'

Aurora's zorgvuldig opgemaakte gezicht betrok. 'Ik dacht dat ik dat verborgen hield.'

'Dat moet een heel eenzaam gevoel zijn.'

De tranen sprongen Aurora in de ogen. 'Ik kan ontzettend goed met hem opschieten. En hij met mij. Misschien is dat wel genoeg. Maar nu ik heb gezien wat jij en Dallas hebben, weet ik het niet meer. Moet ik wel zo... zo op mijn gemak door het leven sjokken? Maar ik moet ook aan de kinderen denken. Ik wil niet dat ze opgroeien zoals wij, met een lege plek in het gezin.'

Vivi Ann legde haar hand op die van Aurora. 'Iedereen denkt altijd dat Winona de slimste van ons is, maar dat ben jij, Aurora. Jij... ziet alles en je schenkt er aandacht aan. Je zult vast wel de juiste keuze maken.'

'Misschien wil ik helemaal niet kiezen.'

Vivi Ann wist maar al te goed hoe verleidelijk dat idee was. 'Niets doen is ook een keuze. Maar geen goede, geloof me. Winona is nog steeds pissig omdat ik Luke verdriet heb gedaan. En ze heeft gelijk. Het is de enige keer in mijn leven dat ik opzettelijk wreed ben geweest.'

'Niemand is zo rancuneus als Winona, dat staat vast.'

'Af en toe heb ik het gevoel dat ze me haat.'

'Geloof me, Vivi, de enige persoon die Winona haat, is zijzelf. Ze heeft haar leven lang geprobeerd om bloed uit een steen te knijpen en omdat ze niet van ophouden weet, blijft ze er maar mee doorgaan. Ze wacht nog steeds op iets van pa wat ze nooit zal krijgen.'

'Omdat ze wil dat het onder woorden wordt gebracht en dat kan hij niet.'

Aurora zuchtte. 'Het enige wat ik daarop kan zeggen, is dat jij een heel andere vader hebt dan ik, Vivi. Wat jou betreft, is hij net als die paarden die je redt.'

'Zo is hij ook, Aurora. Hij houdt van ons.'

'Als dat zo is, dan is het wel op een zielige, halfbakken manier en de hemel verhoede dat een van ons er ooit behoefte aan zal hebben dat hij het bewijst ook.'

'Ik heb hem een keer zien huilen,' zei Vivi Ann. Het was een herinnering die ze nooit met iemand anders had kunnen delen.

'Pa?'

'Die laatste nacht, toen mams ziekenhuisbed midden in de zitkamer stond en wij allemaal in slaapzakken op de grond lagen.'

Aurora glimlachte bevend. 'Ze wilde ons allemaal bij zich hebben.'

Vivi Ann knikte. 'Ik werd midden in de nacht wakker en zag pa bij haar bed zitten. Mam zei: "Zorg goed voor mijn tuintje, Henry. Je moet in mijn plaats van ze houden," en toen wreef hij in zijn ogen.'

Mijn tuintje. Het tedere moment versterkte de band tussen hen en ineens waren ze weer Boon en Spruit, twee kleine meisjes die samen met hun moeder aan de keukentafel zaten en met schelpen beplakte Kleenex-dozen voor de badkamer maakten.

'Wat heb je tegen pa gezegd?'

'Niets. Ik deed net alsof ik sliep. En toen ik wakker werd, was ze er niet meer.'

'Misschien had hij een vuiltje in zijn oog.'

'Nee.'

Aurora leunde achterover.

Vivi Ann keek naar haar dikke buik. 'Ik mis haar de laatste tijd ontzettend. Ik zou het liefst…' Ze snakte naar adem toen haar onderlichaam verkrampte. Heftig. Ze was net weer een beetje bijgekomen, toen ze een nieuwe pijnscheut voelde, nog heviger dan de eerste.

'Voel je je wel goed?' vroeg Aurora terwijl ze zich naar Vivi boog.

'Nee,' hijgde Vivi Ann. 'Het is veel te vroeg…'

Vivi Ann had nooit lopen piekeren over alle nare dingen die een mens in het leven kunnen overkomen. Als ze mensen hoorde zeggen dat het leven van de ene op de andere dag kon veranderen, moest ze meestal lachen en dan dacht ze: *Ja, het kan altijd beter worden.* Ze had al vroeg geleerd dat optimisme een kwestie van kiezen was. Als iemand vroeg hoe het kwam dat ze altijd zo opgewekt was, antwoordde ze vrolijk dat alleen leuke mensen leuke dingen beleefden en daar geloofde ze ook vast in.

Nu wist ze waarom mensen vaak hadden gefronst als ze dat zei. Die wisten al wat zij nog niet besefte: optimisme was niet alleen naïef, het kon ook heel wreed zijn.

Nare dingen gebeurden gewoon, zelfs als je alles goed deed. Je kon trouwen als je verliefd werd, in verwachting raken in het huwelijksbed, elke slechte gewoonte opgeven die je kind in gevaar kon brengen en ondanks alles werd het toch nog zes weken te vroeg geboren.

'Kan ik nog iets voor je doen?'

Vivi Ann kon het net opbrengen om haar ogen open te doen. Ze wist niet zeker hoe lang ze daar met haar ogen dicht had gelegen, terwijl alles wat er net was gebeurd weer door haar hoofd tolde. 'Zijn pa en Winona al geweest?'

Aurora stond met een verdrietig gezicht naast haar bed. In de afgelopen paar uur was haar haar ingezakt en het merendeel van haar make-up verdwenen. Zonder al die opsmuk zag Aurora er mager en uitgeput uit. 'Nog niet.'

Vivi Ann deed haar best om te glimlachen. 'Het betekent heel veel voor me dat je bij me bent gebleven, Aurora. Maar ik wou dat ik hem nog eventjes mocht zien. Hij was zo klein.' Dat laatste woordje brak haar op en ze werd ineens overstelpt door angst. 'Ik ben bang.'

'Ja, natuurlijk ben je bang. Dat gaat zo als je kinderen hebt. Van nu af aan zul je altijd een beetje bang zijn.'

'Had je me geen leugentje om bestwil kunnen vertellen? Dat het allemaal rozengeur en maneschijn is?' Vivi Ann sloot haar ogen en zuchtte vermoeid.

Al die eerlijkheid werkte verlammend. De waarheid bonsde door haar hoofd: *vierendertig weken... de longen zijn nog niet helemaal ontwikkeld... complicaties... het blijft afwachten of hij de nacht haalt...*

Ze hoorde dat de deurknop werd omgedraaid en deed haar ogen weer open. Had ze geslapen? Hoe lang dan? Ze keek om zich heen of ze Aurora of Dallas zag, maar de kamer was leeg. Ze hadden haar

154

een eenpersoonskamer gegeven en daar zou ze heel blij om zijn geweest, als ze de reden ervoor niet kende. Ze wilden geen andere nieuwe moeder bij haar leggen omdat de kans bestond dat het zoontje van Vivi Ann niet in leven zou blijven.

Toen kwamen Winona en pa de kamer binnen. Vivi Ann voelde dat de tranen in haar ogen sprongen. De angst die ze voelde, kwam aan de oppervlakte toen ze Winona aankeek. Wat er ook was gebeurd, Winona was nog steeds haar grote zus, een soort moeder die er altijd voor zorgde dat alles weer in orde kwam. Vivi Ann had tot op dit moment nooit beseft hoe hard ze haar nodig had. 'Heb je hem gezien, Win?'

Winona knikte en kwam naar het bed toe. 'Hij is prachtig, Vivi.'

Pa's grote, ruwe handen klampten zich vast aan de metalen rand van het bed en leken knoestig en oud. Hij stond zo dichtbij dat ze kon zien hoe hol zijn gezicht was en hoe hij vocht om zijn emoties in bedwang te houden. Het was de blik die ze haar leven lang op zijn gezicht had gezien, in ieder geval sinds mam dood was. 'Hoi, pappie,' zei ze en ze hoorde zelf hoe broos haar stem klonk.

De verandering op zijn gezicht was nauwelijks merkbaar, als een koud pakje boter dat op een warme dag langzaam maar zeker zacht werd, maar voor haar was het genoeg. Zo keek hij ook altijd naar haar toen ze nog zijn liefste kleine meid was die nooit iets fout deed en zich helemaal op hem verliet. Voor Winona had die blik gepaard moeten gaan met woorden en Aurora zou de verandering niet eens gezien hebben, maar Vivi Ann herkende de betekenis ervan meteen: hij hield van haar. En dat was genoeg.

'Hij is te klein,' zei ze en ze begon te huilen. 'Ze zeggen dat hij het misschien niet haalt.'

'Niet huilen,' zei Winona, maar ze huilde net zo hard mee.

'Hij haalt het wel,' zei pa met een stem die weer vast klonk, net zo vast als vroeger. Na de dood van mam had ze die niet meer gehoord en nu was die stem er weer. In een pijnlijke flits besefte ze ineens hoe anders ze allemaal waren geweest toen mam er nog was.

'Hoe kun je daar zo zeker van zijn?'

'Hij is toch zeker een Grey?'

Daar moest Vivi Ann onwillekeurig om lachen. Een Grey. Een

naam die garant stond voor generaties sterke kerels. 'Ja,' zei ze rustig en ze voelde voor het eerst een spoortje hoop.

Het betekende ontzettend veel voor Vivi Ann dat ze hier bij haar waren, dat ze nog steeds een gezin vormden, zelfs na alles wat er was gebeurd. Ze bleef een tijdje met hen praten en deed toen heel even haar ogen dicht. Toen ze die weer opende, waren ze verdwenen.

Het was donker in de kamer toen ze de afstandsbediening van het bed pakte en het hoofdeinde omhoog zette, maar een straaltje maanlicht viel net op haar man, die onderuitgezakt in een ongemakkelijk plastic stoeltje lag. In dat etherische, onwerkelijke licht duurde het heel even tot ze zijn gezicht zag.

'O, Dallas,' zei ze.

Hij stond langzaam op en kwam naar haar toe. Onderweg streek hij zijn lange haar uit zijn gezicht. 'Je zou die andere vent eens moeten zien.'

Hij bleef naast haar bed staan.

Ineens was ze blij dat het zo schemerig was. Het had best nog iets donkerder in de kamer mogen zijn, want door het contrast tussen het vage licht en de duisternis leek de schade nog erger: zijn wangen waren bleek en hol, met uitzondering van een donkere, bebloede schram vlak boven het jukbeen, en een van zijn ogen zat dicht en leek een zieke, gelige kleur te hebben. Hij tilde zijn rechterhand op en liet haar zijn gehavende knokkels zien, vol zwart geronnen bloed.

'Waar ben je geweest?' vroeg ze.

'Bij Cat.'

Vivi Ann keek haar man in de ogen en zag hoeveel schade zijn vader had aangericht en hoe bang hij was nu hij zelf vader was geworden. Er was nog zoveel waarvan ze niets begreep. Hoe je je voelde nadat je afgerost was met een elektriciteitssnoer, bijvoorbeeld, of in een donkere kast was opgesloten. Of nadat je gezien had hoe je vader je moeder vermoordde. Maar ze wist wel hoe ze verder moesten en ze wist alles van liefde af. 'Aurora heeft me verteld dat we van nu af aan altijd bang zullen zijn. Dat schijnt bij het ouderschap te horen.'

Dallas gaf geen antwoord, maar bleef haar aankijken alsof hij ergens op wachtte.

'Wat ik eigenlijk wilde zeggen, is dat je niet iedere keer weer iemand in elkaar kunt slaan als je bang bent.'

'En als ik dit nu eens helemaal niet aankan?'

'Dat kun je wel.'

'Er zijn massa's mensen... smerissen, rechters, psychiaters... die gezegd hebben dat ik net zo was als mijn vader. Vraag maar aan Winona. Zij heeft mijn strafblad opgeduikeld en in één opzicht heeft ze gelijk: dat liegt er niet om.'

Het was het duidelijkste beeld van zijn jeugd dat hij haar ooit had geschetst: ineens zag ze hem voor zich als een kind, dat heel lang mishandeld was en ineens alleen stond in de wereld. Om vervolgens van allerlei volwassenen te horen dat hij een slechte inborst had. *Pijn kan elk dier vals maken.* Hadden ze dat echt tegen zo'n diep gekwetst jongetje durven zeggen?

Ze stak haar hand uit en raakte voorzichtig zijn gewonde wang aan. 'Jij houdt van mij, Dallas. Dus in dat opzicht ben je al heel anders dan hij.'

Het duurde heel lang voordat hij knikte, maar zelfs toen kon er geen lachje af.

'Dus voortaan sla je geen vreemden meer in elkaar als je toevallig ergens bang voor bent, goed?'

'Oké.'

'Breng me dan maar naar mijn zoon toe. Ik heb de hele dag op je gewacht.'

Hij hielp haar in een rolstoel, stopte een deken om haar in en reed haar naar de afdeling zuigelingenzorg. Daar was de nachtzuster wel bereid om een uitzondering voor hen te maken en bracht hen bij de kleine couveuse waarin hun zoon lag te slapen.

Vivi Ann werd overstelpt door emoties. Liefde. Angst. Verdriet. Hoop. Blijdschap. Maar vooral liefde. Ze dacht dat er geen gevoelens meer bij konden, maar toen keek ze op naar Dallas.

'Mijn grootvader heette Noah,' zei hij zacht.

'Noah Grey Raintree,' zei ze met een knikje.

'Ik wist niet dat het zo zou zijn,' fluisterde Dallas. 'Als er iets met hem gebeurt...' Hij maakte de zin niet af en Vivi Ann deed ook geen poging om hem te helpen. Er viel gewoon niets te zeggen. Ze pakte de hand van haar man en hoopte dat ze samen het vertrouwen konden opbrengen dat ze vroeger zo gewoon had gevonden.

Op de vijftiende juli kwamen er ineens allerlei mensen onuitgenodigd op Water's Edge opdagen. Iedereen kwam met een speciale opdracht. De meisjes van de ponyclub mestten de boxen uit, de jongens van de plattelandsvereniging hielpen Henry de stieren te voeren en de dames van de dressuurploeg namen Vivi's lessen over. Het nieuws was een week eerder bekend geworden: Noah mocht eindelijk naar huis. En de hele stad sloeg de handen in elkaar om Vivi Ann te helpen.

Ze was verbijsterd en dankbaar dat haar buren zo hulpvaardig waren. De afgelopen zes weken hadden Dallas en zij gescheiden levens gehad, omdat er altijd een van beiden in het ziekenhuis moest zijn. Ondanks het feit dat ze niemand had verteld hoe moeilijk het was geweest, wisten ze dat kennelijk toch.

'Tijd om te gaan,' zei Aurora naast haar.

'Ben je zover?' vroeg Winona, die haar op de voet was gevolgd.

Vivi Ann gaf hun allebei een stevige knuffel. Haar emoties waren inmiddels zo hoog opgelopen, dat ze gewoon bang was dat ze in tranen zou uitbarsten. 'Willen jullie alsjeblieft iedereen bedanken voor wat ze vandaag hebben gedaan?'

'Tuurlijk,' zei Aurora.

Op hetzelfde moment kwam de sjofele grijze Ford pick-up van Dallas achter de manege vandaan en reed langzaam over de parkeerplaats naar hen toe. Vivi Ann bedankte haar zusjes opnieuw en trok het portier open. Het lichtblauwe autozitje stak vreemd af tegen de kapotte rode leren bekleding.

'Bent u zover, mevrouw Raintree?' vroeg Dallas, met de eerste echte glimlach die ze in meer dan een maand van hem had gezien.

'Ik ben zover.'

Onderweg naar het ziekenhuis praatten ze twee uur lang over heel gewone dingen – het nieuwe lespaard dat kinderen problemen bezorgde, Clems pijnlijke gewrichten, de prijzen voor de volgende barrelrace – maar toen ze er eindelijk waren, pakte Vivi Ann zijn hand vast en wist niet meer wat ze moest zeggen.

'Ja, ik ook,' zei hij en ze liepen samen over de parkeerplaats naar de ingang van het grootste ziekenhuis in Pierce County. De afgelopen weken waren ze hier kind aan huis geweest en op weg naar de kinderafdeling kwamen ze nog heel wat verpleegkundigen, vrijwilligers en broeders tegen met wie ze even een praatje maakten.

Op de afdeling lag Noah al op hen te wachten, gewikkeld in een blauw dekentje en met een mutsje ter grootte van een theekopje op zijn dikke bos zwart haar.

Vivi Ann tilde hem op. 'Hallo, manneke. Klaar om naar huis te gaan?'

Dallas sloeg zijn arm om Vivi Ann en trok haar naar zich toe. Samen keken ze zwijgend neer op hun zoon en namen hem toen mee naar buiten.

Nadat Vivi Ann hem met veel moeite in het zitje had gelegd bleef ze onderweg naar huis constant tegen hem zitten kirren, met een hoog stemmetje dat geen enkele gelijkenis vertoonde met haar eigen stem. Als reactie daarop spuugde hij zich helemaal onder.

'Dat zal me leren om altijd een luiertas bij de hand te houden,' zei ze lachend. Op zoek naar papieren zakdoekjes of desnoods een paar servetjes trok ze het handschoenenkastje open. 'Niet doen!' hoorde ze Dallas zeggen, maar het was al te laat. Het kastje viel open en ze zag wat hij verborgen had willen houden. Een pistool.

Ze stak haar hand ernaar uit, maar toen hij zei: 'Het is geladen', trok ze haar hand terug alsof ze zich gebrand had.

'Waarom rij jij in vredesnaam rond met een geladen pistool?'

Hij zette de auto langs de kant van de weg.

'Je weet niet hoe mijn leven was voordat ik jou leerde kennen.'

Die simpele beschrijving van een andere wereld joeg haar de stuipen op het lijf. Ze had het natuurlijk altijd al geweten, maar in haar naïviteit had ze hem altijd als een mishandeld kind beschouwd. Kwetsbaar. Dit was nieuw. Dit herinnerde haar eraan dat hij al heel lang geen kind meer was en dat hij was opgegroeid tot een man van wie ze eigenlijk nauwelijks iets afwist. Ze moest ineens weer terugdenken aan die knokpartij bij Cat en aan de ijskoude blik in zijn ogen toen het in de Outlaw bijna op een vechtpartij was uitgelopen. En aan het strafblad waarover hij haar alles had verteld. Het stelen van auto's had bijna romantisch geklonken, een beetje roekeloos, maar nu zette ze daar toch vraagtekens bij. 'Goed, maar ik weet hoe het nu is en het is helemaal niet nodig om een geladen pistool in je auto te hebben. Jezus, Dal, stel je voor dat een kind het zou vinden...'

'De auto is altijd op slot.'

'Je maakt me bang.'

'Ik ben wie ik ben, Vivi Ann.'

'Nee,' zei ze. 'Misschien ben je zo geweest, maar nu ben je anders. Zorg dat je het kwijtraakt. Beloof me dat.'

Pas toen hij met een zucht zijn adem liet ontsnappen, besefte ze dat hij die al die tijd ingehouden had. Hij boog zich voorover en sloeg het handschoenenkastje dicht. 'Je zult dat pistool nooit meer onder ogen krijgen.'

Dertien

In de twee jaar na de geboorte van Noah werd er aanzienlijk minder geroddeld over Vivi Ann en Dallas. Natuurlijk bleven de mensen wel kletsen, maar er waren genoeg andere paartjes die voor nieuwe gespreksstof zorgden. De enige mensen die kennelijk niet bereid waren om hun vijandigheid in te tomen waren Winona en pa, maar Vivi Ann begreep best dat ze zich zorgen maakten. Maar ze wist ook dat alles na verloop van tijd wel vergeten zou worden.

Vanavond stond ze onder een donkerpaarse avondlucht aan het hek rond de paddock te kijken naar de kinderen die tijdens het jaarlijkse Halloween-feest op Water's Edge probeerden een met vet ingesmeerd biggetje te vangen. Ze had Noah in haar armen, die voor de gelegenheid was uitgedost in een oranje pompoen-pakje. Aurora stond links van haar verkleed als piraat en rechts van haar stond Winona in een heksenkostuum.

'Weet je nog de eerste keer dat wij samen achter die big aan gingen, Winona?' zei Aurora. 'We lagen kilometers voor op de andere kinderen.'

'Ik weet zeker dat de mensen toen vol bewondering hebben gezegd: "Sjonge, dat dikkerdje weet hoe ze een big vast moet houden",' zei Winona.

'Ach gottegot, wat wentelen we ons weer in zelfmedelijden,' zei Aurora. 'Ik dacht dat het nu mijn beurt was.'

'Jij denkt altijd dat het jouw beurt is,' zei Winona terwijl ze een slokje van haar bier nam.

'Ben jij de laatste tijd nog in de buurt van Ricky en Jane geweest? Het zijn gewoon echte Satanskinderen. En Richards haar valt in zo'n tempo uit dat ik met een stofzuiger aan tafel ga. Probeer dat maar eens te overtreffen, mevrouw de Beste Advocaat van de Stad.'

Winona keek haar aan. 'Denk je echt dat het leuker is om dik, kinderloos en ongetrouwd te zijn?'

'Eh... Pfft... Kijk nou gewoon eens naar mijn kroost en mijn man. Ik ben niet degene die getrouwd is met die hete getatoeëerde bliksem.'

Vivi Ann lachte. 'Ja, hij is echt heet. En jij bent niet dik, Winona, je bent alleen fors gebouwd.'

'Leugens en bedrog,' mopperde Winona. 'Ons nieuwe familiemotto.'

Vivi Ann hoorde de geërgerde toon van haar zusje en wist meteen dat dit zo'n dag was waarop niemand het Winona naar de zin kon maken.

'Als je zo begint,' zei ze, 'ga ik mijn man maar eens opzoeken. Dit zeemeerminnenkostuum jeukt als de pest en het is hoog tijd dat ik mijn kleine vent onder de wol stop.'

Nadat ze afscheid had genomen liep ze met Noah over het drukke parkeerterrein, dat vol stond met pratende mensen. Terwijl ze zich tussen hen door wurmde, ving ze flarden op van de gebruikelijke gesprekken die bij dit soort gelegenheden werden gevoerd, maar ze gingen het ene oor in en het andere uit. Ze was allang blij dat zij en Dallas niet meer zo over de tong gingen.

De donkere manege werd alleen verlicht door tientallen papieren lantaarns die aan de balken hingen. Een draagbare dansvloer was in de bak gelegd en iedere stap die daarop werd gezet, klonk als een donderbui. In de hoek stond een plaatselijk bandje allemaal populaire liedjes uit de jaren zeventig en tachtig te spelen. De volwassenen dansten, terwijl de kinderen allerlei spelletjes speelden, waarbij ze vooral nat en vies werden.

'Heb jij pappie al gezien?' vroeg ze aan Noah, die slaperig iets in de trant van 'pappie zoek' terugbrabbelde. Meteen daarna liep ze Myrtle Michaelian tegen het omvangrijke, in een roze prinsessenjurk gehulde lijf, die na de gebruikelijke openingszin 'ik hou eigenlijk niet van roddelen' geen moment aarzelde om Vivi Ann op de hoogte te brengen van het feit dat Dallas de zaterdag daarvoor in het gezelschap van Cat Morgan was gesignaleerd en dat ze samen in die oude rammelkast van haar waren weggereden. Vivi Ann hoorde het nog net niet tandenknarsend aan. Dallas haalde de inwoners van Oyster Shores, en dan met name oudere en conservatieve figuren zoals Myrtle, nog steeds het bloed onder de nagels vandaan door zich totaal niet druk te maken over wat zij van hem dachten. 'Ze zijn gewoon vrienden, Myrtle.'

'Ik waarschuw je alleen maar omdat je mama er niet meer is, Vivi Ann. Als zij er nog was, zou ze je ook vertellen dat er niets goeds van komt als je een man zoveel vrijheid geeft.'

'Ik hou van mijn man,' zei Vivi Ann. Wat haar betrof, was het probleem daarmee uit de wereld. Zij vertrouwde hem en ze kon er best mee leven dat hij eenmaal per week wat stoom afblies op een avondje vol drank en poker bij Cat. Dat kleinsteedse geklets liet haar volstrekt koud.

'Ik hou ook van mijn hond,' zei Myrtle kortaf, 'maar toch leg ik hem vast als de teef van de overkant loops is.'

Vivi Ann schoot onwillekeurig in de lach. 'Bedankt voor de waarschuwing, Myrtle. Ik zal een oogje op hem houden.'

'Doe dat.'

Vivi lachte nog steeds toen ze de heuvel op liep naar hun blokhut. Dallas had het afgelopen jaar niet alleen rondom een nieuwe veranda gebouwd, maar het huis ook uitgebreid met een nieuwe aanbouw van zeven bij tien meter, voor een nieuwe keuken, een kinderkamer en een badkamer. En de woonkamer was over de volle breedte voorzien van een schuifpui met een schitterend uitzicht op het majestueuze Canal.

In zijn slaapkamer die was versierd met cowboyhoeden en paarden deed ze Noah een schone luier om, trok hem zijn dinosauruspyjama aan en legde hem in zijn bedje. 'Welterusten, kleine pompoen.'

In de woonkamer zag ze Zorro naast haar nieuwe bank staan. Hij stapte opzij en zette de stereo aan. Toen zijn goedkope, zwarte plastic cape ergens achter bleef haken, vloekte hij binnensmonds.

Ze grinnikte. 'Ik dacht dat jij je nooit voor Halloween verkleedde.'

'Ik heb alleen maar gezegd dat ik als kind nooit Halloween gevierd heb. Dat is heel iets anders.'

Hij kwam zo vlak naast haar staan, dat ze zijn adem op haar wang voelde en de whisky die hij had gedronken kon ruiken. Hij liet één vinger van zijn in handschoen gestoken hand over haar keel glijden tot aan de spleet tussen haar borsten.

'Myrtle Michaelian zegt dat je weer stout bent geweest. Ze heeft gezien dat je met Cat aan het scharrelen was.'

'Ze blijven maar kletsen in deze negorij. Wat heb je tegen haar gezegd?'

'Dat ik van stoute jongetjes hield.'

Hij tilde haar op, droeg haar naar hun slaapkamer en schopte de deur achter zich dicht. 'Wilt u verwend of betoverd worden, mevrouw Raintree?'

Ze lachte toen hij haar op hun bed liet vallen. Het maanlicht dat door hun raam viel, verlichtte de helft van zijn scherpe trekken en gaf zijn zwarte haar een blauwe tint. 'Doe maar verwennen, meneer Raintree. Als u dat nog in voorraad hebt.'

Op de ochtend van de dag voor Kerstmis stond Vivi Ann ruim voor het aanbreken van de dag op en begon koekjes te bakken. Op een gegeven moment werd Noah wakker en ze nam hem mee naar de keuken. Hij zat lachend met zijn plastic dinosaurusjes te spelen die hij van een berg koekjesdeeg liet afglijden. Toen het tot hem doordrong hoe lekker het zoete deeg smaakte, kraaide hij van plezier en begon zijn mond vol te proppen.

'O nee, geen denken aan.' Ze veegde haar met bloem bedekte handen af aan haar schort, pakte hem op en zette hem op haar heup terwijl ze snel de keuken opruimde. Maar hij bleef tegenstribbelen en roepen: 'Nog, mama, nog.'

Ze liep de pas uitgebreide slaapkamer in, waar het zonlicht door de nieuwe openslaande deuren op de brede grenen plankenvloer viel. 'Word wakker, slaapkop,' zei ze tegen Dallas. 'Je zoon moet verschoond worden.' Ze legde Noah naast hem neer. Dallas mompelde iets en draaide zich om.

'Kijk, Noah, pappie speelt verstoppertje.'

Noah schaterde en klauterde over Dallas heen om als een lappen-popje naast hem terecht te komen. 'Papa?'

De arm van Dallas kwam onder de dekens vandaan en gleed om het kleine joch heen. Noah kwam onmiddellijk tot rust, zoals altijd bij zijn vader, en kroop tegen hem aan. Met zijn wang op de geta-toeëerde bovenarm van zijn vader stak hij zijn duim in zijn mond, sloot zijn ogen en bleef stil liggen.

Vivi Ann bleef nog even staan en genoot van de aanblik die ze samen boden. Ze waren al vanaf Noahs geboorte aan elkaar ver-knocht geweest. Als Noah zich pijn deed, riep hij om Dallas en als hij 's nachts wakker werd omdat hij naar had gedroomd was het weer Dallas die hem gerust kon stellen. O ja, Noah was ook dol op Vivi Ann en hij liep als een hondje achter haar aan, maar toch was hij vooral een vaderskindje en dat wist iedereen.

Glimlachend liep ze naar de badkamer en stapte onder de douche. Om elf uur had ze de koekjes en de chocoladecake ingepakt en was klaar om naar de kerk te gaan.

'Dallas,' zei ze terwijl ze hem weer wakker schudde. 'Je had Noah aan moeten kleden.'

Hij rolde op zijn rug en werd langzaam wakker, met Noah veilig in zijn arm verstopt. 'Ik voel me niet lekker.'

Ze ging naast hem zitten en zag dat zijn ogen dof en glazig waren. Zweetdruppeltjes parelden op zijn voorhoofd en ze legde de rug van haar hand ertegen. 'Je gloeit helemaal.'

'Het komt door die stomme crèche. Iedere keer als ik Noah daar naartoe heb gebracht, kom ik ziek thuis. Er zal wel iets mis met me zijn.'

'Er is helemaal niets mis met je. Ik pak wel even een paar aspi-rientjes.'

Toen ze terugkwam, sliep hij alweer. Ze schudde hem wakker en dwong hem twee aspirientjes en een glas water te nemen.

'En ik had me nog wel zo verheugd op vandaag,' zei ze.

'De traditionele kerstavond van de familie Grey,' zei hij. 'Huuh.'

'Wat? Vind jij het soms niet leuk om na een hele dag winkelen te gaan eten bij de Waves, een bioscoopje te pakken en vervolgens met z'n allen naar de nachtdienst te gaan?' Ze streek het vochtige haar uit zijn ogen en liet haar hand op zijn gezicht liggen.

'Ik eet nog liever mijn eigen laarzen op.'

'Ik dacht dat je samen met mij iets voor Noah uit wilde zoeken.'

'Ik heb een dromenvanger voor hem gemaakt. Die heb ik ook van mijn moeder gekregen toen ik zo oud was als hij.' Hij lachte. 'Ik heb dat ding een hele tijd gehad.'

'Wat is een dromenvanger?'

'Een indiaans ding dat je boven je bed moet hangen en dat de nare dromen tegenhoudt.'

Ze raakte even de littekens op zijn vochtige borst aan. 'Goed dan, meneer Raintree, omdat ik van je hou, zal ik voor deze keer tegen mijn zusjes zeggen dat je ziek bent. Maar morgen is het Kerstmis en dan gaan we naar pa toe. Dus als dit jouw manier van spijbelen is, win je er maar één dag mee.'

'Ik hou je echt niet voor de gek.'

Ze bukte zich en kuste hem zonder zich iets aan te trekken van virussen of bacillen. 'Ik hou van je, Dal.'

'Ik hou ook van jou.'

Ze pakte Noah op en nam hem mee naar zijn kamer, waar ze hem verschoonde en aankleedde. Daarna ging ze terug naar Dallas, legde een koude, natte doek op zijn voorhoofd en gaf hem een afscheidskus.

De volgende ochtend werd Vivi Ann wakker toen het eerste ochtendgloren zich tegen de horizon begon af te tekenen.

Ze draaide zich om en keek naar haar man. Vroeger had ze nooit geweten dat het gezicht van iemand anders soms je hele wereld kon zijn. Ze kroop dichter tegen hem aan en drukte haar naakte lichaam tegen het zijne, zoals ze al zo vaak had gedaan. 'Gelukkig kerstfeest,' fluisterde ze tegen zijn lippen.

'Gelukkig kerstfeest.' Zijn stem klonk schor en laag, alsof hij de hele nacht had geschreeuwd of sigaren had gerookt.

'Hoe voel je je?'

'Iets beter.'

Ze bleven nog even liggen en toen kuste Vivi Ann hem nog een

166

keer voordat ze uit bed stapte. Daarna gingen ze allebei onder de douche en kleedden zich aan. Terwijl Vivi Ann Noah aankleedde voor de bijeenkomst op de boerderij, voederde Dallas de dieren en keek of er nog voldoende drinkwater bij de weilanden stond. Toen hij terugkwam, was het inmiddels licht geworden.

Vivi Ann zette alle etenswaren en cadeautjes in de pick-up.

'O, wacht even, er is nog iets,' zei Dallas net toen ze naar buiten wilden lopen. Hij liep naar de slaapkamer en kwam meteen terug met een grote, in roze papier verpakte doos. Ze zag meteen dat hij hem zelf had ingepakt, want het plakband zat schots en scheef en de witte strik hing letterlijk aan een zijden draadje.

'Je weet toch dat we pas bij pa alle cadeautjes uitpakken,' zei ze. 'Zet hem maar in de pick-up.'

'Dit niet.'

'Wat zit er dan in? Eetbaar ondergoed? Of een nachtpon die mijn tepels vrij laat?'

'Maak maar open.'

Bij de manier waarop hij haar aankeek, voelde ze een rilling over haar rug lopen. Ze pakte het cadeautje aan en liep ermee naar de bank. Hij tilde Noah op en kwam naast haar zitten.

De aanblik die hij bood, met de zoon in zijn armen die zoveel op hem leek, was eigenlijk het mooiste cadeau dat ze zich kon wensen. Maar toch maakte ze de doos opgewonden open en daar bleek een kleinere doos in te zitten. En daar zat weer een nog kleiner doosje in. Toen ze uiteindelijk bij het allerkleinste pakje kwam, wist ze eigenlijk allang wat het zou zijn en haar hart begon sneller te kloppen.

Ze keek hem even aan en zag zijn gespannen blik voordat ze het doosje openmaakte.

Er zat een prachtige diamanten ring in. Het was niet zo'n grote steen, maar wel heel mooi en gevat in iets wat op antiek oud fili-grijnwerk leek.

'Het spijt me dat ik me die nog niet kon veroorloven toen we trouwden.' Hij pakte de ring en schoof die aan haar vinger, tegen de gladde gouden band die ze al droeg vanaf haar trouwdag, meer dan drie jaar geleden.

Ze bleef hem strak aankijken. 'Ik heb nooit een diamant verlangd.'

'Maar ik wilde je er toch een geven.'

'Hij is prachtig.'

Hand in hand liepen ze naar de pick-up en reden naar de boerderij. Daar bleef Vivi Ann even staan om naar het huis te kijken. Witte kerstlichtjes waren langs de dakrand gespannen en glinsterden ook aan de reling van de veranda. De versierde kerstboom achter het raam aan de voorkant wierp veelkleurige stralen door het antieke glas.

Binnen was het feest al begonnen. Het kerstalbum van Glen Campbell, een familiebezit, lag al op de draaitafel en de muziek denderde door het huis. Ricky en Jane holden rond en speelden verstoppertje met hun vader, terwijl Aurora en Winona in de keuken bezig waren. Pa stond naast de open haard en was al aan de whisky. Hij stond naar een foto van mam te kijken.

Aurora verwelkomde hen bij de deur. In haar groene legging, met hooggehakte enkellaarsjes en een roodfluwelen tuniek leek ze op een kerstelfje, compleet met flitsende sieraden die kennelijk op batterijtjes werkten. 'Daar hebben we mijn snoezige neefje.' Ze pakte Noah over en liep met hem naar de kerstboom.

'De gebruikelijke onzin,' zei Dallas met een blik op alle kerstspulletjes om hem heen.

Vivi Ann kneep even in zijn hand en liep naar de keuken. Winona stond bij het aanrecht croissantjes te maken van bladerdeeg. Ze keek op toen Vivi Ann binnenkwam. 'Hoi.'

Heel even had Vivi Ann het gevoel dat ze terugging in de tijd. Met het bleke winterzonnetje dat door het raam viel en een stralenkrans vormde rond het mooie, ronde gezicht van haar zusje moest Vivi Ann ineens denken aan een ander moment in deze keuken...

Ik maak een tekening voor mammie, had ze gezegd en ze had zich als een echt kind klein en eenzaam gevoeld. Dat was wat ze zich voornamelijk van haar moeders begrafenis herinnerde: dat gevoel dat ze onzichtbaar was. Maar Winona had haar wel gezien. Ze had zich naar haar overgebogen, haar hand op haar hoofd gelegd en gezegd: *We hangen hem wel op de koelkast.*

Destijds was Vivi Ann ervan uitgegaan dat er niets was dat een wig tussen de twee zusjes kon drijven. Maar ja, toen had ze natuurlijk nog geen flauw idee gehad van hartstocht. En hoewel Winona dat nooit zou willen toegeven, wist Vivi Ann best dat er iets ontbrak aan hun verzoening. Winona vertrouwde Dallas nog steeds niet en ze had Vivi Ann ook nooit echt vergeven dat ze Luke verdriet had gedaan. Voor Winona was alles zwart of wit en dat gold met name voor gerechtigheid. Zij vond nog steeds dat Vivi Ann beloond was voor iets wat ze nooit had mogen doen.

In een opwelling pakte Vivi Ann Winona's hand en zwierde haar rond op de maat van de muziek. Het leek alsof ze met die beweging een knop had omgezet en ze weer terug waren in de jaren zeventig, toen het heel gewoon was geweest dat ze op kerstochtend door de keuken dansten.

Kom op, tuinmeiden, had mam dan gezegd terwijl ze in haar eentje stond te dansen, *ik kan wel wat swingende partners gebruiken.*

Aurora kwam naar binnen stuiven en wrong zich tussen hen in om meteen de leiding te nemen. 'Wat een stel krengen om zomaar zonder mij te gaan dansen. Jullie weten toch dat ik het meeste gevoel voor ritme heb!'

'Dat komt omdat je op de middelbare school constant met je heupen liep te wiegen,' lachte Vivi Ann.

Het was grappig hoe een liedje of een dansje je ineens je hele leven terug kon geven. De rest van de dag verliep in een roes van bekende momentopnamen: het openmaken van de pakjes, een gezamenlijk glaasje wijn, groepjes die gezellig samen zaten te kletsen, toekijken hoe Janie en Ricky hun nieuwe fietsen in de tuin uitprobeerden en Noah die rondwaggelde met allerlei strikjes in zijn haar. Ze hadden zoveel plezier dat zelfs de chagrijnige dronk van hun vader hun dag niet kon bederven.

Aan het eind van het kerstmaal, toen de meisjes net de taart op tafel hadden gezet en weer waren gaan zitten, stond Dallas op. 'Mijn zoon zal hiermee opgroeien.' Met zijn handgebaar omvatte hij alle aanwezigen. 'Hartelijk bedankt.'

Vivi Ann keek haar man over de tafel met grote ogen aan.

'Mij papa,' zei Noah, die bij haar op schoot zat, stralend.

'Ja,' zei ze rustig. 'Dat is jouw papa.'

Meteen daarna praatten ze weer gewoon verder en vlogen de grapjes over de verschillende soorten taart weer over tafel.

Vivi Ann probeerde net de anderen over te halen om een spelletje te spelen, toen er ineens werd aangebeld. Even later kwam sheriff Al Bailor de kamer binnen.

'Ha, die Al,' zei Aurora terwijl ze opstond om hem welkom te heten. 'Zeg jij eens tegen Vivi Ann dat we geen zin hebben in spelletjes. Lieve hemel, we zijn nog steeds nuchter.'

'Het spijt me dat ik jullie op Kerstmis lastig moet vallen,' zei Al. Hij nam zijn hoed af en liet de rand tussen zijn stompe vingers ronddraaien.

Pa stond op. 'Wat is er aan de hand, Al?'

'Cat Morgan is vannacht vermoord.'

Dallas kwam langzaam overeind uit zijn stoel. Iedereen kon zien dat hij doodsbleek was geworden. 'Wat is er gebeurd?'

'Nou ja,' zei Al terwijl zijn ogen langs de tafel gleden, 'daar probeer ik juist achter te komen. Waar ben jij gisteravond geweest, Dallas?'

Veertien

❧

INWOONSTER VAN OYSTER SHORES IN EIGEN HUIS DOODGESCHOTEN

In de vroege ochtend van 25 december werd Catherine Morgan dood aangetroffen in haar woning aan Shore Drive. De tweeënveertigjarige vrouw was met een kogel om het leven gebracht en werd gevonden door een van haar buren, die onmiddellijk de politie waarschuwde.

Momenteel vindt ter plekke nog een onderzoek plaats. Sheriff Albert Bailor wilde alleen kwijt dat het om een 'verdacht sterfgeval' gaat en dat 'alle aanwijzingen worden nagetrokken'. Andere bronnen, die niets uitstaande hebben met wetshandhaving, bevestigen dat mevrouw Morgan van dichtbij in de borst was geschoten en dat er geen tekenen waren dat iemand zich met geweld toegang heeft verschaft tot het huis. Geruchten over een eventuele verkrachting zijn tot dusverre niet bevestigd. Mensen die over meer informatie beschikken, wordt verzocht zich tot sheriff Bailor te wenden.

—William Truman
Oyster Shore Tribune

171

Vivi Ann stapte langzaam uit bed. Nadat ze haar badjas had omgeslagen, liep ze naar de woonkamer, waar ze Dallas aantrof die aan de eettafel de krantenverslagen over de moord voortdurend zat te herlezen.

Toen ze een hand op zijn schouder legde, voelde ze hem terugdeinzen. Hij keek naar haar op met ogen die zo wild stonden dat ze de neiging voelde om achteruit te stappen, maar ze wist dat hij op het randje balanceerde en dat hij haar hard nodig had om zijn kalmte te bewaren. Ze wist ook dat hij wachtte tot ze hem zou vragen of hij het had gedaan. De hele stad praatte over niets anders dan zijn relatie met Cat. De geruchten over de nachtelijke bezoekjes die hij aan haar huis bracht en de keren dat hij samen met haar kratten bier had ingeslagen rezen de pan uit. Dat wisten ze allebei, ook al hadden ze er met geen woord over gesproken.

'Vandaag is de begrafenis,' zei ze rustig. 'We moeten Noah om elf uur bij de oppas afleveren.'

'Volgens mij kan ik beter niet gaan.'

'Je zult wel moeten. Er wordt zoveel gekletst...'

'Denk je dat ik me ook maar een ruk aantrek van wat die bekrompen klootzakken zeggen?'

'Ik denk dat we ons daar wel degelijk iets van aan moeten trekken.'

'Ik moet er gewoon vandoor gaan. De benen nemen. Ik had nooit moeten blijven.'

Ze pakte zijn arm en trok hem omhoog tot hij haar recht aankeek. 'Heb niet het lef om zoiets te zeggen!'

'Ze zullen mij hiervoor laten opdraaien, dat weet je best.'

'Helemaal niet. Het is gewoon roddelpraat. Ze hebben bewijzen nodig om iemand op te pakken. Het houdt vanzelf op.'

'Ach, Vivi,' zei hij gesmoord. 'Wat ben je toch naïef... Dit zal ons kapotmaken.'

Hij draaide zich om, liep naar de badkamer en trok de deur achter zich dicht. Ze bleef staan en keek hem met trillende handen na. Hoewel ze op het punt stond om achter hem aan te lopen deed ze dat niet.

Ze wilde zichzelf wijsmaken dat het niets te betekenen had, maar dat kon ze niet. Met een diepe zucht liep ze de schemerige blokhut uit.

Zijn grijze pick-up stond tussen de bomen. In de ochtendnevel leek de auto op een oude olifant die op zijn knieën was gevallen. Ze schoot in de rubberlaarzen die naast de deur stonden en kloste door het modderige gras. Nadat ze het rechterportier had opengetrokken bleef ze even met een groeiend gevoel van paniek naar het handschoenenkastje kijken. Toen boog ze zich voorover en trok het open.

Het pistool was verdwenen.

Ze wist niet of ze teleurgesteld of opgelucht moest zijn, maar de angst bleef en benam haar bijna de adem. Verstijfd sloot ze de auto weer af en ging terug naar binnen.

Dallas was in de badkamer, drijfnat en met een handdoek om zijn heupen geslagen. 'Waar is je pistool?' vroeg ze terwijl ze hem strak aankeek.

Hij zuchtte. 'Dat heb ik aan Cat gegeven.'

Vivi Ann sloot haar ogen. Ze had het gevoel dat alles ineens wegebde... bloed, hoop, haar hele leven.

'Je hebt zelf tegen me gezegd dat ik het weg moest doen, weet je nog wel? En zij werd vorig jaar constant door die ene kerel lastig gevallen.'

'Dus daarom denk je dat ze het jou in de schoenen zullen schuiven.'

'Daarom ben ik daar zo bang voor.' Hij stak zijn hand uit en raakte even haar kin aan. 'Vooruit, vraag het nou maar, Vivi. Het brandt je op de lippen, dat weet ik best.'

Ze hoorde de wanhoop in zijn stem die in zijn ogen weerspiegeld werd. Zijn leven lang hadden mensen hem in de steek gelaten en nu verwachtte hij hetzelfde van haar. Maar zij kende hem. Ze kende hem écht. Ze wist hoe hij naar zijn slapende zoontje keek en hoe hij over hun gezin praatte. Er waren duistere dingen in het verleden van haar man gebeurd, maar die tijd lag achter hem. Liefde was voor Dallas geen oppervlakkige emotie en hetzelfde gold voor vriendschap. Wat hij vroeger ook misdaan mocht hebben, ze wist zeker dat hij Cat nooit zou vermoorden. 'Dat hoef ik niet, Dallas. Ik weet dat je onschuldig bent.'

Hij leek onder haar blik in elkaar te krimpen. Zonder iets te zeggen wendde hij zijn ogen af.

'Schiet nou maar op. We moeten naar de begrafenis van je vriendin.'

De volgende twee uur werkten ze zwijgend hun normale ochtend-programma af. Alleen Noah bleef opgewekt kwebbelen.

Om elf uur kwamen Aurora en Richard opdagen, met sombere en bezorgde gezichten. Vivi Ann en Aurora bleven elkaar even aankijken zonder iets te zeggen en daarna stapten ze allemaal in Richards met regendruppels bedekte Suburban. Ze brachten Noah naar hun huis, waar de oppas niet alleen op hem maar ook op Janie en Ricky zou letten, en reden door naar de kerk.

Daar zaten de banken bijna vol met in het zwart geklede rou-wenden.

Tijdens de korte, onpersoonlijke kerkdienst hield Vivi Ann Dallas' hand stijf vast. Ze kon voelen hoe gespannen hij was, want af en toe kneep hij zo hard in haar vingers dat het bijna pijn deed. Toen de uitvaartdienst voorbij was, stond ze op en trok hem onhandig ook omhoog. Samen liepen ze tussen de mensen het middenpad af en gingen naar beneden, waar een tafel vol hapjes stond en niemand Dallas of Vivi Ann durfde aan te kijken. Zoals gewoonlijk hadden de vrouwen bij wijze van afscheid weer achter het fornuis gestaan, maar er waren nergens foto's van Cat te zien en er vloeiden geen tranen.

'Hypocriete misbaksels,' mompelde Dallas naast haar. 'Moet je ze nou zien. Als ze de kans kregen, staken al die wijven gauw de straat over om haar te mijden.'

'Hou nou op,' zei Vivi Ann scherp.

Aurora, Richard, pa en Winona kwamen in een kringetje om hen heen staan. Vivi Ann was wel dankbaar voor de steun die ze boden, maar ze kon aan het gezicht van haar vader zien dat hij liever niet was gekomen.

En toen dook Al ineens op. Hij was in uniform. 'Je moet met me mee, Dallas Raintree,' zei hij luid en met veel misbaar. 'Ik heb je het een en ander te vragen.'

Vivi Ann klampte de hand van haar man vast. 'Hè toe nou, Al. Je denkt toch niet...'

Dallas trok zijn hand los. 'Ja, natuurlijk denkt hij dat wel.'

Al pakte Dallas bij de arm en trok hem mee. De mensen weken

uiteen, zo verbijsterd dat ze geheel tegen hun gewoonte in hun mond hielden bij het drama dat zich voor hun ogen afspeelde.

Vivi Ann liep achter Al en Dallas aan en smeekte Al om zijn verstand te gebruiken, maar hij zei niets en sleepte Dallas gewoon mee naar de parkeerplaats om met hem weg te rijden.

Vivi Ann rommelde in haar handtas op zoek naar haar sleutels. Toen drong het ineens tot haar door dat ze niet zelf had gereden. Op zoek naar Aurora keek ze om en zag de mensen die samengedromd op het bordes van de kerk naar haar stonden te kijken. 'Hij heeft het niet gedaan!' schreeuwde ze naar hen. Haar stem brak en de emoties die ze in bedwang had proberen te houden kregen vrij baan. Ze wist dat ze stond te huilen, maar ze kon niet ophouden. Ze had niet eens de kracht om die lui de rug toe te draaien.

Aurora kwam naar haar toe en sloeg haar arm om haar heen. Daarna kwam Winona opdagen. Haar beide zusjes namen haar in bescherming, maar het viel Vivi Ann wel op dat haar vader gewoon bleef staan.

'Kom op,' zei Winona. 'We brengen je naar huis.'

'Naar huis?' Vivi Ann keek hen ongelovig aan. 'Breng me maar naar het politiebureau. Daar wil ik zijn als ze hem laten gaan.'

Aurora en Winona keken elkaar even aan.

'Wat is er nou?' wilde Vivi Ann weten.

'Je maakt een scène,' zei Aurora vastberaden. 'Laten we nou maar naar de auto lopen.'

'En als ik nou eens niet wil?'

'Dan breek ik gewoon een van je benen,' zei Aurora met een opgewekte glimlach in de richting van de menigte. 'Alles is in orde, hoor. Jullie hoeven je geen zorgen te maken.'

'Wij brengen je wel naar het politiebureau,' zei Winona en Vivi Ann liep gehoorzaam mee.

De rit naar het politiebureau duurde zo kort dat ze nauwelijks tijd hadden om te praten en Vivi Ann wist trouwens toch niet wat ze moest zeggen. Zodra ze stilstonden, sprong ze uit de auto en rende het bureau binnen.

'Ik kom mijn man halen, Helen.'

De vrouw die ze al sinds haar jeugd kende, keek haar niet aan.

'Hij wordt ondervraagd, Vivi Ann. Albert zegt dat hij hem zo gauw mogelijk weer thuis zal brengen. Als je wilt, kun je wel in de lunchroom wachten, maar het kan wel even duren.'

Aurora en Winona kwamen achter haar aan naar binnen en namen haar mee naar de lunchroom. Daar gingen ze in plastic kuipstoeltjes aan een formica tafeltje zitten en dronken bittere koffie uit een automaat. De eerste twee uur praatten ze helemaal nergens over, ook al deden ze hun best om een gesprek gaande te houden terwijl de zwart-witte klok aan de muur de minuten weg tikte.

'Jij weet hoe dit in zijn werk gaat, Winona,' zei Vivi Ann ten slotte. 'Wat gebeurt er precies?'

'Hij wordt ondervraagd, maar je hoeft je geen zorgen te maken. Hij is veel te slim om iets te bekennen.'

Vivi Ann keek haar aan. 'Onschuldige mensen maken altijd fouten, omdat ze denken dat ze niets te verbergen hebben.'

'Ik denk dat je je op het ergste moet voorbereiden,' zei Winona effen.

'Hier heb je op zitten wachten, hè Win? Je kunt niet wachten om me onder de neus te wrijven dat je gelijk hebt gehad.'

'Hou op, Vivi,' zei Aurora. 'We moeten nu geen ruzie maken.'

'Ik heb ook gelijk gehad,' zei Winona. 'Als je in het begin naar me had geluisterd, zouden we nu niet in het politiebureau zitten. Ik heb je verteld dat Dallas voor moeilijkheden zou zorgen. Hij heeft zijn leven lang overhoop gelegen met de wet.'

'Maak dat je wegkomt, Winona,' snauwde Vivi Ann. 'Ik wil niet dat je bij me blijft.'

'Vivi, dat meen je niet,' zei Aurora.

'Dallas heeft altijd gezegd dat je jaloers op me was. En hij had gelijk, hè? Waarschijnlijk zit je nu te genieten.'

'Omdat ik van tevoren wist dat dit zou gebeuren wil dat nog niet zeggen dat ik dit leuk vind. Maar wat had jij dan verwacht met een man zoals hij?'

'Natuurlijk begrijp jij daar niets van. Het enige wat jij van liefde weet, is hoe het voelt om het niet te hebben. Is er ooit een man geweest die heeft gezegd dat hij van je hield?'

'Vivi!' waarschuwde Aurora.

'Nee. Ik wil dat ze weggaat, Aurora. Opgesodemieterd. Als zij denkt dat hij schuldig is, moet ze weg.' Vivi Ann wist dat ze schreeuwde en dat ze hysterisch reageerde, maar ze kon zich niet meer inhouden.

Winona pakte haar tas en stond op. 'Prima. Als jij dit alleen onder ogen wilt zien, ga dan je gang maar.'

Aurora stak haar hand uit naar Winona. 'Ze weet niet wat ze zegt, Win...'

Maar Winona was al onderweg naar de deur die ze met een ruk opentrok.

'Dat had je niet moeten doen,' zei Aurora toen de deur met een klap dichtviel.

'Ik wilde het niet meer aanhoren.'

Aurora stond langzaam op, zuchtte diep en ging nog maar een kopje veel te sterke, oude koffie voor hen halen. Nadat ze een halve ton melkpoeder en suiker in beide bekertjes had gedaan, ging ze weer naast Vivi Ann zitten. 'Dit wordt een nare toestand,' zei ze.

'Dat is het al.'

'Nee,' zei Aurora terwijl ze in haar koffie roerde. 'Volgens mij wordt het nog veel erger.'

Uren later kwam Al eindelijk binnen lopen, met een vermoeid gezicht dat een beetje treurig stond.

Vivi Ann sprong op. 'Waar is hij?'

'Hij heeft de test met de leugendetector niet doorstaan, Vivi Ann,' zei Al.

'Ik kijk altijd naar *LA Law*,' zei Aurora, die naast Vivi Ann kwam staan. 'Het resultaat daarvan mag niet tegen hem gebruikt worden.'

Vivi Ann dacht dat ze bang was geweest op de parkeerplaats, of toen ze in het handschoenenkastje had gekeken en te horen kreeg wat hij met zijn pistool had gedaan, maar ze had zich vergist. Dat gevoel was niets vergeleken bij wat er nu door haar heen ging.

'We hebben hem gearresteerd, Vivi,' zei Al. 'Wegens moord. Je kunt maar beter op zoek gaan naar een advocaat.'

Aurora vloekte binnensmonds. 'Wat een moment om Winona tegen je in het harnas te jagen.'

Onderweg naar huis schoot Winona het ene dodelijke antwoord na het andere door het hoofd: *Natuurlijk weet jij alles over liefde. Als ik me net zo laag-bij-de-gronds had gedragen als jij, had ik ook wel iemand gevonden die me wilde pakken.* Of: *Hij houdt helemaal niet van je. Waarom wil dat toch niet tot je doordringen? O, wacht even, dat is waar ook. Je bent blond.* Of: *Als dat liefde is, geef ik de voorkeur aan mond-en-klauwzeer.*

Thuis rukte ze de deur open en liep naar binnen waar de kerstversiering nog steeds in de kamers hing. Ze rukte de stomme mistletoe van het haakje in de toog en smeet het in de vuilnisbak voordat ze op de vensterbank ging zitten en naar de regen keek die op de kale bomen viel. Van hieruit zag ze mensen die gewoon door de stad liepen en misschien net uit de kerk kwamen, alsof het een normale winterdag was.

Met een zucht liep ze naar de keuken en pakte een halve liter ijs uit de vriezer. Terwijl ze het opat, nam ze zich voor om Dallas Raintree niet de kans te geven nog meer onheil aan te richten. Vivi Anns hartstocht voor hem had hen allemaal al veel te veel gekost. Ze moesten aan de goede naam van de familie Grey denken. Er waren nu al mensen die zeiden dat het stom was geweest om hem in huis te halen.

Ze wist niet hoe lang ze daar had gezeten, maar toen er op de deur werd geklopt deed ze niet open. Ze had geen zin om met iemand te praten.

Even later kwam Vivi Ann binnen lopen. Winona kon nu al zien dat haar zusje veranderd was. Er lag een panisch trekje om haar mond, haar groene ogen stonden wanhopig en ze kon haar handen niet stilhouden.

'Je hebt me betrapt,' zei Winona terwijl ze nog een hap ijs nam. 'Ik heb nerveuze trek.'

'Je deed niet open, dus ben ik maar naar binnen gelopen.'

'Ik wilde niemand zien. En jou al helemaal niet.'

Vivi Ann ging tegenover haar zitten.

'Het spijt me, Erwt,' zei ze rustig. Winona wist dat ze dat oude bijnaampje alleen maar gebruikte om haar eraan te herinneren wat ze voor elkaar betekenden. O ja, ze maakten vaak ruzie en zeiden dingen die ze niet meenden, maar ze bleven zusjes. Uiteindelijk bleef die band onverbrekelijk.

Winona nam opnieuw een hapje. 'Hoe heeft mam volgens jou geweten welke bijnamen het best bij ons zouden passen?'

'Waar heb je het over?'

'Jij bent toch het boontje? Hoe wist ze dat ik het ronde, dikke erwtje zou worden?'

'Dat waren gewoon de dingen die in haar groentetuintje groeiden, Win. Daar keek ze naar en dat wilde ze ook: dat wij samen op zouden groeien.'

'Jij was te jong om te weten wat ze wilde.' Winona zette het lege ijsbakje op de grond.

'Ik weet dat ze wilde dat wij elkaar steunden als er moeilijkheden waren.'

'Zegt het meisje dat me net de deur uit heeft gezet.'

'Ik heb al gezegd dat ik daar spijt van had.'

'Ja, natuurlijk. Ze hebben hem zeker gearresteerd, hè?'

Vivi Ann knikte.

'En toen drong het ineens tot je door dat ik advocaat ben, vandaar dat je komt opdraven.'

Vivi Ann boog zich naar haar toe. 'Het maakt toch niet uit dat hij de proef met de leugendetector niet heeft doorstaan, hè?'

'Heeft hij die niet doorstaan?'

'Nee, maar zelfs ik weet dat ze dat niet tegen hem mogen gebruiken.'

'Dat mag dan zo zijn, maar het is wel betrouwbare informatie. En hij heeft hem niet doorstaan.'

'Hij is onschuldig,' hield Vivi Ann vol.

'Hij heeft geen alibi. Hij was ziek, weet je nog wel? Ook al mankeerde hij de ochtend daarna niets meer.'

'Ik ben tot alles bereid, Winona. Maar help me alsjeblieft hem te redden.'

Winona keek haar jongere zusje strak aan en zag dat ze op het punt stond in te storten. Vivi Ann had waarschijnlijk nooit eerder hoeven smeken, maar Winona wist precies hoe dat voelde. Die zielige wanhoop, je verlangens die met je eigendunk in de knoop raakten tot je het liefst 'val toch dood' wilde schreeuwen ook al werd het een gefluisterd 'alsjeblieft'. 'Hij heeft een strafpleiter nodig, Vivi. Een goeie. Ik kan de aanklacht wel voor je afhandelen als je dat wilt, maar daarna is het voor mij ook allemaal te hoog gegrepen. Ik ben maar een advocaatje uit een kleine stad...'

'Dat kan me niets schelen. Hij heeft gewoon iemand nodig die in hem gelooft. Dat is belangrijker dan ervaring.'

Dat was precies datgene waaraan Winona had zitten denken toen ze door het raam naar de regen staarde, datgene dat ervoor zou zorgen dat de band tussen hen verscheurd zou worden. Maar er was geen ontkomen aan. 'Ik weet alles van die knokpartij die hij eerder bij Cat veroorzaakt heeft,' zei ze rustig, ook al wist ze dat Vivi Ann diep gekwetst zou worden door haar woorden. Maar daar kon ze niets aan doen. Dat verdriet was onvermijdelijk, eigenlijk al vanaf het moment dat Dallas de baan op Water's Edge aannam.

'Wat bedoel je?'

'De avond dat Noah is geboren heeft Dallas ruzie gezocht met Erik Engstrom. Het gerucht ging dat hij hem bijna had vermoord.'

'Die avond dachten we nog dat Noah de ochtend niet zou halen. Hij was bang.'

'Hij is gevaarlijk, Vivi. Iedereen begrijpt dat, behalve jij,' zei Winona effen. 'Ik heb nog geprobeerd je te waarschuwen...'

'O, gaat het daarom? Is het een kwestie van "zie je nou wel"?'

'Nee. Ik probeer alleen maar om je in bescherming te nemen. Ik probeer een goede oudere zus te zijn.'

'Denk je echt dat hij haar heeft vermoord?'

'Dat maakt niet uit. Dit hele gedoe zal je hart breken, Vivi Ann. Je bent niet sterk genoeg om...'

'Hoezo, dat maakt niet uit?'

Winona gebruikte de verkeerde woorden, of ze zei de verkeerde dingen, zodat Vivi Ann haar niet begreep. 'Het spijt me, Vivi Ann. Wat ik bedoelde, is dat mijn mening er niet toe doet. Ik kan Dallas niet helpen. Ik heb niet voldoende ervaring. En waarschijnlijk is het ook een kwestie van belangenverstrengeling. Hij heeft...'

Vivi Ann stond op. 'Klets maar een eind weg,' zei ze. 'Na "dat maakt niet uit" heb ik niet meer geluisterd. Geloof me, Win, ik weet

precies wat je daarmee bedoelde. Jij denkt dat ik met een moordenaar getrouwd ben.' Ze draaide zich om en rende naar de deur.

'Vivi, alsjeblieft. Wacht nou even...'

Maar haar zusje was al verdwenen.

Vijftien

❧

Na een lange en slapeloze nacht werd Vivi Ann doodmoe wakker. Maar toch had ze al om negen uur het enige mantelpakje aan dat ze bezat en liep ze met de wriemelende Noah in haar armen naar haar pick-up. Nu moest ze echt sterk zijn voor hem en dat was ze ook vast van plan. Haar zoon zou dit op een dag allemaal te horen krijgen en als hij dan zei: *Mammie, wat heb jij gedaan toen pap in moeilijkheden kwam?* kon zij zeggen: *Ik ben altijd in hem blijven geloven en ik heb de hele stad bewezen dat ze het mis hadden.*

Ze was haar leven lang door iedereen genegeerd omdat ze zo mooi was en zo naïef om te geloven dat alle mensen het beste met haar voor hadden. Nu kreeg ze eindelijk de kans dat aangeboren optimisme als wapen te gebruiken. Toen ze door de stad reed zag ze bij Grey Park het bordje met LAND GESCHONKEN DOOR ELIJAH GREY IN 1951, waardoor ze onwillekeurig dacht aan de vasthoudendheid van haar voorouders en de manier waarop ze met tegenslagen waren omgegaan. Ondanks twee wereldoorlogen en de crisis van de jaren dertig van de twintigste eeuw was het land nog steeds in het bezit van haar familie. Zij had diezelfde vasthoudendheid geërfd en daar zou ze nu een beroep op doen.

Voor het restaurant parkeerde ze de auto en tilde Noah uit zijn zitje. Terwijl ze naar binnen liep, voelde ze dat de mensen haar hoofdschuddend nakeken. Binnen vond ze Aurora die met Julie, Brooke en Trayna koffie zat te drinken. Het hele stel keek haar medelijdend aan. *Arme Vivi, wat ben je toch stom geweest.*

'Hoi, Vivi,' zei Julie terwijl ze plaats maakte op de bank naast haar. 'Je bent net op tijd voor het ontbijt.'

'Sorry, geen tijd. Aurora, wil jij nog steeds vandaag op Noah passen?'

'Ja hoor.'

'Waarom?' vroeg Trayna. 'Ga je naar de gevangenis?'

'Nog niet. Ik moet eerst naar Olympia om een goede advocaat te zoeken. Ik heb een paar namen in het telefoonboek gevonden.'

Brooke fronste. 'Maar Winona…'

'Die wil me niet helpen. Vertel dat maar meteen rond. Winona trekt haar handen van ons af.' Ze drukte een kus op Noahs bolle wangetje en gaf hem samen met de luiertas aan Aurora. Hij begon meteen met haar halsketting te spelen.

'Zal ik meegaan?' vroeg Aurora. Dat had ze de vorige avond, toen Vivi haar belde, ook al gevraagd.

'Heel lief aangeboden, maar nee, het wordt tijd dat ik leer mijn eigen zaakjes op te knappen. Ik heb het gevoel dat ik dat in de toekomst nog heel vaak zal moeten doen.' Ze draaide zich om en wilde weglopen.

Julie hield haar tegen. 'Niet iedereen denkt dat hij schuldig is, hoor,' zei ze.

'Bedankt, Jules.'

Onderweg naar Olympia zat Vivi Ann hardop te repeteren wat ze moest zeggen om een vreemde zover te krijgen dat hij haar man zou willen vertegenwoordigen. Het eerste adres bleek een laag vierkant stenen gebouw waar ze haar naam aan de receptioniste opgaf en ongeduldig ging zitten wachten. Bijna twintig minuten later kwam James Jensen haar eindelijk ophalen.

'Hallo, meneer Jensen,' zei ze met een stralende glimlach. 'Dank u wel dat u bereid was om al zo snel een afspraak met me te maken.'

'Mensen die op zoek zijn naar een strafpleiter hebben meestal haast. Kom maar mee naar mijn kantoor en ga zitten.'

De volgende twintig minuten vertelde Vivi Ann hem hoe de vork in de steel zat. Ze deed haar best om zo professioneel mogelijk over te komen en haar emoties in toom te houden, want ze wilde niet overkomen als zo'n domme vrouw die hardnekkig het beste van haar man wil blijven geloven. Toen ze de feiten op een rijtje had gezet stipte ze ook nog even aan dat Dallas een fantastische man en vader was. Daarna wachtte ze tot hij zijn mond opendeed.

Toen hij haar eindelijk aankeek, wist ze precies wat hij zou vragen. Hij zou willen weten of Dallas onschuldig was en dan zou ze knikken en zeggen dat ze dat zeker wist.

'Goed, mevrouw Raintree. Om te beginnen zult u mij een voorschot van vijfendertigduizend dollar moeten betalen. Daarna kunnen we de zaak aannemen.'

'Een... wat?'

'Een voorschot op mijn gage. Daar zal het uiteraard niet bij blijven, maar het is een begin. Een geval als dit vereist veel mankracht: privédectectives, laboratoriumonderzoek, het indienen van moties. Meestal is er onthutsend veel onderzoek nodig.'

'U hebt niet gevraagd of hij schuldig is.'

'Dat zal ik ook niet vragen.'

'Maar zoveel geld heb ik niet.'

'Ach, ik begrijp het.' Zijn vlakke, mollige handpalm kwam met een doffe klap op het bureaublad terecht. Alsof er een deur dichtviel. 'Er zijn ook goede pro-Deoadvocaten.'

'Maar die zijn vast niet zo toegewijd als een gewone advocaat. Iemand als u.'

Hij stak zijn handen op. 'Zo werkt het systeem nu eenmaal. Ik hoop dat u het geld bij elkaar kunt krijgen, mevrouw Raintree. Uit wat u mij hebt verteld en uit wat ik in de krant heb gelezen zit uw man – die zoals u weet al eerder met de Amerikaanse justitie in aanraking is geweest – behoorlijk in de problemen.' Hij stond op en werkte haar de deur uit op een manier waaruit bleek dat hij daar veel ervaring in had. 'Ik wens u het allerbeste,' zei hij en hij deed de deur voor haar neus dicht.

De volgende paar uur kreeg ze van vijf advocaten hetzelfde te horen. Het kwam steeds op hetzelfde neer: eerst een aanzienlijk voorschot, anders geen advocaat.

De laatste advocaat bij wie ze aanklopte, een aantrekkelijke jonge vrouw die zich het lot van Dallas echt leek aan te trekken, was het meest onomwonden geweest: 'Ik kan me niet veroorloven zo'n ingewikkelde zaak gratis aan te nemen, mevrouw Raintree. Ik heb ook kinderen die te eten moeten hebben en een hypotheek die afbetaald moet worden. Dat zult u vast wel begrijpen. Ik ben best bereid om de aanklacht voor u af te handelen, maar als u wilt dat ik uw man echt ga vertegenwoordigen, zal ik toch een behoorlijk voorschot moeten hebben. Op z'n minst vijfentwintigduizend dollar.'

Dus bleef er maar één mogelijkheid over: ze moest aan vijfentwintigduizend dollar zien te komen.

Het begon al te schemeren toen ze uit Olympia wegreed en toen ze voor het huis van haar vader stopte, was het helemaal donker. Onderweg had ze opnieuw gerepeteerd wat ze moest zeggen, maar in feite maakte dat niet veel uit. Hij was haar vader en ze had hulp nodig. Zo simpel was het.

Hij zat met een drankje en de krant in zijn studeerkamer en ze viel in de stoel tegenover hem neer. 'Ik heb vijfentwintigduizend dollar nodig, pa. Als u een tweede hypotheek op het huis neemt, zullen Dallas en ik u elke cent terugbetalen. Met rente.'

Hij bleef zo lang naar zijn krant kijken dat ze een beetje ongerust werd, maar ze wist dat ze niet moest aandringen. Hij was af en toe misschien wat zwijgzaam en hij stond altijd snel met zijn oordeel klaar, maar hij was toch in de eerste plaats een Grey en uiteindelijk zou dat zijn antwoord bepalen.

'Nee.'

Hij zei het zo zacht dat ze even dacht dat ze het niet goed hoorde. 'Zei je nee?'

'Je had nooit met die indiaan moeten trouwen. Dat weet iedereen. En je had ook nooit goed moeten vinden dat hij zo vaak naar dat mens van Morgan toe ging. Daardoor bracht hij schande over ons.'

Vivi Ann luisterde ongelovig toe. 'Dat meen je niet.'

'Jawel.'

'Is dat de manier waarop jij voor mams tuintje zorgt?'

Hij keek naar haar op. 'Wat zei je daar?'

'Ik heb mijn leven lang excuses voor je gezocht en tegen Winona en Aurora gezegd dat je kapot was van mams dood, maar dat is helemaal niet waar, hè? Je bent gewoon niet de persoon voor wie ik je hield.'

'Nou ja, hetzelfde geldt voor jou.'

Vivi Ann stond op. 'Ik heb al die oude verhalen van jou wel duizend keer te horen gekregen. Dat ik er trots op moest zijn dat ik een Grey was. Je had me wel eens kunnen waarschuwen dat het pure leugens waren.'

'Hij is geen Grey,' zei pa.

Vivi Ann stond al bij de deur, maar ze draaide zich om en zei: 'Ik ook niet. Nu niet meer. Ik ben een Raintree.'

Vivi Ann liep de heuvel op naar haar blokhut en bleef bij de manege even staan omdat ze niet verder kon. Ze zag een paar op sterven na dode blaadjes die zich nog steeds hardnekkig aan hun tak vastklampten, maar die zouden ook al gauw de strijd opgeven en een voor een op de grond terechtkomen, waar ze langzaam zwart zouden worden en dood zouden gaan.

Nu voelde ze zich net als een van die eenzame blaadjes, want het drong plotseling tot haar door dat ze niemand meer had om op terug te vallen. Ze had zich vastgeklampt aan iets wat niet stabiel was gebleken.

Zonder haar vader wist ze niet meer wie ze was, wie ze zou moeten zijn. Ze liep de koude, donkere bak in en deed het licht aan. De paarden werden meteen rusteloos en begonnen te hinniken en te stampvoeten om haar aandacht te trekken. Maar dit keer liep ze niet langzaam en omzichtig langs de boxen. Ze ging rechtstreeks naar de stal van Clem en glipte naar binnen. De verse laag zalmkleurige cederhouten snippers dempte haar voetstappen en gaf haar een belachelijk opgewekt gevoel.

Clem hinnikte bij wijze van welkom en wreef haar fluwelen neus over Vivi Anns dij.

'Het komt altijd weer neer op jou en mij, hè meid?' zei ze terwijl ze de merrie tussen de oren kriebelde. Ze sloeg haar armen om Clems brede nek en drukte haar voorhoofd tegen de warme zachte vacht, genietend van de paardenlucht die om haar heen hing.

Twee jaar geleden en misschien zelfs nog een jaar terug zou ze op zo'n moment een hoofdstel pakken en zonder zadel op Clems rug springen om naar het pad langs de hoogspanningsmasten te rijden. Daar zouden ze met vliegende vaart overheen gestoven zijn, zo snel dat Vivi Anns tranen al opdroogden voordat ze haar wangen bereikten, zo snel dat het holle gevoel vanbinnen niet groter kon worden.

Maar Clem was oud geworden, met krakende gewrichten en pijnlijke benen. De dagen dat ze nog een vliegende vaart kon ontwikkelen lagen achter haar. Helaas gold dat niet voor haar geest en Vivi Ann wist dat de merrie geduldig stond te wachten tot ze weer bereden zou worden.

'Er is te veel veranderd,' zei Vivi Ann. Ze deed haar best om vast te klinken, maar halverwege het zinnetje drong zich ineens alles tegelijk aan haar op. Het simpele 'nee' van haar vader, Winona's weigering om te helpen, Noah die gisteravond toen ze hem in bed legde zo klagend om *papa* had gevraagd en de kus die Dallas haar had gegeven voordat ze op weg gingen naar de begrafenis van Cat. Ze wist nog precies wat hij die ochtend had gezegd, op die rustige toon, helemaal in het zwart gekleed en met die intens trieste blik in zijn grijze ogen: *Ik hou van je, Vivi. Dat kunnen ze ons niet afpakken.*

Ze had hem uitgelachen en gezegd: 'Dat zal ook heus niemand proberen. Geloof me maar gerust.'

Geloof me maar gerust.

Nu vroeg ze zich af of ze ooit weer zou kunnen lachen en meteen daarna barstte ze in tranen uit, in de box bij het paard dat op de een of andere manier de belichaming was van haar kindertijd, haar geest en haar moeder.

Dit deel van de staat was economisch zwaar getroffen door het instorten van de houthandel en het afnemen van de zalmtrek. In het hart van de stad stonden diverse winkels leeg. Smerige pick-ups vol deuken, de meeste met een bordje TE KOOP tegen de achterruit, stonden langs de straat of op de parkeerterreinen voor de kroegen, ook al was het donderdagmiddag.

Vivi Ann stond op het trottoir en keek omhoog naar het grijze stenen gerechtsgebouw. Erachter reikten de malse groene heuvels van het Olympic National Forest naar een witbewolkte lucht. Het regende nog niet, maar dat zou niet lang meer duren.

Binnen zag alles er nog sjofeler uit. Versleten houten vloeren, bladderende muren, mensen in goedkope kleren op de trappen naar de rechtszalen en in de gangen met gesloten deuren. Ze liep naar een zorgelijk uitziende receptioniste en glimlachte. 'Ik wil iemand in de gevangenis bezoeken,' zei ze.

De vrouw keek niet eens op. 'Naam?'

'Vivi Ann Raintree.'

'Niet die van u. Van de gevangene.'

'O. Dallas Raintree.'

De vrouw drukte op een paar toetsen van haar grote, beige computer, wachtte even en zei toen: 'Cellenblok P. Bezoek is van drie tot vier uur.' Ze wees met een vinger waarvan de nagel afgekloven was naar een gang. 'Tweede deur rechts.'

'D-d-dank u wel.' Vivi Ann begon langzaam aan de lange wandeling naar de gevangenis. Toen ze daar aankwam, zat er weer een receptioniste op haar te wachten.

'Naam?'

'Dallas Raintree.'

'Niet die van de gevangene. Uw naam.'

'Vivi Ann Grey Raintree.'

'Identiteitsbewijs alstublieft.'

Haar handen trilden toen ze haar tas openmaakte en haar rijbewijs pakte. De receptioniste pakte het aan, schreef een paar dingen in een logboek en gaf het terug.

'U moet eerst dit formulier invullen.'

Daarna knikte de receptioniste zonder op te kijken en zei: 'Daarheen. Leg al uw persoonlijke bezittingen in een van die kastjes. Handtassen, portemonnees, voedsel, kauwgum, sleutels en dergelijke zijn niet toegestaan. De metaaldetector is aan het eind van de gang. De volgende.'

Vivi Ann liep de stille gang in. Ze stopte haar handtas in een van de laatste grijze metalen kastjes en liep naar de metaaldetector. Bij de ingang stond een enorme, geüniformeerde bewaker. De in laarzen gestoken voeten iets uit elkaar, de armen los langs de zij. Een pistool op beide heupen.

Ze gaf hem de sleutel van het kastje en liep voorzichtig door het poortje. Omdat ze geen ervaring had met luchthavens was dit de eerste keer dat ze ermee geconfronteerd werd en ze wist niet zeker hoe dat in z'n werk ging. Langzaam leek het meest logisch, dus ze schuifelde voorzichtig verder. Plotseling klonk er een snerpend hoog alarm en Vivi Anns hart begon te bonzen. Ze keek om zich heen en ineens stonden er drie geüniformeerde bewakers om haar heen. 'Ik... ik heb echt niks bij me.'

Een vrouwelijke bewaker stapte naar voren. 'Kom maar mee. Benen uit elkaar.'

Vivi Ann gehoorzaamde. Ondanks het feit dat ze zeker wist dat ze niets bij zich had, was ze bang. Zweet parelde op haar voorhoofd.

De bewaker bewoog een plat, zwart doosje langs haar lichaam. Het piepte bij haar beha en bij de gesp op haar schoen.

'Alles in orde,' zei de bewaker. 'Loop maar door.'

Vivi Ann meldde zich bij de volgende balie, waar ze een stempel op haar hand kreeg en een kaartje om haar nek met het opschrift BEZOEKER. Daarna bracht weer een andere geüniformeerde bewaker haar via een andere gang naar een deur met het opschrift BEZOEKRUIMTE.

'U hebt een uur,' zei hij toen hij de deur openmaakte.

Vivi Ann knikte en liep een lang vertrek met een laag plafond in. De ruimte werd in tweeën gedeeld door een muur van plexiglas met aan weerszijden hokjes voorzien van een zwarte telefoonhoorn en een stoel.

Ze liep naar het een na laatste hokje en ging zitten. Later wist ze niet meer hoe lang ze had zitten wachten, maar uiteindelijk ging toch de deur open en kwam Dallas binnen, in een oranje overall en op slippers. Zijn lange haar viel over zijn beurse gezicht. Nadat hij was gaan zitten, pakte hij langzaam de telefoon op.

Ze volgde zijn voorbeeld. 'Wat is er met je gezicht gebeurd?'

'Volgens hen heb ik me verzet tegen mijn arrestatie.'

'Is dat waar?'

'Nou en of.'

Ze wist niet wat ze daarop moest zeggen dus zei ze: 'Ik ben op zoek naar een goede advocaat. Maar dat kost ontzettend veel geld. Ik blijf mijn best doen, maar ik kan...'

'Ik heb al een bewijs van onvermogen getekend en kennisgemaakt met de advocaat die mijn zaak toegewezen heeft gekregen. Je gaat je niet in de schulden steken om mij te redden.'

'Maar je bent onschuldig.'

Hij wierp haar zo'n kille blik toe dat ze heel even het gevoel had dat ze hem helemaal niet kende. 'Dat zal ik je uiteindelijk ook wel bijbrengen. Cynisme. Als dit allemaal voorbij is, zul je niet meer weten wat je moet geloven, dus geloof je nergens meer in. Dat is dan mijn geschenk aan jou.'

'Ik hou van je, Dallas. Dat is het enige wat telt. We moeten sterk blijven. Met liefde slaan we ons er wel doorheen.'

'Mijn moeder heeft tot op de dag dat hij haar doodsloeg van mijn vader gehouden.'

'Waag het niet om jezelf met hem te vergelijken!'

'Voordat we alles achter de rug hebben, zul je het allemaal te horen krijgen: hoe hij me heeft mishandeld, me met sigaretten heeft gebrand en me heeft opgesloten. Ze zullen beweren dat ik daardoor een slecht mens ben geworden. Ze zullen beweren dat ik met Cat naar bed ben geweest en dat ik...'

Vivi Ann drukte haar hand tegen het plexiglas. 'Raak me aan, Dallas.'

'Dat gaat niet,' zei hij en ze kon zien hoe dat aan hem vrat en hoe boos hij daarover werd. 'Liefde is geen schild, Vivi. Het wordt tijd dat je dat inziet.'

'Raak mijn hand aan.'

Langzaam tilde hij zijn hand op en drukte zijn handpalm tegen de hare. Het enige wat ze voelde, was het gladde plexiglas, maar ze sloot haar ogen en probeerde terug te denken aan hoe warm zijn huid tegen de hare had aangevoeld. Toen ze het gevoel terughad en tegen haar borst kon drukken, deed ze haar ogen weer open en zei: 'Ik ben je vrouw. Ik weet niet wie je heeft geleerd om voor alles weg te lopen, maar daar is het nu te laat voor. We moeten blijven staan en vechten. En daarna kom je weer thuis. Zo gaat het en niet anders. Begrepen?'

'Ik word er doodziek van om je daar in dat gore hok te zien, met je hand tegen dat vieze glas, terwijl je in die telefoon zit te praten en je best moet doen om niet in tranen uit te barsten.'

'Zolang je me maar niet afstoot. Ik kan alles verdragen, behalve dat.'

'Ik ben bang,' zei hij zacht.

'Ik ook. Maar ik wil dat je niet vergeet dat je niet alleen bent. Je hebt een vrouw en een zoon die allebei dol zijn op je.'

'Het valt niet mee om daar hier aan te denken.'

'Geloof me, Dallas,' zei ze, terwijl ze haar tranen inslikte. 'Ik zal je nooit laten vallen.'

De hele winter en de lente die erop volgde, roddelde de stad voornamelijk over het aanstaande proces van Dallas Raintree. Het was zo'n heerlijk mals hapje. Alleen al de grote vraag of hij het nou wel of niet had gedaan! Maar in werkelijkheid speelde dat niet echt. De meeste mensen hadden hun oordeel klaar toen hij werd opgepakt. In Oyster Shores bestond nog respect voor de wet en ze gingen ervan uit dat een gerechtelijke dwaling niet voor de hand lag. En trouwens, ze hadden al vanaf het moment dat hij de Outlaw Tavern binnenkwam, met zijn getatoeëerde bovenarm, dat schouderlange haar, en die blik van kom-maar-op, geweten dat hij problemen zou veroorzaken. Uit het feit dat hij meteen probeerde Vivi Ann te versieren bleek al dat hij zijn plaats niet kende. Hij had haar gewoon in de luren gelegd. Dat werd tenminste gezegd.

Winona had de laatste vijf maanden pas op de plaats gemaakt. Iedereen wist inmiddels wel dat haar zusjes niets meer met haar te maken wilden hebben. De arrestatie van Dallas had de familie in twee kampen verdeeld: Aurora en Vivi Ann versus Winona en Henry Grey. Ze konden allemaal op sympathie rekenen. De algemene opvatting was dat pa en Winona om te beginnen al een onkarakteristieke vergissing hadden gemaakt door Dallas in dienst te nemen. Terwijl niemand van mening was dat pa eigenlijk voor een privéadvocaat had moeten zorgen (*waarom zou je daar je goeie geld aan uitgeven* werd er meestal gezegd), vonden ze het wel fout dat hij toestond dat de hele zaak een wig in zijn familie dreef.

Winona had er zorgvuldig op toegezien dat haar excuus wortel schoot: zij was geen strafpleiter en dus kon ze Dallas niet verdedigen. Ze wilde niets liever dan het weer goed maken met Vivi Ann, en, het meest steekhoudende argument, Vivi Ann was altijd al koppig geweest en zou na verloop van tijd wel inzien dat ze door in Dallas te blijven geloven een verschrikkelijke vergissing maakte. En dan, zei Winona altijd, mag ze op mijn schouder uithuilen.

En dat was nog waar ook. Het feit dat ze vervreemd was van haar zusjes drukte als een loden last op Winona. De eerste paar maanden had ze nog haar best gedaan om de schade beperkt te houden, maar al haar pogingen om het geschil bij te leggen waren genegeerd. Vivi Ann noch Aurora wilde met haar praten of naar haar luisteren. Zelfs in de kerk zaten ze niet meer in de familiebank.

Halverwege mei, toen de rododendrons begonnen te bloeien en de azalea's in haar tuin al vol bloemen zaten, was ze bijna kapot en kon ze niet wachten tot het proces zou beginnen. Als dat voorbij was en Dallas was veroordeeld, dan zou Vivi Ann de akelige waarheid wel onder ogen moeten zien. Dan zou ze haar familie weer nodig hebben en dan zou Winona haar met open armen verwelkomen en weer voor haar kunnen zorgen.

Op de eerste dag van het proces werd Winona vroeg wakker, trok een mantelpakje aan en was bij de eerste toeschouwers die de publieke tribune in de rechtszaal mochten betreden. Toen ze die arme advocaat van de beklaagde de zaal in zag komen en beladen met dossiers naar zijn plaats zag lopen, wist ze weer zeker dat ze nooit een zaak van deze omvang aan had gekund. Hoewel ze eerlijk gezegd ook haar twijfels had over de competentie van deze man. Hij had ingestemd met een paar plaatselijke inwoners als leden van de jury en dat leek Winona geen slimme zet.

Aan de rechterkant van de zaal zat de officier van justitie, Sara Hamm, samen met haar assistente, een intelligent uitziende jongeman. Links zat Roy Lovejoy, de advocaat die Dallas' zaak toegewezen had gekregen. Winona had haar best gedaan om zoveel mogelijk informatie los te peuteren van het kantoor van de officier van justitie, maar iedereen had tijdens de voorbereiding van het proces de kaken op elkaar gehouden. Ze wist niet meer dan andere mensen: dat de aanklacht wegens verkrachting was ingetrokken en dat alleen de aanklacht wegens moord was gehandhaafd. De media hadden ook weinig hulp geboden. De moord op een alleenstaande vrouw in een klein plattelandsstadje gaf niet bepaald aanleiding tot diepgravende artikelen. Het bleef bij veel geschreeuw over het twijfelachtige verleden van zowel Dallas als Cat, echte feiten kwamen nauwelijks naar voren.

Om kwart voor negen kwamen Vivi Ann en Aurora hand in hand de rechtszaal binnen.

Vivi Ann zag er ongelooflijk broos uit in haar veel te wijde zwarte pakje. Het licht veranderde haar paardenstaart in goud en verzachtte haar smalle gezichtje. Ze zag eruit als een porseleinen poppetje dat al bij de eerste aanraking zou breken. Aurora keek zo grimmig en vastberaden dat ze bijna op een lijfwacht leek. Ze liepen langs Winona heen zonder haar aan te kijken en gingen twee rijen voor haar zitten.

Winona onderdrukte de neiging om naar hen toe te lopen. In plaats daarvan ging ze rechtop zitten en sloeg ze haar koude handen op haar schoot in elkaar.

Daarna brachten twee geüniformeerde bewakers Dallas binnen.

Hij droeg een keurig in de vouw gestreken zwarte broek, een gesteven wit overhemd en een zwarte das. De maanden in de gevangenis hadden hun sporen achtergelaten: hij was magerder en nog peziger en toen hij Winona aankeek, verstarde ze en voelde ze haar hart bonzen.

Vivi Ann stond op en deed haar best om Dallas toe te lachen. Ze leek op een ranke witte roos die in een rommelige tuin oprees.

Voordat Dallas naast zijn advocaat mocht gaan zitten, deden de bewakers hem zijn boeien af.

Rechter Debra Edwards kwam de rechtszaal binnen gehuld in haar wijde zwarte toga. Nadat ze was gaan zitten, keek ze de juristen aan. 'Zijn beide partijen bereid om de procesgang te beginnen?'

'Ja, edelachtbare,' zeiden ze in koor.

De rechter knikte. 'Laat de jury maar binnenkomen.'

De juryleden kwamen rustig achter elkaar de zaal binnen en keken Dallas allemaal recht aan. Sommigen liepen nu al te fronsen.

Sara Hamm stond op. Ze was een indrukwekkende dame, die er in haar nette, blauwe mantelpakje met een dun krijtstreepje kalm en vakkundig uitzag. Ze glimlachte naar de jury en liep vol vertrouwen naar hen toe. 'Dames en heren van de jury, de feiten in deze zaak zijn heel eenvoudig en niet ingewikkeld.' Ze had de stem van een heks uit een sprookje: aan de oppervlakte vloeiend en honingzoet, maar met een stalen ondertoon. Winona betrapte zich erop dat ze vooroverleunde om geen woord te missen.

'Tijdens dit proces heeft het Openbaar Ministerie de taak onomstotelijk te bewijzen dat Dallas Raintree vorig jaar op kerstavond een ziekte heeft gesimuleerd om te voorkomen dat hij samen met zijn gezin naar de kerk moest. Toen zijn vrouw en kind afwezig waren, is hij naar het huis van Catherine Morgan gegaan en heeft haar daar vermoord.

Hoe weten we dat dit onomstotelijk vaststaat? Het antwoord is: de bewijslast. Meneer Raintree heeft een spoor nagelaten dat door justitie kon worden gevolgd. Het eerste en meest in het oog springende feit was dat hij het slachtoffer al langdurig kende. Diverse getuigen zullen bevestigen dat meneer Raintree regelmatig in het weekend een rendez-vous had met mevrouw Morgan. Die avonden zijn omschreven als "luidruchtige, dronken en verdorven" bijeenkomsten die tot vroeg in de ochtend duurden. Maar omgang houdt niet meteen moord in. Daarvoor moeten we ons richten tot het tastbare en forensische bewijsmateriaal. En dat is er te over.'

Sara liet een foto zien van Cat Morgan waarop ze zittend op haar veranda lachend in de lens keek. Op de volgende foto lag ze onderuitgezakt tegen een muur vol bloedspetters, naakt en met een grote schotwond in haar borst.

Een paar juryleden trokken een gezicht en wendden hun ogen af, terwijl anderen boos naar Dallas keken. Sara Hamm liep voor de jury heen en weer en bleef af en toe even voor een paar vrouwelijke juryleden staan terwijl ze de misdaad tot in de kleinste details beschreef. Vervolgens richtte ze zich weer tot de voltallige jury.

'Het Openbaar Ministerie zal bewijsmateriaal overleggen waaruit blijkt dat het pistool waarmee Catherine Morgan werd doodgeschoten eigendom was van Dallas Raintree. Zijn vingerafdrukken werden op het wapen aangetroffen. Dat alleen, dames en heren, zou al voldoende zijn om zijn schuld onomstotelijk vast te stellen, maar het Openbaar Ministerie heeft nog meer bewijzen. Een deskundige van het Gerechtelijk Staatslaboratorium van Washington zal met behulp van haren die op de plaats van het misdrijf zijn aangetroffen aantonen dat Dallas Raintree die nacht in Catherine Morgans bed heeft gelegen en een ooggetuige zal getuigen dat hij even na acht uur die avond uit haar huis is gekomen. Volgens de patholoog-anatoom is mevrouw Morgan tussen zes uur en halftien op de avond van de vierentwintigste overleden. DNA-sporen tonen aan dat Dallas Raintree dezelfde bloedgroep heeft als de man die vlak voor de dood van mevrouw Morgan seksuele omgang met haar heeft gehad.

Toeval? Dat lijkt me niet. Als alle bewijsmateriaal bij elkaar opgeteld wordt, is de uitkomst onvermijdelijk. Dallas Raintree, die voor zijn huwelijk een geruchtmakende relatie had met Catherine Morgan, heeft kort daarna die draad weer opgepakt. Het liep mis toen de geliefden om de een of andere reden ruzie kregen. Uit bewijsmateriaal valt op te maken dat er om het pistool is gevochten. En dat gevecht werd door Dallas Raintree gewonnen. Hij schoot haar van dichtbij een kogel in de borst en ging toen naar huis om gezellig samen met zijn vrouw kerstfeest te gaan vieren, terwijl Catherine Morgan dood in haar huis lag. Dames en heren, het enige dat u voor deze zaak nodig hebt, is gezond verstand. Er is geen enkele twijfel dat Dallas Raintree Catherine Morgan in koelen bloede heeft vermoord en ik weet zeker dat u, als u het bewijsmateriaal onder ogen hebt gekregen, tot de conclusie zult komen dat hij schuldig is aan deze afschuwelijke misdaad. De vergissing die mevrouw Morgan op die donkere kerstavond maakte, was dat ze dacht dat de beklaagde haar vriend was. Die vergissing kostte haar het leven, dames en heren van de jury. Dat moeten we niet uit het oog verliezen. Daarom dienen we ervoor te zorgen dat Dallas Raintree nooit meer de gelegenheid krijgt om iemand kwaad te doen.' Ze liep terug naar haar stoel en ging zitten. 'Dank u wel.'

Winona leunde achterover in haar stoel en liet de adem ontsnappen die ze constant had ingehouden. Ze keek op naar de klok en zag dat het bijna halfelf was. In de anderhalf uur dat Sara Hamm aan het woord was geweest was de tijd voorbij gevlogen. Maar het was de jury die in de eerste plaats haar aandacht trok. Ze zaten bijna allemaal met kille, boze ogen naar Dallas Raintree te staren.

De advocaat van Dallas stond op. Naast de elegante verschijning van de officier van justitie maakte hij een nerveuze en onhandige indruk en toen hij begon te praten sloeg zijn stem over en moest hij zijn keel schrapen. Winona vroeg zich af hoeveel ervaring hij had met moordprocessen. 'Dames en heren van de jury, u hebt net het verhaal gehoord dat het Openbaar Ministerie u als de waarheid wenst voor te schotelen. Maar het is slechts een verzameling indirect bewijsmateriaal die weliswaar als een legpuzzel in elkaar lijkt te grijpen, maar die bij nadere bestudering uitsluitend aanleiding geeft tot gerede twijfel. Dallas Raintree was op kerstavond wel dégelijk ziek. Hij is die avond zijn huis niet uitgekomen en hij heeft zeker de vrouw niet vermoord met wie hij volgens hem alleen maar bevriend was. Ze waren goede vrienden, maar geen minnaars. Er is bewijsmateriaal voorhanden waaruit blijkt dat er veel mannen waren in het leven van Catherine Morgan. Daar komt nog bij dat uit het DNA-materiaal dat op de plaats van het misdrijf is achtergelaten niet aangetoond kan worden dat Dallas Raintree de man is die seksueel omgang met mevrouw Morgan had gehad. Deskundigen zullen getuigen dat de hoeveelheid te klein was voor een onderzoek. En het feit dat zijn bloedgroep identiek is, heeft niets te betekenen. Datzelfde geldt voor veertig procent van de bevolking. Justitie heeft de verkeerde man opgepakt, zo eenvoudig is het. Dallas Raintree is onschuldig.' Met een knikje naar de jury liep de man terug naar zijn stoel.

Winona kon haar oren niet geloven. Het openingspleidooi van Lovejoy had nog geen veertien minuten geduurd. Een blik op de jury was voldoende om te zien dat hij niemand had overtuigd, zeker niet na de overtuigende openingsverklaring van de officier van justitie.

Ze zag dat Vivi Ann fronsend naar Aurora keek, maar die haalde alleen haar schouders op.

Winona wist niet wat ze ervan moest denken. Ze wist niet veel van strafrecht af en zeker niet hoe de meeste processen verliepen, maar ze had het gevoel dat de advocaat van de beklaagde een ernstige fout had gemaakt.

De rechter keek de officier van justitie aan. 'Mevrouw Hamm, u kunt uw eerste getuige oproepen.'

Gedurende de rest van de dag en de hele middag van de volgende dag vielen de feiten stukje bij beetje op hun plaats. De officier van justitie liet een heel stel getuigen opdraven die op de plaats van het misdrijf waren geweest, van sheriff Bailor en zijn assistent tot andere politie- en gerechtsmedewerkers, die allemaal bevestigden wat Sara Hamm in haar aanklacht had beloofd. Ergens rond vijf uur op de middag van 24 december had Cat Morgan iemand in huis gehaald, hoogstwaarschijnlijk een bekende aangezien er geen sporen van braak waren gevonden. Een aantal kwalijk uitziende getuigen verklaarde dat Dallas iedere zaterdagavond bij Cat zat en beweerde opnieuw dat het stel volgens hen een relatie had gehad. Uit foto's van de slaapkamer viel op te maken dat er gevochten was: een omgevallen lamp bleek kapot, een schilderij was van de muur gevallen. Uit verwondingen aan Cats handpalmen bleek dat ze zich had verzet en haar vingerafdrukken op het wapen leken te bevestigen dat ze had geprobeerd het wapen in bezit te krijgen.

Winona zat elke dag op de publieke tribune en raakte helemaal in de ban van het zich langzaam uitbreidende net van toevallige omstandigheden en bewezen feiten. Ze kreeg meer dan haar lief was te horen over vingerafdrukken, DNA-onderzoek en bloedgroepen. Het Openbaar Ministerie liet de ene na de andere getuige opdraven om te bewijzen dat een van de vingerafdrukken op het pistool van Dallas was (een pistool dat van zijn vader was geweest, die zelf ook wegens moord terecht had moeten staan) en dat zijn bloedgroep overeenkwam met het materiaal dat op de plaats van het misdrijf was achtergelaten. De advocaat van de beschuldigde wierp tegen dat de hoeveelheid sperma die was gevonden te klein was voor een DNA-onderzoek en dat het vergelijken van de bloedgroep zinloos was. En dat er, wat eigenlijk veel belangrijker was, ook nog twee niet geïdentificeerde vingerafdrukken op het wapen waren aangetroffen. Maar toen was de schade al aangericht.

Op de ochtend van de vierde dag liet de officier van justitie dr. Barney Olliver opdraven, een forensisch criminoloog. Nadat er een uur was besteed aan het opsommen van zijn referenties en bevoegdheden kwam Sara Hamm ter zake. 'Dr. Olliver, we hebben zojuist vastgesteld dat u een deskundige bent op het gebied van haaranalyse. Zijn er op de plaats van het misdrijf haren aangetroffen?'

'Zeker.'

'En bent u als ervaren medicus van mening dat de haren die op de plaats van het misdrijf zijn aangetroffen afkomstig kunnen zijn van meneer Raintree?'

'Ja, inderdaad.'

'Dank u wel.'

Op de vijfde dag van het proces werd in het gerechtsgebouw gefluisterd dat vandaag de stergetuige van het Openbaar Ministerie zou worden opgeroepen. De spanning was bijna voelbaar toen de mensen hun plaats innamen.

Winona zat op haar gewone plekje en keek toe hoe haar zussen voorbijliepen.

De afgelopen week had zijn tol geëist van Vivi Ann. Ze liep langzaam door het gangpad en was niet meer in staat te verhullen dat ze er moe en bang uitzag.

De rechter kwam binnen en zodra ook de jury plaats had genomen werd het proces voortgezet.

'Het Openbaar Ministerie roept Myrtle Michaelian op.'

Er ging een geroezemoes door de rechtszaal, zo luid dat de rechter moest ingrijpen. Winona was al net zo verbaasd als de rest. Ze was er zeker van geweest dat de hoofdgetuige een van die verlopen kerels zou zijn die altijd in het weekend naar Cats huis gingen.

Toen Myrtle de rechtszaal binnenkwam, deed ze duidelijk haar best om vol zelfvertrouwen over te komen, maar daardoor was nog duidelijker te zien hoe bang ze was. Haar haar was nu al nat van het zweet. Ze was echt zo'n oudere secretaresse met haar met bloemetjes bedrukte polyester jurk.

Nadat ze haar naam en adres had opgegeven vertelde ze dat ze eigenaresse was van een ijswinkel op Shore Drive.

'En waar bevindt die winkel zich precies ten opzichte van het huis van Catherine Morgan?'

'Aan het eind van de steeg. Je moet erlangs om bij haar huis te komen.'

'En was u op kerstavond van het afgelopen jaar in de winkel?'

'Ja. Ik wilde een speciale ijstaart maken voor de avonddienst. En ik was zoals gewoonlijk weer aan de late kant.'

De mensen op de publieke tribune schoten in de lach en knikten. De hele stad wist hoe sloom Myrtle was.

'Was het die avond druk in Oyster Shores?'

'Lieve hemel, nee. Iedereen zat om halfacht in de kerk. Ik zei al dat ik aan de late kant was.'

'Hebt u die avond iemand gezien?'

Myrtle wierp Vivi Ann een trieste blik toe. 'Om ongeveer tien over acht was ik bijna klaar om weg te gaan. Ik legde net de laatste hand aan het glazuur toen ik opkeek. En toen zag ik... Ik zag Dallas Raintree uit het steegje naar Cats huis komen.'

'Heeft hij u ook gezien?'

'Nee.' Myrtle zag er ellendig uit.

'Hoe wist u dat het de beklaagde was?'

'Ik zag hem van opzij toen hij onder de lantaarn doorliep en ik herkende zijn tatoeage. Maar ik wist allang dat hij het was. Ik had hem daar 's avonds al vaker gezien. Heel vaak. Dat heb ik ook tegen Vivi Ann gezegd. Hij was het echt. Het spijt me, Vivi Ann.'

'Ik heb verder geen vragen,' zei mevrouw Hamm.

Roy stond op en vroeg hoe het met Myrtles gezichtsvermogen gesteld was. Dat was niet goed en ze had haar bril ook niet op gehad. Dallas had haar niet recht aangekeken. Daarmee sloeg hij spijkers met koppen, want het was niet alleen donker geweest, maar de man die haar niet had aangekeken had ook nog een cowboyhoed gedragen die zijn gezicht verborg. Het was bekend dat er op elk uur van de avond en nacht een boel mannen van en naar Cats huis liepen. En witte cowboyhoeden en spijkerbroeken vormden in dit deel van het land bepaald geen opvallende uitdossing.

Maar dat maakte totaal geen indruk op de jury, zag Winona. Myrtles getuigenis had de doorslag gegeven en Dallas op de betreffende avond in de buurt van het misdrijf geplaatst, terwijl hij tegen zijn vrouw had gezegd dat hij thuis met koorts in bed lag. Niemand in de rechtszaal had het idee dat Myrtle loog. Toen ze klaar was met haar getuigenis stond ze zelfs te huilen en bood Vivi Ann rechtstreeks haar excuses aan.

Het proces sleepte zich nog twee dagen voort, maar iedereen wist dat het gedaan was. Dallas nam niet plaats in de getuigenbank om zelf gehoord te worden.

In de laatste week van mei staakte de verdediging en kwam de zaak onder de jury.

Die had maar vier uur nodig om te beraadslagen en Dallas schuldig te bevinden. Hij werd veroordeeld tot levenslange gevangenisstraf, zonder mogelijkheid tot gratie.

Zestien

'Breng jij hem nou eens aan zijn verstand dat we in hoger beroep moeten gaan, Roy,' zei Vivi Ann in het kleine kamertje tegenover de rechtszaal. 'Dat gedoe over die haren was wetenschappelijk geneuzel en wat maakt het nou uit dat hij bloedgroep O heeft? Bovendien kan Myrtle hem onmogelijk hebben gezien, omdat hij helemaal niet in de buurt is geweest. Het bewijsmateriaal hangt van toevalligheden aan elkaar. En er zaten nog meer vingerafdrukken op dat pistool. We gaan toch wel in hoger beroep, hè?'

Roy had tegen de muur geleund gestaan om hun nog een paar kostbare minuutjes samen te geven voordat ze Dallas zouden komen ophalen. 'Zodra het vonnis is gewezen, zal ik een verzoek tot hoger beroep indienen. Dat zal volgende maand wel worden. We hebben redenen genoeg.'

'Probeer haar alsjeblieft eens te vertellen hoe we er werkelijk voorstaan, Roy,' zei Dallas.

'Het is waar dat het niet meevalt om een uitspraak terug te draaien. Maar het is veel te vroeg om nu al bij de pakken neer te gaan zitten,' zei Roy, ook al zag ze best hoe vermoeid en ontmoedigd hij was.

Vivi Ann stond op en keek haar man aan. Ze wist dat ze nu sterk moest zijn, ook al viel dat niet mee. 'Ik begrijp best waarom jij daar niet meer in gelooft.' Ze bleef hem strak aankijken, omdat ze zijn gezicht in haar geheugen wilde prenten, zodat ze het 's avonds in bed altijd weer voor de geest kon halen. 'Maar ík heb er wel ver-

201

trouwen in. Gun me dat. Laat het aan mij over. Ik zal je laten zien...'

Hij stond met één stap bij haar en kuste haar op een vreemd tedere manier. Ze wist precies wat dat betekende. 'Ik wil geen afscheidskus,' fluisterde ze.

'Dit is een afscheid, lieverd.'

'Nee.'

'Ik wil dat je één ding nooit vergeet. Je was meer dan ik ooit had durven hopen.'

Toen er op de deur werd geklopt, klonk dat als een geweerschot. Roy liep ernaartoe en deed open. Aurora stond op de drempel met Noah op de arm, die meteen zijn armpjes naar Dallas uitstak en 'dada' zei.

'Jezus,' zei Dallas zacht.

Aurora liep naar Dallas toe en gaf hem het kind. Hij drukte zijn zoon tegen zich aan, drukte zijn lippen tegen het zijdezachte zwarte haar en haalde diep adem. 'Zeg tegen hem dat ik van hem hou.'

'Zeg dat zelf maar,' zei Vivi Ann terwijl ze haar tranen met haar mouw wegpoetste. 'We komen elke zaterdag op bezoek tot ze je vrijlaten.'

Dallas kuste Noahs mollige wangetje en trok toen Vivi Ann tegen zich aan. Gedurende één kostbaar momentje waren ze weer samen, zoals het hoorde, daarna deed hij weer een stap achteruit, gaf Noah aan Vivi Ann en zei: 'Ik wil niet dat hij me in de gevangenis ziet. Als je hem meebrengt, kom ik mijn cel niet uit. Ik weet hoe het is voor een kind als zijn vader achter tralies zit.'

'Maar... hoe zal hij je dan leren kennen?'

'Dat zal nooit gebeuren,' zei Dallas en hij keek Roy aan. 'Ga nu maar zeggen dat ze me kunnen halen.'

Vivi Ann had zich het liefst aan zijn been vastgeketend om te voorkomen dat hij weg zou gaan, maar ze stond als aan de grond genageld. 'Dallas,' fluisterde ze en ze begon zo ontzettend te huilen dat ze hem alleen nog maar door een waas zag, als een schaduw tegen de houten wand. 'Ik hou van je.'

'Hou van papa,' beaamde Noah met een knikje en wees naar hem.

Dat werd Dallas te veel. Ze zag gewoon hoe hij kapotging, alsof zijn rug in tweeën knakte. 'Laat me hier weghalen, Roy,' zei hij.

En toen was hij verdwenen.

Tijdens die zomer ging Vivi Ann iedere zaterdag naar de gevangenis om Dallas op te zoeken. De rest van de tijd werkte ze op de ranch, waarbij ze haar vader opvallend negeerde. Als er iets gedaan moest worden, liet ze een briefje in de manege achter.

Inmiddels was de laatste avond van de kermis aangebroken. De afgelopen dagen hadden routineklusjes al haar aandacht opgeëist. Dit jaar waren twaalf meisjes tussen de elf en de vijftien ingeschreven en het kostte ontzettend veel inspanning om ervoor te zorgen dat die voor al hun wedstrijden op tijd verschenen. Natuurlijk kreeg ze wel wat hulp van een aantal moeders, maar Julie, Brooke en Trayna hadden het net zo druk als zij met het vlechten van haar, het poetsen van paardenhoeven en het repareren van tuig dat natuurlijk net op de meest ongelegen momenten kapotging. Zondagsavonds was iedereen vies, bekaf en door het dolle. Behalve Vivi Ann. Zij was alleen vies en bekaf.

Ze stond op het inmiddels lege grasveld dat als parkeerterrein had gediend. Alleen haar eigen pick-up stond er nog. Vanaf de plek waar ze stond kon ze de twinkelende lichtjes van het feestterrein zien waar het reuzenrad glinsterend tegen de donkere lucht afstak. In de verte klonk het overbekende deuntje van de draaimolen.

Vroeger was ze altijd dol op de feestweek geweest. Nu klonk het woord feest haar als een vloek in de oren. Eigenlijk bestond er niets feestelijks meer. Terwijl dit altijd een heel bijzonder weekend was geweest, waarin ze samen met haar zusjes op stap ging. Toen hadden ze schouder aan schouder over het feestterrein gelopen, genietend van zoete broodjes met zelfgemaakte bramenjam en suikerspinnen en constant kwebbelend. Vooral kwebbelend.

Ze wist dat haar zusjes daar nu ook liepen, voor het eerst in hun leven niet samen. Winona probeerde al maanden weer vrede te sluiten met Vivi Ann, maar ze had al die zielige pogingen genegeerd. Vivi Ann kreeg nog steeds de neiging om Winona een klap op haar smoel te verkopen als ze haar zag.

Ze haalde de kalmerende tabletjes uit haar zak die Richard haar had voorgeschreven en die zo langzamerhand haar beste maatjes waren geworden. Ze nam er een in en liep toen naar de manege waar Noah in een reisbedje lag te slapen. Ze tilde hem met een zwaai op, drukte hem iets te stevig tegen zich aan en liep samen met hem naar haar pick-up.

Thuis stopte ze hem in bed en ging in een warm bad liggen. Zoals gewoonlijk liet ze in de badkuip haar tranen de vrije loop, maar toen ze uit bad en afgedroogd was, voelde ze zich een stuk beter. Ze kon weer ademhalen en haar geloof was terug. Dat was het moeilijkste van alles, om erin te blijven geloven dat ze het hoger beroep zouden winnen en dat deze doffe ellende gauw voorbij zou zijn. Iedere keer als de telefoon ging, stokte haar adem en dacht ze: *Het is zover.* En iedere dag als het telefoontje weer was uitgebleven, nam ze weer een pilletje en pakte de draad op. Het viel niet mee, maar hier in hun eigen blokhut lukte dat meestal wel.

Ze kroop in hun bed, nam twee slaappillen en wachtte tot de vergetelheid zich over haar ontfermde.

Toen de telefoon ging, had ze het gevoel dat ze net haar ogen dicht had. Ze tastte op het gevoel naar de telefoon en ging zitten. 'Hallo?' zei ze.

'Vivi Ann? Met Roy.'

Ze was meteen klaarwakker en zag met een blik op de klok dat het al tien over halfnegen was. Ze had zich weer verslapen. Haar eerste les zou al over twintig minuten beginnen. 'Hallo, Roy. Wat is er aan de hand?'

'Het gerechtshof heeft het vonnis in hoger beroep bevestigd.'

Haar adem stokte. 'O nee...'

'Je mag de moed nog niet opgeven. Ik ga net zolang in hoger beroep tot we uiteindelijk bij het hooggerechtshof in Washington uitkomen.'

Vivi Ann deed haar best om hem te geloven, maar hoop was iets glibberigs geworden, dat haar steeds door de vingers gliptte.

'En... eh... je kunt je de moeite besparen om zaterdag naar de gevangenis te gaan.'

'Hoezo?'

Roy zweeg even. 'Toen Dallas het nieuws van de uitspraak hoorde, werd hij helemaal gek. Hij heeft een maand eenzame opsluiting gekregen.'

'Heeft hij iemand pijn gedaan?'

Roy hield zijn mond, maar dat zei haar genoeg.

'Hij gaat eraan kapot,' zei ze. *En ik ook.*

'Maar hij schiet er niets mee op als hij om zich heen gaat meppen.'

Vivi Ann hoorde wel wat hij zei, maar ze kon alleen nog denken aan de dingen die Dallas haar tijdens de bezoekuren had verteld. Hoe zijn cel vier keer per dag automatisch met een gezoem en geklik openging voor het eten of voor het luchten. Hoe het voelde om door het prikkeldraad van de omheining het groene gras te zien. Hoe gevangenen met dezelfde huidskleur bij elkaar kliekten, terwijl hij bij twee groeperingen hoorde en door geen van beide werd geaccepteerd. Hoe de 'meisjes' – kerels die zich zo vrouwelijk mogelijk kleedden als hun oranje overall toeliet – lonkten naar mannen die daar wel zin in hadden, terwijl bullebakken op zoek waren naar slachtoffers. En hoe het voelde om te bedenken dat je nooit meer naar de sterren zou kunnen kijken en nooit meer 's nachts op een paard kon klimmen. Dat je nooit meer je zoon in je armen zou houden.

'Schieten we daar iets mee op, Roy?' vroeg ze. Ondertussen hoorde ze Noah via de babyfoon om zijn vader roepen. Ze kneep verdrietig haar ogen dicht. Onwillekeurig bleef ze zich iedere keer weer afvragen of Noah op een dag zijn vader niet gewoon zou vergeten. Of zou hij altijd aan hem blijven denken en altijd blijven verlangen naar een man die niet meer bij hen was?

'Je moet de moed niet opgeven,' zei Roy.

'Dat zal ik nooit doen.' Ze kon zich niet voorstellen dat het daar ooit van zou komen. Je kon weliswaar een opdoffer krijgen als je bleef hopen, maar als je nergens meer in geloofde, zou dat nog meer pijn doen.

De seizoenen gingen voorbij zonder dat het Vivi Ann echt opviel. Terwijl de heerlijke zomer van 1996 overging in een kille en regenachtige herfst deed ze haar uiterste best om zich normaal te gedragen. Ze werd iedere ochtend gedeprimeerd wakker, maar ze stond toch op en ging aan het werk. Ze gaf les, ze richtte paarden af en nam een nieuwe knecht in dienst. Gedachten aan Dallas bleven haar door het hoofd schieten, maar dan zette ze de tanden op elkaar en ging ze gewoon verder.

Ze wist dat de mensen zich zorgen over haar maakten. Dat zag ze aan de manier waarop ze elkaar aankeken en begonnen te fluisteren als ze voorbijkwam. Er was een tijd geweest dat ze zich druk maakte over dat geroddel en dat bezorgde gedrag, maar nu niet meer. In de elf maanden nadat Dallas was opgepakt had ze het een en ander geleerd over optimisme. Het was een bijtende emotie, die zich door alles heen vrat. Om haar hoop levend te houden, kon ze alleen daaraan denken. Er was geen plaats over voor andere gedachten of gevoelens.

Op deze koude, donkere novemberdag gaf ze haar laatste les om vier uur, voerde de paarden en liep terug naar haar blokhut.

Daar trof ze Noah aan op het kleedje voor de open haard, waar hij met een stel Ninja Turtle-poppen lag te spelen.

Hij keek op en trakteerde haar op een brede grijns. 'Mammie!' zei hij en hij spreidde zijn armen.

Vivi Ann voelde zich meteen schuldig. De waarheid was dat de aanblik van haar zoon haar tegenwoordig bijna te veel werd, ook al zou ze dat nooit en te nimmer toegeven. Daarom betaalde ze een dertienjarig meisje om 's middags op hem te passen. Iedere keer als Vivi Ann naar Noah keek, kreeg ze de neiging om in tranen uit te barsten.

'Hoe is het gegaan?' informeerde ze, terwijl ze wat geld uit haar zak pakte.

'Prima. Hij is dol op Tijgetje.'

Hoe was het mogelijk dat Vivi Ann dat niet eens wist? 'Fijn zo.'

Het licht van een stel koplampen gleed door de kamer.

'Daar is mijn moeder. Moet ik maandag na schooltijd weer komen?'

'Nou en of.' Vivi Ann keek haar na en staarde toen naar haar zoon. Hij was inmiddels bijna drieëneenhalf en leek als twee druppels water op zijn vader, met inbegrip van het lange zwarte haar. Vivi Ann kon het niet over haar hart verkrijgen dat af te knippen. 'Hé, kereltje van me,' zei ze.

Hij stond op en kwam constant babbelend naar haar toe lopen. Ze tilde hem met een zwaai op en nam hem mee naar de keuken nadat ze eerst nog een pil had genomen. Toen ze hadden gegeten, stopte ze hem in bad en bleef hem voorlezen tot hij in haar armen in slaap viel.

Ze stopte hem in bed en liep terug naar haar lege, stille huiskamer om in haar eentje naar de diamanten ring aan haar vinger te gaan zitten staren. Ze schrok op toen er ineens aan de deur werd geklopt. Ze was zo diep in gedachten verzonken geweest – eigenlijk had ze zitten dromen – dat ze geen auto had gehoord. Maar voordat ze de kans kreeg om op te staan ging de deur al open en stond Aurora als een silhouet afgetekend tegen het licht van haar koplampen.

'Het is mooi geweest,' zei ze terwijl ze de deur achter zich dicht trok.

'Wat?'

'Kleed je aan. We brengen Noah naar Richard en gaan samen naar de Outlaw.'

Aurora liep de kamer door en ging naast Vivi Ann zitten. De brede schoudervullingen en de glitter uit het begin van de jaren negentig waren verdwenen en Aurora was overgestapt op de wat truttige Meg Ryan-look: wijde broeken en T-shirts. Kortgeknipt haar, dat momenteel roodbruin was gespoeld, omlijstte haar gezicht en maakte dat ze eruitzag als een ondeugend elfje. 'Zo kun je niet verdergaan. Hier ga je aan kapot, Vivi. Je blijft je gevoelens maar met pillen onderdrukken om de dag door te komen.'

'En wat wil je daar nu precies mee zeggen?'

'Dat je weer op een paard moet klimmen. Of in ieder geval op een barkruk. En probeer me maar geen nee te verkopen, want je weet best hoe klierig ik kan zijn.'

Vivi Ann had helemaal geen zin om naar de Outlaw te gaan waar al haar oude vrienden haar triest aan zouden kijken en hun uiterste best zouden doen om aardig voor haar te zijn. Ze vonden allemaal dat ze Dallas eigenlijk zou moeten vergeten en haar eigen leven weer moest oppakken en het zat hun dwars dat ze dat niet had gedaan. Maar mode, muziek en tv-programma's mochten dan veranderen, dat gold niet voor Vivi Ann. Haar leven stond in de wacht. Toch was het helemaal geen aantrekkelijk idee om hier weer een avond lang in het niets te zitten staren en stommetje te spelen.

'Als je het niet voor jezelf kunt opbrengen, doe het dan voor mij,' zei Aurora met een halve glimlach. 'Richard doet tegenwoordig nauwelijks een mond open tegen me. Het is net alsof… ik weet het niet. Ik word er stapelgek van. Ik heb behoefte aan vrolijkheid. En ik weet zeker dat voor jou hetzelfde geldt.'

Vivi Ann zag de waarheid die Aurora niet onder woorden wilde brengen. Of die ze niet onder ogen wilde zien. De bruine ogen van haar zusje waren donker van het verdriet waarmee een op de klippen gelopen huwelijk gepaard gaat.

Verdriet was kennelijk iets dat tegenwoordig ruim voorhanden was.

'We kunnen ook bij Winona langsgaan en kijken of zij...'

'Nee,' zei Vivi Ann. Ze was altijd een vergevingsgezind persoontje geweest, maar niet in dit geval. Ze wist niet of ze ooit in staat zou zijn om Winona te vergeven dat ze haar in de steek had gelaten op het moment dat ze haar het meest nodig had gehad.

Ze stond op en liep naar haar (hun) slaapkamer, waar ze een schattige, wat ouderwetse Laura Ashley-jurk tevoorschijn haalde. Ze nam niet de moeite om make-up op te doen en stapte in haar crèmekleurige cowboylaarzen. Op het laatste moment stopte ze nog gauw een pilletje in haar zak. Voor het geval dat.

Daarna haalde ze Noah uit bed en liep de woonkamer in. 'Ik rij wel achter je aan, want het autostoeltje zit in mijn pick-up,' zei ze tegen Aurora.

Bij het huis van Aurora lieten ze Noah achter en liepen samen First Street door. Vivi Ann probeerde het gesprek op gang te houden, maar zodra ze op Shore Drive waren, voelde ze dat haar maag zich omdraaide. Allerlei herinneringen drongen zich aan haar op. 'Ik weet eigelijk niet of ik dit wel wil,' zei ze toen ze bij de kroeg kwamen.

Dansen?

'Maar je gaat mooi mee.' Aurora pakte haar hand en trok haar mee naar binnen.

De gewone weekendklanten waren aanwezig, er werd muziek gemaakt en gebiljart, gedanst, gelachen en gepraat. Vivi Ann voelde gewoon hoe ze haar fluisterend aanstaarden.

'Ze hebben je al bijna een jaar niet meer gezien,' zei Aurora. 'Dat is alles.'

Vivi Ann knikte en probeerde zo natuurlijk mogelijk te glimlachen toen ze met opgeheven hoofd naar de bar liep.

'Een pure tequila,' zei Bud terwijl hij het glas naar haar toe duwde. 'Van de zaak.'

'Dank je.' Vivi Ann sloeg de borrel meteen achterover en bestelde direct daarna een nieuwe die al even rap verdween. Ze keek om zich heen en zag Butchie en Erik ergens in een hoekje zitten met hun vrouwen en Julie en Kent John die aan het biljarten waren. Winona stond op de dansvloer met Ken Otter, de tandarts die net gescheiden was.

'Ik heb gehoord dat ze verkering hebben,' zei Aurora.

'Gefeliciteerd,' zei Vivi Ann bitter.

De band begon aan een volgend liedje en Vivi Ann hoefde maar twee noten te horen om het te herkennen. 'Mamas, Don't Let Your Babies Grow Up To Be Cowboys.'

Ze bestelde nog een borrel en sloeg die opnieuw achterover, maar daarmee verdween dat afschuwelijke gevoel van eenzaamheid niet.

En toen zag ze dat Winona naar haar toe kwam.

'Ik moet ervandoor,' mompelde ze.

Aurora probeerde haar nog tegen te houden, maar Vivi Ann rukte zich los en wurmde zich door de menigte. Buiten kon ze weer lucht krijgen, maar daar schoot ze niet veel mee op. Ze wilde weg van hier, weg van die plek waar alles haar aan hem deed denken.

Noah was veilig bij Aurora, dus haalde ze alleen haar pick-up op en reed regelrecht terug naar Water's Edge. Daar remde ze zo hard dat ze met haar borst tegen het stuurwiel klapte.

Links lag haar blokhut met het bed dat ze met Dallas had gedeeld. Rechts lag het huis waar ze was opgegroeid. Binnen zat haar vader, een van zijn voetstuk gevallen idool in wat vroeger een veilig onderkomen was geweest. Maar daar was niets meer van over. Het bezorgde haar een eenzaam gevoel, maar daar was niets aan te doen. Dan had hij er een jaar geleden samen met Winona maar niet voor moeten kiezen om Dallas de rug toe te keren.

Dallas.

Vivi Ann kreunde zacht, strompelde naar de manege, naar de box van Clem en deed de zware houten deur open.

'Hoi, Clem,' zei ze terwijl ze in het donker naar binnen stapte en de deur achter zich dicht trok.

Clem hinnikte zacht en kwam kreupelend naar haar toe om haar met die grijzende fluwelen neus aan te stoten.

'Ik heb na de dood van mam geen nacht meer bij je geslapen, hè meid?'

Clem hinnikte opnieuw en wreef haar neus over Vivi Anns dijbeen. Meer had Vivi Ann niet nodig om compleet in te storten. Alles wat ze had opgekropt kwam er in één golf uit. Ze gleed langs de wand van de box omlaag, viel neer op de cederhouten snippers en legde haar hoofd op haar knieën.

Winona stond naast de uitgestoken voorpoot van de opgezette grizzlybeer, toen ze zag dat Vivi Ann na één blik op haar de Outlaw uitrende. Ze bleef even staan terwijl de teleurstelling door haar heen schoot.

Dit was echt helemaal niets voor Vivi Ann. Ze hadden altijd geruzied en het weer goed gemaakt, zo ging dat toch tussen zusjes? Ze liep met een zucht naar Aurora, die alleen naar de open deur stond te staren met een drankje in haar hand.

'Ik kan hier niet meer tegen,' zei Winona. 'Wat gaan we eraan doen?'

'We?' Aurora's stem klonk kil maar dof en dat gebrek aan levendigheid was voldoende aanleiding voor Winona om te denken dat de deur op een kier stond.

'Jij kunt er toch ook niet meer tegen.'

'Nee, natuurlijk niet.'

'Wat moeten we dan doen?'

Aurora keek haar aan. 'Neem de verantwoording voor zijn hoger beroep op je. Help haar.'

Waarom begrepen ze dat toch niet? 'Ik kan hem niet helpen, wanneer dringt dat nou eens tot jullie door? Ik ben maar een gewoon advocaatje uit een kleine stad. Ik weet niets van strafrecht of hoger beroep.'

Aurora bleef haar strak aankijken, met een intens trieste blik. 'Jij bent degene die er niets van snapt, Win. We zijn zusjes. Dat waren we althans.' Ze zette haar halflege margaritaglas neer en liep de kroeg uit.

Winona bleef in het rokerige, halfduistere vertrek achter, omgeven door vrienden en bekenden. Alleen.

Winona en haar vader brachten kerstavond samen door. Ze ging al vroeg naar zijn huis en hing helemaal in haar eentje de kerstversiering op. Maar het bleef veel te stil. Er waren geen zusjes om mee te lachen, een glaasje wijn te drinken en te kibbelen over welke kerstfilm ze zouden draaien tijdens het versieren. Geen wonder dat ze zo lang had gewacht. Ze wist van tevoren hoe ze zich zou voelen.

Toch weigerde ze om hun vaste gewoonten te laten vallen, dus versierde ze het hele huis. Daarna schonk ze een groot glas wijn in, zette het eten op en nam een flink stuk taart. Eten was de afgelopen paar maanden haar enige troost geweest. Iedere keer als ze in de put zat, was ze de keuken in gelopen en sinds de arrestatie van Dallas was ze bijna zeven kilo aangekomen.

Zet dat ook maar uit je hoofd!

Op zoek naar haar vader liep ze zijn studeerkamer in, waar hij met een glas in zijn hand naar het Canal stond te staren.

'Hoi, pa,' zei ze.

'Hoi,' zei hij zonder om te kijken.

Ze probeerde net te bedenken wat ze verder nog kon zeggen, toen de telefoon ging. Dankbaar zei zei ze: 'Ik neem wel op,' en holde naar de keuken. 'Hallo?' zei ze, een tikje kortademig.

'Prettig kerstfeest,' zei Luke.

'Luke!' Voor het eerst die dag brak er een glimlach door op haar gezicht. Terwijl ze het lange snoer zo ver mogelijk uitrekte, ging ze aan tafel zitten en legde haar voeten op een stoel. 'Hoe is het in Montana?'

Ze konden niet meer zo ontspannen kletsen als vroeger. Hun gesprek was gelardeerd met lange stiltes en dingen waarover niet gesproken werd. Maar toch vertelde hij dat hij een paar weken geleden een nieuw huis had gekocht en hij begon over zijn nieuwe partner. Zij vertelde hem een grappig verhaal over Ken Otter met wie ze onlangs nog uit was geweest en zei dat ze niet anders had verwacht. Per slot van rekening was hij al drie keer gescheiden. 'Maar het is beter dan alleen te blijven.'

Het bleef even stil, toen zei hij: 'Hoe is het met haar?'

'Belde je daarom? Om te horen hoe het met Vivi Ann gaat?'

'Het gaat juist om jou,' zei hij. 'Ik weet hoe erg je het vindt dat jullie geen contact meer hebben. Loop nou eens gewoon naar haar huis, klop op de deur en zeg dat je er spijt van hebt.'

'Kunnen we het alsjeblieft ergens anders over hebben?' vroeg Winona en daarna zaten ze nog een uur lang over gewone dingen te praten. Toen ze niets meer te vertellen hadden, zei hij: 'Enfin, ik belde alleen maar om jullie prettig kerstfeest te wensen.'

'Hetzelfde, Luke,' zei ze en ze hing op.

Maar die ene opmerking bleef voortdurend door haar hoofd spelen. Aurora en Richard waren samen met de kinderen op wintersport gegaan, waarschijnlijk omdat ze wisten hoe eenzaam het dit jaar op Water's Edge zou zijn en dus wist ze zeker dat Vivi Ann en Noah daarginds in hun eentje zaten.

Kon ze dat opbrengen? Gewoon weer naar de blokhut lopen, alsof ze terugging in de tijd? Ze probeerde alles logisch te beredeneren, maar ze kon het niet meer van zich afzetten. Een intens verlangen maakte zich van haar meester, dus pakte ze haar jas, glipte de deur uit en liep over het grindpad naar de blokhut van Vivi Ann, waar ze op de deur klopte.

Vivi Ann deed meteen open. Ze zag er afschuwelijk uit. Haar haar leek op een vogelnestje, alsof ze er constant in had zitten woelen, haar gezicht was rood en vlekkerig, haar ogen bloeddoorlopen en ze stond op haar benen te zwaaien alsof ze dronken was. 'Wat moet je?'

Winona was even verbluft door het uiterlijk van haar zusje. 'Ik... ik wilde met je praten. Ik weet dat je woest op me bent, maar het is kerstavond en ik... ik dacht...'

'Je komt hier alleen maar om me uit te lachen, hè? Je weet dat hij in hoger beroep heeft verloren.'

'Het spijt me.'

'Wat? Denk je dat ik daarop zit te wachten?' Vivi Ann deed wankelend een pas naar voren. 'Jij hebt daar zelf iedere dag in die rechtszaal gezeten en het bewijsmateriaal horen langskomen, Winona. Mijn zogenaamd briljante zusje. Heb jij ook maar ergens vraagtekens bij gezet? Hij was die kerstavond wel dégelijk ziek! Ik heb zelf zijn temperatuur opgenomen!'

'Denk je dan dat Myrtle heeft gelogen?'

'Ik denk dat ze zich vergist heeft. Dat kan niet anders. En dat bewijsmateriaal met die haren sloeg nergens op. Zelfs jij kunt niet denken dat Dallas met Cat naar bed ging terwijl hij met mij getrouwd was.' Vivi Anns ogen stonden glazig en een beetje wild en Winona voelde een spoortje angst. Ergens klopte iets helemaal niet.

Binnen in huis begon Noah te huilen.

'Geef antwoord,' snauwde Vivi Ann. 'Denk je echt dat hij met Cat naar bed ging? Je hebt ons toch samen gezien.'

Winona begreep dat Vivi Ann wanhopig probeerde om haar te overtuigen. Ze wist dat ze alleen maar net hoefde te doen alsof ze haar geloofde, dan lag een verzoening waarschijnlijk wel voor de hand. Maar als je van iemand hield, moest je af en toe sterk zijn en gewoon zeggen waar het op stond. Vivi Ann kon er kennelijk niet meer tegen. Ze kon niet veel meer hebben. Winona mocht dan niet veel afweten van strafrecht, maar het was niet verstandig om te denken dat er wonderen in gebeurden.

Ze deed een stapje naar haar zusje toe. Vivi Ann leek sprekend op een van die schichtige, mishandelde paarden van haar, doodsbang en klaar om ervandoor te gaan. 'Hier ga je echt kapot aan, Vivi Ann,' zei Winona, zo vriendelijk als ze kon opbrengen. 'Je moet ophouden met geloven in iets wat nooit zal gebeuren…'

'Hij zal wel degelijk vrijkomen!'

'Ik heb inderdáád in die rechtszaal gezeten en de waarheid gehoord die jij niet wenst in te zien. Hij…'

'Zeg het niet, Win.'

'Je weet het best, Vivi. Dat kan niet anders. Hij is schuldig. Je moet gewoon…'

Vivi Ann gaf haar zo'n harde klap in haar gezicht dat ze achteruit struikelde. 'Maak dat je wegkomt. Ik wil nooit meer een woord met je wisselen. Helemaal nooit meer.'

Zeventien

De jaren sleepten zich langzaam voort.
1997.
1998.
1999.

Aurora had een aantal keren geprobeerd om weer vrede te stichten in de familie, maar in Vivi Anns verschrompelde hart was geen ruimte voor vergiffenis en eerlijk gezegd wenste ze daar ook geen ruimte voor te maken. Haar vader en Winona hadden haar te diep gekwetst. Iedere zaterdag leverde ze Noah af bij Aurora en reed in tweeëneenhalf uur naar de gevangenis om achter een smerige plexiglazen ruit door een zwarte telefoon met Dallas te praten. Roy diende het ene bezwaar na het andere in en telkens opnieuw werd hun hoop de bodem ingeslagen. Maar toen hij uiteindelijk belde dat ook het laatste bezwaar door het staatsgerechtshof was afgewezen voegde hij er haastig aan toe: 'Daar moet je niet over inzitten, hoor. Ik ga nu naar het federale gerechtshof.' Dus had ze opnieuw geprobeerd de moed erin te houden, terwijl de maanden voorbijgingen.

Ze was er inmiddels achter dat ze dat alleen kon uithouden als ze alle andere emoties uitschakelde. Ze slikte kalmerende middelen alsof het snoepjes waren en alleen daardoor was ze in staat om zich overdag normaal te gedragen. Daarbij had ze veel steun aan Aurora, aan wie ze zich echt kon vastklampen. Maar als Vivi Ann 's avonds alleen was, dronk ze te veel en klemde haar zoon veel te stijf tegen zich aan, of ze negeerde hem. Af en toe zat ze daar maar gewoon en probeerde zich voor de geest te halen hoe het was geweest om Dallas aan te raken en hem vast te houden, terwijl ze Noah vergeefs liet roepen en huilen. Maar die herinneringen sijpelden langzaam maar zeker weg uit haar geheugen en als die er niet meer zouden zijn, had ze helemaal niets meer om zich tegen dat doffe gevoel te verzetten. Dus liet ze zich gaan en viel vervolgens als een blok in slaap op de bank.

Doordat ze iedere zaterdag weg moest, had ze bepaalde dingen gemist: de eerste keer dat Noah op een driewieler zat, het winterfeest van de crèche en zelfs zijn vierde verjaardag. Ze had zichzelf wijsgemaakt dat hij daar niets van zou merken, dat hij nog veel te jong was en dat hij haar ook zou geloven als ze hem vertelde dat hij op zondag jarig was – wat inderdaad het geval was – maar ze had de medelijdende blik gezien die Aurora op haar had geworpen en ze had zich om moeten draaien.

Inmiddels was het oktober 1999 en opnieuw zaterdag. Bijna vier jaar nadat Dallas was opgepakt.

Ze zat op het parkeerterrein van de gevangenis en staarde door de voorruit naar de grijze muren. Het regende hard en door het natte glas zag het gebouw er somber en verloren uit, alsof het beschutting zocht tegen de heuvels erachter in plaats van er triomfantelijk voor te staan.

Het inchecken gebeurde tegenwoordig op de automatische piloot, het drong nauwelijks tot haar door hoe angstaanjagend het hele proces was. Tegenwoordig hoorde ze eigenlijk alleen nog maar de bijbehorende geluiden: het gerammel van deuren, het geklik van sloten en het geroezemoes van stemmen in de verte.

Ze ging weer in haar gebruikelijke hokje zitten, helemaal links, en wachtte.

'Hoi, Vivi,' zei hij toen hij tegenover haar kwam zitten.

Eindelijk kon ze weer lachen. Ondanks de apathie die haar in het dagelijks leven bekroop, kon ze niet verhullen dat ze pas in zijn nabijheid echt tot leven kwam. Hoe gek het ook was, ze was altijd blij als ze hem zag, ook al konden ze elkaar niet aanraken. Ze noemde zijn naam en dat voelde aan als het gebed, dat het ook bijna was geworden. Daarna trok ze de laatste foto van Noah uit haar zak. Het was een portret van een intelligent, vrolijk zesjarig kereltje, met een honkbalpetje op en een honkbalknuppel in zijn hand.

Dallas keek er met grote ogen naar en raakte het glas aan alsof het voor deze ene keer zijn hand niet zou tegenhouden.

'Hij mist je,' zei Vivi Ann.

'Hou daarmee op,' zei hij. 'We hebben nog maar zo weinig over. Laten we in ieder geval eerlijk tegenover elkaar blijven.'

Ze had beter moeten weten dan tegen hem te jokken. Ze konden elkaar weliswaar niet aanraken, maar de band tussen hen was nog steeds even sterk. 'Ik wou dat je me toestemming gaf om hem mee te brengen...'

'Daar hebben we het al eerder over gehad. Hij heeft er geen behoefte aan me hier te zien. Hij kan me maar beter vergeten.'

'Dat moet je niet zeggen.'

Daarna hielden ze hun mond en bleven elkaar door het vuile plexiglas aanstaren met de hoorn in hun hand, zonder te weten wat ze verder moesten zeggen. Ze wist niet zeker hoe lang ze daar zo zwijgend hadden gezeten, maar toen de bel ging die aangaf dat het bezoekuur voorbij was, schrok ze op.

'Je ziet er moe uit,' zei Dallas uiteindelijk.

Eigenlijk wilde ze net doen alsof ze niet begreep waar hij het over had en opnieuw tegen hem jokken, maar ze wist dat hij de waarheid op haar gezicht kon zien, en in haar vermoeide ogen. In de jaren dat hij opgesloten zat, was het steeds moeilijker geworden om net te doen alsof ze nog een gezamenlijke toekomst hadden. Ze waren allebei magerder geworden. Roy had een maand geleden nog gezegd dat ze op een wandelend geraamte leken. Dallas had altijd al scherpe trekken gehad, maar nu zag zijn gezicht er hol en uitgemergeld uit. En de tijd had ook sporen nagelaten op Vivi Anns gezicht, dat kon ze iedere ochtend in de spiegel zien. Zelfs haar haar was dof en sprieterig geworden omdat ze het niet goed verzorgde en niet vaak genoeg liet knippen. Ze was tweeëndertig, maar ze zag er bijna tien jaar ouder uit.

'Het valt niet mee,' antwoordde ze zacht.

'Slik je nog steeds pillen?'

'Bijna nooit meer.'

'Je liegt,' zei hij.

Ze keek hem aan en de liefde voor hem sneed als een mes door haar borst. 'Hoe houd jij het uit?'

Hij leunde achterover. Dit overkwam hun maar zelden, dat ze zo eerlijk tegen elkaar waren. 'Als ik buiten op de binnenplaats kom, zoek ik een stil plekje op en dan blijf ik daar met mijn ogen dicht staan. Als ik geluk heb, klinkt de herrie om me heen als hoefslagen.'

'Renegade,' zei ze.

'Ik weet nog hoe ik hem 's nachts bereed... die ene nacht.'

Ze keken elkaar aan en de herinneringen waren zinderend en springlevend. 'Dat was de eerste keer...'

'Hoe houd jij het uit?'

Pillen. Drank. Ze wendde haar blik af en hoopte dat hij niets zou merken. 'Buiten op de veranda hangt een van die windklokjes die mijn moeder heeft gemaakt. Dat heeft ze me gegeven toen ze ziek was en ze zei erbij dat als ik er heel goed naar luisterde ik haar stem zou horen. En dat is ook zo.' Ze keek hem weer aan. 'En nu hoor ik jou ook. Af en toe zit ik gewoon te wachten tot het gaat waaien...'

Ze hield haar mond. Dat was de ellende met herinneringen, ze waren net zo gevaarlijk als omgevallen hoogspanningsmasten. Je kon er maar beter bij uit de buurt blijven.

'Heb je nog iets van Roy gehoord?' vroeg ze.

'Nee.'

'Nou ja, dat zal niet lang meer duren,' zei ze. Ze deed haar best om dat ook echt te geloven. 'Het federale hof zal je zaak wel heropenen. Wacht maar.'

'Ja, vast,' zei hij en hij stond op. 'Ik moet ervandoor.'

Ze keek toe hoe hij de telefoon ophing en achteruitstapte.

'Ik hou van je,' zei ze.

Hij herhaalde het zinnetje geluidloos voor haar en toen was hij weg. De deur viel achter hem dicht.

Ze bleef daar nog een hele tijd in dat lege hokje zitten, tot er een vrouw naar haar toe kwam en haar op de schouder tikte.

Vivi Ann mompelde een verontschuldiging, stond op en liep weg.

De rit naar huis leek langer te duren dan gewoonlijk. Er waren tegenwoordig zoveel dingen waar ze niet aan wilde denken, dat ze zich echt moest concentreren om haar angst te onderdrukken. En overdag wilde dat nog wel lukken. Maar de avonden en nachten waren een hel en zelfs als ze te veel pillen nam, hielp dat niet altijd.

Bij de ranch zette ze de auto tussen de bomen en keek op haar horloge. Het was drie uur. Dat betekende dat ze nog een uur de tijd had om de paarden te voederen, voordat ze Noah bij Aurora op moest halen.

Noah.

Dat was ook iets wat ze onder ogen moest zien. Als moeder begon ze echt in gebreke te blijven. Ze was stapelgek op haar zoon, maar iedere keer als ze naar hem keek, leek er opnieuw een stukje van haar hart af te breken. Daar moest verandering in komen. Morgen zou ze ophouden met die pillen en de draad van haar leven weer oppakken. Dat moest gewoon.

Haar goede voornemens (die ze al eerder had gehad, maar dit keer meende ze het echt, dit keer zou ze zich eraan houden) maakten dat ze zich een tikje beter voelde toen ze naar de hooischuur liep waar genoeg hooi opgeslagen lag voor een week.

In de manege knipte ze het licht aan en begon de paarden te voeren, een bezigheid waardoor ze zo tot rust kwam dat ze bijna glimlachte toen ze bij de box van Clem kwam.

'Hé, meid, heb je me gemist?'

Het bleef stil. Geen gehinnik, geen staart die heen en weer zwiepte.

Vivi Ann wist meteen wat er aan de hand was toen haar voet de verse houtsnippers raakte.

Clementine lag op een hoopje tegen de houten wand van de box. Haar grote, grijzende hoofd bungelde omlaag.

Vivi Ann bleef doodstil staan, in de wetenschap dat ze door de knieën zou gaan als ze bewoog. Het kostte haar de grootste moeite om adem te halen. Op dat moment, in de koele, schemerige en vertrouwde omgeving van de stal die altijd haar liefste plekje op aarde was geweest, zag ze het hele leven van de grote merrie voorbijflitsen. Het leven dat ze met haar had gedeeld.

Weet je nog die keer dat je in dat horzelnest trapte... dat je over de sloot sprong en ik in die bramenstruiken belandde... dat we voor het eerst de staatsprijs wonnen?

Vivi Ann slikte iets weg en viel op haar knieën naast de buik van Clem. Toen ze haar hand uitstak en die op de hals van de merrie legde, voelde ze een kilte die er niet hoorde te zijn. Ze had nog zoveel te vertellen aan dat grote dier dat haar laatste schakel met haar moeder was geweest en nu kon dat niet meer. Vivi had een brok in haar keel en haar ogen prikten. Hoe moest ze verder zonder Clem? Zeker nu ze al zoveel had verloren?

Ze wreef over Clems grijzende oren. 'Je had buiten in het zonnetje moeten zijn, meid. Je had zo'n hekel aan die donkere stal.'

Daardoor moest ze ineens aan Dallas in zijn cel denken en ze werd overmand door een gevoel van eenzaamheid en verdriet. Ze ging tegen haar merrie aan liggen, trok haar knieën op en sloot haar ogen.

Vaarwel, Clem. Doe de groeten maar aan mammie.

De tijd kroop voorbij, langzaam maar zeker, zonder ook maar een moment stil te staan. Het jaar 2000 ebde voorbij in een grauw waas vol lege dagen en nachten waar geen eind aan kwam. Noah was op zijn vijfde naar de kleuterschool gegaan, op zijn zesde mocht hij op honkbal en op zijn zevende ging hij voetballen. Op zaterdag kon ze nooit naar zijn wedstrijden toe en dat was weer iets om zich schuldig over te voelen. Aurora bood vaak aan om met haar mee te gaan naar de gevangenis, maar daar wilde Vivi Ann niets van weten. Dat was iets wat ze in haar eentje wilde doen.

Maar eindelijk, in september 2001, kwam het telefoontje waarop ze had zitten wachten.

'Meneer Lovejoy wil graag dat u vandaag langskomt.'

Het moest goed nieuws zijn, dat wist Vivi Ann zeker. In al die jaren dat Dallas vastzat, had Roy nooit gevraagd of Vivi Ann naar zijn kantoor wilde komen.

Goddank, dacht Vivi Ann toen ze zich die ochtend aankleedde. En dat woordje bleef door haar hoofd spoken, tot ze aan niets anders meer kon denken.

Onderweg stopte ze bij de school en haalde Noah op. Na alles wat ze meegemaakt hadden, verdiende hij het om erbij te zijn als ze het goede nieuws kreeg.

'Nou mis ik de pauze,' zei Noah. Hij zat naast haar met een paar plastic dinosauriërs te spelen.

'Ja, dat weet ik wel, maar er is nieuws over pappie en daar hebben we al zo lang op moeten wachten. Ik wil dat je je deze dag later kunt herinneren, dat je kunt zeggen dat je erbij was.'

'O.'

'Want ik heb de moed nooit opgegeven, Noah. Dat is ook heel belangrijk, al kostte het veel moeite.'

Het enige geluid dat hij produceerde, was dat van zijn vechtende dino's.

Vivi Ann zette de radio aan. In Belfair, de stad die aan het eind van het Canal lag, reed ze naar het kantoor van Roy dat in een oud pand naast de bank gevestigd was.

'We zijn er,' zei ze toen ze de auto had geparkeerd. Haar hart bonsde zo, dat haar hoofd ervan duizelde, maar toch nam ze geen pil. Na vandaag zou ze die voorgoed afzweren. En ze zou ze toch niet meer nodig hebben als hun gezinnetje herenigd was. Ze pakte Noahs hand vast en liep samen met hem over het betonnen pad naar de deur.

Binnen zei ze met een glimlach tegen de receptioniste: 'Ik ben Vivi Ann Raintree. Ik heb een afspraak met Roy.'

'Dat klopt,' zei de receptioniste. 'Hij zit op u te wachten.'

Roy zat achter zijn bureau te bellen. Hij glimlachte toen ze binnenkwam, gebaarde dat ze moest gaan zitten, zei nog iets tegen de persoon die hij aan de lijn had en verbrak de verbinding.

Vivi Ann zette Noah op de bank achter haar, zei dat hij rustig moest spelen en ging toen tegenover Roy zitten.

'Dat heb je snel gedaan,' zei hij.

'Ik heb toch al jaren op dat telefoontje zitten wachten? Jij dan niet?'

'O,' zei Roy fronsend. 'Daar had ik aan moeten denken.'

'Aan wat?'

'Dat jij dit zou denken.'

Vivi Ann voelde dat ze verstrakte. 'Je hebt me toch laten komen om me te vertellen dat we het hoger beroep voor het federale gerechtshof hebben gewonnen?'

'Eerlijk gezegd, nee.'

Achter haar werd de stem van Noah steeds luider, net als het geklik van de dinosauriërs, maar dat hoorde Vivi Ann nauwelijks omdat het bloed plotseling in haar oren bonsde. 'Wat heb je me dan te vertellen?'

'Het spijt me, Vivi Ann, maar we hebben opnieuw verloren.'

Heel langzaam deed ze haar ogen dicht. Hoe kon ze zo naïef zijn geweest? Wat mankeerde haar? Ze wist toch dat de zaak hopeloos was. Ze haalde diep adem, zuchtte en keek hem aan.

Ze wist dat ze er kalm en beheerst uitzag, alsof deze nieuwe tegenslag niets anders was dan de zoveelste hobbel die ze moest nemen. Ze moest zichzelf tot vanavond in de hand houden. Inmiddels had ze al jarenlang ervaring opgedaan met wachten, net doen alsof en dingen verbergen. 'Mag ik een glaasje water?'

'Natuurlijk. Daar staat een kan.'

Ze stond op, liep ernaartoe en schonk een glas water in. Voordat ze zich omdraaide, was haar hand al naar haar zak gegaan om een paar pillen te pakken, die ze haastig innam. 'Weet Dallas het al?'

'Sinds gisteren,' zei Roy.

Vivi Ann ging weer zitten en hoopte dat de verdoving snel zou gaan werken. De gevoelens die ze nu onderging, hield ze niet lang uit. 'En nu? Wat gaan we nu doen?'

'Ik heb alles gedaan wat mogelijk was in deze zaak. Ik ben geen pro-Deoadvocaat meer, dat weet je. Ik heb tot nog toe alles voor niets gedaan, maar ik kan je niet verder helpen. Je kunt naar een andere advocaat toe gaan en zeggen dat ik onbekwaam was, en verdorie, misschien is dat ook wel zo. In ieder geval ben ik bereid om je in dat geval verder te helpen als je dat wilt.' Hij zuchtte. 'Maar ik weet het niet, Vivi. Ik weet alleen dat we alles hebben gedaan wat we konden. Het spijt me.'

'Dat moet je niet zeggen.' Ze hoorde zelf hoe schril en wanhopig haar stem klonk, met een ondertoontje van boosheid, en ze glimlachte snel om die indruk af te zwakken. 'Dat hoor ik al jaren, van iedereen om me heen. Ik word er doodmoe van. We hebben je nodig, Roy, om te bewijzen dat hij onschuldig is.'

Roy wendde zijn blik af.

Het schichtige gebaar alarmeerde Vivi Ann. 'Roy? Wat is er aan de hand?'

'Niets. Alleen… Ik heb van de week een openhartig gesprek met Dallas gehad. Eindelijk.'

'Je weet toch dat hij onschuldig is, Roy? Dat heb je me zelf wel duizend keer verteld.'

'Daar kan ik nu geen commentaar meer op geven.'

Ineens werd ze echt bang. Probeerde Roy haar te vertellen dat Dallas tegenover hem schuld bekend had? Ze sprong op en keek op hem neer. 'Ik kan niks met dat soort geleuter, Roy. Probeer me alsjeblieft niet te belazeren.'

Hij keek langzaam op en wierp haar een verdrietige blik toe. 'Ga maar met Dallas praten, Vivi Ann. Ik heb geregeld dat je morgen bij de gevangenis terechtkunt.'

'Is dat alles? Is dat het enige wat je me na al die jaren te vertellen hebt?'

'Het spijt me.'

Ze draaide zich met een ruk om, pakte Noah bij de hand en sleepte hem mee, het kantoor uit naar de auto.

Onderweg naar huis ging ze het hele gesprek in gedachten nog eens langs en probeerde ze er het beste van te maken. Bij Aurora duwde ze Noah naar haar zusje en zei: 'Ik kan hem vanavond niet om me heen hebben.'

Ze hoorde dat Aurora haar nariep dat ze terug moest komen, maar daar trok ze zich niets van aan. Ze was zo bang dat ze zich alleen nog maar uit de voeten wilde maken om vergetelheid te zoeken.

Toen ze eindelijk thuis was, smeet ze de deur achter zich dicht en liep regelrecht naar het medicijnkastje. Ze nam veel te veel pillen – maar wat maakte het uit? Zolang ze dat verdriet maar niet voelde. Ze spoelde het weg met tequila.

Nadat ze in bed was gekropen, trok ze de dekens op en probeerde nergens meer aan te denken. Niet aan Dallas, niet aan Noah, niet aan de toekomst.

De volgende ochtend stapte ze uit bed met het gevoel dat ze een verdroogd en verschrompeld stukje leer was, nam een gloeiend hete douche en reed naar de gevangenis.

'Vivi Ann Raintree. Ik kom op bezoek bij Dallas Raintree,' zei ze formeel, hoewel iedereen haar inmiddels kende.

De vrouw achter de balie – vandaag was het Stephanie – glimlachte. 'Je advocaat heeft geregeld dat jullie vandaag direct contact mogen hebben.'

'Echt waar? Dat heeft niemand me verteld.'

Normaal gesproken zou ze dolblij zijn geweest bij het idee dat ze hem zou kunnen aanraken. In al die jaren dat ze hier kwam, had ze die kans maar een paar keer gehad. Maar nu wist ze waarom dit bezoek gepland was. Het was Roys afscheidscadeau aan haar, een teken dat het eind in zicht was.

Ze liep naar de metaaldetector en op het moment dat ze eruit stapte, zei een grote man in uniform bruusk: 'Deze kant op.' Hij zette een stempel op haar hand en gaf haar een pasje dat ze om haar nek moest hangen.

Daarna liep ze achter hem aan door een brede, grijze gang. Deuren openden automatisch en vielen achter hen met een luid geklik weer dicht. Het geluid leek bij iedere deur luider te worden, tot Vivi Ann in de eigenlijke gevangenis was, het gebouw waarin de gevangenen zaten.

Aan het eind van de volgende gang liep de bewaker eindelijk een klein vertrek binnen. Het had geen ramen en er waren geen hokjes. In de hoek tegenover de deur stond een geüniformeerde bewaker. Hij zag haar binnenkomen, maar hij bewoog zich niet en knikte evenmin.

In het midden stond een grote houten tafel, bekrast en verweerd door jarenlang gebruik. Een paar gegoten plastic stoeltjes stonden eromheen. Ze liep ernaartoe, ging zitten en schoof haar stoel aan. Op de muur tegenover haar tikten de minuten weg.

Eindelijk klonk er een gezoem achter in het vertrek en de deur zwaaide open. De bewaker draaide zijn hoofd om en keek ernaar.

Dallas strompelde de kamer binnen, aan handen en voeten geboeid. De boeien zaten met kettingen vast aan een ketting om zijn middel.

Ze stond op en wachtte. Ze kon nauwelijks geloven dat ze na al die jaren weer zo dicht bij elkaar waren.

Hij schuifelde naar haar toe en ze sloeg haar armen om hem heen en trok hem stijf tegen zich aan. Ze voelden allebei hoe mager en knokig ze waren geworden.

'Zo is het genoeg,' zei de bewaker. 'Ga zitten.'

Vivi Ann liet hem met tegenzin los. Hij schuifelde terug naar de andere kant van de tafel en ging zitten. Daarna zakte hij onderuit in zijn stoel en strekte zijn benen. Zijn haar was inmiddels echt lang geworden en hing tot over zijn schouderbladen.

Ze haalde de laatste foto van Noah uit haar zak en gaf hem die. Zijn zoon zat op Renegade te zwaaien naar de camera. 'Je zou je zoon eens moeten zien rijden. Hij wordt net zo goed met paarden als jij.'

Dallas pakte de foto met trillende vingers op. 'Wij doen elkaar geen goed, Vivi Ann.'

'Zeg dat niet. Alsjeblieft.'

'Ik heb mijn best gedaan om goed genoeg te zijn voor jou.'

Ze slikte iets weg. 'Wat heb je tegen Roy gezegd?'

'Dat doet er niet meer toe.' Hij bleef zo roerloos zitten dat het leek alsof hij niet eens ademde. En dat sloeg nergens op, want zij zat te hijgen alsof ze net een honderd meter sprint achter de rug had.

'Weet je wat ik het allerfijnst van je vond, Vivi? Dat je nooit hebt gevraagd of ik haar vermoord heb. Nooit.'

Ze liep naar hem toe, trok hem in haar armen en kuste hem. Ze wilde hem gewoon vóélen, ze wilde hem aanraken, maar het enige wat ze proefde, waren haar eigen tranen. 'Probeer me niet wijs te maken dat je het gedaan hebt, Dallas. Dat geloof ik toch niet. En waag het niet om de moed op te geven. Dit is iets van ons samen. We moeten blijven knokken...'

'Achteruit,' zei de bewaker terwijl hij naar hen toe liep.

Door haar tranen heen kon Vivi Ann zien dat Dallas glimlachte. Het was hetzelfde sexy lachje waarmee hij haar jaren geleden in de Outlaw had begroet, op de avond dat ze elkaar leerden kennen. 'Je had met Luke moeten trouwen.'

'Zeg dat niet,' zei ze, maar het bleef bij een gefluisterde smeekbede.

De bewaker deed de deur open en nam Dallas mee.

Ze keek omlaag en zag de foto van Noah nog steeds op de tafel liggen. Toen wist ze dat hij de strijd opgegeven had.

Terwijl het van september oktober werd en vervolgens november ging Vivi Ann trouw iedere zaterdag naar de gevangenis en liet zich inboeken. Daarna bleef ze alleen in een hokje zitten en keek toe hoe de klok de minuten van haar leven wegtikte.

Dallas kwam nooit meer naar haar toe. Haar wekelijkse brieven kwamen ongeopend retour. In december, precies zes jaar na zijn arrestatie, stuurde hij een ansichtkaart met de tekst: *Geef mijn pick-up maar aan Noah en vertel hem de waarheid.*

De waarheid.

Ze wist niet eens wat hij daarmee bedoelde. Welke waarheid? Dat zijn ouders van elkaar hadden gehouden, of dat die liefde hen allemaal kapot had gemaakt? Of bedoelde hij, zoals Roy had gesuggereerd, dat hij de moord op Cat had bekend? Dat zou ze nooit tegen haar zoon zeggen en ze geloofde er trouwens ook niets van. Ze wist het niet. Het enige wat ze wel wist, was dat ze tegenwoordig geen kant meer op kon. Het was heel naar geweest dat ze al die jaren naar de gevangenis had gemoeten om hem te zien. Maar het was nog erger om hem helemaal niet meer te zien. Tot vandaag had ze echt gedacht dat het niet erger kon worden.

En toen was de post gekomen. Na een blik op de grote bruine envelop met het adres van de gevangenis had ze 'goddank' gedacht en hem opengescheurd.

Aanvraag tot echtscheiding.

Niets had ooit zoveel pijn gedaan, zelfs niet het verlies van mam of Clem. Helemaal niets.

Ze was rechtstreeks naar het medicijnkastje gelopen voor haar pillen, ze had er te veel ingenomen en ze weggespoeld met tequila. Daarna was ze in bed gekropen, had haar ogen gesloten en de hemel gesmeekt dat ze niet zou dromen...

'Mammie? Is het nog geen tijd?'

Ze tilde haar hoofd op van het kussen.

'Mammie?'

Noah stond naast het bed. 'We moeten naar het huis van Sam, weet je nog wel?'

'Hè?'

Zijn gezicht betrok, een uitdrukking die er steeds vaker op verscheen. 'Het feestje begint om drie uur. Alle andere moeders weten dat.'

'O...' Ze duwde de dekens van zich af en strompelde het bed uit. Ze probeerde een douche te nemen, maar haar handen waren zo gevoelloos dat ze de kraan niet open kreeg. Dus trok ze haar haar maar losjes bij elkaar in een paardenstaart en begon zich aan te kleden. Het duurde uren voordat ze zich in een oude grijze trainingsbroek, cowboylaarzen en een flanellen overhemd had gewurmd. 'Kom op, dan gaan we, kerel,' zei ze en ze probeerde te glimlachen. Ze had het gevoel dat haar tong dubbelsloeg.

'Waar is het cadeautje?'

'Hè?'

'Hij is járig, mam.'

'O ja.' Ze liep onzeker door het huis en wenste dat de mist in haar hoofd zou optrekken. Toen vond ze een vrijwel nieuwe halter op het aanrecht (hoe kwam dat ding daar terecht?) en wikkelde die in de strippagina's uit de krant van zaterdag. 'Hier. Hij heeft toch net een nieuw paard?'

'Wat een stom cadeau.'

'Kiezen of delen.'

Hij zuchtte. 'Vooruit dan maar.'

Toen ze naar de pick-up liepen, begon het net te regenen.

Tegen de tijd dat ze zijn veiligheidsgordel eindelijk dicht had, was ze kletsnat geworden. Haar trillende vingers glibberden over het stuur.

Ze trapte het gaspedaal in en reed in de stromende regen door de stad, waarbij ze echt haar best moest doen om door de kletsnatte voorruit de weg te zien. De ruitenwissers konden de regen nauwelijks aan. Het was net zulk weer als de laatste keer dat ze naar Dallas was gegaan... Toen ze hem nog gekust had en gesmeekt om de moed niet op te geven... Toen had het ook geregend toen ze naar buiten kwam, toen was...

'Mammie!'

Ze knipperde met haar ogen. Ze reed op de verkeerde weghelft en een auto kwam toeterend met een noodgang op haar af.

Nadat ze een ruk aan het stuur had gegeven schoot de pick-up naar rechts en hobbelde over een trottoir. Ze trapte de rem in, maar te laat of te fel. De auto schoot door over het natte gras en knalde tegen een boom.

Ze sloeg zo hard met haar hoofd tegen het stuur dat ze even buiten westen was.

Toen hoorde ze Noah gillen.

Een ijselijk, hysterisch gekrijs dat van heel ver leek te komen. Ergens diep vanbinnen maakte het wel iets in haar wakker, maar haar hoofd was zo wazig dat ze er geen touw aan vast kon knopen.

'Mammie!'

Met trillende vingers maakte ze haar gordel en de zijne los. Noah stortte zich in haar armen en lag met zijn gezicht in haar hals te huilen.

Heel langzaam, tergend langzaam, begon ze hem te voelen en te beseffen wat er net gebeurd was. Ze klemde hem tegen zich aan en snoof zijn kleine-jongetjesgeur op. Een tijdlang had ze Noah afgehouden, gewoon omdat ze bang voor hem was, maar nu welde de liefde voor hem ineens weer op als water bij een dijkdoorbraak waarin ze kopje onder dreigde te gaan. 'O, mijn god,' riep ze uit. 'Het spijt me zo...'

Hij keek naar haar op en snufte. Zijn ogen waren zwart van de tranen. 'Is alles goed met je, mammie?'

'Nu wel weer, Noah. Dat beloof ik je.'

Vivi Ann zette de pick-up in de achteruit en slaagde erin de auto weer op de weg te krijgen.

Haar hele lichaam trilde toen ze verder reed, maar ze deed haar best om dat verborgen te houden voor haar zoon, die weer met zijn dinosauriërs zat te spelen alsof er niets was gebeurd. Maar hij zou deze dag nooit vergeten, dat wist ze helaas zeker.

Ze zette hem af bij het feestje en hield hem even zo stijf tegen zich aan dat hij worstelde om los te komen. 'Ik hou van je, Noah,' zei ze en ze vroeg zich af hoe lang het geleden was dat ze hem dat had verteld.

'Ik ook van jou, mammie.'

Ze keek hem na terwijl hij naar de voordeur liep. In een ander leven – een leven zoals ze zich dat had voorgesteld – zou ze met hem mee naar binnen zijn gegaan en zich bij de moeders hebben gevoegd die alle spelletjes in goede banen leidden en lekkers uitdeelden.

Nu stond ze hier in haar eentje, afgescheiden van haar eigen leven. Daar moest een eind aan komen.

Ze liep terug naar de gedeukte, rokende pick-up en ging achter het stuur zitten.

Dat was echt een lachertje: zij achter het stuur. Ze had al jaren de touwtjes uit handen gegeven, en wat kon ze daar nu aan doen? Het enige wat ze kon bedenken, was dat ze hulp nodig had. Ze kon haar problemen niet meer alleen aan.

En Winona's huis was aan de overkant.

Ze stapte uit en liep naar het witte hekje dat rond de tuin van haar zusje stond. De regen striemde op haar neer en maakte alles wazig, maar desondanks wist ze ineens precies wat haar te doen stond. Noah verdiende meer dan ze hem nu kon geven.

Uiteindelijk slaakte ze een diepe zucht en liep naar Winona's deur.

'Winona? Je zusje is hier. Vivi Ann.'

Winona had zo lang op dat ene zinnetje gewacht, dat ze meteen opsprong toen ze het eindelijk hoorde en bijna vergat om te zeggen dat Lisa haar snel door moest sturen.

Ze bleef onzeker staan wachten en probeerde hoopvol en bang te bedenken wat ze moest zeggen. Maar toen Vivi Ann binnenkwam, schrok Winona zo dat er geen woord over haar lippen kwam. Want Vivi Ann huilde niet gewoon, ze snikte zo dat haar schouders ervan schokten. De dikke tranen die over haar wangen biggelden, maakten een puinhoop van haar bleke, uitgemergelde gezicht.

Winona liep naar haar toe en spreidde automatisch haar armen.

Maar Vivi Ann draaide zich om en viel neer op de bank. Winona ging tegenover haar zitten en wachtte af. Ze durfde nauwelijks adem te halen. Ze had zoveel om tegen haar zusje te zeggen, woorden die ze al jarenlang gekoesterd had, maar voor de verandering moest ze zich nu maar eens inhouden en niet als eerste haar mond opendoen.

De stilte leek een eeuwigheid te duren. Toen zei Vivi Ann rustig: 'Het scheelde maar een haartje of ik had net Noah en mezelf gedood.'

'Wat is er gebeurd?'

'Dat doet er niet toe.' Ze wendde haar blik af. 'Ik wil hier weg, verdomme, maar ik weet niet waar ik naartoe moet.'

'Je moet niet bij ons weglopen,' zei Winona. 'Wij zijn je familie. Wij zijn Noahs familie. We slaan ons er wel doorheen.'

'Dallas komt nooit meer vrij. In dat opzicht heb je dus gelijk gekregen. En nu wil hij van me scheiden.'

'Ik heb in veel opzichten geen gelijk gehad, Vivi,' zei Winona. En dat had ze eigenlijk al veel eerder moeten zeggen.

'Ik weet dat ik volgens jou knettergek ben omdat ik van hem hou, en dat je me haat omdat ik Luke verdriet heb gedaan, maar nu heb ik je raad nodig, Win.' Vivi Ann keek haar aan.

'Ik haat je niet omdat je Luke verdriet hebt gedaan,' zei Winona met een zucht. 'Ik haatte je gewoon omdat hij van je hield.'

Vivi Ann fronste en poetste in haar ogen. 'Hè?'

'Ik heb vanaf mijn vijftiende van Luke Connelly gehouden. Dat had ik je moeten vertellen.'

Het duurde lang voordat Vivi Ann haar mond opendeed, en toen ze begon te praten, kwamen de woorden aarzelend. 'Jij hield van hem. Nou, dat verklaart dan wel alles, denk ik,' zei ze. 'Wij Greys hebben niet bepaald veel geluk in de liefde, hè? Wat moet ik nu doen, Win?'

Winona had het antwoord op die vraag al jaren klaar, ze had zich erop voorbereid en in gedachten voorgesteld hoe ze zou reageren. Maar nu het eindelijk zover was, begreep ze ineens hoe wreed de waarheid was en die kreeg ze dan ook niet over haar lippen.

'Zeg het maar,' zei Vivi Ann en ze klonk zo gebroken dat Winona begreep dat Vivi de waarheid allang kende en dat ze alleen de hulp van haar grote zus nodig had om die onder ogen te zien.

'Je moet niet langer Dallas' vrouw zijn maar in plaats daarvan een moeder voor Noah worden. En die pillen zullen je dood worden.'

'Noah verdient een betere moeder dan ik.'

Winona stond eindelijk op, trok haar jongere zusje in haar armen en liet haar uithuilen. 'Je komt er echt overheen, dat zweer ik. We zullen je allemaal helpen. Op een dag zul je zelfs weer verliefd worden.'

Vivi Ann keek op en het verdriet in haar ogen was zo bodemloos dat Winona alleen maar naar de diepte ervan kon raden. 'Nee,' zei ze uiteindelijk. 'Echt niet.'

Deel Twee

Later

Ik wilde dat je zou begrijpen wat echte moed is, in plaats van te denken dat moed gelijkstaat aan een man met een pistool in zijn hand. Dat je aan iets begint terwijl je weet dat je geen schijn van kans hebt, maar dat je het toch oppakt en ondanks alles tot een einde brengt.

–Atticus Finch, in *Spaar de Spotvogels* van Harper Lee

Achttien

※

2007

Er waren plaatsen die in de loop der tijd veranderden en andere die hardnekkig hetzelfde bleven. Seattle was bijvoorbeeld in de afgelopen tien jaar vrijwel onherkenbaar geworden. Overal klonk het geluid van bouwmachines, grote oranje kranen stonden afgetekend tegen de lucht en de torenflats schoten als paddenstoelen uit de grond. De beroemde Space Needle en de ooit zo bekende Smith Tower leken met de dag ouder en kleiner.

Vivi Ann was ook veranderd. Ze was inmiddels negenendertig en haar jeugdige optimisme en energie was ze kwijtgeraakt. Een paar keer per jaar, als ze zich ontzettend alleen, rusteloos en prikkelbaar voelde, reed ze naar de stad. Ze had altijd een smoesje klaar – een veiling van tuig of een paard dat te koop stond – en zodra de oppas was geregeld ging ze op zoek naar troost in donkere kroegen. Maar bij de zeldzame keren dat ze met een man mee naar huis ging, voelde ze zich achteraf niet alleen bezoedeld, maar ook veel ongelukkiger dan voordat ze eraan begon.

En ze keerde altijd weer terug naar Oyster Shores, waar nooit iets veranderde. Och, er was wel wat nieuwbouw bijgekomen en een paar jaar geleden had Bill Gates een zomerhuis laten bouwen aan het Canal, waardoor de plaatselijke bevolking zich ineens grote zorgen ging maken dat er meer miljonairs zouden volgen en dat hun comfortabele oude huizen aan de kust platgegooid zouden worden om allerlei McMansions te bouwen. En dat was ook inderdaad gebeurd en het gebeurde nog steeds, maar met mate.

De meeste oude winkels waren er ook nog, al had het merendeel wel nieuwe uithangborden, dankzij al dat zomergeld. Er waren een paar restaurants bijgekomen, een paar pensionnetjes, en een nieuwe bioscoop, maar daar was het wel bij gebleven.

In feite kwam de grootste verandering in de stad voor rekening van Water's Edge. De ranch was veel succesvoller geworden dan ze ooit had durven dromen. Inmiddels hadden ze twee knechten in dienst die allebei een dagtaak hadden en de manege was zelden leeg. Het was de bekendste ontmoetingsplaats van de stad geworden en Vivi Ann moest echt haar best doen om tijd vrij te maken voor haar zusjes.

Nu zat ze samen met Aurora in het eethuisje, aan hun lievelings- tafel. Om hen heen zaten alleen een paar inwoners gezellig met el- kaar te kletsen. Over een week, bij het begin van de zomervakantie, zou het hier wemelen van de toeristen.

'Ik heb gehoord dat er een nieuwe bankier in de stad is,' zei Aurora. 'Volgens zeggen ziet hij er niet gek uit.' Ze streek een lok van haar pas geblondeerde haar achter haar oor. In de afgelopen maanden had ze ineens besloten dat Nicole Kidman haar mode-ideaal was en dat be- tekende niet alleen dat ze haar korenblonde, geverfde haar dat net tot haar kin reikte helemaal glad trok, maar ook dat ze genoeg make-up droeg om een atoomaanval te overleven.

'Echt waar?' zei Vivi Ann. Ze wisten allebei dat ze daar totaal niet in geïnteresseerd was. 'Misschien kun je hem versieren.'

'Het is inmiddels al twaalf jaar geleden,' zei Aurora terwijl ze Vivi Ann recht aankeek. Alsof ze niet precies wist hoeveel tijd er verlo- pen was sinds Dallas was opgepakt. Er waren nog steeds nachten dat ze geen oog dichtdeed en dagen waarin ze zichzelf wel voor haar hoofd kon slaan omdat ze die echtscheidingspapieren had getekend. Af en toe vroeg ze zich zelfs af of hij haar op de proef had willen stellen, of ze hem door niet op te geven had moeten bewijzen dat ze nog steeds van hem hield. 'Kunnen we alsjeblieft ergens anders over praten?'

'Tuurlijk.' Aurora rekende af en ze liepen samen naar buiten. 'Be- dankt dat je met me wilde lunchen.'

'Geintje zeker? Ik vind het heerlijk om te spijbelen. De volgende keer kleed ik me netjes aan.'

'Jij? Haha.'

'Ik weet toch dat je het vreselijk vindt om gezien te worden met een vrouw in een vijftien jaar oude spijkerbroek.'

'Het is maar een klein stadje. Veel keus heb ik niet. Als ik niet met jou was gaan eten was ik misschien weer bij de Vrouwelijke Vrijwilligers beland, waar ik voor de zoveelste keer te horen had gekregen hoe stom het van me was om Richard te laten gaan. Alsof ik dan maar net moest doen dat het me geen bal kon schelen dat hij zijn assistente pakte.'

Vivi Ann stak haar arm door die van haar zusje. Aurora's bittere scheiding lag inmiddels vier jaar achter hen, maar niemand wist beter dan Vivi Ann hoe lang het duurde voordat bepaalde wonden genazen. Ze wist dat Aurora zich nog steeds dom voelde, omdat ze niet had begrepen dat haar man haar bedroog. 'Maar hoe gaat het nu echt met je?'

'Soms goed, soms minder.'

'Dat klinkt me bekend in de oren,' zei Vivi Ann. Er waren dingen waar je na een tijdje beter niet meer over kon praten. En met betrekking tot Aurora's scheiding was alles al gezegd. Vandaar dat ze zei: 'Hoe gaat het met je werk?'

'Ik vind het geweldig. Ik had veel eerder een baan moeten nemen. Het verkopen van sieraden mag dan geen geneesmiddel voor kanker opleveren, maar het houdt mij van de straat.'

Vivi Ann wilde net antwoord geven toen haar mobieltje overging. Ze pakte het uit haar tas en nam het gesprek aan.

'Vivi? Met Lori Lewis van school. Noah is bij de directeur geroepen.'

'Ik kom eraan.' Vivi Ann klapte mopperend het toestel dicht. 'Noah,' zei ze. 'Hij heeft weer rottigheid op school.'

'Alweer? Zal ik met je meegaan?'

'Nee, bedankt.' Vivi Ann gaf Aurora een knuffel, holde naar haar nieuwe pick-up en reed naar de school.

Ze liep naar het kantoor van de secretaresse en glimlachte strak. 'Hallo, Lori.'

'Hoi, Vivi,' zei Lori en ze liep voor haar uit naar de kamer van de directeur. Terwijl ze die opendeed, zei ze: 'Noah zit nu bij Harding.'

'Dank je,' zei Vivi Ann en ze liep naar binnen.

Harding stond op. Hij was een grote vent in een wit overhemd met korte mouwen, dat strak over zijn bierbuik spande. Daaronder werd een flodderige bruine pantalon opgehouden door strakke bretels. Op zijn vlezige gezicht, met treurige trekken die gelijkenis vertoonden met de kop van een bassethond, waren alweer stoppeltjes te zien. 'Hallo, Vivi Ann,' zei hij. 'Het spijt me dat we je weg moesten roepen bij je werk. Ik weet hoe druk je het tegenwoordig hebt.'

Ze knikte en keek naar de hoek waar haar bijna veertienjarige zoon onderuitgezakt in een stoel hing, met een van zijn in laarzen gestoken voeten recht vooruit. Een lok gitzwart haar hing dwars over zijn gezicht, waardoor nog maar één heldergroen oog zichtbaar was, het enige kenmerk dat hij van haar geërfd had. Voor de rest leek hij als twee druppels op zijn vader.

Toen ze naar hem toe liep, streek hij het haar achter zijn oor en ze zag het blauwe oog dat erachter schuil was gegaan en de snee op zijn kaak. 'O, Noah...'

Hij sloeg zijn armen over elkaar en staarde naar buiten.

'Hij heeft tijdens de pauze weer gevochten. Met Erik junior, Brian en nog een paar jongens. Tad moest naar de dokter om een röntgenfoto te laten maken,' zei Harding.

De zoemer ging en de grond onder hun voeten begon te schudden. Luidkeels gekwebbel drong door de muren heen.

Harding drukte op zijn intercom en zei: 'Laat Rhonda alsjeblieft hier komen.' Daarna keek hij Noah aan. 'Wat mij betreft, is het geduld op, jongeman. Dit is al de derde keer dat je dit jaar bij een gevecht betrokken bent.'

'O, dus het is hier niet toegestaan om in elkaar geslagen te worden?'

'Ik heb diverse leerlingen horen zeggen dat jij begon.'

'Wat een verrassing,' zei Noah bitter, maar Vivi Ann kende hem goed genoeg om te zien dat hij onder zijn boosheid diep gekwetst was.

Harding zuchtte. 'Als het aan mij lag, stuurde ik hem van school, maar mevrouw Ivers is kennelijk van mening dat hij nog een laatste kans verdient. En aangezien het schooljaar nog maar twee weken duurt, ben ik bereid me daarbij neer te leggen.' Hij keek Vivi Ann aan. 'Maar je moet die knul echt strakker houden, Vivi Ann. Straks doet hij nog iemand iets aan, net als...'

'Dat zal wel lukken, Harding.'

Achter hen ging de deur open en Rhonda Ivers kwam de kamer binnen.

'Ga jij nu maar, Noah,' zei Harding en Noah schoot meteen overeind. Maar Vivi Ann greep hem bij zijn arm voordat hij kon ontsnappen en draaide hem met een ruk om. Hij was inmiddels al even lang als zij, een echte slungel. 'Je komt na schooltijd onmiddellijk naar huis. Ga niet langs Af. Je krijgt geen tweehonderd dollar. Begrepen?'

Hij rukte zich los. 'Mij best.'

Toen hij weg was, zei Harding: 'Ik hoop dat je weet waar je aan begint, Rhonda.' Terwijl hij hen allebei veelbetekenend aankeek, voegde hij eraan toe: 'Jullie kunnen hier wel met elkaar praten. Ik moet in de pauze toch een oogje op die makkers houden.'

Rhonda wachtte tot hij weg was voordat ze achter zijn grote metalen bureau ging zitten. Ze was een tenger vrouwtje dat op een vogeltje leek. Ze zag er nog steeds hetzelfde uit als een slordige twintig jaar geleden, toen ze geprobeerd had om Vivi Ann waardering voor *Beowulf* bij te brengen. 'Ga zitten, Vivi,' zei ze.

Vivi Ann had eigenlijk schoon genoeg van dit soort gesprekken. Ze had het gevoel dat ze al twaalf jaar vocht tegen de bierkaai. Vanaf het moment dat Al aan Dallas had gevraagd waar hij op kerstavond was geweest.

'We kennen allemaal Noahs voorgeschiedenis,' zei mevrouw Ivers. 'En alles wat hem dwarszit. We begrijpen best waarom hij zich zo gedraagt en waarom hij ongelukkig is.'

'Denkt u dan dat hij ongelukkig is? Ik dacht... Ik hoopte dat het gewoon een kwestie van puberen was.'

Rhonda schonk haar een begripvolle glimlach. 'Je weet toch wel dat de andere kinderen hem plagen?'

Vivi Ann knikte.

'Hij heeft een vriend nodig, en misschien wel psychische hulp, maar die beslissing is uiteraard aan jou. Ik zit hier alleen maar omdat hij dit jaar een onvoldoende voor taalkunde krijgt. Hij slaagt er nooit in om al die lessen die hij heeft overgeslagen weer in te halen.'

'Maar als hij blijft zitten, worden zijn problemen alleen maar groter. Dan zullen ze hem niet alleen... anders vinden, maar ook nog stom.'

'Tot die conclusie ben ik ook gekomen.' Mevrouw Ivers haalde een gebonden boekje met een zwart-wit kaft uit haar tas en schoof dat over het bureau. 'Daarom geef ik Noah nog één kans om zijn cijfer op te halen. Als hij dit boekje gedurende de zomer vol schrijft met éérlijke verhalen en gebeurtenissen, zorg ik dat hij verder kan naar de highschool.'

Vivi Ann voelde een innige dankbaarheid opkomen voor deze vrouw die ze vroeger vaak Het Misbaksel had genoemd. 'Dank u wel.'

'Wacht nog maar even met me te bedanken. Dit zal voor Noah een hele klus worden. Ik wil deze zomer iedere week acht bladzijden van hem hebben. Iedere maandag moet hij naar me toe komen en dan krijgt hij van mij een nieuw onderwerp. We beginnen volgende week voor schooltijd. Zullen we zeggen tien voor acht in mijn klas? Eind augustus krijgt hij dan van mij een cijfer voor het totaal. Ik zal zijn persoonlijke notities niet lezen, ik hoef alleen maar vast te stellen dat hij het echt zelf geschreven heeft. Is alles duidelijk?'

'Ja hoor.'

Eindelijk kon er bij mevrouw Ivers een klein, verdrietig glimlachje af. 'Hij zal het wel heel moeilijk hebben.'

In zo'n stadje als dit lag het verleden altijd voor het oprapen. 'Ja,' zei Vivi Ann. 'Hij heeft het heel moeilijk.'

Tegen de tijd dat Vivi Ann terug kwam op de ranch was het bijna tijd voor haar middaglessen. Ze liep langs de bak waar haar vader en een paar van zijn kameraden aan het lasso werpen waren en ze zwaaide voordat ze naar het kantoor liep om de flyers voor de wedstrijden van de komende maand te maken.

In de afgelopen paar jaar was Water's Edge een financieel succes geweest, maar onder de lampen in de manege was nauwelijks iets veranderd. Banken voor het publiek, hekken en losse goten voor het lasso werpen, grote gele olievaten voor de barrelraces. In de bak zelf hadden de paarden hun tanden gezet in alles wat maar op hout leek, waardoor de bovenkant van de omheining bijna gekarteld was. In de hoeken hingen dikke spinnenwebben en de wanden waren bedekt met kleurige flyers waarop van alles en nog wat te koop werd aangeboden.

En ook het programma in de manege was in de loop der jaren nauwelijks veranderd. Er waren nog steeds een paar jackpots per maand, plus een barrelracecompetitie. Daarnaast gaf ze ook nog steeds les en richtte ze paarden af. Bovendien werd de ruimte regelmatig afgehuurd door diverse clubs, zoals dressuur- en ponyclubs en voor springwedstrijden. Een keer per maand was er gelegenheid tot rijden voor kinderen met een handicap. De enige echte verandering lag bij Vivi Ann zelf. Ze deed nooit meer mee aan de barrelraces. Ze had nooit de moed op kunnen brengen om een vervanger voor Clem te zoeken.

Aan het eind van de dag deed ze de grote lampen uit en controleerde de paarden stuk voor stuk voordat ze naar de boerderij liep waar ze haar vader op de veranda aantrof in zijn favoriete schommelstoel.

Hij was in de afgelopen tien jaar duidelijk ouder geworden. Zijn gezicht, dat altijd al gegroefd was geweest, was nog holler geworden en van zijn dikke warrige haardos was alleen nog maar een laagje pluis overgebleven. De dikke wenkbrauwen boven zijn zwarte ogen waren witte plukken haar geworden.

Hij was vierenzeventig, maar hij liep als een veel oudere man. Ze praatten nooit over wat er al die jaren geleden was voorgevallen, hij en Vivi Ann, alleen over gewone dingen waarbij ze elkaar soms nauwelijks aankeken. Het leek net alsof een deel van hun leven voorgoed onder een laag ijs verdwenen was. Maar Vivi Ann wist heel goed dat je niet altijd over iets hoefde te praten om er een oplossing voor te vinden. Als je maar lang genoeg en ijverig genoeg probeerde te doen alsof alles in orde was, dan zou dat na verloop van tijd ook inderdaad het geval zijn. Of lijken.

In de stad werd er ook nooit meer gesproken over wat er al die jaren geleden was gebeurd, in ieder geval niet tegen Vivi Ann. Alle betrokkenen waren stilzwijgend overeengekomen dat het verstandiger was om alles maar te vergeten.

Maar helaas was het toevallig wel Noahs leven dat iedereen op de boerderij en in de stad zo opvallend negeerde. In ieder geval de volwassenen. De kinderen wensten zich kennelijk niet aan de overeenkomst te houden.

'Hé pa,' zei ze toen ze de verandatrap op liep. 'We moeten weer hooi hebben. Kun jij even naar Circle J bellen?'

'Ja. Ik heb die nieuwe knecht ook opdracht gegeven om wat fenylbutazon te gaan halen.'

'Mooi.' Ze liep naar binnen om eten voor hem en de knechten klaar te maken en in de oven te zetten. De mannen aten tegenwoordig wanneer het hun uitkwam. Vivi Ann kookte weliswaar voor hen, maar ze at zelden mee. Tegenwoordig bracht ze de meeste tijd door in de blokhut, met Noah. Toen ze klaar was, liep ze terug naar de veranda.

Ze wilde net weglopen, toen haar vader zei: 'Ik heb gehoord dat Noah vandaag weer gevochten heeft.'

'Zijn de kletsmajoors weer langs geweest?' vroeg ze geërgerd. 'Hebben ze je toevallig ook verteld wie begonnen is?'

Ineens stond het verleden weer tussen hen in, even tastbaar als de witte planken onder hun voeten.

'Je weet best wie begon.'

'Je eten staat in de oven. Zeg tegen Ronnie dat hij dit keer wel zijn bord afwast.'

'Oké.'

Ze liep via de parkeerplaats en de oprit (die sinds 2003 geplaveid was) naar het omheinde weiland achter de manege. Renegade hinnikte toen ze naar hem toe kwam en hij strompelde naar haar toe, waarbij zijn reumatische knieën bij iedere stap kraakten.

'Hallo, kerel.' Ze streelde over zijn grijzende snuit en krabde hem achter zijn zenuwachtig trillende oren. Ineens schoot er een gedachte door haar hoofd: *Zou hij nog steeds dromen dat hij op Renegade rijdt?*

Ze zette dat idee meteen weer van zich af en liep naar haar huis. Renegade volgde haar aan zijn kant van de omheining, moeizaam kreupelend tot ze bij de heuvel kwamen, waar hij de moed opgaf en bleef staan om haar na te kijken.

Ze keek expres niet naar hem om toen ze boven was. Op het moment dat ze de deur opendeed, wist ze al dat Noah thuis was. De grenenhouten wanden stonden te trillen bij het dreunende geweld van de muziek. Ze haalde diep adem en liet de lucht langzaam weer ontsnappen. De hemel wist dat ze er niets mee opschoot als ze boos werd.

Ze bleef voor zijn slaapkamerdeur staan en klopte aan. Maar de muziek stond zo luid dat ze toch niet kon horen of hij reageerde, dus deed ze de deur open en ging naar binnen.

Hij had een lange, smalle kamer, een uitbouw die nog niet zo lang geleden aan de blokhut was toegevoegd. De wanden hingen vol met posters van allerlei bands: Godsmack, Nine Inch Nails, Korn, Metallica. In een hoekje stond zijn eigen computer, samen met een televisietoestel waaraan een Xbox was gekoppeld.

Misschien was dat het probleem: ze gaf hem te veel en kreeg er te weinig voor terug. Maar ze probeerde gewoon te vergoeden wat hij moest missen.

Hij zat op zijn onopgemaakte bed met een draadloze joystick in zijn hand en liet een of ander energiek meisje met een onmiskenbare bikersuitstraling een vent in zijn kruis trappen.

'We moeten eens met elkaar praten,' zei ze tegen zijn rug.

Toen hij geen antwoord gaf, liep ze naar de tv en zette het toestel uit.

'Hè verdomme, mam, ik stond net op het punt om dat level te halen.'

'Je hoeft niet tegen me te vloeken.'

Hij wierp haar een chagrijnige blik toe. 'Als je zoveel waarde hecht aan keurig taalgebruik, dan zouden jij en je zusjes misschien kunnen beginnen met het goede voorbeeld te geven.'

'Nee, dit keer krijg je niet de kans om je eruit te kletsen,' zei ze. 'Waar ging die knokpartij om?'

'Eh, effe nadenken. Het broeikaseffect?'

'Noah...'

'Waar dacht jíj dan dat het om ging? Waar gaat het nou altijd om? Die lamstraal Engstrom schold me uit voor stomme indiaan en die kloterige vriendjes van hem begonnen een regendans te doen. Dus heb ik hem een klap op zijn bek gegeven.'

Vivi Ann ging naast hem zitten. 'In dat geval zou ik hem ook op zijn pukkelige kanis hebben geslagen.'

Hij keek haar even aan door zijn vettige gordijn van haar.

Vivi Ann wist hoe wanhopig hij verlangde naar iemand die eens zijn kant koos, die zijn vriend wilde zijn en die hem door dik en dun zou steunen. Haar hart brak bij de wetenschap dat die rol niet voor haar was weggelegd. Vroeger had ze het idee gehad dat ze voor eeuwig de beste maatjes zouden zijn, maar die jeugdige naïviteit was verleden tijd. Hij was een vaderloze jongen, dus moest hij een moeder hebben die hem onder de duim hield. 'Iedere keer als je iemand een ram verkoopt, bewijs je alleen maar hun gelijk.'

'Nou en? Misschien lijk ik echt wel op die ouwe van me.' Hij gooide zijn joystick tegen de muur. 'Ik háát deze stad.'

'Noah...'

'En ik haat jou omdat je met hem getrouwd bent. En ik haat hem omdat hij niet hier is...' Zijn stem brak en hij stond haastig op van het bed.

Ze liep naar hem toe en wilde hem in haar armen nemen zoals ze vroeger altijd had gedaan, maar hij duwde haar weg. Ze staarde naar zijn rug en naar de verslagen schouders, die haar vertelden hoe die akelige woorden op de speelplaats hem gekwetst hadden.

'Geloof me, ik weet precies hoe je je voelt.'

Hij draaide zich om. 'O ja? Weet jij hoe het voelt om de zoon van een moordenaar te zijn?'

'Ik ben met hem getrouwd geweest,' zei ze kalm.

'Laat me met rust.'

Vivi Ann moest opnieuw diep ademhalen. Ze hadden al eerder dit soort gesprekken gehad over Dallas. En ze wist nooit wat ze moest zeggen. 'Voordat ik je alleen laat, moet ik je nog even vertellen dat je erin geslaagd bent om een onvoldoende voor Engels te halen, zodat je de komende september niet naar de highschool mag.'

Dat kwam aan. 'Wat?'

'Maar je hebt het geluk dat mevrouw Ivers zich bereid heeft verklaard om je een tweede kans te geven. Ze wil dat je de komende zomer een dagboek voor haar bijhoudt. Maandagochtend moet je voor schooltijd naar haar toe om de details te bespreken.'

'Ik haat schrijven.'

'Dan hoop ik dat je veel plezier zult hebben als je dit jaar nog een keer moet overdoen.'

Ze liet hem alleen om daar eens goed over na te denken.

wie ben ik?

Alleen zo'n stomme ouwe taart als mevrouw het Misbaksel zou zo'n stomme opdracht kunnen bedenken. ze denkt dat het me echt iets kan schelen of ik nou wel of geen voldoende voor taal krijg. Alsof ik dáár iets aan heb als ik van highschool afkom. ja, vast. ze kan doodvallen met haar laatste kans. ik doe het toch niet.

ze hebben me van school gestuurd.
Fuck.

wie ben ik?

waarom is dat volgens mevrouw I. zo'n ontzagwekkende vraag? ik ben niemand. en dat zal ik haar ook vertellen. o nee, wacht even, dat hoeft helemaal niet, want ze is toch niet van plan om MIJN PERSOONLIJKE AANTEKENINGEN TE LEZEN. Alsof ik geloof dat ze er echt alleen maar even overheen kijkt om te zien of ik niets heb overgeschreven van andere mensen. Hè ja, vast.

Eigenlijk zou ik het haar moeten vertellen. Dan zou ze meteen helemaal uit haar dak gaan. IK WEET NIET WIE IK BEN.

Hoe zou ik dat moeten weten?

Ik lijk op niemand van mijn familie. Iedereen zegt dat ik de ogen van mijn moeder heb, maar als ik ooit zo triest ga kijken schiet ik mezelf voor mijn kop.

Dat is mijn antwoord op al die onzin, mevrouw I. ik weet

niet wie ik ben en het kan me geen ruk schelen ook. waarom zou het? Niemand in deze stad trekt zich daar ene moer van aan. In de pauze zit ik altijd aan tafel met andere klungels en mislukkelingen. Niemand doet ooit een bek open. ze lachen me alleen maar uit als ik langsloop en maken allerlei rotopmerkingen over mijn vader.

Negentien

Winona had onomstotelijk bewezen dat je in het leven kon slagen als je zorgde dat je een goede opleiding kreeg, hard werkte en in jezelf bleef geloven. Dat inspirerende toespraakje – het verhaal van haar succes – stak ze overal in de staat af, op kerkbijeenkomsten, in klaslokalen en bij vrijwilligersorganisaties. En iedereen geloofde haar. Waarom ook niet? Iedereen kon zelf zien hoe succesvol ze was. Ze woonde in een beeldschoon, schitterend gerenoveerd Victoriaans landhuis, ze reed in een gloednieuwe, helemaal afbetaalde ijsblauwe Mercedes-cabrio en van tijd tot tijd handelde ze in onroerend goed. Haar cliëntenbestand was zo omvangrijk dat mensen soms wel twee weken moesten wachten op een afspraak, als er tenminste niets dringends aan de hand was. En het mooiste van alles was dat haar omgeving zich eindelijk had aangewend om zich naar haar advies te schikken. Ze had vaak genoeg bewezen dat ze het bijna altijd bij het rechte eind had en het streelde haar eergevoel dat haar kalme logica eindelijk werd gewaardeerd. Terugblikkend had zelfs die ellende met Dallas haar reputatie goed gedaan. Iedereen vond het uiteindelijk heel verstandig dat ze Dallas niet had willen vertegenwoordigen en Vivi Ann had weer vrede gesloten met de familie, precies zoals Winona had gehoopt. Tegenwoordig kwamen ze weer bij elkaar en hoewel er af en toe gevoeligheden en onderdrukte ergernissen de kop opstaken, hadden ze geleerd dat soort momenten te negeren en over onschuldige dingen te beginnen. Winona had het gevoel dat de familieband uiteindelijk toch vrij sterk was gebleven en dat was meer dan een heleboel andere families konden zeggen.

Maar natuurlijk was lang niet alles volmaakt. Ze was inmiddels drieënveertig en nog steeds ongetrouwd en kinderloos. Af en toe droomde ze wel eens van de kinderen die ze nooit had gehad, maar het was voor haar gewoon niet weggelegd. Ze had in de loop der jaren verkering gehad met een heel stel aardige mannen (plus een paar echte mislukkelingen), maar uiteindelijk was ze toch alleen gebleven.

Nu was ze het moe om maar te blijven wachten op het leven dat haar ooit voor ogen had gestaan en ze had besloten een andere weg in te slaan. Haar carrière was altijd haar grootste kracht geweest, dus zou ze zich daar voortaan op gaan concentreren.

Met dat vaste voornemen in gedachten stond ze nu op het trottoir en keek naar het kraampje dat ze net had opgesteld en ingericht. Eigenlijk waren het gewoon vier kaarttafeltjes naast elkaar, bedekt met rode stof die bijna tot op de grond viel. Erachter hing een poster met de tekst: AARZEL NIET. KIES VOOR GREY ALS BURGEMEESTER. Op de tafel lagen honderden brochures, compleet met een foto van haar overgrootvader naast het handgemaakte bordje OYSTER SHORES. 12 INW. plus een gedetailleerde beschrijving van Winona's politieke opstelling. Andere kandidaten mochten dan hete lucht verkopen, maar dat gold niet voor haar. Zij was van plan om door haar stellingname korte metten te maken met haar concurrenten. In twee grote glazen potten zaten honderden buttons met STEM OP GREY.

Alles was klaar. Ze keek op haar horloge. Veertien minuten voor acht in de ochtend.

Geen wonder dat ze hier nog vrijwel in haar eentje stond. Het feest ter gelegenheid van de stichting van de stad zou pas om twaalf uur beginnen en er was nog geen winkel open. Ze leunde tegen de lantaarnpaal en keek links en rechts de straat af. Op haar standplaats voor de Sport Shack kon ze alles zien, vanaf Ted's Boatyard tot het Canal Bed and Breakfast. De gebruikelijke straatversiering was al aangebracht, overal hingen posters met een afbeelding van huifkarren tegen een prachtige oceaanblauwe achtergrond en in alle etalages zag je zelfgemaakte schilderijen met als thema de pionierstijd.

246

Rond acht uur begonnen de wolken op te lossen en kwamen de andere kraamhouders ook opdagen. Ze zwaaiden naar Winona en haastten zich om hun kraampjes voor twaalf uur klaar te krijgen. Om negen uur begonnen de winkels open te gaan.

Het feest dat een week zou duren begon altijd op de maandag na Memorial Day. Ieder jaar waren er weer dezelfde marktkooplui, met dezelfde producten: allerlei verse etenswaren, limonade, oesters en de nog nog steeds populaire huifkarhandpoppen. De hele dag zou deze straat vol mensen zijn die van het ene naar het andere kraampje slenterden, allerlei dingen aten terwijl ze geen honger hadden en spulletjes kochten die ze eigenlijk niet wilden hebben. Aan het begin van de avond zou buiten op het parkeerterrein van het Waves Restaurant een bluegrassband spelen en kon iedereen tussen de vijf en de vijfenzeventig een dansje wagen. Het was het officieuze begin van de zomer.

Ze liep de straat in en kocht een beker koffie. Toen ze terugkwam bij haar stalletje zag ze Vivi Ann, Noah en Aurora staan. Ongetwijfeld durfde Vivi Ann die misdadige zoon van haar niet alleen thuis te laten.

'We komen je helpen,' zei Vivi Ann met een glimlach.

Aurora bestudeerde het kraampje en fronste. Met haar modieuze heupspijkerbroek, nauwsluitende witte blouse en sandaaltjes met naaldhakken leek ze meer op een beroemdheid dan op de ex-vrouw van een dorpsdokter. 'Ik snap echt niet waarom je allemaal foto's van de vlag om je poster hebt gezet. Iedereen weet dat rechthoekige vormen voor vrouwen uit den boze zijn. En dan die verkiezingsslogan. Stem op Grey. Is dat alles wat je na een universitaire opleiding van zeven jaar kon bedenken?' Ze keek Vivi Ann aan. 'Gelukkig is originaliteit geen pluspunt voor een politicus.'

'Ik neem aan dat jij wel iets beters kunt bedenken,' zei Winona.

Aurora deed net alsof ze diep moest nadenken. Ze fronste en tikte met een lange acrylnagel tegen haar wang. 'Hmm... ik geef toe dat het niet meevalt. Ik bedoel, je heet Win, hè? Maar ja, hoe zou je daar gebruik van kunnen maken?'

Win barstte onwillekeurig in lachen uit. 'Waarom ben ik daar nou niet opgekomen?'

'Omdat jij door de bomen nooit het bos ziet,' zei Aurora. 'Weet je nog dat je tijdens je eerste rijexamen zo ijverig zat te berekenen hoe ver het volgende stoplicht was en hoe lang van tevoren je op de rem moest trappen en wanneer je nou precies je richtingaanwijzer aan moest zetten dat je gewoon klakkeloos een voorrangsweg opreed?'

Familieleden. Het waren olifanten, die nooit iets vergaten. Ze wilde net koffie voor iedereen gaan halen, toen ze zag dat Noah in haar handtas snuffelde. 'Wat doe je daar, Noah?' snauwde ze.

Hij had zich eigenlijk schuldig moeten voelen, maar dat was het probleem met Noah: hij deed nooit wat je van hem verwachtte. Nu keek hij haar boos aan. 'Ik zoek een pen om mijn huiswerk te maken.'

De ballen, dacht Winona, maar ze zei: 'Wat een vlijtig liesje.' Ze gaf hem een pen die op tafel lag en pakte haar tas op.

De volgende acht uur deelde ze samen met haar zusjes brochures, buttons en snoepgoed uit. Even na drieën liet Aurora het een half-uurtje afweten en kwam terug met vier dubbele margarita's in plastic bekertjes. Daarna kregen ze er echt plezier in. Winona wist niet zeker wie er op het idee was gekomen, maar nadat ze alle promotie-spulletjes uitgedeeld hadden en de andere marktkraampjes hun handel voor die dag opdoekten, stonden ze ineens met z'n drietjes midden op straat met de armen om elkaar en dansten de cancan onder het zingen van: 'Wil wil wil je stemmen op Win?'

Daarna liepen ze lachend terug naar het stalletje, waar Noah met een gezicht als een donderwolk in een hoekje zat.

'Waarom stel je je zo aan?' zei hij tegen Vivi Ann, die meteen niet meer kon lachen.

Winona werd woest. Het laatste waar haar zusje behoefte aan had, was een chagrijnig, onaangepast knulletje dat haar plezier vergalde. 'En waarom doe jij dat?' zei ze tegen Noah.

'Wie wil er nog iets te drinken?' vroeg Aurora haastig. 'Iedereen? Mooi zo. Kom op, Noah, dan kun je me helpen ze hierheen te dragen. Da's een mooie oefening voor als je straks kelner wordt.'

Toen ze weg waren, liep Winona naar Vivi Ann, die naar de drukke straat stond te kijken. Dwars door de kleurige meute zag Winona waar haar zusje naar stond te staren. De hoek met de ijswinkel en het begin van de steeg.

Cat Morgans huis was allang verdwenen en het schone, keurig onderhouden steegje leidde nu naar het Kiwanisespark. Maar hoeveel straatbordjes ze ook ophingen, hoeveel advertenties er ook in de huis-aan-huisbladen verschenen, voor de plaatselijke bevolking zou het altijd Cats-steegje blijven.

'Alles in orde?' vroeg Winona voorzichtig.

Vivi Ann schonk haar een van die voorgebakken glimlachjes waar ze de laatste jaren zo goed in was geworden. 'Prima. Hoezo?'

'Ik heb gehoord dat Noah weer heeft gevochten.'

'Volgens hem zijn Erik junior en Brian begonnen.'

'Dat zal best wel. Die knul van Butchie is altijd een pestkop geweest. De appel valt niet ver van de boom.'

'Bij die eerste paar knokpartijen heb ik Noah ook het voordeel van de twijfel gegund, maar nu... Ik weet niet meer wat ik met hem aan moet. Zelfs als hij niet is begonnen, dan heeft hij toch meegedaan en vroeg of laat slaat hij echt iemand in elkaar.'

Winona dacht goed na over wat ze moest zeggen. Geen enkel onderwerp bevatte zoveel valstrikken als een gesprek over Noahs problemen.

De verandering had vorig jaar plaatsgevonden. Ergens rond zijn dertiende verjaardag. In één zomer was hij veranderd van een mager, vrolijk en speelse labradorpuppy in een chagrijnige dobermann die de kop liet hangen. Snel boos, nauwelijks vergevensgezind. Inmiddels werd er in de stad al gekletst over zijn humeurigheid. Af en toe werd er zelfs gefluisterd dat hij *gewelddadig* was, onvermijdelijk gevolgd door *net als zijn vader*.

Winona dacht dat hij op zijn minst psychische hulp nodig had en misschien zelfs beter naar een school voor lastige tieners kon worden gestuurd, maar dat kon ze Vivi Ann niet zomaar voor de voeten gooien. Zeker zij niet. Sommige dingen kon ze zich nog steeds niet veroorloven. 'Het is niet zo vreemd dat hij moeite heeft met... bepaalde dingen,' zei Winona. Als ze het ook maar enigszins kon vermijden kwam de naam 'Dallas' niet over haar lippen. 'Misschien heeft hij psychische hulp nodig.'

'Dat heb ik al geprobeerd. Hij deed zijn mond niet open.'

'Misschien moet je hem aan sport laten doen. Dat is goed voor zo'n knul.'

'Kun jij niet eens met hem praten? Jij weet toch nog wel hoe het was om een verschoppeling te zijn?'

Winona had geen zin om dat te beamen. Waar het in feite op neerkwam, was dat ze Noah de laatste tijd niet zo aardig vond. Of misschien moest ze maar gewoon eerlijk toegeven dat hij haar angst aanjoeg. Al prentte ze zichzelf nog zo vaak in dat hij nog maar een jochie was en dat hij het niet gemakkelijk had gehad, daar geloofde ze zelf niet in. Als ze naar hem keek, zag ze alleen maar zijn vader.

Dallas had haar familie vroeger al eens op de rand van de afgrond gebracht en ze was doodsbang dat zijn boze, gewelddadige zoon het werk nu zou afmaken.

'Tuurlijk,' zei ze tegen Vivi Ann. 'Ik praat wel met hem.'

Ik kan gewoon niet geloven dat ik die feestweek vroeger zo leuk vond. Wat een ongein. Alsof mensen me toch al geen mislukkeling vinden, moet ik nu ook nog in het 'campagne-centrum' van tante Winona zitten en goedkope buttons uitdelen aan ouwe mensen.

Toen ze daar midden op straat met dat idiote dansje begonnen, had ik ze het liefst iets naar hun kop gegooid. Natuurlijk kwamen toen net Erik junior en Candace Delgado voorbij. Ik had hem het liefst op zijn grijnzende bek getimmerd en Candace keek alsof ze medelijden met me had.

DAT HAAT IK.

Ik word zo ziek van mensen die denken dat ze iets van mij afweten omdat mijn vader nou toevallig een of andere juffrouw heeft doodgeschoten.

Misschien heeft zij hem ook wel aangekeken alsof hij een stuk vullis was. Misschien heeft hij haar daarom doodgeschoten.

Ik heb geprobeerd om er met mijn moeder over te praten, maar dan kijkt ze me alleen maar aan alsof ze elk moment kan gaan janken en zegt dat dat allemaal niet meer belangrijk is, dat nu alleen nog maar telt hoeveel zij van me houdt.

Mis.

Ze heeft geen flauw idee hoe ik me voel. Als dat wel

zo was, zou ze me wel meenemen om op bezoek te gaan bij mijn vader.

Dat is het eerste wat ik doe als ik mijn rijbewijs heb. Dan rij ik naar de gevangenis om op bezoek te gaan bij mijn vader. Ik hoef niet eens met hem te praten. Ik wil alleen zijn gezicht maar zien.

Daar zult u wel helemaal niets van begrijpen, hè mevrouw Ivers? U denkt vast dat ik niet goed wijs ben om op bezoek te willen bij een moordenaar en u vraagt zich af of ik een auto zal stelen om er te komen.

Haha.

Wacht maar mooi af.

In juni was de eerste officiële bijeenkomst van de ponyclub waarbij voorbereidingen werden getroffen voor het jaarlijkse festival in de kermisweek. De meisjes en een paar van de moeders zaten op de grond in de blokhut waar de vloer vol lag met grote vellen posterpapier. Op elk vel stond een pot met gekleurde markers, glitterverf, een liniaal, een schaar en plakband. Na twintig jaar wist Vivi Ann precies wat ze nodig hadden. De mode mocht dan aan verandering onderhevig zijn en elke nieuwe generatie kwam weer met andere woorden op de proppen, maar als puntje bij paaltje kwam, bleven meisjes zich op dezelfde manier uiten: in felle kleuren en glitters.

Nadat Vivi Ann alle meisjes achter een vel had gezet, gaf ze het startschot. 'Begin maar met de naam van je paard. Denk erom, het is zijn box en netheid en de juiste spelling tellen ook mee. Daar let de jury op.' Daarna liep ze naar de eetkamer en bleef naast de tafel staan, waar ze uitzicht had op de nieuwe aanbouw.

Noahs lamp was aan.

Ze vroeg of de meisjes haar even wilden excuseren en liep naar de nieuwe aanbouw. Ze had nog geen tijd gehad om vloerbedekking uit te zoeken, dus haar cowboylaarzen klikten over de verende grenen vloer.

Ze klopte op Noahs deur en toen ze geen antwoord kreeg, liep ze naar binnen.

Hij lag met opgetrokken knieën op zijn bed met gesloten ogen heen en weer te wiegen op de muziek van zijn iPod. Witte draadjes kronkelden van de knopjes in zijn oren naar het dunne zilverkleurige apparaatje.

Hij schrok toen ze hem aanraakte en schoot overeind. 'Wie heeft gezegd dat je binnen mocht komen?'

Vivi Ann zuchtte. Moesten ze die 'het is jouw kamer, maar mijn huis'-discussie echt iedere dag voeren? 'Ik heb geklopt, maar je reageerde niet.'

'Dat heb ik niet gehoord.'

'Omdat je de muziek veel te hard had staan.'

'Zal wel.'

Ze weigerde om te happen. In plaats daarvan probeerde ze net als vroeger zijn haar achter zijn oor te strijken, maar hij week achteruit. 'Wat is er met ons aan de hand, Noah? We waren vroeger altijd de beste maatjes.'

'Echte vrienden rukken je Xbox en je tv niet uit je kamer.'

'Je bent van school gestuurd. Wat had ik dan moeten doen, je een bosje bloemen sturen? Af en toe moeten ouders vervelende dingen doen omdat die toevallig het beste zijn voor hun kind.'

'Ik heb geen ouders. Ik heb alleen jou. Tenzij je denkt dat pap vervelende beslissingen over mij neemt in zijn cel.'

'Ik weet niet waarom je tegenwoordig zo prikkelbaar bent.'

'Zal wel.'

'Hou eens op met dat antwoord. Vertel me nou maar hoe ik je kan helpen, Noah.'

'Door mijn tv terug te geven.'

'Dus dat is jouw oplossing. Je hebt geknokt op school...'

'Dat was mijn schuld niet, dat heb ik toch vertéld.'

'Dat is het nooit, hè? Je trekt natuurlijk gewoon als een magneet knokpartijen aan.'

'Zal wel.' Hij wierp haar een boze blik toe. 'Jij weet toch alles.'

'Ik weet één ding: jij bent lid van de ponyclub, dus moet je nu een poster maken voor je box.'

'Je bent echt gek als je denkt dat ik dit jaar aan die kermiswedstrijden meedoe.'

'Dan ben ik maar gek.'

Hij sprong van het bed. De iPod schoot los van de oordopjes en viel met een klap op de grond. 'Ik doe het toch niet.'

'Wat wil je dan? De hele zomer in je kamer blijven zitten om naar de plek waar je tv stond te staren? Je doet niet aan sport, je wilt hier je handen niet uit de mouwen steken en je hebt geen vrienden. Dus doe je wel degelijk mee aan die wedstrijden.'

Hij zag er zo diep gekwetst uit, dat Vivi Ann zich eigenlijk meteen wilde verontschuldigen. Ze had niet over dat gebrek aan vrienden moeten beginnen.

'Hoe durf je dat te zeggen? Ik kan er niets aan doen dat ik geen vrienden heb. Dat is jouw schuld.'

'Mijn schuld?'

'Dan had je maar niet met een indiaanse moordenaar moeten trouwen.'

'Ik word doodziek van dat eeuwige geruzie, Noah, en ik ben het ook zat dat jij hier maar een beetje zit te zitten en medelijden met jezelf hebt.'

'Ik doe toch niet mee. Alleen meisjes doen mee aan springwedstrijden. Ik krijg al genoeg rotzooi over me heen. Het enige waar ik nog op zit te wachten is dat Erik junior mijn roze met blauwe "ik-hou-van-mijn-paard"-glitterposter onder ogen krijgt.'

'Dat was een prachtige poster. Iedereen vond hem prachtig.'

'Toen was ik négen! Ik wist niet beter. Maar dit jaar doe ik niet mee.'

'Goed, maar je blijft niet de hele zomer binnenzitten.'

'Probeer me dan maar naar buiten te krijgen,' zei hij, terwijl hij zijn oordopjes weer indeed.

Vivi Ann kon letterlijk voelen hoe haar bloeddruk opliep. Je stond ervan te kijken hoe snel hij haar op de kast kreeg. Maar ze hield zich in, liep zijn slaapkamer uit en trok de deur met een klap achter zich dicht. Een kinderachtig blijk van ergernis, dat toch goed aanvoelde.

Op deze laatste schooldag stond het verkeer op First Street continu vast. Ongetwijfeld zaten alle leerlingen die voor hun eindexamen waren geslaagd nu in hun auto's naar elkaar te toeteren en te zwaaien. Als ze tien minuten eerder of later was vertrokken, zou ze er nu niet middenin zitten.

Inmiddels was het zomer langs het Canal en dus kwamen ook de kampeerwagens een voor een over de kronkelende weg naar het stadje. De meeste daarvan sleepten ook nog andere voertuigen mee: boten, kleinere auto's, fietsen en jetski's. Niemand kwam naar het Canal om binnen te blijven, iedereen wilde lekker in het warme blauwe water stoeien.

Terwijl Winona over de snelweg reed, kronkelde het Canal met haar mee. Af en toe was het water hooguit een halve meter weg en dan lag het ineens weer een kilometer verderop. Toen ze uiteindelijk in de buurt kwam van Sunset Beach remde ze af en sloeg de met grind bestrooide oprit in van het huis dat ze pas vorige week had gekocht.

Haar nieuwste project was een groot, rommelig aandoend huis uit de jaren zeventig van de vorige eeuw, dat oorspronkelijk het zomerhuis van een groot gezin uit Seattle was geweest. Het had zes slaapkamers, een badkamer, een keuken waar je je kont niet kon keren en een eetkamer die gemakkelijk in een motorboot zou passen. Een groot, overdekt terras stak boven het Canal uit en rechts daarvan liep een trap naar de zes meter lange steiger, die wit zag van de vogelpoep. Iedere vierkante centimeter van dit huis was vervallen, rotte weg of zag er gewoon niet uit, maar de ligging vergoedde alles. Langs de weg stonden hoge ceders die het huis beschutting boden en als een vriendenkringetje om het vlakke grasveld stonden. Voor de bomen stonden enorme rododendronstruiken die nu in volle bloei waren en er lagen een paar heuveltjes die bedekt waren met witte astertjes. Het bijbehorende grondgebied was bijna een hectare groot en glooide geleidelijk omlaag naar een zandstrandje.

Ze zette de auto op het gras, pakte een colalight uit de koeltas op de achterbank en piekerde over de manier waarop het huis het best opgeknapt kon worden. Misschien zou ze er nog een verdieping op kunnen zetten. Daar zou ze dan een kantoor, de hoofdslaapkamer en een badkamer kunnen maken, waardoor de benedenverdieping als woonruimte gebruikt kon worden.

Ideaal.

Ze pakte een broodje en haar aantekenblok uit de auto en ging op het grasveld voor het huis zitten om te eten en te schetsen. Ze was zo verdiept in de afmetingen van kamers en de plekken waarop een deur zou moeten komen, dat ze pas merkte dat ze niet langer alleen was toen Vivi Ann haar naam noemde.

Winona keek om. 'Hoi. Ik heb je niet eens aan horen komen.'

'Het was niet mijn bedoeling om je te overvallen.' Vivi Ann liep naar haar toe, terwijl Noah aan de andere kant uitstapte. Hij bleef gewoon naast de auto staan, met zijn handen in de zakken van zijn slobberige, versleten spijkerbroek. Met zijn afgezakte schouders en het haar dat over zijn gezicht hing, straalde hij chagrijn uit en voelde zich duidelijk misbruikt.

'Kwam je naar mijn nieuwe huis kijken?' vroeg Winona. Zoals gewoonlijk negeerde ze Noah. 'Wil je een rondleiding?'

Vivi Anns ogen gleden over het huis. 'Wat moet je allemaal doen voordat je gaat breken?'

'O, meer dan genoeg. Kijk maar eens naar die steiger. Het zal wel even duren voordat we veertig jaar meeuwenpoep van die planken hebben geschuurd.'

'Ideaal!'

'Ik weet het. Die steiger alleen maakt het huis honderdduizend dollar meer waard.' Winona fronste. 'Of bedoelde je iets anders?'

Vivi Ann wierp een blik op Noah, die zijn vieze vingernagels stond te bestuderen alsof hij verwachtte er goud onder aan te treffen. 'Noah wil geen lid meer zijn van de ponyclub en hij weigert om aan de wedstrijden mee te doen.'

'O. Pff. Het is een knul. Straks wil je hem nog op ballet doen ook.'

'Ik ben blij dat je meteen begrijpt wat eraan schort. Daar heb ik wat meer moeite mee.'

'Uiteraard. Jij bent altijd mooi en populair geweest. Als jij was gaan voetballen, hadden alle knullen dat schattig gevonden. Zo'n knul als Noah moet uitkijken waar hij aan begint: geen computer- of schaakclubjes en zeker geen ponyclub. Hij probeert vrienden te krijgen, niet ze kwijt te raken.'

'Maar je hebt zelf gezegd dat hij niet de hele dag rond moet hangen.'

'Heb ik dat gezegd? Ik heb ook gezegd dat hij psychische hulp nodig had. Hij lijkt... nog prikkelbaarder dan anders.'

'Wat hij nodig heeft, is een vakantiebaantje. En niet op de ranch. We zitten niet op nog meer ruzie te wachten.'

'Dat lijkt me een geweldig idee. Op die manier blijft hij bezig, krijgt hij de kans om zelfvertrouwen op te doen en...' Winona hield op. 'Nee,' zei ze hoofdschuddend tegen Vivi Ann. 'Je denkt toch niet...'

'Het zou ideaal zijn. Hij kan die steiger voor je schoonmaken. Acht uur per dag, vijf dagen per week. Je kunt hem per vierkante meter betalen, want als je hem een uurloon moet geven, ga je failliet en blijf je nog met een vieze steiger zitten.'

'Moet ik hem nog betalen ook?'

'Nou ja, voor niets zal hij het niet doen. En je kunt het best missen.'

'Luister eens, Vivi Ann,' zei Winona. Ze liet haar stem zakken. 'Ik weet het niet...'

'Vertel haar maar dat je bang voor me bent, tante Winona,' riep Noah. 'Vertel haar maar hoe gevaarlijk ik ben!'

'Hou je mond, Noah,' snauwde Vivi Ann. 'Ze is absoluut niet bang voor je.' Ze keek Winona aan. 'Je moet me echt helpen. Jij kunt altijd elk probleem aan. En Aurora vindt het ook een goed idee.'

'Heb je haar dat gevraagd?'

'Eerlijk gezegd heeft ze het zelf voorgesteld.'

Winona stond voor het blok. Een idee waar de helft van de familie achter stond, was zo goed als zeker. 'Maar hij moet zijn broek optrekken. Ik heb geen zin om de hele dag naar zijn ondergoed te kijken... en elke dag dat hij hierheen komt, wast hij zijn haar.'

Noah bromde iets. Ze wist niet of hij het er mee eens was of niet, dus liep ze naar hem toe en hoorde dat Vivi Ann achter haar aan kwam. 'Wat zou je zeggen van vijfentwintig dollar per vierkante meter?'

'Een schijntje.'

Vivi Ann gaf hem een tik tegen zijn achterhoofd. 'Probeer het nog eens.'

'Lijkt me prima,' mompelde hij kribbig en hij stopte zijn handen nog dieper in zijn zakken.

Winona werd gewoon bang dat zijn spijkerbroek ieder moment om zijn enkels kon zakken.

Dit was geen goed idee. Die knul leek als twee druppels water op zijn vader: altijd problemen. Maar ze kon er niet onderuit. 'Mooi. Dan is hij aangenomen. Maar als hij me ook maar één keer belazert... één keer... dan kunnen jullie het vergeten, Vivi. Ik ben geen kinderoppas.'

Vivi Ann keek Noah strak aan. 'Als jij hem naar huis stuurt, doet hij mee aan die wedstrijden. Begrepen?'

Noah gaf geen antwoord, maar in zijn ogen glinsterde pure puberale woede.

Hij had het begrepen.

Twintig

wat vind ik belangrijk?

Alweer zo'n volslagen zinloze vraag, mevrouw I. zit u soms de
hele dag met uw neus in een boek voor leraressen waarin
staat hoe je klierige knulletjes aan het praten krijgt? Ik
kan u wel vertellen wat ik niet belangrijk vind. wat zou u
daarvan zeggen? Ik vind Oyster Shores helemaal niet belangrijk en de kinderen bij mij in de klas of op school ook niet.
Het is allemaal gewoon tijdverspilling.

En ik vind etentjes bij de familie ook niks. Tussen twee
haakjes, we hebben gisteravond weer dolle pret gehad in het
huis van de familie Grey. Het is altijd hetzelfde. Tante Aurora
die alleen maar zit te kwekken over hoe fantastisch haar
kinderen zijn. Ricky, de ijverige student, en Janie, het
wonderkind. En opa die geen boeh of bah zegt terwijl Winona
ons vertelt hoe volmaakt haar verdraaide leven is. Geen
wonder dat mijn moeder vroeger stapels pillen slikte om de
dag door te komen. Maar dat hoor ik helemaal niet te weten.
ze denken zeker dat ik niet goed wijs ben. Dat ik bijvoorbeeld helemaal niet doorhad dat ze altijd zat te huilen toen
ik nog klein was. terwijl ik juist probeerde haar te helpen.
Dat is eigenlijk het enige wat ik me herinner van toen ik nog
klein was. Maar dan duwde ze me weg of ze hield me zo
stijf tegen zich aan dat ik bijna stikte. Later kwam ik

erachter hoe haar ogen stonden als ze weer half verdoofd was en dan bleef ik gewoon uit de buurt. Nu doet ze net alsof er niks meer aan de hand is omdat het medicijnkastje leeg is en ze nooit meer huilt.

Ik weet nog iets wat me geen ruk kan schelen. Die stomme ouwe steiger van tante Winona. Die zit onder de vogelpoep, dus natuurlijk mag ik dat er weer allemaal afschrapen. U zou eens moeten zien hoe ze me in de gaten houdt. Alsof ik er ieder moment vandoor kan gaan of haar met een mes te lijf ga. Vroeger vond ze me best aardig. Dat kan ik me ook nog wel herinneren. Als mam er niet was, las ze me vaak een verhaaltje voor het slapengaan voor, of we keken samen naar Disneyfilms. Maar nu moet ze niets meer van me hebben en ze zit altijd naar me te kijken als ze denkt dat ik niets in de gaten heb.

Volgens mij is ze bang voor me. Misschien komt dat door die keer dat ik tijdens zo'n familie-etentje ergens boos om werd en een glas tegen de muur gooide. Dat was op de dag dat Erik junior me vertelde dat mijn vader een halfbloed was en een moordenaar. Daar geloofde ik niets van en toen ik thuis kwam en aan mam vroeg of dat waar was, begon ze te praten en bleef maar kletsen zonder echt iets te zeggen.

En dan vraagt iedereen zich nog af waarom ik zo chagrijnig ben. Wat moet ik dan doen als Brian me een maffe indiaan noemt en zegt dat ze mijn vader eigenlijk op de elektrische stoel hadden moeten zetten voor wat hij gedaan heeft?

De vrijdag daarna deed plagerig alsof de zomer voor de deur stond. Een bleek, vrolijk zonnetje speelde verstoppertje met de wolken tot het rond het middaguur eindelijk besloot om tevoorschijn te komen.

Winona was druk bezig met het schrobben van de keukenvloer toen ze ineens zag dat het mooi weer was geworden. Aanvankelijk dacht ze daar niet verder over na en bleef doorwerken. Maar toen het zweet haar uitbrak, kwam ze overeind en trok haar rubberhandschoenen uit. Als het echt mooi bleef, moest ze naar buiten om de veranda met de hogedrukspuit schoon te maken. Van een zonnige dag in juni moest je in deze contreien meteen gebruik maken.

Ze kleedde zich om in een korte broek en een slobberig T-shirt dat tot op haar dijen hing. Terwijl ze haar haar in een paardenstaart deed, keek ze door de smerige ramen in haar slaapkamer en zag Noah die op de steiger ogenschijnlijk bezig was met het schoonschrapen van de splinterende planken van de omheining.

Lieve hemel, zelfs in een dood lijk zat meer pit.

En zijn broek hing zo laag, dat ze de band van zijn blauwe boxershort kon zien.

Hij was inmiddels al vijf dagen voor haar aan de slag, maar ze kon nauwelijks vooruitgang zien. Hij kwam iedere ochtend klokslag negen uur opdagen en liep dan naar de steiger zonder een woord tegen haar te zeggen. Als zij naar kantoor moest en hem alleen achterliet, zat hij vast de hele dag op zijn luie kont.

'Hier schieten we niets mee op,' mopperde ze en ze pakte een rol ducttape.

Ze liep met grote passen de veranda op en sloeg de deur met een klap achter zich dicht. Ze had er echt genoeg van. Ze mocht dan verplicht zijn om hem in dienst te nemen zonder zich iets aan te trekken van zijn kribbige houding, zijn smerige haar en het feit dat hij alleen maar deed alsof hij werkte, maar verdorie nog aan toe, ze weigerde toch echt om naar zijn verrekte ondergoed te kijken.

Ze liep de steiger op. Het tij was zo laag dat de loopplank naar beneden kraakte onder haar voeten en ze hield zich stevig vast aan de leuning, waarbij ze goed moest opletten dat ze haar handen alleen op schone plekjes legde. 'Noah.'

Hij was zo druk geweest met nietsdoen dat hij schrok van haar stem. Hij deinsde achteruit en liet de metalen schraper uit zijn handen vallen. 'Jezus, moet je zo hard schreeuwen?'

'Ducttape is een heel bijzondere uitvinding. Je kunt er echt van alles mee doen. Wist je dat?' Ze trok er een stuk af zo lang als haar arm en vouwde dat zorgvuldig in de lengte dubbel.

'Ik denk eigenlijk nooit aan ducttape, maar ik geloof je meteen.' Hij bukte zich om de gevallen schraper op te rapen. 'Tenzij je nog andere dringende dingen te vertellen hebt, ga ik maar weer aan het werk.'

'Alsof we niet allebei weten dat je de kantjes eraf loopt. Hier.' Ze gaf hem het zilverkleurige stuk tape.

'Wat moet ik daarmee?'

'Dit is je riem. Trek die maar door de lussen – ik neem aan dat je weet hoe dat moet? – en leg er een knoop in. Ik wens nog geen randje van je onderbroek te zien.'

'Is dat een geintje?'

'Zie ik eruit alsof ik een geintje maak?'

'Dit is mode,' zei hij koppig.

'Hè ja, Giorgio Armani in eigen persoon. Doe die riem om. Dat was een van de voorwaarden van deze hele idiote onderneming, misschien kun je je dat nog herinneren.'

'En als ik dat verdom?'

Ze lachte. 'Weet je wat ik altijd zo leuk vond van die zomerwedstrijden? Dat mijn cap, mijn jasje en mijn handschoenen allemaal dezelfde kleur hadden. Alles was blauw. Jouw moeder zei altijd dat je alleen kon winnen als je er netjes uitzag. En geen mens zag me over het hoofd, omdat ik sprekend op een dikke bosbes leek.'

Noah zei niets.

'Ik weet zeker dat je er beeldig uit zult zien in het pak dat ze voor jou heeft gemaakt. Ze maakt toch nog steeds zelf je rijkleren?'

'Geef maar op,' zei hij en hij griste de geïmproviseerde ceintuur uit haar handen. Het duurde even voordat hij die door de lussen had gehaald en had dichtgeknoopt, maar toen hij klaar was, zat zijn broek om zijn middel. De knoop was zo groot als een vuist. 'Ik zie eruit als een idioot.'

'Ik zal je niet tegenspreken. Misschien kun je voortaan beter passende broeken kopen.'

'Zal wel.'

'Wat is dat toch een praktische uitdrukking. Het was me al opgevallen dat je daar nogal dol op bent. Als je werkgever zou ik het op prijs stellen als je met twee woorden spreekt.'

Hij keek haar woedend aan. 'Zal wel... tante Winona.'

'We gaan vooruit.' Ze begon hem opnieuw uit te leggen hoe hij de verdroogde vogelpoep het best kon wegschrapen toen ze ineens een vrachtwagen hoorde aankomen. Ze hield haar hand boven de ogen tegen de zon en zag een grote gele verhuiswagen op de oprit van het huis naast het hare stoppen. 'Ik vraag me af wie dat pand

261

gekocht heeft,' zei ze. 'Ze zijn er al weken aan het verbouwen.'

'Vertel me eens iets nieuws.'

'Dat zou me geen enkele moeite kosten, maar ik ga liever even kijken wie mijn nieuwe buren zijn.' Ze liep de steile loopplank weer op en wandelde haar verwaarloosde tuin door. Alles aan deze kant was verwilderd. Enorme rododendrons, uit de krachten gegroeide jeneverbessen en uit de hand gelopen heggen. Ze tuurde door een smalle spleet tussen de bladeren of ze het huis kon zien, maar helaas stond de verhuiswagen pal voor haar neus. Teleurgesteld liep ze terug naar het huis en begon het terras schoon te spuiten.

Ze was net halverwege, nat en bezweet, terwijl het water om haar heen opspatte, toen ze ineens besefte dat achter het terras een man stond die haar met een aarzelende glimlach aankeek. Hij was lang en gezet, met een prettig gezicht en haar dat duidelijk op de terugtocht was. Aan zijn kleding – duur, zijden hawaï-overhemd, kaki korte broek en leren slippers – zag ze meteen dat hij een zomergast was, die hiernaartoe was gekomen voor wat de toeristen belachelijk genoeg 'het seizoen' noemden. Waarschijnlijk vanuit Bellevue of Woodinville. Geen wonder dat hij zoveel geld had kunnen steken in de renovatie van het oude huis van de familie Shank, zonder de moeite te nemen een oogje op de verbouwing te houden. Naast hem stond een aantrekkelijk roodharig meisje van een jaar of twaalf, dertien.

Winona zette de hogedrukspuit uit en besefte meteen dat ze er verschrikkelijk uitzag in haar oude short en haar wijde smerige T-shirt. Haar vochtige haar zakte uit de paardenstaart en aan de aanblik van haar bolle, witte benen wilde ze niet eens denken. 'Hallo,' zei ze met een gedwongen lachje. 'Jullie zijn vast de nieuwe buren.'

De man kwam met uitgestoken hand naar haar toe. 'Ik ben Mark. Dit is Cissy, mijn dochter.'

Winona schudde zijn hand. Hij had een stevige greep. Dat beviel haar wel. 'Ik ben Winona.'

'Aangenaam kennis met je te maken, Winona.' Hij haalde diep adem en keek om zich heen. Vreemd genoeg moest ze ineens denken aan een koning die zijn grondgebied in ogenschouw neemt. 'Het is hier adembenemend mooi.'

Ze streek het bezwete haar uit haar gezicht. 'Ik krijg nooit genoeg van het uitzicht.'

'Nee, dat blijft je altijd bij, waar je ook bent.'

Winona zag Noah van de steiger af naar boven komen en nam meteen aan dat het lunchtijd was. De knul mocht dan geen kaas hebben gegeten van werken, hij wist precies wanneer het tijd was om te pauzeren. Hij bleef boven aan de loopplank staan en kwam vervolgens naar hen toe schuifelen, met afgezakte schouders, handen in de zakken en haar dat voor zijn ogen hing.

'Is dat je zoon?'

'Nee,' zei ze haastig.

Noah wierp haar een kribbige blik toe.

'Dit is Noah. De zoon van mijn zus. Noah, dit zijn Mark en Cissy.'

Noah tilde zijn kin nauwelijks merkbaar op. 'Hoe is het?'

Alleen klonk het meer als *hoest?* Winona kon nog net voorkomen dat ze haar ogen ten hemel sloeg. Hij zag eruit als een dakloze in die slobberige vieze spijkerbroek met dat ducttape om zijn middel. En dan die idiote, grote schoenen die als brooddeeg om zijn voeten zaten!

Natuurlijk zou Mark nu meteen dat schattige dochtertje van hem naar zich toe trekken en haastig met haar naar huis hollen.

In plaats daarvan zei hij: 'Cissy en ik waren van plan om vanmiddag een eindje te gaan varen en misschien wat te gaan waterskiën. Hebben jullie zin om mee te gaan?'

De uitnodiging overviel Winona. 'Maar je vrouw...'

'Ik ben gescheiden.'

Ineens zag Winona hem in een totaal ander daglicht. Hij was ouder dan zij, tussen de vijf en tien jaar waarschijnlijk, maar zijn lach was toch wel heel vriendelijk. 'Ik vrees dat Noah geen zwembroek bij zich heeft.'

'Die heb ik aan,' zei hij. 'Onder die gave riem van ducttape.'

'Heb je een zwémbroek aan?'

Hij haalde zijn schouders op. 'Ik ga af en toe zwemmen.'

'Mooi, dat is dan geregeld,' zei Mark glimlachend. 'We gaan even onze bullen pakken. Zullen we over een halfuurtje bij onze steiger afspreken?'

'Prima,' zei Winona. En zodra ze weg waren, holde ze naar binnen om in de spiegel te kijken. 'O god!' Het was nog erger dan ze dacht. Ze zag eruit als het resultaat van een korte flirt tussen Demi Moore en het Michelinmannetje: bolle witte benen, vlezige armen, wild kroezend haar en een T-shirt vol zweet- en watervlekken. Ze vloog naar de douche om haar haar te wassen en haar benen en oksels te ontharen. Ze had geen tijd om haar haar te föhnen, dus vlocht ze het maar nat tegen haar hoofd en maakte zich op. Daarna keek ze naar haar badpak. Het was maat 48 en tenzij ze zich ernstig vergiste, kon ze het nog maar net aan. Hè ja. Kwam ze na een jaar eindelijk weer eens een redelijk uitziende vrijgezel tegen en dan moest ze meteen de eerste keer al alles blootgeven? Dan kon ze er zeker van zijn dat hij haar nooit mee uit zou vragen.

'Jij gaat mooi niet zwemmen, dikkerdje.' In plaats daarvan koos ze voor een zwarte capribroek en een lang wit shirtje zonder mouwen.

Precies om halfeen liep ze de tuin in met een koeltas vol bier, cola en lekkere hapjes. Ze mocht dan problemen hebben om leuke kleren te vinden om een eindje te gaan varen, maar ze had altijd meer dan genoeg te eten.

Noah hing een beetje doelloos rond op de veranda en ze riep hem naar binnen. Toen hij de keuken binnenstapte, was ze even overdonderd. Hij droeg alleen nog maar een blauwe zwembroek die laag op zijn heupen hing. Sinds wanneer had hij zulke brede schouders? En dan die armen. Hij had het pezige, gespierde lijf van een hardloper.

'Ga zitten,' zei ze en ze wachtte ongeduldig tot hij gehoorzaamde.

'Waarom?'

'Dat was een knap meisje. Ik heb best gezien hoe je naar haar keek.'

'Zal wel.'

Ze hoefde hem alleen maar aan te kijken.

'Zal wel, tante Winona.'

'Misschien vindt ze jou ook wel aantrekkelijk als je ophoudt met zo chagrijnig te doen en niet steeds achter dat Morticia-haar van je wegduikt.'

'Wat voor haar?'

'Wil je niet dat ze je leuk vindt?'

'Gaaf,' zei hij met een wantrouwige blik. 'Jonge hondjes zijn leuk.'

'Zal wel. Dus je wilt dat ze je gaaf vindt?'

'Je bedoelt vast "zal wel, Noah", hè?'

Het scheelde een haar of ze was in lachen uitgebarsten. 'Gaaf of sloom. Je zegt het maar.'

'Gaaf,' zei hij uiteindelijk en hij viel neer op de stoel die ze aanwees.

'Mooi zo.' Ze borstelde zijn haar stevig tot het in lange, zachte slierten op zijn schouders hing. 'Je moeder had niet goed moeten vinden dat het zo lang werd. Maar ja, volgens mij heeft ze dat altijd mooi gevonden. Ik weet nog goed...' Ze besefte net op tijd wat ze op het punt stond te zeggen, slikte haar woorden in en deed zijn haar in een paardenstaart. 'Zo.'

Hij keek naar haar op en vroeg rustig: 'Wist jij meteen vanaf het begin dat hij een moordenaar was? Ik weet dat hij mam voor de gek heeft gehouden, maar iedereen zegt altijd dat jij zo slim bent...'

Winona haalde diep adem. Vivi Ann had vast gewild dat ze die vraag negeerde, maar dat kon ze niet. 'Nee. Dat wist ik niet.'

'Hij wil niet dat ik bij hem op bezoek kom.'

'Dat lijkt mij eigenlijk maar beter ook.'

Hij zag er plotseling heel jong en kwetsbaar uit. 'Waarom wordt er nooit gevraagd hoe ik daarover denk?'

Voordat Winona antwoord kon geven werd er geklopt en moest ze opendoen.

Cissy stond voor de deur in een piepkleine bikini met spaghettibandjes. 'Mijn vader zei dat ik moest gaan zeggen dat hij zover is.'

Noah stond op en kwam naar hen toe.

Winona zag hoe Cissy met grote ogen naar haar neef stond te staren. Ze mocht dan niet precies weten van welke uitdrukkingen de jongelui zich tegenwoordig bedienen – gaaf of leuk of hartstikke lekker – maar ze wist verdomd goed wat het inhield als een meisje op die manier naar een jongen keek. 'In welke groep kom jij straks, Cissy?' vroeg ze.

'In de negende.'

'Echt waar? Net als Noah, dus.' Ze draaide zich naar hem om en zag dat hij bloosde. 'Volgens mij kun je deze zomer maar beter je best doen op die taak voor Engels.'

Hij werd nog roder en mompelde iets.

'Is de school hier leuk?' vroeg Cissy.

Noah haalde zijn schouders op. 'Gaat wel.'

'Mijn grootmoeder zegt dat het me geen enkele moeite zal kosten om vrienden te maken, maar dat weet ik nog niet zo...'

'Wie is je grootmoeder?' vroeg Winona. 'Heb je familie hier in de stad?'

Cissy stond zo geboeid naar Noah te kijken dat het even duurde voordat ze antwoord gaf. 'Mijn vader heeft hier op de middelbare school gezeten. Onze hele familie komt uit Oyster Shores.'

'Heeft hij hier op school gezeten? Dan zou ik hem eigenlijk moeten kennen.'

'U zult mijn grootmoeder wel kennen. Myrtle Michaelian. Ze woont op Mountain Vista.'

'Ja,' zei Winona, die zich afvroeg of Noah zich ervan bewust was wat die naam betekende. 'Ik ken Myrtle wel.'

's Zomers had Vivi Ann het altijd het gemakkelijkst. Dan was ze van de vroege ochtend tot de late avond zo druk bezig dat ze nauwelijks tijd had om na te denken. Maar toch waren er altijd weer avonden als deze, waarop de ranch stil en donker onder een hemel vol sterren lag en ze onwillekeurig weer terug moest denken aan hoe ze zich had gevoeld waneer ze stiekem haar slaapkamer uitglipte en over de met gras begroeide helling naar zijn blokhut was gerend. Hoe het had gevoeld om te leven en een wezen vol zonneschijn te zijn en niet vol schaduwen, zoals tegenwoordig.

'Hallo, Renegade,' zei ze en ze liep naar de omheining.

De oude ruin kwam kreupelend naar haar toe en hinnikte een fluwelen welkom. Ze gaf hem een appel en krabde hem achter zijn oren. 'Hoe voel je je, kerel? Gaat het een beetje met de artritis? Of moet je nog wat medicijnen hebben?'

Achter haar kwam een auto aanrijden, waarvan de koplampen over het donkere weiland zwiepten. Renegade schrok ervan en liep weg.

Vivi Ann draaide zich om en zag nog net hoe Winona en Noah uitstapten. Ze liepen vlak naast elkaar te praten. Winona zei iets en gaf hem een duw. Hij struikelde opzij en lachte.

Vivi Ann kon haar ogen niet geloven. Ze kon zich niet meer heugen wanneer ze dat stel samen had zien praten, laat staan elkaar plagen.

Ze liep naar hen toe.

'Hoi, mam,' zei Noah grinnikend, waardoor ze bijna naar adem snakte. Hij zag er ontspannen uit in zijn boxershort en een mouwloos T-shirt met zijn haar in een paardenstaart. Gelukkig zelfs. 'Ik heb vandaag leren waterskiën. Het was echt hartstikke gaaf. Het duurde een hele tijd voordat ik op kon staan, maar toen ik dat voor elkaar had, ging het helemaal te gek. Dat is toch zo, hè tante Winona?'

'Ik heb nooit zo'n natuurtalent gezien. Hij scheerde als een echte prof over het water.'

Vivi Ann voelde een glimlach opkomen. Heel even had ze het gevoel dat alles volmaakt was. 'Wat geweldig, Noah. Ik kan niet wachten tot ik je ook een keer kan zien.'

'Ik ga het meteen in mijn dagboek schrijven,' zei hij. 'Nog bedankt, tante Winona. Het was echt fantastisch.'

Vivi Ann keek hem na terwijl hij naar binnen liep en keek toen haar zus aan. 'Waar is mijn zoon en wie was dat joch?'

Winona lachte. 'Om eerlijk te zijn is hij echt gezellig geweest.'

Vivi Ann sloeg een arm om haar schouders. 'Ik trakteer op een pilsje. Kom maar mee.'

Ze pakten twee biertjes uit de koelkast en gingen terug naar buiten, waar ze naast elkaar op de schommelbank over de slapende ranch uitkeken.

'Het was gewoon een wonder om hem weer te zien lachen.'

'Als je die houding even vergeet, is hij eigenlijk best een aardig knulletje.' Winona zweeg even. 'Hij heeft een boel vragen over zijn vader.'

'Ik weet het.'

'Als tiener heb je het al moeilijk genoeg zonder er ook nog eens anders uit te zien dan de anderen en constant maar te moeten horen dat je vader... Nou ja, je weet wel wat ik bedoel.'

'Ik ben altijd bang geweest om over dat onderwerp te beginnen, ook al weet ik dat ik er niet onderuit kan. Maar dan vraagt hij vast of Dallas het echt gedaan heeft.'

'En wat ga je hem dan vertellen?'

'Als ik zeg dat zijn vader schuldig was, is Noah de zoon van een moordenaar. Als ik zeg dat Dallas onschuldig is, teert zijn vader weg in de gevangenis voor iets wat een ander heeft gedaan en onrecht is niet gemakkelijk te verstouwen, dat weet ik als geen ander. Dus zeg jij het maar, Obi-Wan, wat is het juiste antwoord?'

Daar moest Winona kennelijk even over nadenken. 'Toen ik nog klein was, zei mam altijd tegen me dat ik groot gebouwd en mooi was. Ik wist best dat het niet waar was, want ik kon ook in de spiegel kijken. Maar ik wist ook dat ze er zelf van overtuigd was en dat was het enige wat telde. Ik wist dat ze van me hield.' Ze keek Vivi Ann aan. 'Maak hem duidelijk dat hij een goed mens is, ondanks alles wat andere mensen denken. Vertel hem maar dat het niet uitmaakt wie zijn vader was. Dat alleen belangrijk is wie hij zélf is.'

Vivi Ann leunde tegen haar grote zus. Op dit soort momenten was ze altijd blij dat ze jaren geleden had besloten om het goed te maken met Winona. 'Bedankt.'

'Graag gedaan. Wat moet ik doen, als hij me van alles begint te vragen?'

'Gewoon antwoord geven, denk ik. Misschien heeft hij er iets aan.'

Winona zat naar haar bier te staren.

'Vooruit met de geit,' zei Vivi Ann, toen ze een tijdje hun mond hadden gehouden. 'Vertel maar op.'

'Wat bedoel je?'

'Je bent nooit zo stil. Waar zit je over te piekeren?'

'De vent met wie we vandaag zijn gaan waterskiën is Mark Michaelian. De zoon van Myrtle. Hij heeft een jaar of vijf voor mij eindexamen gedaan.'

'O.' Vivi Ann nam een flinke slok van haar bier.

'Hij heeft gevraagd of ik met hem uit wilde. Vind je dat vervelend?'

Vivi Ann leunde achterover en zette af, waardoor de bank zacht heen en weer begon te schommelen.

'Als je dat wilt, bel ik af,' zei Winona.

Vivi Ann wist dat ze dat echt zou doen. Ze hadden het verleden nooit helemaal van zich af kunnen zetten en ze waren zeker niet van plan om opnieuw dezelfde fouten te maken. 'Je bent al minstens twee jaar niet meer echt met iemand uit geweest, hè? Niet sinds die marinebioloog de zomer hier heeft doorgebracht.'

'Bedankt dat je me daaraan herinnert.'

'Zo bedoelde ik het helemaal niet. Ik bedoelde… doe maar. Ga maar uit met Mark. Mijn zegen heb je.'

'Echt waar?'

Vivi Ann knikte.

Het besluit bezorgde haar een prettig gevoel, alsof ze eindelijk alles van zich af kon zetten.

'Weet je het zeker?'

'Heel zeker. Het is allemaal verleden tijd.'

vandaag was zo'n hartstikke gave dag dat ik die stomme vragen van mevrouw I. niet eens nodig heb. ik heb het gevoel dat ik alles zal vergeten als ik het niet meteen op papier zet en DAT WIL IK ABSOLUUT NIET.

Het begon allemaal stom genoeg. ik had het idee dat er helemaal nooit iets zou veranderen. toen ik bij het huis van tante winona aankwam, deed ze weer net zo verwaand als altijd en trok een smoel alsof ze rotte vis rook. om haar te pesten trok ik mijn broek zo ver mogelijk naar beneden en dat werkte kennelijk, want vlak voor de lunch kwam ze naar beneden met een groot stuk ducttape dat ik als riem moest gebruiken. eigenlijk wilde ik haar vertellen dat ze het heen en weer kon krijgen, maar toen begon ze over de wedstrijden van de ponyclub en de rijkleren die mam vorig jaar voor me had gemaakt. daardoor had ik het lef niet meer. In gedachten zag ik al hoe erik junior, Brian en al die andere klootzakken zouden zien hoe ik me samen met een stel kleine meisjes op een paard vertoonde en toen leek me die ducttape toch beter. Het gaf me wel het gevoel dat ik een complete mislukkeling was, nou ja, wat dan nog? daar ben ik wel min of meer aan gewend en er was toch niemand die me zag. Maar ik ging nog slomer verder met het wegkrabben van die vogelpoep, gewoon om haar pissig te maken. Dat werkt, want af en toe zie ik dat ze op dat krakkemikkige terras naar me staat te kijken en dan hoor ik haar gewoon tandenknarsen. Ze zou me 't liefst ontslaan, maar dat gaat niet en dat vind ik cool.

Maar goed, ik zat gewoon een beetje te lummelen toen ik op een gegeven moment opkeek en zag dat er vreemde mensen in de tuin stonden. Dat vond ik gek, dus ik liep naar boven ook al vindt mijn tante het maar niks als ik ophou met werken.

Toen ik dichterbij kwam, zag ik dat het een ouwe vent was met van dat haar dat je eigenlijk zou moeten afscheren in plaats van te proberen er nog iets van te maken. Hij zag eruit als een barkeeper, maar eigenlijk keek ik helemaal niet naar hem.

Ze was het mooiste meisje dat ik ooit van mijn leven gezien heb. En wat me het meest verbaasde, was dat ze me helemaal niet aankeek alsof ik alleen maar die indiaan was. Toen haar vader ons meenam om te gaan waterskiën kwam ze gewoon naast me zitten en zo. Ze vertelde me dat ze samen met haar vader een jaar lang de hele wereld rond had gereisd en dat ze nu weer terug waren in Oyster Shores en dat ze dat helemaal niet zag zitten want al haar vrienden zaten in Minnesota. Toen vroeg ze of ik haar morgen weer kwam opzoeken. Ik weet best dat ze geen vrienden meer met me wil zijn als ze al dat gezeik in de stad hoort en erachter komt dat niemand me ziet zitten. Maar dat kan me geen ruk schelen.

Toen ik thuis kwam, vond mam alles zo gaaf dat ze me zelfs alleen thuis liet, terwijl zij samen met tante Winona naar de Outlaw ging. Dat doet ze NOOIT. Volgens mij is ze altijd bang dat ik crack ga roken of het huis in de fik steek, maar vanavond zei ze dat ik volwassen werd en me goed begon te gedragen en dat ik die kans verdiende.

270

Mam is net terug uit de outlaw en ze lachte en was blij. zo heb ik haar in tijden niet gezien. ze kwam zelfs bij me op de bank zitten, sloeg haar arm om me heen en zei dat ze trots op me was en dat het haar speet. ze zei niet waar ze spijt van had, maar ik wist dat het over mijn vader ging en over de hele puinzooi, dus heb ik maar gezegd dat alles oké was. Stom, dat weet ik best, maar ik vond het fijn toen ze zei dat ze trots op me was. Dat was best cool.

Eenentwintig

❦

'Oké, we zijn er. Waar is de brand?'

Winona draaide zich om en keek haar zussen aan. 'Het is een mode-alarm. Ik heb over een uur een afspraakje met Mark en in de tussentijd moet ik vijfendertig pond afvallen en een nieuwe garderobe aanschaffen. En volgens mij heb ik microdermabrasie nodig.'

'Zucht eens diep,' zei Vivi Ann.

'Hoezo, moet ze een kind krijgen dan? Zuchten helpt niet. Volgens mij kan ze beter een stevige borrel nemen,' was Aurora van mening.

'We gaan haar niet dronken voeren als ze een afspraakje heeft,' lachte Vivi Ann. 'En trouwens, de laatste tijd kom je constant met die oplossing aandragen.'

'Rechtlijnigheid is een deugd,' zei Aurora stijf. 'Ik ben zo terug.' Ze liep naar buiten en was binnen de kortste keren terug met haar beautycase (die de omvang had van een stevige sinaasappelkist) en een mooie, roze doos van de kledingzaak op Main Street.

'Wat heb je daar allemaal?' vroeg Winona. 'Ik heb jullie pas een kwartier geleden opgetrommeld!'

'We wisten dat je zou bellen,' zei Vivi Ann. 'Weet je nog dat die bankier uit Shelton met je uit wou? Toen zat je ook in zak en as.'

'Net als bij die leraar uit Silverdale. Volgens mij moest je vlak voordat hij kwam opdagen echt overgeven.'

Winona viel neer op de bank die ze tweedehands had gekocht en merkte voor het eerst dat er een benzineluchtje aan hing. 'Ik ben een hopeloos geval.'

Vivi Ann ging naast haar zitten. 'Nee, je blijft juist steeds hopen. Dat is het probleem met jou. Maar misschien is dit eindelijk wel de ware jakob. Jouw Neo.'

'Moest je nu per se "eindelijk" zeggen? En je weet best dat ik die *Matrix*-films waardeloos vond. Die sloegen nergens op.'

'Ze heeft liever de Tom Hanks uit *Sleepless*,' zei Aurora. Ze wisten allemaal, ook al werd dat nooit hardop gezegd, dat sinds Luke zeven jaar geleden was getrouwd Winona steeds meer was gaan wanhopen. Haar zelfvertrouwen met betrekking tot mannen – dat toch al nooit echt groot was geweest – was inmiddels ver beneden peil. 'Kom op, we gaan beginnen.'

Winona liet zich meeslepen door hun enthousiasme en zelfverklaard vakmanschap. Vivi Ann trok zorgvuldig en lokje voor lokje Winona's haar glad tot het als een zijden gordijntje langs haar gezicht hing en Aurora maakte haar met een verrassend vaste hand op.

'Sjonge,' zei Winona lachend toen ze in de spiegel keek. 'Wat jammer dat hij niet alleen met mijn gezicht kan gaan eten.'

Aurora dook achter haar op met een zwart, met tule overtrokken zonnejurkje met een diepe V-hals, een empirelijn met een wijde, slank vallende rok.

'Dan zie je toch mijn armen,' zei Winona.

'Maar ook je tieten,' zei Aurora. 'Heb je je oksels onthaard?'

'Ja, ik ben niet compleet geschift.'

'Dat valt nog maar te bezien. Hier.'

Winona stond toe dat Aurora de stretchjurk over haar hoofd trok. Hij zat meteen goed en Winona draaide zich om en probeerde zich voor te stellen hoe ze op hem zou overkomen: een lange, grof gebouwde vrouw met een leuk snoetje en kwabberige armen in een zwarte zomerjurk met een imposant decolleté. Afgezien van liposuctie kon ze er niet beter uitzien dan zo. 'Bedankt, jongens.'

Aurora bekeek haar nog eens goed en deed toen haar lange rode oorbellen uit, die ze aan Winona gaf. 'Hier, doe die maar in. En denk erom dat je niet over je campagne begint.'

'Waarom niet?'

'Omdat je daar eindeloos over door kunt zeuren. Vooral als je over de renovatie van het centrum begint. Geloof me nou maar, niet over beginnen.'

Winona keek Vivi Ann aan. 'Is dat echt waar?'

Vivi Ann grinnikte. 'Zeker weten.'

Aurora keek op haar horloge. 'Kwart voor zes. Ik moet ervandoor.'

Nadat ze weg was, zei Vivi Ann: 'Laat je door die vent nou niet opnaaien, hè. Hij mag van geluk spreken dat je met hem uit wilt.'

'Bedankt,' zei Winona, die wenste dat ze er zelf ook zo over kon denken. 'Noah heeft gevraagd of hij tot negen uur mocht blijven werken. Vind jij dat ook goed?'

'Ja hoor. Ik kom hem wel halen als hij belt. Hij is de afgelopen paar dagen echt lief geweest. Hij lácht zelfs weer. Hij is weer hetzelfde joch van voordat hij ging puberen en volgens mij hebben we dat bijna helemaal aan jou te danken.'

'Ik heb er anders weinig aan gedaan.'

'Winona Grey die zich niet op de borst slaat voor iets wat ze voor elkaar heeft gekregen? Staat de wereld ineens op z'n kop?'

'Leuk hoor.'

Vivi Ann kuste haar wang, wenste haar veel plezier en liep toen naar buiten waar ze nog even met Noah stond te praten voordat ze wegreed. Winona begon meteen te ijsberen. Eigenlijk vond ze eerste afspraakjes heel vervelend: ze gaven je zoveel hoop. Iedere keer als ze een nieuwe vent ontmoette, dacht ze weer: *Misschien is hij wel degene die me Luke kan doen vergeten.*

'Tante Winona?'

Ze was dankbaar voor de afleiding. 'Je hoeft vanavond niet door te werken, hoor.'

'Dat wil ik liever wel. Anders hang ik toch maar in mijn kamer. En die maffe moeder van me heeft me mijn Xbox afgepakt toen ik van school werd getrapt.'

'Wou je daarmee zeggen dat je op een zaterdagavond niets anders te doen hebt dan vogelpoep van een steiger schrapen?'

'Jezus. Nou voel ik me helemaal een mislukkeling.'

'Sorry.'

Hij knikte en bleef haar met grote ogen aanstaren. Ineens drong het tot haar door hoe netjes hij eruitzag. Zijn glanzende haar zat in een paardenstaart en het mouwloze T-shirt en de boxershort die tegelijk als zwembroek dienst kon doen pasten hem echt. Hij droeg nog steeds die belachelijk grote skaterschoenen, maar je kon niet altijd meteen de oorlog winnen.

'Je ziet eruit alsof je iets kwijt wilt.'

Hij ging op de armleuning van de bank zitten. 'Wat moet je eigenlijk doen als je iemand aardig vindt?'

'Ik krijg altijd de neiging om over te geven,' zei ze lachend. Maar toen ze hem aankeek: 'O... je meent het echt. Nou ja...' Ze ging bij hem zitten. 'Iedereen die je dat vraagt, zal je een ander antwoord geven en ik ben zeker geen expert, maar eerlijkheid en respect zijn de dingen die ik het belangrijkst vind. Als een vent dat kan opbrengen, ben ik gelukkig.'

'Ben je wel eens verliefd geweest?'

De vraag overviel haar. Het was lang geleden dat iemand haar dat had gevraagd en het was niet iets waar ze zelf over wenste na te denken, maar nu de vraag gesteld was, kon ze niet net doen alsof ze niets had gehoord. En zoals verwacht moest ze meteen weer aan Luke denken. Ze wenste dat ze hem zou kunnen vergeten, maar dat lukte niet. Hij was voor haar de ware jakob of, zoals Vivi Ann zou zeggen, haar Neo. Hij was de maat waaraan ze iedere andere man afmat. En hij had nooit van haar gehouden. Was dat zielig of niet? 'Lang geleden wel, ja,' zei ze.

'Wat is er dan gebeurd?'

Ze had het liefst willen jokken, of eromheen willen draaien, maar toen ze de ernstige blik van haar neef zag, dacht ze aan iets dat ze van Luke had geleerd. Leugens en bedrog konden alles kapotmaken. 'Hij hield niet van mij.'

'Wat lullig.'

Ze moest onwillekeurig glimlachen. 'Ja. Maar hij is inmiddels getrouwd en heeft twee kinderen.'

'Misschien denkt hij toch nog wel eens aan jou.'

'Dat zou best kunnen.' Winona stond op omdat ze genoeg had van het onderwerp. 'Enfin, inmiddels is het zes uur en Mark kan ieder moment voor de deur staan. Ik zal de deur openlaten, voor het geval je naar de wc wilt of zo. En er ligt meer dan genoeg te eten in de koelkast.'

Er werd aangebeld.

'Daar is hij,' zei Winona zenuwachtig. 'Maak dat je wegkomt. En blijf met je vingers van mijn drank af,' plaagde ze terwijl hij wegliep. Zodra hij was verdwenen, liep ze naar de voordeur om open te doen.

Mark stak haar een boeket bloemen toe. 'Is dit een cliché? Of geven kerels geen bloemen meer als ze een afspraakje hebben?'

Ze zag dat hij even nerveus was als zij en dat stelde haar gerust. 'De leuke wel. Kom binnen, dan zet ik ze even in de vaas. Wil je iets drinken?'

'Ik drink niet.'

Ze keek hem aan. 'Zit daar een verhaal aan vast?'

Hij knikte zonder haar aan te kijken. 'Vind je het niet vervelend om uit te gaan met een drooggelegde alcoholist?'

'Ik verheug me er juist op.'

Hij pakte haar bij haar elleboog en nam haar mee naar zijn schitterend gerenoveerde huis. Overal waar ze keek, was iets moois te zien, van een prachtige met de hand gemaakte marmeren schoorsteenmantel uit Italië tot mondgeblazen lampen van Venetiaans glas. Ze liep achter hem aan naar een caramelkleurige kamer vol dik gestoffeerde meubels die overheerst werd door een enorm tv-toestel. Cissy zat met een bakje ijs opgekruld in een stoel een film te kijken.

'Hoi,' zei ze en ze drukte op de pauzetoets.

Mark bukte zich en drukte een kus op haar kruintje. 'Ik laat mijn mobiele telefoon aanstaan. Tussen tien en elf zijn we weer thuis.'

'Bel me maar even als je weggaat uit het restaurant, anders weet ik niet wanneer ik in paniek moet raken.'

Winona lachte. Zoiets zou ze zelf ook tegen een van haar zusjes hebben gezegd.

Mark nam Winona mee naar de veranda boven waar hij een koeltas en een deken oppakte.

'Gaan we kamperen?' vroeg Winona.

'Loop maar mee.'

Hij liep voor haar uit naar zijn steiger, naar de boot die ze voor het waterskiën hadden gebruikt, en liet haar in de stoel naast de zijne plaatsnemen. Daarna tuften ze het kalme water op, dat rond deze tijd van de dag donkergroen leek.

Winona keek naar de kust en zag hoeveel nieuwe, grote huizen er de laatste paar jaar bijgekomen waren. Ze vroeg zich af hoe lang het zou duren voor deze hele omgeving onherkenbaar veranderd was. Mark voer naar de openbare steiger van de Alderbrook Lodge, waar hij aanlegde naast een beeldschoon oud houten jacht dat *The Olympus* heette.

Hij hielp haar uitstappen, betaalde voor zijn ligplaats en liep samen met haar de wal op.

In het pas gerestaureerde restaurant met uitzicht op de Olympic Mountains kregen ze een tafeltje aan het raam en begonnen vrijwel meteen te kletsen. Mark vertelde haar over het jaar dat hij samen met Cissy over de wereld had gezworven en alle bijzondere dingen die ze hadden gezien. Hij gaf zo'n gedetailleerde beschrijving van Thailand, Angkor Wat en Egypte dat ze hardop zei dat ze daar ook best naartoe wilde. Toen hadden ze inmiddels het eten al op en zaten in grote plastic Adirondackstoelen op het gazon voor het restaurant. Het begon eindelijk donker te worden en het water was helemaal zwart geworden. Alleen het gekabbel van de golfjes herinnerde je eraan dat er leven in zat.

'Heb je wel eens gereisd?'

'Nee, nooit.'

'Waarom niet?'

Winona haalde haar schouders op. 'Mijn moeder stierf toen ik vijftien was en toen moest ik snel volwassen worden. Nadat ik was afgestudeerd ben ik teruggekomen omdat mijn vader en mijn zusjes me nodig hadden.'

'Je zusjes hebben geluk gehad dat jij er was. Toen mijn vrouw wegging, had die arme Cissy alleen mij nog maar.'

Het was een onderwerp dat hij de hele avond alleen maar had aangestipt. Ze had wel iets meer willen weten van zijn ex, maar alles ging zo goed dat ze de sfeer niet wilde bederven. Ze kon zich niet herinneren dat een eerste afspraakje ooit zo gezellig was geweest.

Om elf uur zei hij eindelijk dat ze er maar beter vandoor konden gaan. 'Ik laat Cissy liever niet zo lang alleen.'

En hij was nog een goede vader op de koop toe.

'Tuurlijk,' zei Winona glimlachend.

Na een kort telefoontje met Cissy tuften ze langzaam weer naar huis onder een met sterren bezaaide hemel en legden aan bij de steiger. Terwijl ze naar haar huis liepen, hield hij haar hand vast en hun eerste kus was precies zoals ze gedroomd had: teder en stevig en vol verlangen. Winona's in slaap gesukkelde hartstocht stak meteen de kop op om haar eraan te herinneren dat ze meer nodig had dan een kus.

Maar ineens week hij achteruit.

'Wat is er? Het ligt aan mij, hè? Je vindt me niet aantrekkelijk.'

'Het ligt niet aan jou, het ligt aan mij.'

Echt iets dat George Constanza had kunnen zeggen. Ze had meer van hem verwacht, dat was haar fout. 'Oké.' Ze zuchtte en draaide zich om.

'Win.' Hij pakte haar hand vast en dwong haar hem aan te kijken.

'Je hoeft er geen drama van te maken, ik begrijp het best, hoor. Ik dacht alleen dat we goed met elkaar konden opschieten.'

'Dat is juist het probleem.'

'Dat snap ik niet.'

'Mijn vrouw. Ironisch genoeg heette ze Sybil. Dat had ik als een voorteken moeten zien, in plaats van erom te lachen. Maar goed, ik hou van haar.' Hij zweeg even, keek uit over het water en fluisterde toen: 'Ik hield van haar.'

'En?'

Hij haalde zijn schouders op. 'Ik wou dat ik wist wat er aan de hand was. Daar word ik echt doodziek van. Ik dacht dat we gelukkig waren. Tot ik op een dag thuiskwam in een leeg huis en een briefje vond met *Het spijt me, Mark*. Ze was verliefd geworden op haar Pilates-leraar en weggegaan. Zomaar ineens. Cissy en ik wisten niet wat ons overkwam.'

'Dat moet echt afschuwelijk zijn geweest.'

'Schrijf me alsjeblieft niet meteen af. Mag ik het zo zeggen? Ik weet dat ik geen recht heb om dat te vragen, maar ik doe het toch. Geef me nog een kans.'

'Geloof me, Mark, ik ga nooit meteen bij de pakken neerzitten.'

'Dat is mooi.'

'Ja.'

'Dan bel ik je wel.'

'Je weet me te vinden,' zei ze en ze keek hem na toen hij de veranda af liep en door de donkere heg in zijn eigen tuin verdween.

Onwillekeurig vroeg ze zich toch af hoe lang ze op een volgend telefoontje zou moeten wachten.

Gisteravond was de gaafste avond van mijn leven. zodra tante Winona en Mark waren afgetaaid liep ik naar boven en wachtte in de tuin. Mijn hart bonsde zo dat ik bang was dat ik zou moeten overgeven. Ik kan niet vertellen wat ik voelde toen ik haar door de opening in de heg zag komen en wist dat ze bij mij wilde zijn.

Ik vroeg of ze misschien een film wilde zien, maar ze zei dat het zo'n mooie avond was dat we beter in het gras konden gaan liggen om met elkaar te kletsen. En dat hebben we gedaan. Ik haalde een deken van het bed in de logeerkamer en legde die op het gras, terwijl Cissy een paar colaatjes en chips uit haar huis haalde. daarna gingen we naast elkaar liggen en praatten over van alles en nog wat.

Het was echt te gek. ze vertelde me dat haar moeder op een dag zomaar was weggelopen en dat ze nooit meer terug was gekomen en ook nooit belde en dat haar vader daardoor aan de drank was geraakt. ze begon te huilen toen ze me dat vertelde en ik wist echt niet wat ik moest doen. Ik wou niets verkeerds zeggen en ik weet ook eigenlijk best dat er niets viel te zeggen. Misschien praat mam daarom ook nooit over mijn vader. soms doen klotedingen alleen maar verdriet en is het gewoon niet anders.

ze maakte een raar geluidje toen ik haar even aanraakte, alsof er een band leegliep, en ik merkte dat ze niet meer naar de lucht keek, maar naar mij. Bedankt, zei ze, ik had al gehoopt dat je dat zou doen.

En hoe zit het met jou? vroeg ze even later. wat voor leven

heb jij achter de rug? Ik weet dat het niet lang meer zal
duren voordat ze alles weet, en ik probeerde haar ook iets
te vertellen, maar dat ging gewoon niet. Ik keek in haar ogen
en toen kon ik duidelijk zien dat ze me heel aardig vond en
dat wou ik gewoon niet verpesten. Dus heb ik haar maar een
paar andere dingen verteld. Zoals dat Erik junior en Brian me
altijd lopen te jennen en dat ik dan af en toe mijn geduld
verlies waardoor ik al een paar keer voor vechten van school
ben getrapt. Ik heb haar zelfs verteld dat ik een paar
keer ben begonnen.

Ik wachtte tot zij hetzelfde zou zeggen als al die
anderen zoals: waarom doe je dan zo stom? Alsof ik niet
goed wijs ben. Niemand snapt hoe ik me voel als Brian me
'die rooie rakker' noemt. Ongeveer hetzelfde als die keer
dat ik op Renegade reed en we na een bocht ineens tegenover een poema stonden. Renegade schrok zich een stuip en
ging ineens op zijn achterbenen staan, zo snel dat ik mazzel
had dat ik niet van zijn rug vloog. En dat doe ik dus ook als
ze me op die manier uitschelden: dan sta ik meteen op mijn
achterste benen. En in plaats van ervandoor te gaan, ga ik
vechten.

Dus het was even afwachten wat Cissy zou zeggen. Ik wilde
niet dat ze zou denken dat ik een lafbek ben, maar ook
niet dat ik iedereen kort en klein sla. Ik was zo bang dat
ik het bijna niet hoorde toen ze zei dat ze precies wist hoe
ik me voelde.

Het ergste van alles, zei ze, was dat je net moest doen
alsof je eigenlijk helemaal geen verdriet had.

Toen heb ik haar een kus gegeven. Ik heb er niet eens
over nagedacht. Ik zag dat ze begon te glimlachen en ik wist
precies hoe ze zich voelde en hoe ik me voelde en toen heb
ik haar gekust.

En natuurlijk kwam mijn moeder net op dat moment aanrijden. Cissy en ik moesten lachen toen we al haar spulletjes
oppakten en wegbrachten, zonder dat mam ook maar iets in
de gaten had. Ze begon te toeteren toen ik net samen met

cissy de veranda op liep. Ik had bijna gezegd dat ik van haar hield, maar ik wist dat ze me dan zou uitlachen, dus zei ik alleen maar tot later en zij zei tot later tegen mij.

Maar toen ik al bijna bij de pick-up was, hoorde ik dat ze mijn naam fluisterde en ik draaide me om.

Laten we morgen afspreken, zei ze.

Waar?

En mam zat ondertussen in de auto naar me te zwaaien alsof ik haar een jaar lang niet had gezien.

In het staatspark, fluisterde cissy. Na de lunch.

Het was maar goed dat ik mijn gordel om had toen ik in de pick-up zat anders was ik zo weggevlogen.

Je ziet er gelukkig uit, zei mam toen ze de snelweg opdraaide.

Dat zal dit gevoel dan wel zijn, denk ik.

Winona kon niet slapen. Nadat ze het licht in haar slaapkamer weer aan had gedaan, hees ze zich in haar favoriete roze badjas en liep naar de keuken.

Er stond niets in de koelkast waar ze trek in had, dus maakte ze maar een kopje kruidenthee en liep daarmee naar buiten. Ze had al zo lang in de stad gewoond dat ze bijna was vergeten hoe donker het tussen de bomen en langs de kust kon zijn. En als het water niet zacht kabbelend over het strandje was gespoeld, was het ook doodstil geweest.

Die stille duisternis maakte dat ze zich nog eenzamer voelde. In haar huis aan First Street ging ze ook 's avonds vaak op de achterveranda zitten. Maar daar had ze uitzicht op het Canal House Bed and Breakfast en op het parkeerterrein bij het strand. Zelfs in de winter, als het vroor dat het kraakte, was er altijd licht en beweging te zien en dat gaf haar, ook al was het nog zo zijdelings, toch het gevoel dat ze erbij hoorde.

Hier was helemaal niets. Alleen onzichtbare bergen, zwart water en sterren die oneindig ver weg waren.

'Hoi, Winona.'

Ze draaide zich om en probeerde hem te onderscheiden, maar pas toen hij dichterbij kwam en de houten veranda opstapte, kon ze iets meer zien dan een vage schaduw. 'Mark,' zei ze zonder te weten wat ze verder moest zeggen.

'Ik zag door de bomen dat je het licht aandeed.'

'Ik kon niet slapen.'

Hij kwam iets dichterbij en dook eindelijk op in het licht dat door het keukenraam naar buiten viel. 'Ik ook niet.'

Nu zag ze pas hoe verfomfaaid hij eruitzag. Alsof hij urenlang had lopen ijsberen en met zijn hand door zijn dunne haar had gewoeld tot het alle kanten op stond. Zijn overhemd zat scheef dichtgeknoopt. 'Is er iets mis?' vroeg ze.

'Mijn hele leven is mis.'

'Dat gevoel ken ik.'

'Echt waar?'

'Ja hoor,' zei ze rustig terwijl ze haar thee op de tafel achter haar zette. 'Ik ben drieënveertig, Mark. Ik ben nooit getrouwd geweest en inmiddels zal het wel te laat zijn om nog kinderen te krijgen. En misschien is je ook al opgevallen dat ik een gewichtsprobleem heb. Dus ja, ik weet precies hoe het voelt als het leven niet is wat je ervan verwacht had.'

'Ik heb zo'n fijne avond met je gehad,' zei hij, 'dat het me ineens in de bol sloeg.'

'Dat geeft niet. We hebben tijd zat.'

Hij schudde zijn hoofd. 'Dat is iets, wat ik het afgelopen jaar heb geleerd. Je denkt altijd dat je meer dan genoeg tijd hebt, maar dan zit je ineens midden in de puree.'

'Wat bedoel je nou precies?'

Hij kwam dichterbij. 'Ik bedoel dat ik je wil, Winona.'

Er gleed een lichte rilling door haar heen, maar hoe bedwelmend de gedachte dat iemand naar haar verlangde ook was, toch viel ze er niet meteen voor. Haar lichaam snakte misschien naar hem, maar haar verstand was nog lang niet uitgeschakeld. 'Je bent er anders nog niet klaar voor,' zei ze.

'Dat weet ik wel.'

'Je had het best mogen ontkennen, hoor.'

Hij legde zijn hand in haar nek. Zijn vingers voelden zacht en ste-

282

vig aan tegen haar huid. Ze leunde iets achterover, zodat ze het gevoel kreeg dat hij haar ondersteunde.

'Verlang je ook naar mij?' vroeg hij.

Ze voelde zijn zachte adem over haar lippen strijken. Het liefst had ze haar ogen dichtgedaan of haar gezicht afgewend, om maar te kunnen dromen. De waarheid stond zo duidelijk in zijn ogen te lezen. Hij hield nog steeds van zijn vrouw.

Maar ze was al zo'n tijd alleen geweest en nu ze de kans voor het grijpen had, kon ze het niet opbrengen om die door haar vingers te laten glippen. Ze deed een stapje naar hem toe en keek naar hem op. 'Ja.'

Zijn kus was als een glas koel water voor haar uitgedroogde ziel en ze dronk er gretig van. Toen ze elkaar eindelijk loslieten, zag ze haar eigen verlangen weerspiegeld in zijn ogen.

'Kom maar,' zei ze terwijl ze zijn hand pakte en hem mee naar binnen nam. In haar slaapkamer deed ze het licht niet aan, maar glipte in het donker uit haar badjas en haar nachtpon en trok hem mee naar bed.

Hij kuste haar tot ze hem smeekte om verder te gaan en toen hij eindelijk met haar begon te vrijen, klampte ze zich aan hem vast met de wanhopige passie van een vrouw die te lang alleen was geweest. Toen ze klaarkwam, gebeurde dat in een verrukkelijke mengeling van verdriet en verrukking en ze schreeuwde het uit. De emoties waren zo overstelpend dat ze bijna in tranen uitbarstte.

'Dat was fantastisch,' zei hij toen hij achterover zakte in de kussens en haar naar zich toe trok.

Ze kroop tegen hem aan. Het was zo lang geleden dat ze met een man in bed had gelegen, dat ze bijna was vergeten hoeveel ruimte kerels in beslag namen, hoe zwaar hun benen aanvoelden en hoe fijn het was als iemand zomaar een kus op je naakte schouder drukte.

Ze bleven tot diep in de nacht kletsen en kussen tot ze opnieuw begonnen te vrijen. Tegen een uur of vier trok Winona eindelijk haar nachtpon aan en liep naar de keuken. Toen ze terugkwam, had ze een dienblad vol eten bij zich: toast van bruin brood met omelet en verse honing en zelf geperst sinaasappelsap.

'Het is lang geleden dat iemand ontbijt voor me heeft gemaakt,' zei hij en hij leunde opzij om haar een kus te geven.

Tijdens het ontbijt begon hij weer te praten over de landen waar hij was geweest en hij vertelde hoe moeilijk het was om in zijn eentje een tienerdochter groot te brengen. Daarom was hij ook zo blij dat hij weer terug was in Oyster Shores.

'Hoe komt het dat je nooit meer voor de kerst of zo naar huis bent gekomen?'

'Ik was achttien toen ik wegging, weet je nog? Destijds wilde ik zo ver mogelijk weg van dat kleine stadje waar iedereen alles van je weet. Toen ik met Sybil trouwde, zijn mijn vader en moeder wel op de bruiloft geweest, maar dat is de enige keer geweest dat ze bij ons op bezoek kwamen en Sybil wenste geen stap ten westen van Chicago te zetten.'

'Praatte je wel met je moeder?'

'Af en toe. Wat een rare vraag.'

Winona koos haar woorden zorgvuldig. Dit was een onderwerp waar ze het echt over moesten hebben en het was niet van gevaar ontbloot. 'Een tijd geleden is hier een moord gepleegd. Daar was destijds nogal veel over te doen.'

'Ja, ik weet nog wel dat we het daarover hebben gehad.'

'Dallas Raintree.' Ze zweeg even en zei toen: 'Hij was getrouwd met Vivi Ann, mijn zusje. Je moeder was kroongetuige tegen hem.'

Hij fronste. 'Ja, ik geloof wel dat ze me dat allemaal verteld heeft. Is het belangrijk? Haat je zus mijn moeder nu of zo?'

'Je weet toch hoe Oyster Shores is. Er wordt hier nooit openlijk gepraat, maar ik heb zelf gezien dat je moeder na de kerkdienst naar de andere kant van de kamer liep om niet tegen Vivi Ann te hoeven praten. En omgekeerd gebeurt hetzelfde.'

'Wat mij betreft, is het allemaal geklets en ik begrijp niet... Wacht even, heb je het over Noahs vader?'

'Ja.'

'Moet ik me zorgen maken over hem en Cissy?'

'Een week geleden had ik nog gezegd dat je Cissy beter bij hem uit de buurt kon houden. Hij heeft op school moeilijkheden gehad... Maar dat zal je allemaal wel gauw genoeg ter ore komen. Sommige mensen denken dat het alleen een kwestie van afwachten is voordat hij echt in de problemen komt, maar eerlijk gezegd is er volgens mij niets mis met hem.'

'Dat zegt mij voldoende. En zullen we het nu eens over andere kleinsteedse kletspraatjes hebben?'

'Zoals wat?'

Hij boog zich voorover tot hij net haar kin, haar wang en haar lippen kon kussen. Ondertussen voelde ze hoe zijn hand van haar rug over haar billen gleed en tussen haar benen glipte.

'Ik heb horen vertellen dat Mark Michaelian met Winona Grey slaapt.'

Ze huiverde onder zijn aanraking. 'Mij is anders verteld dat er van slapen niet veel komt.'

Tweeëntwintig

Ik heb nooit zo'n fijne zomer gehad. Cissy en ik kennen inmiddels wel honderd manieren om er tussenuit te knijpen zodat we alleen kunnen zijn. Zelfs op mijn verjaardag zijn we er nog in geslaagd om ons samen te drukken. Niet omdat we niet willen dat andere mensen zien dat we samen zijn, maar omdat we de beslotenheid krijgen waar we behoefte aan hebben als we elkaar in het geheim ontmoeten. Niemand maakt zich druk over al die tijd die we samen doorbrengen omdat ze het gewoon niet weten en Mark komt niet op het idee om tegen Cissy te zeggen dat ik niet goed genoeg ben voor haar. Ik weet best dat ze dat soort dingen wel te horen krijgt als de school weer is begonnen, maar voorlopig probeer ik dat te voorkomen.

En op 4 juli ging het maar net goed. Iedereen was druk bezig met zijn eigen zaakjes. Mam met de ponyclub, tante Winona met haar verkiezingscampagne en Mark zat alleen maar te wachten tot zij klaar was.

Ik had het geld bij me dat ik deze zomer verdiend heb en gaf op de kermis bijna de helft uit. Ik heb net zolang spelletjes staan spelen tot ik die grote giraf voor Cissy had gewonnen en ik heb haar boven in het reuzenrad wel tien keer gekust. Toen ik geen geld meer had, zijn we de heuvel opgelopen en bij de paardenboxen gaan zitten om te vrijen en te kletsen. Het mooist van alles was dat ik net tien seconden voor mam thuis was. Toen ze binnenkwam, lag ik in bed te lezen en ze zei dat ik echt veel plezier zou hebben gehad op de kermis. Ze wist niet dat ik onder de dekens nog al mijn kleren aanhad!

Juli en augustus zijn de fijnste maanden van mijn leven geweest. Ik heb nu geen tijd om alles op te schrijven (Cissy staat in het park op me te wachten)), dat doe ik binnenkort wel...

Mark en tante Winona gaan een nachtje kamperen in Sol Duc en ze hebben gevraagd of Cissy en ik meegingen! Maar we weten best dat ze alleen maar willen dat wij niet denken dat ze constant met elkaar liggen te neuken. Alsof Cissy en ik niet alleen blind maar ook nog STOM zijn. Trouwens, het kan ons geen moer schelen. Toen ze zeiden dat ze gingen, heb ik net gedaan alsof ik het knap vervelend vond, maar dat ik toch mee zou gaan om tante Winona een plezier te doen. Cissy heeft hetzelfde gedaan bij haar vader.

Gisteravond zijn we met ons allen in de Escalade van Mark gestapt. Mark en tante Winona zaten voorin zo te kletsen dat ze helemaal niet in de gaten hadden dat Cissy en ik hand in hand achterin zaten. Op het kampeerterrein hebben we hotdogs geroosterd, chocola laten smelten en zitten kaarten. 's Nachts sliepen we in een grote oranje tent, allemaal in onze eigen slaapzak. Het ergste was dat ik nog geen drie meter bij Cissy vandaan lag. Ik kon haar horen ademen, maar ik kon haar niet aanraken of kussen en eigenlijk ook niet met haar praten.

Op zaterdag werden we allemaal vroeg wakker en gingen we ontbijten in het restaurant. Dat was gaaf. Er is daar zo'n ENORM zwembad dat gevuld is met water uit de warme bronnen en dat is wel vijfendertig graden of zo. Het water is zo warm dat je erin kunt drijven en daarna moet je eigenlijk naar het gewone zwembad rennen en erin springen. Dat lijkt dan ijskoud. Tante Winona en Mark zaten zo lang in dat

warme water, dat ze volgens mij bijna smolten. Toen ze
eruitkwamen, probeerden ze elkaar steeds stiekem aan
te raken - alsof cissy en ik niet in de gaten hadden wat er
aan de hand was. Daarna kwamen ze naar de rand van het
koude bad en riepen ons.

Nou ja en cissy is dus echt een GENIE. want ze zwom
rechtstreeks naar ze toe en zei dat ze graag een wandel-
tocht naar de waterval wilde maken.

Ik zwom naar haar toe en klaagde dat die waterval wel
vijftien kilometer weg was, hoewel ik best wist dat het
helemaal niet zo ver was.

En Mark zei dus meteen: Noah, waarom loop jij niet samen
met cissy naar die waterval? cissy begon te kreunen en tante
winona (die altijd elk probleem moet oplossen) zei: dat is een
geweldig idee, Noah. Samen kan jullie niets overkomen.

Dus konden cissy en ik de hele dag hand in hand lopen over
dat brede pad. De bomen om ons heen waren echt gigantisch.
Alles om ons heen was groot: de rotsen, de planten en de
bomen. En hoewel het augustus was en hartstikke warm,
drong er nauwelijks zonlicht door tot het pad. cissy kreeg
het koud, dus trok ik mijn shirt uit en gaf dat aan haar.
Ik liep best te rillen maar dat kon me niks schelen.

We hoorden de waterval al voordat we er waren. Het was
een herrie van jewelste, net een trein die tussen de bomen
door denderde en alles deed schudden. We moesten nog zo'n
krakkemikkig oud bruggetje over en toen zagen we de
waterval.

Het lijkt wel tovenarij, zei cissy terwijl ze mijn hand
pakte. Ik heb haar een hele tijd gekust en dat was echt
hartstikke gaaf. De grond trilde en overal was sproeiwater
en er was zoveel lawaai dat je niets kon horen. Maar toen
we ophielden met kussen, zag ik dat er zonnestralen op ons
vielen, alleen op ons, nergens anders op.

Ik hou van je, zei ik zonder dat ik erover had nagedacht
en ze begon meteen te huilen.

Ik zei dat het me speet en wilde haar loslaten, maar

daar wilde ze niks van weten. Doe niet zo maf, zei ze, ik huil alleen omdat ik ook van jou hou.

Ze zei dat we voorbestemd waren om elkaar te ontmoeten en misschien heeft ze wel gelijk. Ik bedoel maar, als we elkaar niet bij de waterval hadden gekust of niet hadden gezegd dat we van elkaar hielden, of als we niet precies in die hete zonnestralen hadden gelegen, dan had ik misschien niet haar hand vastgepakt en haar meegetrokken naar de schaduw van die hoge ceder en als ik dat niet had gedaan, had ik het misschien nooit gezien.

Maar het was net alsof het al die tijd alleen maar op mij had gewacht. Een perfect hart, uitgesneden in de bast van die boom. En in het hart stonden twee stel initialen en een datum.

D.R. houdt van V.G.R. 21/8/92.

En vandaag was het de twintigste.

Ik ging zo snel rechtop zitten dat Cissy bijna omviel.

Wat is er? vroeg ze.

Eigenlijk wilde ik haar alles vertellen, echt waar, maar ik kon geen woord uitbrengen. Ik kon niet eens denken. Mijn leven lang heb ik gedacht dat mijn ouwe heer niets anders was dan een moordenaar. Eigenlijk een soort beest.

Maar ineens dacht ik aan hem als een vent die zijn vrouw hier mee naartoe had genomen, naar precies hetzelfde plekje dat ik voor mijn meisje had uitgekozen, en toen werd ik bang.

Als hij nou eens geen beest was geweest? Als hij nou eens een gewone vent was geweest die op een dag ineens op zijn achterste benen stond en iets stoms had gedaan?

En voor het eerst begreep ik dat al die mensen die over me kletsen best gelijk konden hebben. Misschien leek ik echt op mijn vader. En was hij vroeger net zoals ik.

Moet je zien, zei Cissy toen ze het hart zag. Wat romantisch. Wie zouden dat zijn geweest?

Ik pakte mijn telefoon en maakte er een foto van. Ik kan me niet herinneren welke smoes ik tegen Cissy heb opgehangen. Maar vanaf dat moment had ik het wel gezien.

Ik weet niet eens hoe ik het moet omschrijven. Er spookte van alles door mijn hoofd en ik heb alleen maar bij dat kampvuur zitten wachten tot we eindelijk naar huis gingen en ik aan mam kon vragen wie voor de duivel Dallas Raintree nou eigenlijk was.

De 21e augustus was voor Vivi Ann altijd de moeilijkste dag van het jaar. Af en toe keek ze er weken tegenop en in andere jaren was het plotseling zover, maar iedere keer was de uitwerking hetzelfde: ze raakte ervan in de put. Jaren geleden had deze dag haar zoveel verdriet bezorgd dat het bijna niet uit te houden was, maar dat was in de loop der tijd weggesleten. Ze hoopte dat ze lang genoeg zou leven om er weer een gewone doordeweekse dag van te maken.

Ze werd laat wakker en ging nadat ze de paarden en de stieren had gevoederd even koffiedrinken bij haar vader. Daarna ging ze gewoon aan het werk en sloofde ze zich zo uit dat ze aan het eind van de dag doodmoe was. Vlak voor zonsondergang viel ze eindelijk neer op de schommelstoel op de veranda en sloot heel even haar ogen.

Binnen de kortste keren was ze waar ze wilde zijn: in het land der dromen. Ergens in haar achterhoofd zeurde het stemmetje van haar gezond verstand dat ze dit niet moest doen, maar het kostte haar geen enkele moeite om dat te negeren. Vandaag mocht ze zich wel even laten gaan.

'Vivi Ann?' zei Winona terwijl ze naar haar toe kwam lopen. 'Is alles in orde?'

'Het spijt me, ik ben kennelijk even in slaap gesukkeld.' Vivi Ann stond langzaam op. Ze was een beetje duizelig. Herinneringen hadden soms dezelfde uitwerking als een stevige borrel: te veel ervan en je raakte uit je evenwicht. 'Waar is Noah?'

'Hier, mam,' zei hij terwijl hij uit de glanzende, zwarte SUV stapte.

Mark stapte ook uit. 'Hallo, Vivi Ann,' zei hij terwijl hij Winona's hand pakte. 'Bedankt dat we Noah mee mochten nemen. Hij was leuk gezelschap.'

'Bedankt dat jullie zo lief waren om hem mee te nemen.'

Mark glimlachte. 'We waren eigenlijk van plan om even naar de viskraam te gaan en daarna nog een ijsje te gaan eten.'

Ik was nog laat aan het werk in de ijswinkel en toen zag ik Dallas uit het steegje komen...

'Heb je zin om mee te gaan?' vroeg Winona.

Vivi Ann probeerde zo vriendelijk mogelijk te lachen. 'Nee, dank je wel. Ik voel me niet zo lekker,' voegde ze eraan toe.

'Ik denk dat ik maar bij mam blijf,' zei Noah. 'Maar hartelijk bedankt voor het uitstapje.' Hij liep naar de auto en zei nog iets tegen het meisje op de achterbank.

Winona liet Marks hand los en kwam naar Vivi Ann toe. 'Voel je je echt wel goed?'

Er waren dagen dat Vivi Ann het heerlijk vond dat de zusjes elkaar zo goed begrepen, maar bij andere gelegenheden – zoals vandaag – werd ze er kribbig van. Het enige goede nieuws was dat Winona nooit de tijd zou nemen om uit te vissen waarom vandaag zo belangrijk was. 'Ja, prima. Echt waar. Ga nou maar lekker uit eten.'

Ze keek hoe haar zus terugliep naar de dure zwarte terreinwagen en instapte. Toen ze wegreden, kwam Noah over het grasveld naar de veranda toe. 'Vandaag is het 21 augustus,' zei hij. 'Betekent die datum iets voor je?'

Vivi Ann had het gevoel dat de hele wereld ineens op zijn kop stond. 'W-w-wat bedoel je?'

'Hè, toe nou,' zei hij fel.

Terwijl zijn gezicht net nog strak had gestaan, kon ze nu zien dat hij zenuwachtig was.

'We zijn naar Sol Duc geweest,' zei hij, terwijl hij nog een stapje dichterbij kwam. 'Cissy en ik. En we hebben samen een lange wandeling gemaakt naar de waterval. Toen we er waren, zijn we gaan zitten om ernaar te kijken en toen zag ik ineens dat er een hart in een boom was gekerfd.'

'Een hart,' zei ze. Ze durfde haar zoon niet aan te kijken.

'Er stond bij *D.R. houdt van V.G.R. 21-8-1992.*'

Vivi Ann voelde haar laatste weerstand wegsmelten. Ze was het moe om de vragen van haar zoon te ontwijken. De hemel wist dat hij het volste recht had om die te stellen. Ze zakte terug in haar stoel terwijl het verdriet dat ze zo dapper had proberen te verdringen veel te veel plaats opeiste.

'Mam?' zei hij. Het klonk gewoon smekend.

Ze knikte eindelijk en liet voor het eerst in jaren haar emoties blijken, zonder ook maar iets in te houden. 'Vandaag is onze trouwdag. Je pap heeft dat hart tijdens onze huwelijksreis in die boom gekerfd.'

'Je noemt hem nooit zo.'

'Dat doet te veel pijn.'

'Wil je nu wel antwoord geven als ik wat vraag?'

'Als ik kan. Laten we dan maar naar binnen gaan, want dit kan wel even duren.' Ze stond op en liep achter hem aan het huis in, waar ze een glas witte wijn voor zichzelf inschonk en op de bank ging zitten. Ze trok haar blote voeten onder zich.

Noah ging in de stoel tegenover haar zitten. 'Vertel me eens alles van die moord.'

'Vind je dat het allerbelangrijkste? Hmm. Nou ja, er werd een vrouw vermoord, iemand met wie je vader bevriend was. Volgens mij heeft de politie hem vanaf het begin verdacht.'

'Heeft hij het gedaan?'

Ze had zichzelf voorbereid op die vraag waarvan ze al meer dan tien jaar wist dat hij ooit zou komen, maar nu het zover was, wist ze eigenlijk niet wat ze moest zeggen. 'Je vader kon af en toe behoorlijk driftig zijn.'

'Net als ik?'

'Nee, heel anders,' zei ze vastberaden.

'Heeft hij die vrouw vermoord?' vroeg hij.

Ze wist dat hij die vraag zou blijven stellen tot hij antwoord kreeg, dus zuchtte ze diep en vertelde hem de waarheid. 'Ik geloof niet dat hij het heeft gedaan.'

'Hield je van hem?'

Vivi Ann voelde hoe de tranen haar in de ogen sprongen. Ze kon ze met geen mogelijkheid inhouden. 'Met mijn hele hart.'

'Waarom ben je dan van hem gescheiden?'

'In feite is hij van mij gescheiden, maar dat bedoel je natuurlijk niet. Je wilt weten waarom ik... hem heb laten vallen.' Zelfs na al die jaren deed het nog steeds pijn als ze daaraan terugdacht, aan de manier waarop ze hem had laten gan.

'Het bezorgde me zoveel verdriet om steeds maar door te gaan en jaar in jaar uit te blijven hopen. Je kunt je vast nog wel iets van die tijd herinneren. Ik slikte massa's pillen en dronk te veel. Ik was een slechte moeder. Volgens mij hield je vader zoveel van me dat hij me dwong om hem los te laten. En nadat we tegen die boom waren gereden... dat weet je toch nog wel? Dat ik jou bijna iets aan had gedaan maakte me doodsbang. Ik wist dat ik de draad weer op moest pakken. Dat wij tweetjes samen verder moesten.'

'Maar hoe kon je hem dat aandoen?'

Ze sloot haar ogen. Het was een vraag die haar nog steeds door het hoofd spookte. Hoe vaak had ze niet gewenst dat ze de tijd terug kon draaien en kon zeggen: *Nee, Dallas, ik weiger om op te geven. Ik teken die papieren van je niet.* 'Ik kon gewoon niet anders. Maar om eerlijk te zijn... dat zal ik mezelf nooit vergeven.'

Hij stond op, ging naast haar zitten en legde zijn hoofd op haar schoot, zoals hij vroeger ook altijd had gedaan. Ze liet meteen haar vingers door zijn zijdezachte haar glijden.

Sprekend dat van zijn vader...

'Hield hij van me?' vroeg Noah met een stem die zo zacht en aarzelend klonk, dat ze meteen begreep waarom hij naar haar toe was gekomen. Hij wilde zijn tranen verbergen.

'Och, Noah,' zei ze. Ze boog zich naar hem over en fluisterde: 'Hij hield zo ontzettend veel van je. Daarom wilde hij je niet zien. Het had zijn hart gebroken als hij door een gevangenisruit naar je had moeten kijken.'

'Dan is hij een lafaard.'

'Of gewoon menselijk.'

'Mag ik hem een brief schrijven?'

'Ik denk niet dat hij erop zal reageren. Zou je dat heel erg vinden?'

'Ik zou het erger vinden om het niet te proberen.'

Zo dacht Vivi Ann er vroeger ook over, maar inmiddels wist ze dat proberen soms nog meer pijn deed dan het er maar bij te laten zitten. 'Goed dan. Probeer het maar. Ik hou van je, Noah. En ik ben ontzettend trots op je.'

'Ik hou ook van jou, mam.' Hij wreef even achteloos over zijn ogen, alsof hij dacht dat ze dan zijn tranen niet zou zien. 'Het was eigenlijk best gaaf, hoor. Dat hart in die boom.'

'Ja,' zei ze nadenkend. 'Dat klopt.'

Ik dacht dat ik geen vragen meer zou hebben als ik over mijn vader kon praten, maar daardoor zijn er alleen maar meer bijgekomen. Ik moest steeds weer denken aan dat hart in die boom. Ik weet precies hoe hij zich voelde, toen hij dat erin sneed, dus nu is het net alsof ik hem een beetje ken. Maar daardoor wil ik nog veel meer weten.

Ik heb geprobeerd het voor Cissy te verbergen. De volgende keer dat we elkaar zagen, was op dinsdag, toen mam bezig was met rijlessen en tante Winona en Mark naar Seattle waren. Cissy en ik hebben de hele dag op een deken in hun achtertuin gelegen. Ik probeerde net te doen alsof alles nog precies hetzelfde was, maar zij wist gewoon dat er iets aan de hand was. Volgens mij kun je als je verliefd bent dwars door iemand heen kijken of zo. Ik zat daar gewoon met een flesje frisdrank, toen ze ineens zei: Ik weet dat je iets voor me verbergt en dat vind ik helemaal niet leuk.

Ik zei dat ze dat geheim ook helemaal niet leuk zou vinden en toen zei zij dat als we van elkaar hielden we helemaal geen geheimen voor elkaar mochten hebben.

Ik hou van je, zei ik.

Bewijs dat dan maar.

Ik had natuurlijk best iets kunnen verzinnen, bijvoorbeeld door te zeggen dat ik bang was dat ik een onvoldoende zou krijgen voor mijn taak, of een ander lulverhaal, maar de waarheid was dat ik haar alles wilde vertellen. Ik ben bang, zei ik.

Waarvoor?

Ik zei dat ze me vast niet aardig meer zou vinden als ze de waarheid kende, maar ik wist ook dat we over een dag of tien toch weer naar school moesten, dus kon ik het net zo goed vertellen. Anders zouden Brian, Erik junior en de anderen dat wel doen.

294

ze zei dat ze me niet aardig vond, maar dat ze van me hield en dat daar geen verandering in zou komen, wat ik haar ook vertelde.

Dus toen heb ik haar alles verteld. Dat mijn vader Dallas Raintree was, half inheems-Amerikaans en half blank, dat hij op zoek naar werk naar deze stad was gekomen en dat hij een baantje had gekregen op Water's Edge. En dat hij met mam was getrouwd, ook al moest de rest van de familie niets van hem hebben. Ik zei dat hij driftig was en vaak in knokpartijen verzeild raakte. En ik vertelde haar dat hij een vrouw had vermoord en daarvoor naar de gevangenis moest. Toen ik alles had verteld, durfde ik haar niet eens aan te kijken. Ik had nog nooit zo lang over mijn vader gepraat en ik was er misselijk van.

Ze schoof iets naar me toe op die deken en probeerde me over te halen om haar aan te kijken, maar dat kon ik gewoon niet. Ik bleef maar naar het canal staren alsof ik dat nog nooit van mijn leven gezien had. Daarna pakte ze me bij mijn schouder en trok me omlaag tot we met het gezicht naar elkaar toe op de deken lagen.

Dat weet ik allemaal al lang, zei ze. Mijn vader heeft me dat een hele tijd geleden al verteld. Wist je dat mijn oma tegen je vader getuigd heeft?

Het is raar hoe je soms door een opmerking verrast kunt worden. Ik heb mijn leven lang lopen piekeren over mijn vader die in de gevangenis zit. In gedachten zag ik hem voor me, net als zijn leven achter tralies en dan vroeg ik me af hoe hij over mij zou denken. Maar tot Cissy over haar oma begon, heb ik me nooit afgevraagd hoe hij in de gevangenis terecht is gekomen. Hoe ze hebben bewezen dat hij schuldig was.

Denk je dat hij het heeft gedaan? vroeg ze.

Ik wist niet wat ik daarop moest zeggen. Hoe kon ik dat nou weten? Wat mij betreft, is hij een soort geest. Toen ik probeerde om me echt iets te herinneren, kwam er bijna niets boven. Een paar smerige cowboylaarzen, een witte hoed

waarmee ik altijd mocht spelen en een stem die iets zei in
een taal die ik niet verstond.
Je zou eigenlijk bij hem op bezoek moeten gaan, zei ze.
En toen kwamen we ineens op het plan.

Op de laatste dag van de kermis ruimde Vivi Ann het wedstrijdterrein op, nam afscheid van de meisjes van haar ponyclub en liep toen de met gras begroeide heuvel af naar het verlichte kermisterrein.

Aurora stond al bij de ingang op haar te wachten. 'Je bent laat.'

'De meisjes zijn nog maar net weg. En we hebben om vier uur afgesproken. Ik ben maar een paar minuten te laat.' Ze pikte een stukje van de suikerspin van haar zusje en stopte het in haar mond.

'Winona kan ons maar beter niet laten zitten,' zei Aurora terwijl ze haar hand op haar slanke heup zette.

'Ze is verliefd. We laten allemaal anderen zitten als we verliefd zijn.'

Aurora keek haar fronsend aan. 'Wat is er met jou aan de hand? Je ziet er blij uit.'

'Wat is daar mis mee? Ik heb een fijne week achter de rug. Noah en ik hebben eindelijk over Dallas kunnen praten. Dat geeft me een goed gevoel.'

'Waar zit die kleine ondeugd? Ergens crack te roken?'

'Hoezo, is Janie dan weer in de stad?'

Aurora grinnikte met tegenzin. 'Het is mooi dat jullie erover hebben kunnen praten en ik vind het fijn dat je nu blij bent, maar waar hangt die krengerige zus van ons uit?'

'Daar is ze,' zei Vivi Ann toen ze Winona en Mark zag aankomen.

'Heeft ze haar vríéndje meegenomen? Naar onze vrouwenavond? Wat een rotstreek,' zei Aurora terwijl ze de rest van de suikerspin in een prullenbak gooide.

'Goddank,' zei Winona hijgend toen ze bij hen was. 'Ik ben je al een uur aan het bellen, Vivi.'

'Mijn mobiel doet het niet in de manege. Dat weet je toch. Wat is er aan de hand?'

Mark deed een stap naar voren. 'Ik kan Cissy nergens vinden. Ze zou de hele dag thuisblijven. Win en ik waren onderweg naar Seattle, maar het was een puinhoop bij de veerpont, dus zijn we weer omgedraaid. Toen ik thuiskwam, stond de voordeur open en Cissy was nergens te vinden.'

'Heb je haar mobieltje geprobeerd?'

'Ja natuurlijk,' zei Winona. 'Ze neemt niet op. En we hebben dit in haar kamer gevonden.' Ze stak haar hand uit en liet een strip met foto's uit een automaat zien. Noah en Cissy stonden er samen op, lachend en kussend. 'Dat verklaart waarom mijn steiger nog steeds vol vogelpoep zit. Ze zijn de hele zomer bij elkaar geweest. Zonder toezicht.'

Mark zag eruit alsof hij moest braken.

'Laten we nou niet meteen het slechtste denken,' zei Aurora en Vivi Ann kon haar zusje wel zoenen. 'We zullen ze heus wel vinden. Dat is het belangrijkste. Daarna kunnen jullie wel gaan uitvissen tot hoever ze zijn gegaan.'

'Maar waar moeten we zoeken?' vroeg Winona.

'Vroeger ging ik altijd met meisjes naar het park bij het strand,' zei Mark. 'Aan het eind hangen schommels aan de bomen. Of naar dat smalle weggetje bij de rotonde.'

'Prima,' zei Aurora. 'Dan ga ik wel aan de andere kant van het marktplein kijken, en vooral achter de tribunes.'

'En ik loop even de kermis rond, daarna ga ik de lege stallen langs en vervolgens naar huis,' zei Vivi Ann. Ze pakte haar telefoon en belde Noahs nummer, maar dat werd ook niet opgenomen. Ze liet een dringend bericht achter en vervolgens ook bij het nummer thuis.

'Ik blijf wel bij Vivi Ann,' zei Winona tegen Mark. 'Mijn zusjes hebben gelijk. We hoeven helemaal niet in paniek te raken. Het zit er dik in dat ze op de kermis lopen.'

Mark leek niet overtuigd, maar hij knikte toch en gaf hun het nummer van zijn mobiel.

'We zien je over een uur bij jou thuis,' zei Winona.

Daarna gingen ze allemaal op zoek.

Winona en Vivi Ann liepen haastig over het drukke kermisterrein. Toen ze alle kraampjes en attracties gehad hadden, gingen ze uit elkaar en deden het nog eens dunnetjes over.

'Dit slaat nergens op,' zei Winona. 'Ze kunnen overal zitten. Verdorie, wij verstopten ons vroeger ook altijd als mam en pa ons op de kermis kwamen zoeken, weet je nog? Als we hen aan zagen komen, doken we meteen ergens de schaduw in. Dat kunnen zij nou toch ook doen?'

'Dat lijkt me logisch, vooral omdat ze ons kennelijk niet aan de neus wilden hangen dat ze met elkaar gaan.'

'Kunnen we dan niet beter gewoon naar huis gaan en op hen wachten?'

Daar moest Vivi Ann even over nadenken. 'Waarom ga jij niet even naar mijn huis? Alleen maar om te kijken of ze daar niet toevallig zijn of Noah misschien een briefje heeft neergelegd? Dan loop ik nog een keer over de kermis. Maar dan doe ik het iets rustiger.'

'Oké.'

Vervolgens kamde Vivi Ann opnieuw het kermisterrein en de lege paardenstallen uit, maar het stel was nergens te bekennen. Uiteindelijk stapte ze in haar auto en reed naar huis.

Winona stond haar op de veranda op te wachten.

Vivi Ann wist meteen dat ze geen goed nieuws had. 'Wat heb je gevonden?'

Winona hield een brochure omhoog. 'De vertrektijden van de bus. Hier staat in Noahs handschrift: Cissy/1.00.'

'Welke bussen vertrekken om één uur?'

'Daar schieten we niets mee op. Ze kunnen naar Belfair zijn gegaan en vandaaruit kun je vrijwel overal komen.'

Vivi Ann holde Noahs kamer in en controleerde zijn kast. 'Al zijn spullen zijn er nog.'

'Goddank,' zei Winona. 'Dan komen ze in ieder geval terug.' Ze klapte haar telefoon open om Mark het nieuws door te geven. 'Hij is niet echt blij,' zei ze, nadat ze de verbinding had verbroken.

Vivi Ann voelde een schrijnende teleurstelling. 'Nee,' zei ze. 'Ik ook niet.'

'Laten we nou eens logisch nadenken. We zijn er redelijk zeker van dat ze samen op een bus zijn gestapt. Ze zullen vast van plan zijn geweest om voor ons weer thuis te zijn en Mark heeft tegen Cissy gezegd dat hij om negen uur terug was. Er is een bushalte op nog geen honderd meter van mijn strandhuis, maar hoe moet Noah dan thuiskomen? Liftend?'

'Mark heeft toch een boot?'

Winona knikte. 'We zijn al de hele zomer bezig om dat stel te leren hoe ze daarmee om moeten gaan.'

'Dan kan ze hem bij Water's Edge afzetten en binnen tien minuten weer thuis zijn.'

'In het donker? Zouden ze echt zo stom zijn?'

'Die vraag kunnen we beter in het midden laten. Kom op, laten we maar bij Mark gaan zitten wachten. Dan kunnen we ze de stuipen op het lijf jagen.'

Vivi Ann, Aurora en Winona kwamen achter elkaar bij haar huis aan. Ze zetten hun auto's op het sjofele gazon en liepen door de heg naar het buurhuis. Mark liep over het dure flagstonepad in zijn tuin te ijsberen.

'Wat een schitterend huis,' zei Aurora om zich heen kijkend.

Mark deed net alsof hij haar niet had gehoord. Hij bleef maar heen en weer drentelen en in zichzelf mompelen.

'Dit moet je een keer meegemaakt hebben, Mark,' zei Aurora. 'Ieder kind neemt op zijn minst één keer de benen. Janie ging ervandoor om Britney Spears in de Tacoma Dome te zien. Ik wist niet of ik haar op haar duvel moest geven omdat ze stiekem was weggelopen of omdat ze zo'n slechte smaak had.'

Mark keek haar aan. 'Denk je echt dat er nu ook zoiets aan de hand is?'

Aurora fronste. 'Nou nee. Mijn kind had de auto genomen. In ieder geval waren Noah en Cissy verstandig genoeg om met de bus te gaan. Je moet positief blijven: ze hebben in ieder geval geen auto gestolen.'

'In hemelsnaam, ze is pas veertien. We zouden eigenlijk de politie moeten bellen.'

'Rustig nou maar,' zei Winona.

Mark rukte zich los en belde opnieuw Cissy's mobiele nummer. Toen ze niet opnam, liep hij naar de weg en ging op de uitkijk staan. Hij stond er nog toen het al donker begon te worden.

'Die krijgt het nog moeilijk met het vaderschap,' zei Aurora hoofdschuddend. 'Hij loopt het hele gras plat.'

'Hou je mond,' zei Winona. 'Hij is terecht ongerust.'

'Ja, maar... ik ben bang dat hij helemaal zijn kop verliest. Laten we hopen dat ze nooit met drugs gaat experimenteren. Dan weet hij helemaal niet meer wat hij moet doen.'

Toen Mark eindelijk terugkwam, zei hij: 'Het is halfacht. Ik vind dat we de politie moeten bellen.'

'Ze zijn echt binnen een uur thuis,' zei Winona rustig. 'Als dat niet zo is, bellen we Al.'

'Iedereen stond te trappelen om me te vertellen dat er geen moer van Noah deugde, maar ik gunde hem het voordeel van de twijfel. En wat ben ik daarmee opgeschoten? De hemel mag weten waar hij mijn Cissy mee naartoe heeft genomen. Ik ben bang dat...'

Op de weg stopte een bus kreunend en steunend en vertrok weer. De koplampen waren in het schemerige licht duidelijk te zien.

Vivi Ann deed een stapje naar voren en zag dat Mark precies hetzelfde deed.

Noah en Cissy liepen zo druk te praten dat ze niet eens in de gaten hadden dat ze opgewacht werden. Hand in hand en met het gezicht naar elkaar toe kwamen ze van de weg aangelopen.

'Cecilia Maria Michaelian,' riep Mark. 'Wat heb je voor de donder uitgespookt?'

Noah en Cissy bleven als aan de grond genageld staan.

Winona liep het eerst naar hen toe. 'We hebben ons echt ongerust over jullie gemaakt.'

'Dat spijt me,' zei Cissy nauwelijks verstaanbaar.

'Het was echt niet verstandig om er op deze manier vandoor te gaan,' ging Winona verder. 'Waar zijn jullie geweest?'

Noah haalde diep adem en keek van Vivi Ann naar Mark. 'We zijn naar de gevangenis geweest.'

Heel even was iedereen stil. Het enige geluid kwam van de zee, die kabbelend op het schelpenstrandje sloeg.

'Niet te geloven,' zei Mark ten slotte. 'Ga naar binnen, Cecilia. We zullen dit onder vier ogen afhandelen. En jíj,' schreeuwde hij tegen Noah, 'jij blijft voortaan bij haar uit de buurt, begrepen?'

'Pappie,' zei Cissy, terwijl ze naar hem toe rende. 'Het was mijn idee. Ik heb hem overgehaald. Doe nou alsjeblieft niets...'

'Naar binnen,' zei hij. 'En wel meteen.'

'Mark,' zei Winona. 'Het was niet bepaald verstandig, maar...'

'Ben je gék geworden? Het was ontzettend gevaarlijk en dat is zíjn schuld. Cissy,' zei hij ferm, 'ga naar binnen. En Noah, maak dat je van mijn land komt.' Hij keek Vivi Ann aan. 'Het spijt me echt. Maar ik kan niet toestaan dat hij mijn dochter in gevaar brengt.' Meteen daarna draaide hij zich om en liep terug naar zijn mooie nieuwe huis, terwijl hij zijn huilende dochter voor zich uit dreef. De deur viel met een klap achter hen dicht.

'Goh,' zei Aurora, 'wat een vriendelijk type.'

'Hou je mond, Aurora,' snauwde Winona. En tegen Noah: 'Wat heb je je in vredesnaam in je hoofd gehaald? En waarom heb je de hele zomer tegen me gelogen? Ik vertrouwde je. Ik heb tegen Mark gezegd dat Cissy bij jou veilig was.'

'Ik zou Cissy nooit pijn kunnen doen,' zei Noah obstinaat.

Vivi Ann herkende de uitdrukking op zijn gezicht: hij sloot zich af en zou alles wat tegen hem werd gezegd negeren. Het zou allemaal vergeefse moeite zijn. 'Kom op, Noah,' zei ze. 'We gaan naar huis.'

Ze nam niet de moeite om afscheid te nemen van haar zusjes of zelfs maar dankjewel te zeggen. Ze was zo moe en bang dat ze niet meer energie wilde verbruiken dan strikt noodzakelijk was. Het ergste was dat ze zich zo teleurgesteld voelde, en zo stom.

'Zeg eens iets,' zei Noah in de auto. 'Waarom begon je niet net als Mark tegen me te schreeuwen?'

'Had je dat prettiger gevonden?'

Hij haalde zijn schouders op. 'Zou kunnen.'

'Laten we niet weer zo beginnen. Je weet dat ik het afschuwelijk vind als je net doet alsof je je nergens iets van aantrekt. Dat is niet echt het probleem, dat weten we allebei.'

'Nee, dat is jouw probleem.'

'Vergeet het maar, vriend. Dit gaat niet om mij.' Ze nam de afslag en reed door Oyster Shores.

'Goed, ik neem aan dat je van haar houdt,' zei Vivi Ann een paar minuten later.

Noah keek haar aan. 'Ga je me nu uitlachen? En zeggen dat ik veel te jong ben om te weten wat liefde is?'

'Nee.' Ze stopte voor de blokhut en trok de handrem aan. 'Een van de opmerkelijke dingen van liefde is dat het heel herkenbaar is. Als je verliefd bent, weet je dat donders goed. En dan maakt het niet uit wat anderen denken. Maar er is iets wat ik door schade en schande heb geleerd, Noah: liefde creëert geen vacuüm. Je moet wel degelijk rekening houden met anderen. En jij hebt jezelf net lelijk in je vingers gesneden, vriend. Je hebt ervoor gezorgd dat de vader van je vriendinnetje je niet meer vertrouwt. Ik denk niet dat hij het goed vindt, dat ze nog langer met je omgaat.'

'Niemand kan ons scheiden.'

'Oké, dan is dit het moment dat ik eigenlijk tegen je hoor te zeggen dat je nog zo jong bent en je moet uitlachen. Als Cissy zo is als ik denk dat ze is, zal ze willen dat haar vader trots op haar is.'

Noah zag er troosteloos uit. 'Wat moet ik dan doen?'

'Begin maar eens met me te vertellen wat er vandaag precies is gebeurd, dan kunnen we ons daarna druk maken over morgen.'

'We wilden bij pap op bezoek.'

Ook al had Vivi Ann dat verwacht, de opmerking raakte haar toch als een klap in het gezicht. 'Wilde hij jullie zien?'

'We mochten niet naar binnen. Je moet achttien zijn, of in het gezelschap van een volwassene.'

'O.'

'Maar ik wil het nog een keer proberen. Ik weet zeker dat hij me wil ontmoeten.'

Vivi Ann hoorde de weerklank van elke emotie in de stem van haar zoon: lef, angst, boosheid en, het ergste van alles, hoop. Ze vond het vreselijk dat Noah zich op die weg had begeven, maar hoe kon ze haar kind afraden om hoop te voelen?

'En het spijt me van vanavond. Ik had je alles over Cissy moeten vertellen. Maar het was zo gaaf om het geheim te houden.'

Het was een gevoel dat Vivi Ann herkende. Ze was de laatste om iemand het recht te ontzeggen verliefd te zijn. Met dat soort emoties moest je heel voorzichtig omspringen.

Ze stak haar hand uit en haalde haar vingers door Noahs haar. 'Ik begrijp waarom je het gedaan hebt. Misschien was dat ook wel een beetje mijn schuld. En het viel me op dat je vanavond niet driftig werd. Dat is fijn.'

'Maar ik heb alles mooi verpest.'

Ze keek hem aan. 'Je hebt tegen mij, tegen Mark en tegen tante Win gelogen. Je hebt misbruik gemaakt van mijn vertrouwen. En het ergste van alles is, dat Mark daardoor denkt dat je niet deugt.'

'Wat moet ik doen om het weer goed te maken?'

'Je was slim genoeg om op het idee te komen naar de gevangenis te gaan. Ik weet zeker dat je ook wel iets kunt bedenken om alles weer recht te trekken.'

'Vast wel.'

'Maar houd er ondertussen wel rekening mee dat je dat thuis voor elkaar moet zien te krijgen, aangezien je de deur niet meer uitkomt tot je weer naar school moet. Je mag naar de kerk en naar je afspraken met mevrouw Ivers, maar daar blijft het bij.'

'Hè, mam…'

'Als je van iemand houdt, zul je daar de prijs voor moeten betalen. Dat kun je je maar beter meteen in je hoofd prenten.'

Drieëntwintig

❦

Toen ik nog klein was, hadden we zo'n oude merrie die Clementine's Blue Ribbon heette. Als mam in de tuin aan het wieden was, zette ze me altijd in het zadel en dan bleef Clem daar gewoon staan met mij op haar rug. Buiten liep ze altijd als een jong hondje achter me aan en soms kwam ze 's avonds zo dicht mogelijk bij mijn raam staan en dan hinnikte ze. Mam zei dat het paardentaal was voor welterusten. En toen vertelde mam me op een dag dat Clem naar de hemel was gegaan. Ik liep naar haar box en die was leeg.

Toen heb ik geleerd dat je iets waarvan je houdt ook kwijt kunt raken.

Zo voel ik me nu ook. Vanaf het moment dat ik die brief aan mijn vader heb geschreven voel ik me... ik weet niet eens hoe ik dat moet noemen. Niet verdrietig en zelfs niet in de zeik genomen. Hol is misschien wel een goed woord. Ik loop iedere dag naar de brievenbus, maar er zit nooit iets in.

Cissy heeft me ook niet gebeld. Ik heb ook geen e-mail of sms'je gehad. Het lijkt wel of ze van de aardbodem is verdwenen. Ik weet wel wat er is gebeurd. Mam had gelijk. Ze heeft voor haar vader gekozen. Daar kan ik zelfs wel een beetje begrip voor opbrengen. Maar het doet zo'n pijn dat ik af en toe niet eens zin heb om het licht aan te doen of zelfs maar mijn bed uit te komen.

Ik kan alleen nog maar aan haar denken. Ik weet nog goed hoe ze met dat plan kwam aandragen en zei: niemand heeft het recht om je weg te houden bij je eigen vader. ze heeft onderweg in de bus constant mijn hand vastgehouden. En op de terugweg zei ze steeds weer dat het echt fantastisch zou zijn als ik hem op een dag te spreken kreeg.

ze wist gewoon dat ik daar behoefte aan had.

Misschien is het dat wel, mevrouw Ivers. Misschien ben ik gewoon een knul die dingen wil die hij niet kan krijgen. Ik wil dat cissy van me houdt en ik wil met mijn vader praten.

En dat komt er eigenlijk op neer dat ik behoorlijk in de puree zit.

vandaag heb ik me laten inschrijven voor de highschool. Mevrouw Ivers heeft tegen mam gezegd dat ik met vlag en wimpel voor engels ben geslaagd. wat dat ook mag betekenen. In ieder geval was mam heel blij en ik eigenlijk ook wel. Het betekent dat ik cissy woensdag, als de school begint, weer zal zien.

Hoe moet ik haar aankijken zonder me als een volslagen idioot te gedragen? Ik weet zeker dat erik junior haar meteen in de smiezen zal hebben. ze is zo'n enorm stuk dat hij haar vast als zijn vriendinnetje wil. En als ik dat zie, hoe moet ik dan voorkomen dat ik ter plekke knettergek word?

Misschien kan ik me maar beter het hele jaar ziek melden.

Ik was eigenlijk niet meer van plan om nog iets in dit boek dat ik van mevrouw Ivers heb gekregen te schrijven, maar vandaag was zo geweldig dat ik er geen minuut van wil vergeten.

Daar stond ik dan in mijn dooie eentje naast de vlag terwijl iedereen om me heen liep te gillen en te schreeuwen dat het zo gaaf was om elkaar weer te zien. volgens mij ben je nergens zo alleen als in een menigte. Iedereen hoort ergens bij, behalve jij. vorig jaar zou ik daar knap pissig over zijn geworden. Dan zou ik om me heen hebben gekeken naar al die lachende jongens en meiden en dan zou ik meteen aan iedereen de pest hebben gehad. Als iemand me dan ook maar had aangekeken had ik meteen mijn middelvinger opgestoken. Er zijn een heleboel manieren om een knokpartij uit te lokken, dat weet ik inmiddels wel.

Maar goed, ik stond daar dus te wensen dat ik gewoon mijn ouwe trouwe vans aan had gedaan in plaats van die stomme Nikes die ik van mijn moeder moest kopen, toen ik Cissy zag. Samen met directeur Jeevers. Ze stonden in de buurt van de blauwe deuren en de directeur bleef maar doorkletsen. En overal om ons heen stonden leerlingen te lachen, te kletsen, naar hun iPods te luisteren of te bellen. Het hele gebruikelijke eersteschooldaggedoe.

En toch zag ze me meteen.

Ik wachtte tot ze zou lachen, maar toen ze dat niet deed, ben ik weggelopen, naar het gangetje tussen de gymzaal en de aula, waar het stil en donker was.

Daar stond ik met mijn ogen dicht tegen de warme stenen muur te leunen toen ik haar mijn naam hoorde zeggen. Ik wou eigenlijk vragen wat ze van me wilde op een toon waaruit zou blijken dat ik een hele bink was, alsof het me allemaal niks kon schelen, maar dat kon ik niet.

Ik heb je gemist, zei ze.

Ik kan me niet eens herinneren wat ik heb gezegd. Ik weet alleen maar dat ik daar het ene moment in mijn eentje in de schaduw stond en een moment later stond ze ineens naast me.

ZE HOUDT NOG STEEDS VAN ME!!! ☺

Ik kan niet geloven dat ik daar zelfs maar aan heb getwijfeld. Ze zegt dat ze zich gekwetst voelde omdat ik het zo gemakkelijk opgaf en ik weet niet wat ik daarop moet zeggen. Ik denk dat je al snel de moed opgeeft als je vader in de gevangenis zit. Voor mijn moeder geldt volgens mij precies hetzelfde. Maar zo wil ik niet meer zijn. Van nu af aan word ik een volhouder. Cissy zegt dat ik dat vanzelf word als ik het maar wil.

En toen gaf ze me dat tijdschrift uit Seattle.
Ik wist meteen dat het problemen zou geven.

Winona stond door het badkamerraam naar buiten te gluren. Van daaruit kon ze het grootste deel van de tuin van het strandhuis zien, plus een stukje van de snelweg achter de bomen. Ze zag Cissy aan het eind van de oprit staan wachten. Toen de gele schoolbus stopte, stapte het meisje in.

Winona liep de badkamer uit, trok de slippers die naast haar bed stonden aan en liep naar het buurhuis. Boven trof ze Mark in bed aan.

'Je bent laat,' zei hij en hij legde zijn krant neer.

'Ik ben te dik om te rennen. Je mag ook best naar mijn huis komen, hoor.' Ze schopte haar slippers uit en stapte naast hem in bed. Nadat ze zich tegen hem aan had genesteld knoopte ze zijn pyjamasje los en drukte een kus op de harige borst eronder.

Binnen de kortste keren hadden ze allebei hun kleren uit en begonnen te vrijen.

Dat was sinds kort vaste prik op maandagochtend en Winona keek er de hele week naar uit. Na het fiasco met Noah en Cissy was ze even bang geweest dat Mark het uit zou maken. En dat had hij ook inderdaad geprobeerd, al werd daar inmiddels niet meer over gesproken. Na twee weken was hij met hangende pootjes teruggekomen en nu konden ze het beter dan ooit met elkaar vinden. Ze begonnen gewoon niet over hun wederzijdse families. In plaats daarvan hadden ze een soort luchtbel gecreëerd waarin alleen plaats was voor hen tweetjes. Zaterdagavond, maandagochtend en donderdagmiddag waren de vaste tijden waarop ze elkaar zagen. Winona hoopte van harte dat Cissy zou worden uitverkozen voor de voetbalploeg.

Na de vrijpartij bleven ze nog even in elkaars armen liggen. Ze kuste zijn schouder en deed haar ogen dicht, op het randje van de slaap.

'Het duurt weer een hele tijd voordat het donderdag is,' zei hij.

'Jij hebt zelf de regels bepaald,' mompelde ze. 'Volgens mij kunnen we Cissy beter vertellen dat we nog steeds omgang hebben met elkaar. Al dat stiekeme gedoe is gewoon belachelijk.'

'Je hebt haar al een tijdje niet gezien. Ze is net een zombie. Ze is nog nooit zo lang kwaad op me gebleven. Zelfs niet toen ik dronk.'

'Ik heb gehoord dat het met Noah van hetzelfde laken een pak is.'

'Begin alsjeblieft niet over dat joch. Cissy heeft vorige week aan mijn moeder gevraagd of ze wel zeker wist dat ze Dallas die avond heeft gezien. Mam was zo overstuur dat ze een slaappil moest nemen.'

'Jonge liefde vergaat kennelijk niet zo snel.'

'Liefde? Goeie genade. Ze zijn allebei net veertien! Nog veel te jong om te weten wat liefde is, verdorie.' Hij gooide de dekens van zich af en stond op. 'Ik moet aan het werk.'

Toen hij weg was, bleef ze nog een paar minuten in bed liggen en staarde naar het zonovergoten Canal. Uiteindelijk stond ze ook op, glipte weer in haar nachtpon en haar slippers en liep achter hem aan naar de badkamer.

Hij legde zijn scheerapparaat neer. 'Het is veel verstandiger om niet over dat soort dingen te beginnen.'

'Ik weet het. Tot donderdag dan maar?'

'Zeker weten.'

De uren daarna concentreerde ze zich op haar werk. De ene na de andere cliënt kwam naar haar kantoor, meestal om over elkaar te klagen. Iedereen ging er blindelings vanuit dat zij al hun vage emoties wel zou kunnen ontwarren en een aanknopingspunt zou vinden.

Haar laatste afspraak zat er om even over vieren op en ze deed haar schoenen en haar keurige blauwe blazer uit en pakte de map met discussiepunten over de burgemeestersverkiezing. De volgende gemeenteraadsvergadering zou begin november plaatsvinden en ze was vast van plan om de concurrentie van hun sokken te blazen met haar weloverwogen en doordachte plan voor het beheer van deze stad. Ze noteerde nog wat extra puntjes bij de tekst van haar toespraak, toen haar intercom zoemde.

'Winona?' zei de stem van Lisa. 'Je neef is hier. Noah Raintree. Hij wil je graag spreken.'

'Stuur hem maar naar binnen.'

Noah kwam glimlachend haar kantoor binnenlopen, met een verfomfaaide rugzak achteloos over een schouder. Hij was de afgelopen zomer zo veranderd dat ze af en toe overvallen werd door zijn uiterlijk. Soms was ze zelfs een beetje trots op hem, tot ze zich herinnerde dat hij haar beduveld had. 'Ga zitten, Noah.'

Hij viel tegenover haar neer en liet zijn rugzak op de grond glijden. 'Ik heb een advocaat nodig.'

'Wat heb je uitgespookt?'

'Jezus, tante Winona. Jij denkt altijd meteen het ergste van me.'

'Ik heb je vertrouwd, weet je nog wel? En dankzij jou sloeg ik een figuur als modder tegenover mijn vriend.'

'Nou ja, die vriend van je is ook een stomme lul.'

'Hè ja, ik zit echt op jouw mening over hem te wachten. Waarom heb je dan een advocaat nodig?'

'Als ik jou in de arm neem, dan is alles wat we zeggen toch vertrouwelijk?'

'Heb je soms bij sociale wetenschappen voor recht gekozen?'

'Toen ik huisarrest had, heb ik constant voor de tv gezeten. *Law and Order* is hartstikke goed.'

'Nou ja, dat klopt wel. Alles wat er tussen ons gezegd wordt, is vertrouwelijk.'

'En als jij mijn zaak aanneemt, ben je verplicht om je best voor me te doen, hè?'

'Ik zou niet anders willen. Maar uiteraard zul je me wel een voorschot moeten geven. Meestal vraag ik om tweeduizend dollar.'

Hij trok een briefje van een dollar uit zijn zak en legde dat op haar bureau. 'Ik hoop dat familieleden korting krijgen.'

Ze keek even naar het verkreukelde, klein gevouwen bankbiljet en vervolgens naar Noah. Waar het ook om ging, hij meende het serieus. Ze wist dat ze hem eigenlijk weg moest sturen, maar ze was nieuwsgierig geworden. En ze kon helemaal niet tegen onbeantwoorde vragen. Dus pakte ze het dollarbiljet op en legde het in haar la. 'Oké, Perry Mason. Laat maar horen.'

Hij bukte zich en trok een tijdschrift uit zijn rugzak dat hij op haar bureau legde en naar haar toe schoof. De kop boven het hoofdartikel luidde: *De beste advocaten van Seattle*. Het was een lijst van de meest succesvolle juristen uit de staat Washington. 'Is dit een subtiele manier om me duidelijk te maken dat ik niet bepaald hoog aangeschreven sta bij mijn collega's? Want je kunt het geloven of niet, Noah, maar als een advocaat een praktijk begint in Oyster Shores dan weet ze verdomd goed waar ze staat. Namelijk vrijwel onder aan in de voedselketen.'

'Ga maar naar bladzijde negentig.'

Ze gehoorzaamde. Naast een advertentie voor een van de nieuwste torenflats in de stad stond een sombere foto van een man voor de poorten van een gevangenis. De kop luidde: *Noordwestelijk project onschuldig op de bres voor onschuldig veroordeelden.*

'Het gaat over DNA-onderzoek,' zei hij.

'Noah,' zei ze vriendelijk, 'dat is wat je vader betreft al verleden tijd. Dat stadium is voorbij.'

'Niet waar,' zei hij koppig. 'Ze hebben nooit een DNA-onderzoek gedaan. Dat heeft mam me zelf verteld.'

'Wel waar.'

'Nee, echt niet.'

Ze moest even diep nadenken om zich de bijzonderheden weer voor de geest te halen. 'O ja, dat is waar ook. Het monster was te klein.'

'Misschien is het onderzoek inmiddels beter geworden.'

'Luister eens, Noah...'

'Ik heb je afgelopen zomer een beetje leren kennen,' zei hij terwijl hij zich vooroverboog. 'Geen enkel plekje overslaan, zei je altijd. Haastwerk is uit den boze. Weet je nog wel? Je hebt een hekel aan dingen die afgeraffeld worden.'

Ze leunde verrast achterover. Ze had durven zweren dat er geen woord was blijven hangen van wat ze tegen hem had gezegd. 'Je vader zal het hier echt niet mee eens zijn, hoor. Waarom zou hij? Schuldige mensen zitten niet op een DNA-onderzoek te wachten.'

'Als hij zo'n onderzoek afwijst, heb ik ook meteen het antwoord op mijn vraag, hè?'

Winona begon een beetje last te krijgen van hoofdpijn. Ze bevonden zich plotseling op gevaarlijk terrein. 'Met betrekking tot je vader... Zijn je moeder en ik het niet altijd...'

'Alsjeblieft, tante Winona,' zei hij. 'Jij bent de enige die ik in dit opzicht kan vertrouwen. Als jij tegen me zegt dat het niets is, zal ik je geloven. Ik wil alleen van jou weten of hij een kans maakt bij een nieuw onderzoek.'

'Weet je moeder dat je hier bent?'

'Nee.'

'Ik kan dit niet voor haar verborgen houden.'

'Dat vraag ik ook niet.'

Ze wist niet hoe ze hem dit kon weigeren. Het zou maar weinig moeite kosten en als ze hem kon vertellen wat hij wilde weten, zou hij het misschien eindelijk van zich af kunnen zetten. Voor Vivi Ann en voor Noah zou dat echt het allerbeste zijn. En trouwens, ze wist gewoon zeker dat Dallas er niet aan zou meewerken. 'Prima. Ik zal dat artikel lezen en het procesverslag doornemen. Maar ik beloof niets.'

Hij lachte zo stralend dat ze zich gewoon om moest draaien. Hoe vaak en op hoeveel manieren zou Dallas Raintree de mensen die om hem gaven nog verdriet doen?

'Ik beloof niets,' zei ze opnieuw. Dit keer nog vastberadener.

Een week later, toen de herfstblaadjes voor haar ramen langs dwarrelden, trok Winona de deur van haar kantoor achter zich dicht, zei tegen Lisa dat ze geen telefoontjes wilde aannemen en maakte zich op om het procesverslag dat ze had opgevraagd door te nemen. Met de stapel van zeventienhonderd bladzijden op haar schoot zette ze de leesbril op die ze tegenwoordig nodig had en begon aan de langdradige taak van het doorlezen van alle getuigenverklaringen.

Het was alsof er een deur naar het verleden openging. Ze zag alles weer voor zich, van Vivi Ann die zo haar best deed om sterk te zijn tot de officier van justitie die ervan overtuigd was dat ze het recht aan haar zijde had.

Winona hoefde geen aantekeningen te maken. Ze kon zich alles nog precies herinneren, met inbegrip van het forensische bewijsmateriaal: de schaamharen die in Cats bed waren aangetroffen en zijn vingerafdruk op het pistool. Daarna was er geen sprake meer geweest van twijfel, al dan niet terecht.

En de klap op de vuurpijl was de getuigenis van Myrtle geweest. Winona las dat gedeelte van het verslag nog eens door, ook al stond het haar nog helder voor de geest.

HAMM: 'En waar bevindt die winkel zich precies ten opzichte van het huis van Catherine Morgan?'

MICHAELIAN: 'Aan het eind van de steeg. Je moet erlangs om bij haar huis te komen.'

HAMM: 'En was u op kerstavond van het afgelopen jaar in de winkel?'

MICHAELIAN: 'Ja. Ik wilde een speciale ijstaart maken voor de avonddienst. En ik was zoals gewoonlijk weer aan de late kant.'

Winona sloeg een stukje over.

HAMM: 'Hebt u die avond iemand gezien?'

MICHAELIAN: 'Om ongeveer tien over acht was ik bijna klaar om weg te gaan. Ik legde net de laatste hand aan het glazuur toen ik opkeek. En toen zag ik... Ik zag Dallas Raintree uit het steegje naar Cats huis komen.'

HAMM: 'Heeft hij u ook gezien?'

MICHAELIAN: 'Nee.'

HAMM: 'Hoe wist u dat het de beklaagde was?'

MICHAELIAN: 'Ik zag hem van opzij toen hij onder de lantaarn doorliep en ik herkende zijn tatoeage. Maar ik wist allang dat hij het was. Ik had hem daar 's avonds al vaker gezien. Heel vaak. Dat heb ik ook tegen Vivi Ann gezegd. Hij was het echt. Het spijt me, Vivi Ann.'

Winona legde de stapel papier aan de kant en stond op om zich uit te rekken. 'Goddank.'

Een DNA-onderzoek zou Dallas in dit late stadium niet meer redden. Dat was voorbehouden aan onschuldige mensen.

Met een opgelucht gevoel (ze vond het vervelend om toe te geven, maar Noah had haar toch een tikje aan het twijfelen gebracht en dat zat haar niet lekker) liep ze naar de keuken en staarde naar de koelkast. Ze had meer dan genoeg te eten in huis, maar niets waar ze nu trek in had. Een blik op de klok vertelde haar dat het acht uur was.

Misschien moest ze even naar de ijswinkel lopen. De gedachte aan de beroemde Napolitaanse ijstaart van Myrtle deed haar watertanden.

Zo vroeg op de avond was het nog rustig in de stad. De zomergasten waren allemaal vertrokken en nu kon je het gekabbel van het water weer horen, net als het treurige lied van de wind door de bomen. De inwoners hielden allemaal van deze eerste weken van september: de zon scheen nog steeds, de dagen waren nog steeds warm en het Canal was weer helemaal van hen.

Winona ging naar het afhaalloket van de ijszaak en bestelde een stukje ijstaart bij het pukkelige meisje dat daar bediende. En terwijl ze stond te wachten zag ze in gedachten Myrtle bij het raam staan en naar buiten kijken terwijl ze het glazuur over haar ijstaart streek. De winkel lag iets hoger dan de straat, Myrtle had het begin van de steeg duidelijk kunnen zien.

Winona keek die kant op. Daar was de zwarte straatlantaarn van bewerkt ijzer die op wacht leek te staan en een plas warm geel licht op het trottoir uitstortte.

Het meisje kwam weer terug en zei: 'Alstublieft, mevrouw Grey. Dat is dan drie vijf en negentig.'

Winona betaalde en toen ze het wisselgeld had ontvangen, keek ze opnieuw naar de straatlantaarn. Hij stond precies op de juiste plek en daardoor had Myrtle ook geen probleem gehad om Dallas te herkennen. Hij had weliswaar niet naar de winkel gekeken, maar bij voldoende licht had je meer dan genoeg aan een profiel, zeker als je de persoon in kwestie kende.

'Ik zal het Noah wel uitleggen,' zei ze bij zichzelf. 'Misschien moet ik hem maar meenemen hiernaartoe. Dan begrijpt hij meteen dat ik hem serieus genomen heb.'

Ze stak de straat over, nam een hapje cake en kon zich nog precies herinneren wat Myrtle had gezegd.

Ik had hem daar vaker gezien.

Ik herkende zijn tatoeage.

Winona bleef ineens staan. Daarna draaide ze zich langzaam om en liep terug naar de ijswinkel.

Vanaf de plek waar zij stond, had Myrtle de rechterkant van Dallas gezien. Maar Winona had altijd een fotografisch geheugen gehad en die tatoeage was haar al opgevallen toen Dallas kwam solliciteren. En ze had durven zweren dat die op zijn linkerarm zat.

313

Maar ze moest zich vergissen. Massa's mensen hadden die getuigenverklaring bestudeerd, niet alleen het Openbaar Ministerie en de politie, maar ook verslaggevers. Zoiets kon nooit over het hoofd worden gezien.

Natuurlijk zouden de politie en het Openbaar Ministerie geen enkele poging ondernemen om Myrtle in diskrediet te brengen. Alleen de verdediging zou haar getuigenis met een loep hebben bestudeerd. Nou ja, zijn verdediger. Roy had geen assistenten gehad, maar dat had hij vast en zeker wel gedaan.

Ze ging op weg naar huis, maar toen ze daar was, liep ze door en stopte pas toen ze voor de deur van de blokhut stond. Ze wist niet precies hoe ze dit moest aanpakken, want eigenlijk wilde ze Vivi Ann niet vertellen dat Noah bij haar was geweest en waarom. Maar inmiddels was er twijfel gezaaid en die moest meteen met wortel en tak uitgeroeid worden.

Toen ze aanklopte, deed Noah open.

'Hé, tante Winona,' zei hij. 'Heb je dat artikel gelezen?'

Vanuit de keuken riep Vivi Ann: 'Wie is daar, Noah?'

'Tante Winona,' riep hij terug.

Winona boog zich naar hem toe en fluisterde: 'Ik moet weten op welke arm Dallas een tatoeage had.'

'Ik heb geen flauw idee.'

Vivi Ann kwam de kamer in lopen. 'Ha, Win. Wat een leuke verrassing. Wil je een kopje thee?'

'Tuurlijk.' Ze liep achter haar zusje naar de gezellige kleine zitkamer. De sjofele grenenhouten wanden waren inmiddels verdwenen en alles was wit: de wanden, het plafond en de sierlijsten. Twee openslaande deuren met kleine ruitjes keken uit op de veranda aan de achterkant, en de weilanden met de paarden daaronder. De dikke kussens van de meubels waren overtrokken met Franse stofjes in goudgeel en Wedgwood blauw.

En nu? vroeg Noah geluidloos.

Winona haalde haar schouders op. *Vraag het maar.*

Ik?

Vivi Ann bracht haar een kopje thee en Winona nam een slokje terwijl haar zusje de open haard aanmaakte.

314

Noah schraapte zijn keel. 'Zeg mam. Ik loop me de laatste tijd steeds iets af te vragen.'

'O jee.'

'Hoe denk jij over tattoos?'

Vivi Ann draaide de open haard de rug toe. 'Ik denk dat iedereen wel weet dat ik niet tegen tatoeages ben... voor volwassenen.'

'En als ik er nou een wil?'

'Ik dacht dat je volgens de wet pas op je achttiende een tatoeage mocht nemen.'

'Zestien, met toestemming van een van je ouders.'

'O. En sinds wanneer ben jij zestien?'

'Ik denk gewoon vooruit.'

'O ja?'

'Als ik écht een tatoeage neem, wil ik die op dezelfde plek als pap de zijne had. Op welke arm zat die?'

Vivi Ann keek hem argwanend aan. 'Daar ben je nooit eerder over begonnen.'

'Op welke arm zat die?'

'Waarom wil je dat weten?'

'Zie je nou wel, tante Winona?' Hij liep de zitkamer uit, mopperend over de Spaanse Inquisitie, en ze hoorden zijn slaapkamerdeur met een klap dichtvallen.

'Wat is er nou in vredesnaam aan de hand?'

'Waar had Dallas die tatoeage nou?' vroeg Winona rustig.

'Op zijn linkerbovenarm. Hoezo?'

'Vertel maar eens wat er aan de hand is,' zei Vivi Ann even later. De stilte die plotseling was gevallen voelde loodzwaar aan. Dreigend. 'Wat is er met Dallas?'

'In feite gaat het om Noah. Hij kwam een week geleden naar me toe en zei dat hij me als advocaat in de arm wilde nemen.'

'Heeft hij juridische problemen?'

'Dat dacht ik dus ook, daarom was ik bereid om hem te helpen. Maar...'

'Maar wat?'

'Het bleek dat het om zijn vader ging.'

Vivi Ann knikte. 'Hij is de laatste tijd geobsedeerd door Dallas. Waarom moest hij bij jou aankloppen voor die tatoeage? Als hij mij dat had gevraagd had ik het meteen verteld. Of durfde hij me niets te vragen? Ja, dat is het vast, hè? Hij denkt dat ik hem niets over Dallas wil vertellen.'

'Hij wil dat ik bij justitie een verzoek indien voor een nieuw DNA-onderzoek. Die techniek is tegenwoordig een stuk verbeterd. Maar jij en ik weten best dat Dallas daar nooit aan zal meewerken,' voegde Winona er haastig aan toe.

Vivi Ann voelde zich alsof ze volkomen onverwachts een trap in haar borst kreeg. Ze stond langzaam op, zonder haar zusje aan te kijken. Ze moest zich uit alle macht beheersen om niet weg te rennen. 'Ik ga met Noah praten. Ga jij maar weg.'

'Je bent toch niet boos op me?' vroeg Winona terwijl ze opstond.

'Nee.'

Ze wisten allebei dat dat een leugen was, en met reden. Hun verzoening was vanaf het begin gepaard gegaan met iets van huichelarij, waarbij ze net deden alsof Dallas geen wig tussen hen had gedreven. Maar nu stond hij weer tussen hen in, alsof hij zich lijfelijk in de kamer bevond.

Zonder een woord te zeggen liep ze naar de kamer van Noah. Ze klopte een paar keer stevig aan, maar toen ze niets hoorde, ging ze naar binnen.

Hij zat met opgetrokken knieën op zijn bed met gesloten ogen heen en weer te wiegen op de muziek van zijn iPod. Ze hoorde het vervormde geluid uit de oordopjes komen, toen ze naar hem toe liep en op zijn schouder tikte.

Hij reageerde als een angstig paard dat terugdeinsde voor haar hand, maar aan de blik in zijn ogen zag ze dat hij haar verwachtte. Hij trok de oordopjes uit en gooide het zilverkleurige apparaatje op zijn bed.

Ze liep naar het voeteneind en ging tegenover hem zitten. 'Je had daarvoor ook bij mij kunnen komen, hoor.'

'Hoe dan?'

'Door gewoon tegen me te zeggen: "Mam, er is iets dat ik echt wil doen."'

Het duurde even voordat hij haar aankeek en zei: 'De meeste kinderen weten nog dat hun moeder hen voor het slapengaan altijd voorlas. Ik weet alleen dat ik wegholde om toiletpapier voor je te halen en op je schoot kroop om je tranen weg te poetsen. Ik dacht dat het door mij kwam, omdat ik stout was. Maar het was tante Aurora die me vertelde dat mijn pappie je hart had gebroken en dat ik voor jou sterk moest zijn. Ik was zes toen ik dat te horen kreeg.'

'O, Noah.' Vivi Ann had zoveel herinneringen aan die tijd verdrongen. Dat was het enige wat haar overbleef: vergeten en verder leven. 'Ik heb nooit geweten dat je dat soort gesprekken met Aurora had.'

'Ik kon altijd bij haar aankloppen als ik iets wilde vragen. Zij was de enige die me de waarheid vertelde. Jij deed net alsof hij dood was.'

'Dat moest ik wel,' was het enige wat ze kon uitbrengen.

'Maar hij is niet dood.'

'Nee.'

'En ik heb het recht om te proberen hem te helpen.'

Vivi Ann barstte bijna in lachen uit. Meestal zag ze Dallas in Noah terug, nu zag ze zichzelf. 'Geloof me, ik weet precies hoe je je voelt. Ik had het eigenlijk moeten zien aankomen en je moeten helpen. Het spijt me.'

'Dus je houdt tante Winona niet tegen?'

Die vraag overviel haar en benam haar de adem. De hoop die je nodig had in de strijd tegen het gerecht had haar bijna het leven gekost. In het begin had ze vertrouwen gehad in de wet. Maar als ze het nu weer moest proberen en weer zou verliezen, dan zou ze daar zeker aan ten onder gaan. 'Ik zal jullie niet tegenhouden. Maar... ik wil niet dat je al te veel hoop gaat koesteren. Teleurstelling kan een giftige uitwerking hebben als je niet uitkijkt. En misschien is je vader... niet bereid om mee te werken aan zo'n onderzoek.'

'Dus je denkt wél dat hij het gedaan heeft.'

Vivi Ann keek haar zoon aan en werd misselijk bij de gedachte aan het verdriet dat hij te verwerken zou krijgen. Toen zei ze rustig: 'Dallas heeft nog minder vertrouwen in justitie dan ik en hij is zelfs nog banger om hoop te koesteren. De maatschappij heeft hem zijn leven lang in de steek gelaten. Dat is een van de redenen waarom hij misschien nee zal zeggen.'

Ze wisten allebei wat de andere reden was.

'En dan is er echt niets meer aan te doen, hè?' zei Noah.

Als er één ding was waarvan Vivi Ann tot in het diepst van haar ziel overtuigd was, dan was het dat een verlies net als de liefde wel een begin had, maar eigenlijk geen einde. 'Nee,' loog ze. 'Ik denk het niet.'

Vierentwintig

Tijdens de lange rit naar de gevangenis zat Winona te repeteren wat ze tegen Dallas zou zeggen. *Ik ben hier namens je zoon. Je weet toch nog wel... Ach, doe niet zo stom. Je moet hem niet pesten,* tikte ze zichzelf op de vingers.

Ik ben hier namens je zoon. Hij wil een aanvraag indienen voor een DNA-*onderzoek van de monsters die op de plaats van het misdrijf zijn aangetroffen. En als jij daar die avond niet bent geweest, moet je dat wel goedvinden.*

Ze keek op haar horloge toen ze bij de gevangenis aankwam. Kwart voor twee. Als alles goed ging, zou ze gewoon samen met Mark kunnen eten.

Ze reed naar de poort en gaf haar naam op bij de luidspreker naast het raampje. Terwijl ze wachtte om binnengelaten te worden keek ze naar de sombere grijze stenen, de met gaas bespannen hekken en de van prikkeldraad vergeven wereld van de gevangenis. Ze kon de gewapende wachtpost in de uitkijktoren zien en toen ze door de poort naar de parkeerplaats reed kon ze een huivering niet onderdrukken. Het hek viel met een klap achter haar dicht.

Ze dwong zichzelf om haar rug te rechten en was verrast dat het al zo angstaanjagend was om hier alleen maar op bezoek te komen. Hoe had Vivi Ann dat jarenlang iedere zaterdag kunnen opbrengen?

Ze liep het kantoorgebouw in en werd meteen overvallen door het geluid. Hoewel er nauwelijks mensen te zien waren, leken de wan-

den te vibreren van geluid. Het gebouw leek tegelijk eng leeg en belachelijk vol mensen.

Bij de balie liet ze zich inschrijven, kreeg een identiteitsbewijs dat
ze op moest spelden, legde haar handtas en haar jas in een van de
kastjes en liep door de metaaldetector.

'Meestal willen advocaten onder vier ogen met hun cliënten praten,' zei de bewaker die samen met haar door de gang liep. Het weer-
galmende lawaai werd luider. 'Bent u hier nieuw?'

'Dit gesprek zal niet zo lang duren.'

Eindelijk kwamen ze bij een deur die hij opendeed.

Winona liep langzaam het vertrek in, met het gevoel dat ze echt
opviel in haar dure wollen broekpak. Ze ging op een lege stoel zitten en staarde door het met vingerafdrukken bedekte plexiglas, bang
om ook maar iets aan te raken. Ze ving flarden op van de gesprekken
om haar heen, maar niets was duidelijk te verstaan. Links en rechts
van haar drukten mensen hun handen tegen het imitatieglas, in een
vergeefse poging contact te maken en elkaar aan te raken.

Eindelijk ging de deur open en daar was Dallas, in een wijde oranje
overall en op versleten slippers. Zijn haar was nog langer dan vroeger en hing tot ver over zijn schouders. Zijn gezicht was magerder
en zijn donkere huid was iets lichter geworden. Maar nog steeds
straalde hij een beangstigende intensiteit uit, een nauwelijks onderdrukte energie die haar het idee gaf dat hij zo door dat dunne plexiglas heen kon komen om haar bij de keel te grijpen.

Hij pakte de telefoon op en vroeg: 'Is alles goed met Vivi Ann?'

'Ja.'

'En met Noah?'

Ze hoorde de emotie in zijn stem en zag aan zijn grijze ogen hoe
kwetsbaar hij was. 'Met Noah gaat alles goed. In feite ben ik hier
omdat hij me dat heeft gevraagd. Ga zitten.'

'Zeg dan eerst maar iets wat het de moeite waard maakt om te
gaan zitten.'

'Ik ben hier namens je zoon. Hij wil een verzoek indienen bij justitie...'

Dallas smeet de hoorn zo hard neer dat die met een klap tegen het
plexiglas belandde. Daarna draaide hij zich om en liep weg. De be-

waker deed de deur open en zonder om te kijken verdween hij in de zoemende, bonzende onderbuik van de gevangenis.

'Dat meen je niet,' mompelde Winona. Ze bleef nog een hele tijd zitten staren naar de vuile ruit, wachtend tot hij terug zou komen.

Uiteindelijk kwam er een vrouw naar haar toe die haar op haar schouder tikte en vroeg of ze op een gevangene zat te wachten.

'Ik denk het niet,' zei ze en ze schoof haar stoel achteruit.

Toen tante Winona terugkwam van de gevangenis zat ik op de stoep voor haar huis te wachten. Het regende pijpenstelen en ik was kletsnat, maar dat kon me niets schelen. Ik zag haar aan komen rijden. Ze stapte uit en kwam het pad op lopen.

Ze was net bij die stomme zeemeerminfontein toen ze me daar in de regen zag staan.

Het spijt me, zei ze.

Ik vroeg wat hij had gezegd, welk excuus hij had gebruikt en tante Winona zei dat hij er niet eens met haar over had willen praten. Ze had tegen hem gezegd wat ik wilde en toen was hij gewoon opgestaan en weggelopen.

Eigenlijk had ik het wel willen uitschreeuwen, of willen janken, of iemand op zijn bek willen slaan, maar ik wist dat ik daar geen spat mee opschoot. Dus ik heb haar gewoon bedankt voor haar moeite en ben naar huis gelopen.

Toen ik bij ons huis aankwam, regende het inmiddels zo hard dat ik gewoon water inademde. Ik deed de voordeur open en zag mijn moeder meteen op de salontafel zitten. Ze deed net alsof er niets aan de hand was, maar ik kon zien dat ze zich zorgen maakte. Ze stond op, kwam naar me toe en begon over mijn natte kleren.

Het enige wat ik kon uitbrengen was het woordje papa en toen begon ik als een stomme zak te janken.

Ze sloeg haar armen om me heen en zei: al goed, al goed, een paar keer achter elkaar, net als vroeger, maar nu weet ik dat het niet zo is. Ik mis mijn vader, zei ik, ook al weet ik geen bal van hem af. Ook al is hij een moordenaar.

Hij is meer dan dat, zei mam. Ze zei dat ik moest onthouden

dat zij van hem had gehouden en dat hij van mij had gehouden.
Ik zei dat ik mijn best zou doen, maar dat was puur gelul.
Ik wil helemaal niet onthouden dat hij vroeger van me hield.
Dat wil ik juist vergeten.

Oktober was een maand vol grauwe dagen, koude nachten en mie-
zerige regenbuien. Naarmate de dagen korter werden, kreeg Winona
het steeds drukker met de komende verkiezingen.

Een buitenstaander die haar bezig zag, zou vast en zeker het idee
hebben gekregen dat er niets bijzonders aan de hand was. Ze zat al
om acht uur 's ochtends achter haar bureau te telefoneren en cliënten te ontvangen. Rond lunchtijd kon je haar meestal in de Waves
treffen, waar ze een of andere invloedrijke burger op een gratis
maaltijd trakteerde. Na het werk, als het donker was geworden, zat
ze meestal in bed naar reality tv-programma's te kijken en promo-
tiemateriaal te versturen. Op haar nette enveloppen van geschept
papier stond: *Kies voor een Winnaar! Stem in november op Winona
Grey.*

Al die dingen, in combinatie met de kerk, het maandelijkse familie-etentje en haar afspraakjes met Mark namen het merendeel van
haar tijd in beslag. Ze kon zich niet herinneren dat ze het ooit zo
druk had gehad en zo gelukkig was geweest. Ze vond alles fijn, of
het nu om haar privéleven ging of om zaken. Begin september had
ze samen met Mark eindelijk ruchtbaarheid gegeven aan hun ver-
houding en vanaf dat moment leek iedereen ervan overtuigd dat het
alleen nog maar een kwestie van tijd was voordat de trouwdatum
bekend werd gemaakt. Zelfs Winona begon hoop te koesteren. Natuurlijk waren ze niet echt stapelgek op elkaar, maar ze was oud
genoeg om de realiteit onder ogen te zien. En trouwens, ze had al een
keer echt van een man gehouden en moest je zien hoeveel stomme
fouten ze naar aanleiding van dat onbetrouwbare gevoel had gemaakt. Het was beter om op safe te spelen.

De enige kink in de verder zo gladde kabel was Dallas. Het bleef
haar dwarszitten dat hij niet met haar wilde praten, dat hij zelfs niet
naar haar had willen luisteren. Zowel Vivi Ann als Noah had de hele
zaak laten varen toen Winona hun vertelde hoe Dallas had gerea-

geerd. Vivi Ann had gezucht en treurig gezegd: 'Nou ja, dat was het dan.' Zelfs Noah had het geaccepteerd en dankjewel gemompeld toen hij wegliep.

Maar Winona wist van geen ophouden. Ze bleef een keer per week naar de gevangenis gaan, altijd op zaterdag. Uur na uur zat ze tevergeefs in dat plastic stoeltje voor het smerige plexiglas. Week na week kwam Dallas niet opdagen.

Iedere keer als ze de gevangenis verliet, prentte Winona zich weer in dat ze verstandiger moest zijn en bezwoer dat ze niet terug zou komen, maar daar hield ze zich nooit aan.

Ze wist niet precies waarom ze zo fanatiek was. Misschien kwam het door die raadselachtige tatoeage (Vivi Ann zou zich wel vergissen, die moest gewoon op zijn rechterarm zitten, dat kon eigenlijk niet anders), of door de glimlach die op Noahs gezicht was verschenen toen ze zei dat ze die belachelijke zaak zou aannemen, of door de manier waarop Dallas naar Vivi Ann en zijn zoon had gevraagd. Of misschien kwam het door iets wat Vivi Ann niet had gezegd, maar eigenlijk wel had moeten doen: *Ik heb je twaalf jaar geleden gevraagd om hem te helpen.*

Waar het ook aan lag, ze wist dat het haar niet los zou laten voordat ze antwoord had gekregen. Dat was het enige wat ze nodig had, een simpel: *Geen denken aan, Win. Het heeft volgens mij weinig zin om een* DNA-*onderzoek aan te vragen en je weet best waarom.*

Ze had hem dat in haar verbeelding al zo vaak horen zeggen, dat ze af en toe 's nachts wakker schrok en dacht dat het echt waar was.

'Oké,' zei ze hardop. 'Dan gaan we het over een andere boeg gooien.' Ze keek op de klok. Het was tien voor halfvijf op donderdagmiddag. Mark zou over anderhalf uur hier zijn om samen uit eten en naar de bioscoop te gaan. Ze pakte een velletje van haar officiële briefpapier en schreef onder haar voorgedrukte naam:

Beste Dallas,
Jij wint. Ik twijfel er geen moment aan dat jij dit spelletje tot in lengte der dagen door kunt spelen. Je dacht toch niet echt dat ik na al die jaren gewoon maar voor de gein een afspraak met je probeer te maken? Het lijkt me duidelijk dat ik iets van belang

met je te bespreken heb. Dat gezegd hebbende, ben ik niet bereid
om er nog veel meer energie in te steken. Je geeft me het gevoel
dat ik niet goed wijs ben, zoals ongetwijfeld ook je bedoeling is
geweest. Het is voor ons allebei – en zeker voor je zoon – van
het grootste belang dat je mijn verzoek om te praten inwilligt.
Aanstaande woensdag zal ik tussen vier en zes weer op het
bezoekuur voor jouw cellenblok verschijnen. Dat wordt dan
meteen mijn laatste poging om je te spreken te krijgen.
Hoogachtend,
Winona Grey

Ze vouwde de brief, stopte hem in een envelop, deed er een postzegel
op en liep er meteen mee naar de brievenbus op de hoek.

Zij was er klaar mee. Het lag nu alleen nog maar aan Dallas.

Woensdagmiddag ruimde Winona haar bureau op en liep naar Lisa
om te zeggen dat ze die dag niet meer terugkwam. 'Als iemand belt,
zit ik in vergadering. Neem de boodschap maar aan en zeg dat ik
morgenochtend meteen terugbel. En zou je voordat je weggaat nog
even de planten water willen geven? Ze hangen er een beetje slap
bij.'

'Ja hoor.'

Winona liep naar haar auto en reed de stad uit.

Het was in zekere zin een opluchting, de gedachte dat het vandaag
eindelijk gedaan zou zijn. Het was nog maar net tot haar doorgedrongen hoeveel druk dat verzoek van Noah veroorzaakt had. Maar
nu was dat bijna voorbij. Als ze tijdens het eerste proces echt nala-
tig was geweest, dan had ze die misstap inmiddels de afgelopen zes
weken wel rechtgezet. Zes keer – zeven als ze vandaag meetelde –
was ze naar de gevangenis gereden en had zitten wachten op een
man die niet kwam opdagen. En iedere keer had haar dat zeker zes
uur gekost.

Inmiddels kende ze veel van de gezichten die ze tegenkwam en ze
glimlachte en stond met mensen te kletsen als ze binnen was. Het
was allemaal zo'n routine geworden dat ze gewoon schrok en niet
wist wat ze moest zeggen toen de bewaker haar een pasje gaf en zei:

'Een privé-onderhoud, hè? Dat is nieuw. Ga hier maar naar binnen. Dit is een van de bezoekruimtes voor advocaten.'

Winona knikte en liep naar binnen. Het was een klein vertrek, met een grote, beschadigde houten tafel waar een paar stoelen omheen stonden. De wanden waren vies bruin en de verf was al zo afgesleten dat je het beton eronder kon zien. In de hoek stond een bewaker in uniform die strak voor zich uit keek, met de handen in elkaar geslagen op de rug. Onder zijn speurende blik ging ze aan de tafel zitten.

De deur ging open en Dallas kwam binnenstrompelen, geboeid aan handen en voeten, en met gebogen hoofd.

Hij ging tegenover haar zitten en legde zijn geboeide polsen met een klap tussen hen op tafel. 'Wat wil mijn zoon nou eigenlijk?'

Ze hoorde de hapering in zijn stem bij het woordje 'zoon'. 'Ik zou je graag eerst een paar vragen willen stellen. Goed?'

'Alsof er iemand bestaat die jou de mond kan snoeren.'

Ze zette meteen haar stekels op en wist op hetzelfde moment weer waarom ze zo'n hekel had gehad aan deze man. Nu hij eindelijk was komen opdagen, wilde ze zo gauw mogelijk weer weg. 'Op welke arm heb je een tatoeage?'

Dat verraste hem kennelijk. 'Op mijn linker. Hoezo?'

Winona vloekte binnensmonds. 'Heeft Roy gebruik gemaakt van een privédetective, iemand die overal naartoe ging om dingen te controleren en alles… je weet wel… door te spitten?'

'Daar was geen geld voor, dat weet je. Hij heeft zijn best gedaan.'

'Waarom ben je zelf niet als getuige verschenen?'

'Jezus, Win. Dat is toch niets nieuws. Vanwege mijn strafblad.'

'Iedereen wilde horen wat je zelf te vertellen had.'

'Nee, dat is niet waar.'

'Je zoon wil dat jij ermee instemt dat er een DNA-onderzoek wordt gedaan op de monsters die op de plaats van het misdrijf zijn aangetroffen. De techniek is tegenwoordig aanzienlijk verbeterd. Het monster kan groot genoeg zijn om jou te ontlasten.'

'Denk je nu ineens dat ik onschuldig ben?'

'Ik denk dat dit onderzoek ons voor eens en altijd het antwoord op die vraag kan geven.'

'Nee.'

'Moet ik aannemen dat je om voor de hand liggende redenen je medewerking aan dat onderzoek weigert?'

'Neem maar aan wat je wilt. Daar ben je altijd goed in geweest.' Winona boog zich naar hem toe.

'Ik heb het procesverslag gelezen, Dallas. Myrtle Michaelian zag jou die steeg uitkomen. Toen je onder de lantaarn doorliep, zag ze je profiel en je tatoeage.'

'U-huh.'

'Maar de tatoeage die zij zag, moet op de rechterarm van die man hebben gezeten. Dat kan niet anders.'

'Ja. En?'

'Je bent niet eens verrast. Waarom niet?'

Hij bleef haar zonder iets te zeggen aankijken.

Het antwoord op haar vraag bezorgde haar kippenvel. 'Je bent niet verbaasd omdat je daar die avond helemaal niet bent geweest. Je hebt altijd geweten dat Myrtle iemand anders heeft gezien.'

'Ga maar weer naar huis, Winona. Het al veel te laat om de put te dempen.'

'Wil je me echt vertellen dat je het niet gedaan hebt?' Winona werd al misselijk bij de gedachte.

'Ga nou maar weg, Winona.'

Voor het eerst kon ze in zijn grijze ogen lezen hoeveel verdriet ze hem deed. 'Waarom wilde je Vivi Ann niet meer zien?'

Hij schoof achteruit in zijn stoel en wierp een blik op de deur. 'Heb je haar wel eens gezien als ze weer met zo'n mishandeld paard thuiskwam?'

'Ja natuurlijk.'

'Zo begon ze er ook uit te zien als ze bij mij op bezoek kwam. Ik wist dat ze niet meer at en dat ze geen oog dichtdeed. Door in mij te blijven geloven ging ze er bijna onderdoor en ik wist dat ze het nooit op zou geven.'

'Dus heb jij dat besluit voor haar genomen.' Winona leunde verbijsterd achterover. Het was alsof je door een kaleidoscoop keek. Als je het patroon eenmaal zag, was het onbegrijpelijk dat je het niet eerder had gezien. Hij was van Vivi Ann gescheiden omdat hij van haar hield.

'Dat heb ik niet gezegd. Dat zeg jij. Het enige wat ik heb gezegd was: "Ga weg." Maar dat doet er allemaal niet meer toe. Vivi Ann heeft de draad van haar leven weer opgepakt en dat zal Noah ook doen. Het is beter om ze allebei met rust te laten.'

'Denk jij echt dat Vivi Ann de draad weer heeft opgepakt?' vroeg ze terwijl ze hem met grote ogen aankeek.

De blik vol verlangen die hij haar toewierp, was volkomen nieuw voor haar. 'Heeft ze dat dan niet gedaan?'

'Ze heeft na die dag dat ze de scheidingspapieren kreeg geen paard meer gered. Ik denk dat ze daarvoor een bepaald optimisme nodig had dat ze niet meer kan opbrengen. In feite lijkt ze nu zelf op een van die paarden. Als je haar in de ogen kijkt, zie je alleen maar leegte.'

Dallas deed langzaam zijn ogen dicht. 'Een DNA-onderzoek kan mij niet redden, Win. Zelfs als de uitslag negatief is. Dan zeggen ze gewoon dat ik niet met Cat naar bed ben geweest voordat ik haar vermoordde.'

'Maar er is een kans. Het is geen voorzet voor open doel, dat is waar – er zijn ook andere factoren die hebben meegewerkt aan je veroordeling – maar ik weet zeker dat je een nieuw proces krijgt.'

Hij keek haar aan en de wanhoop in zijn ogen was afschuwelijk om te zien. 'En dat wil mijn zoon.'

'Hij heeft je nodig, Dallas. Je kunt je wel voorstellen wat er over hem gezegd wordt. Hij wordt constant getreiterd door die zoontjes van Butchie en Erik. En hij is net zo driftig als jij.'

Dallas stond op en strompelde om de tafel heen terwijl zijn kettingen over de vloer kletterden. 'Het is gevaarlijk om daaraan te beginnen.'

'Niet als je onschuldig bent.'

Daar moest hij om lachen.

Ze liep naar hem toe en had het liefst haar hand op zijn schouder gelegd als de bewaker niet zo argwanend had staan toekijken. 'Vertrouw me, Dallas.'

Hij keek haar aan. 'Jou vertrouwen? Dat meen je niet.'

'Ik heb je verkeerd beoordeeld. Het spijt me.'

'Het ging niet om de manier waarop je mij beoordeelde, Win. Je was zo jaloers op Vivi Ann, dat je volkomen verblind was.'

Ze moest iets wegslikken in de wetenschap dat die beschuldiging haar nog lang door het hoofd zou blijven spoken. 'Ja,' zei ze. 'Misschien ben ik daarom naar je toe gekomen. Als boetedoening.'

Dat overviel hem kennelijk. 'Ik wil haar geen verdriet doen. En Noah ook niet.'

'Ik weet niets over liefde, de schade die het kan toebrengen of het verdriet dat erbij hoort, Dallas, maar ik weet wel dat het hoog tijd is dat de waarheid aan het licht komt.'

Het duurde een hele tijd voordat hij 'oké' zei en zelfs toen keek hij niet blij en ze wist waarom. Hij wist meer van justitie – en liefde – dan zij en ook dat ze allemaal misschien een hoge prijs zouden moeten betalen voor het lef om hoop te koesteren.

Vijfentwintig

❧

De familie Grey wandelde vanaf de kerk naar huis in een druilerig regentje. Op deze eerste zondag in november zag de stad er somber en een beetje verloren uit. Kale bomen stonden langs de lege trottoirs, hun ruwe stammen een beetje wazig in de nevel die vanaf het water binnenrolde.

Vanuit de verte leek de familie wel een beetje op een zwarte rups, zoals ze daar onder hun paraplu's de heuvel opliepen naar de lange oprit vol kuilen.

Dit vond Vivi Ann altijd het naarste stukje. Ze had er geen problemen mee om op zondagochtend naar de kerk te lopen, net zomin als met de dienst en de gezellige bijeenkomst erna. Pas op dit moment, als ze over de oprit liepen, schoot haar altijd weer te binnen dat Dallas de bomen geplant had. Destijds waren het nog maar tengere, sprietige dingetjes geweest, die nog niets hadden meegemaakt, maar de grond van Water's Edge had ze gevoed en groot gemaakt. Vroeger had ze altijd gedacht dat ze net zo was als deze bomen, met haar wortels stevig genoeg in de grond om hier voor altijd te groeien en te bloeien.

Toen ze bij het huis waren en hun regenkleding en rubberlaarzen achterlieten bij de deur was Vivi Anns stemming inmiddels even somber als het weer. Ze was niet echt ongelukkig of gedeprimeerd, maar ze voelde zich lusteloos. Van de kaart.

En ze was niet de enige. Noah was ook al weken chagrijnig geweest

329

en sloeg om de haverklap de deur achter zich dicht om toevlucht te zoeken bij zijn muziek.

Maar op deze zondagmiddag probeerde Vivi Ann dat allemaal uit haar hoofd te zetten toen ze als eerste de keuken in liep om het eten klaar te gaan maken.

'Je beseft toch wel dat die crèmesaus met parmezaanse kaas en sherry samen met al dat bladerdeeg alle gezonde aspecten van de groente tenietdoen, hè?' zei Aurora toen Vivi Ann drie schalen met zelfgemaakte kip in 't pannetje in de oven zette.

'Wees maar blij dat ik geen mayonaise of sour cream heb gebruikt,' antwoordde Vivi Ann. 'En trouwens, jij mag best een paar pondjes aankomen.'

'Er blijft meer tussen mijn tanden zitten dan zij eet,' merkte Winona op.

'Ha ha,' zei Aurora terwijl ze een glas wijn voor zichzelf inschonk. 'Wat geestig. Jammer dat ik er niet om kan lachen.'

Die opmerking kwam rechtstreeks uit hun jeugd en Vivi Ann schoot onwillekeurig voor het eerst sinds tijden weer in de lach. Ze pakte haar eigen glas op en zei: 'Laten we maar op de veranda gaan zitten. Het eten is toch pas over veertig minuten klaar.'

Ze gingen naar de veranda waar Vivi Ann in een versleten witte rieten stoel neerviel en haar voeten op de rand van de omheining zette. De regen viel nog steeds als een zilveren gordijn naar beneden, waardoor alles ver weg en onwezenlijk leek. Af en toe klonk het geklater van de zelfgemaakte windklokjes, bij wijze van herinnering aan iedereen die hier eigenlijk had moeten zijn en er niet was. Daardoor vroeg ze zich plotseling af wat er met hun gezin gebeurd zou zijn als mam er nog was geweest. *Als je de windklokjes hoort, doe dan maar net alsof dat mijn stem is,* had mam op de avond voordat ze stierf tegen hen gezegd. Vivi Ann herinnerde zich niet veel van die laatste maanden, het meeste daarvan had ze verdrongen, maar die avond waarop ze met hun drietjes hand in hand en vechtend tegen de tranen om mams bed hadden gezeten stond haar nog scherp bij. *Mijn tuinmeiden, ik wou dat ik jullie kon zien opgroeien.*

Vivi Ann slaakte een diepe zucht. Wat zou ze er niet voor over hebben om nog één dag bij haar moeder te kunnen zijn. Ze tikte tegen het windklokje en luisterde naar het zachte getinkel. Daarna zaten ze nog een halfuur over onbelangrijke dingen te kletsen, dat wil zeggen Aurora en zij.

'Wat ben je vandaag toch stil, Win,' zei Aurora achter haar.

'Je klinkt verbaasd,' zei Winona.

'Dat komt zeker door Mark, hè?' vroeg Aurora. 'Heeft hij al gezegd dat hij van je houdt?'

Winona schudde haar hoofd. 'Echte liefde komt volgens mij maar zelden voor.'

'Amen,' zei Aurora.

Vivi Ann vond het echt naar dat Aurora na haar scheiding zo bitter was geworden, maar het was wel begrijpelijk. De liefde kon je echt klein krijgen, vooral liefde die verloren was gegaan.

'Jij hebt de ware liefde wel gevonden, Vivi Ann,' zei Winona toen ze eindelijk opkeek. 'Jij en Dallas hebben alles voor elkaar opgegeven.'

'Winona,' zei Aurora rustig. 'Wat doe je nou? Ben je dronken? We praten niet over...'

'Dat weet ik wel,' zei Winona. 'We doen net alsof hij nooit hier is geweest, alsof hij nooit bij ons heeft gehoord. Als we zien dat Vivi Ann het moeilijk heeft, vragen we hoe het met de manege is of we praten over dat nieuwe boek waaraan we net begonnen zijn. Als we zien dat Noah vol blauwe plekken en onder het bloed zit omdat hij toevallig de zoon van Dallas is, zeggen we tegen hem dat zelfbeheersing heel belangrijk is en dat schelden geen pijn doet. Maar dat doet het wel, hè Vivi Ann? Waarom praten we daar nooit over?'

'Daarvoor is het nu te laat, Win,' zei Vivi Ann, die maar met moeite haar stem in bedwang kon houden.

'Zeker weten,' zei Aurora. 'Je moet geen oude lijken opgraven.'

'Maar als de persoon in kwestie nou helemaal niet dood is?' vroeg Winona. 'Moet hij dan ook begraven blijven?'

'Laat nou maar, Win,' zei Vivi Ann. 'Waar je je ook ineens druk over maakt, laat het alsjeblieft zitten. Ik heb je lang geleden al vergiffenis geschonken, als je dat soms bedoelt.'

'Dat weet ik wel,' antwoordde Winona. 'Ik geloof niet dat het ooit tot me is doorgedrongen hoe grootmoedig dat van je was.'

'Tot je zelf verliefd werd?' vroeg Vivi Ann, die het ineens begreep. Haar zusje was eindelijk verliefd en nu ze wist hoe dat voelde, begreep ze ineens beter hoe diep ze Vivi Ann gekwetst had.

Winona haalde diep adem. 'Tot ik naar de...'

Achter hen werd de hordeur opengegooid. 'De oven staat te piepen, mam,' zei Noah.

Vivi Ann sprong haastig op, blij met de onderbreking. 'Dank je wel, Noah. Vooruit, laten we maar gauw aan tafel gaan.' Ze holde naar de keuken en zette alles klaar om naar binnen te brengen.

Precies op tijd stond het eten op tafel en ze schoof zelf ook aan.

Pas nadat pa was voorgegaan in het gebed en Vivi Ann haar ogen weer opendeed, zag ze Winona links van de tafel staan met een stapeltje papieren tegen haar borst.

'We willen echt niet nog eens naar die toespraak van je luisteren,' zei Aurora. 'Dit is een etentje ter gelegenheid van mijn verjaardag.'

Winona deed onwillig een stapje naar voren, alsof iemand haar een zetje had gegeven. 'Ik ben vorige week naar de gevangenis geweest en heb Dallas gesproken.'

Het werd doodstil in de kamer. Alleen Noah zei hardop: 'Wát?'

Winona gaf de papieren aan Vivi Ann. 'Het is inmiddels bekend gemaakt. Ik heb het verzoek afgelopen vrijdag bij de rechtbank ingediend.'

Vivi Anns handen trilden toen ze het document doorlas. 'Een verzoek om de DNA-sporen die op de plaats van het misdrijf zijn aangetroffen opnieuw te onderzoeken.'

'Hij heeft ingestemd met het verzoek,' zei Winona.

Vivi Ann keek naar haar zoon, zag de glimlach op zijn gezicht en was het liefst in tranen uitgebarsten.

'Ik wist het!' zei Noah. 'Hoe lang duurt het nog voordat hij naar huis mag?'

Vivi Ann schoof haar stoel achteruit en sprong op. 'Denk je dan dat hij onschuldig is, Winona? Nu ineens? Toen het er echt om spande, heb je geen mond opengedaan.' Haar stem brak en ze wankelde achteruit.

Pa liet zijn hand zo hard op de tafel neerkomen dat het bestek en de borden begonnen te rammelen. 'Hou hiermee op, Winona.'

'Hou je mond!' schreeuwde Aurora tegen haar vader. Ze keek op naar Winona. 'Wil je beweren dat we ons allemaal vergist hebben?'

Winona keek naar Vivi Ann. 'Niet wij allemaal. Zij wist het altijd al.'

'Weet je hoe vaak ik al gehoord heb dat er een motie was, of een onderzoek, of een verzoek tot herziening waardoor hij vrijuit zou gaan? Ik kan dat niet allemaal nog eens doormaken. Vertel jij het haar maar, Aurora. Zeg haar dat ze zich moet terugtrekken voordat ze Noah verdriet doet.'

'Mam, dat meen je niet!'

Aurora stond langzaam op en ging naast Winona staan. 'Het spijt me, Vivi. Maar als de kans bestaat dat we het mis hadden...'

Vivi Ann rende de kamer uit, naar buiten waar de regen haar in het gezicht striemde en zich vermengde met haar tranen. Ze bleef doorhollen tot ze niet meer kon en zakte toen op het natte gras in elkaar.

Ze hoorde Winona de heuvel op komen, achter haar aan. Zelfs bij alle herrie van de regendruppels die op het hek, de bladeren en het gras plensden, viel het gehijg van haar zusje meteen op.

Winona ging naast haar zitten.

Vivi Ann verroerde zich niet. Het enige wat ze kon bedenken was hoe graag ze wilde dat ze hier opnieuw in zou kunnen geloven en hoeveel het voor haar zou hebben betekend als ze twaalf jaar geleden op de steun van haar zus had kunnen rekenen. Heel even haatte ze Winona gewoon, maar dat gevoel verdween al snel. Ze ging langzaam rechtop zitten. 'Het loopt toch weer mis, hoor. Jij zult ervoor zorgen dat we allemaal weer hoop gaan koesteren tot we opnieuw door de modder worden gesleept en uiteindelijk zal Dallas gewoon blijven zitten waar hij nu zit en zal Noah weten hoe leeg het leven kan voelen.' Haar stem zakte weg tot een gefluister. 'Dus hou er alsjeblieft mee op.'

'Dat kan ik niet.'

Vivi Ann had geweten dat ze dat zou zeggen, maar het deed toch pijn. 'Waarom heb je me het dan verteld? Wat wil je van me?'

'Je zegen.'

Vivi Ann zuchtte. 'Natuurlijk heb je mijn zegen.'

'Bedankt. O en wat je ook moet weten, ik...'

Vivi Ann stond op en liep weg. In de blokhut deed ze de deur achter zich dicht, liep naar de keuken waar ze drie glazen pure tequila achterover sloeg en vervolgens liet ze zich op haar bed vallen, zonder zich iets van haar natte kleren of haar smerige laarzen aan te trekken.

'Mam?'

Ze had Noah niet eens horen binnenkomen, maar hij stond ineens naast haar bed.

'Hoe kun je nou niet blij zijn?' vroeg hij.

Ze wist dat ze iets tegen hem moest zeggen, dat ze hem moest voorbereiden op de puinhopen die achterbleven als alle hoop de bodem was ingeslagen. Dat zou een echte moeder doen.

Maar zij was helemaal leeg vanbinnen, ze had geen ruggengraat meer, geen geestkracht en geen hart.

Ze rolde op haar zij, trok haar knieën op, staarde naar haar kale witte hoofdkussen en voelde het onregelmatige bonzen van haar hart terwijl ze weer terugdacht aan hoe het was geweest. Waar ze vooral aan moest denken was aan het moment waarop ze de scheidingsakte ondertekend had. Waarop ze hem daar alleen had laten zitten, zonder iemand die in hem geloofde. Jarenlang had ze zichzelf wijsgemaakt dat ze juist had gehandeld, dat het de enige manier was om te overleven, maar nu klonk dat als een hol excuus. Uiteindelijk had ze hem in de steek gelaten. Ze had hem verlaten omdat ze het niet meer kon opbrengen om hem te steunen.

Toen ze hoorde dat Noah zich omdraaide, wegliep, de deur achter zich dichttrok en haar alleen achterliet met haar herinneringen, kon ze zich daar niet druk over maken.

Winona liep terug naar binnen en liet een heel nat spoor achter. Ze stond toe te kijken hoe haar zusje in de keuken in haar eentje de afwas deed. Pa zat natuurlijk weer in de studeerkamer, met de deur dicht, het onfeilbare teken dat binnen het gezin Grey zoveel betekende als ik-heb-de-pest-in-en-dat-ga-ik-in-mijn-eentje-verdrinken.

Achter haar vloog de deur open en kwam Noah weer binnen rennen.

'Je bent echt een kei, tante Win.' Hij holde naar haar toe, sloeg zijn armen om haar heen en knuffelde haar alsof alles al voorbij was en ze zijn hartenwens had vervuld.

Noah deed een stapje achteruit en keek haar fronsend aan. 'Wat is er nou?'

Winona wist niet wat ze moest zeggen. De enormiteit van wat ze had gedaan drong zich ineens aan haar op en leek nog groter te worden. Ze bad dat wat ze had gedaan juist was en dat haar reden ook zuiver was geweest.

'Ik wil even met mijn zusje praten, Noah,' zei Aurora, die de woonkamer in kwam lopen. Ze had een roze handdoek bij zich waaraan ze haar handen afdroogde.

'Maar ik heb massa's dingen te vragen,' zei hij koppig. 'En mam is gewoon naar bed gegaan. Wat een verrassing.'

'Laat haar nou even. Ga maar gauw naar huis.'

Noah stak zijn teleurstelling niet onder stoelen of banken – hij sloeg zelfs de deur met een klap achter zich dicht – en liep naar buiten.

Winona wierp een blik op de gesloten deur van de studeerkamer. 'Heeft pa nog iets gezegd?'

'Een roestige pijp maakt meer lawaai dan hij. Hij is een nare, zielige ouwe man en het kan me geen ruk schelen wat hij denkt. Het is echt jammer dat jij je daar wel druk over maakt.' Aurora kwam naar haar toe. 'Maar er is iets wat ik echt wil weten, Win. Is dit serieus?'

'Wat bedoel je?'

'Ik hou van je. Dat weet je best. Maar je bent altijd jaloers geweest op Vivi Ann.'

In feite had Dallas hetzelfde gezegd. Ze schaamde zich toen ze besefte dat er zo over haar gedacht werd. En nog meer omdat ze wist dat ze dat verdiende. 'Ik ben bang dat hij onschuldig is. Wilde je dat weten?'

'En kun je hem echt vrij krijgen?'

'Dat weet ik niet. Ik kan het op zijn minst proberen.'

'De hemel sta je bij als het je niet lukt, Win,' zei Aurora. 'Een tweede keer overleeft ze dat misschien niet.'

'Dat weet ik.'

'Oké,' zei Aurora. 'Wat kan ik doen om te helpen?'

'Blijf bij haar in de buurt,' zei Winona. 'Ze zal mij wel een tijdje niet willen zien en ik wil niet dat ze alleen is. En Aurora?' zei ze toen haar zusje zich omdraaide. 'Bid voor me.'

'Is dat een grapje? Na vanavond bid ik voor ons allemaal.'

Ik weet eigenlijk niet hoe ik me nu moet voelen en er is niemand aan wie ik dat kan vragen. Wat een verrassing. Ik wou dat het gewoon een schooldag was, dan kon ik er met Cissy over praten. Zij had vast wel geweten wat ze moest zeggen.

Het begon allemaal bij dat etentje van gisteravond. Er leek helemaal niets aan de hand, tot tante Winona niet wilde gaan zitten voor het gebed. En daar was opa weer woedend over.

Daarna gaf ze mam een stapeltje papieren en zei dat pap had ingestemd met het DNA-onderzoek. Ik kon mijn oren niet geloven! Ik was het liefst in lachen uitgebarsten, maar toen brak de hel los. Opa sloeg met zijn hand op tafel en vervolgens werd mam helemaal daas, terwijl tante Aurora de kant van tante Win koos.

Mam schreeuwde iets tegen tante Winona en holde naar buiten. Ik dacht dat de kous daarmee af was, maar opa ging echt door het lint. Hij sprong zo snel op dat zijn glas op de grond viel en zei daar laat je het bij, Winona. Het is mooi geweest.

Maar toen zei tante Aurora dat hij een akelige ouwe man was en dat hij juist trots op Winona moest zijn omdat ze wist dat er fouten waren gemaakt en die wilde herstellen.

Tante Winona probeerde uit te leggen dat ze eigenlijk geen keus had, want dat sommige dingen gewoon gedaan moesten worden en toen liep hij naar zijn studeerkamer en sloeg de deur achter zich dicht. Ik rende achter mam aan en probeerde met haar te praten, maar ze krulde zich op haar bed op als een slak en bleef alleen maar naar de muur staren. En toen ik terugging naar de boerderij zette tante Aurora me weer de deur uit. Ik kreeg niet eens de kans om vragen te stellen. En tante Winona zag eruit alsof ze elk

336

moment in tranen uit kon barsten. Het is echt één grote
puinzooi. Niemand maakt zich druk over wat ik voel.
   Maar het kan me niet schelen wat zij allemaal vinden
of denken. Ik blijf gewoon in mijn pap geloven en als mam
daardoor pissig wordt, jammer maar helaas.

Op de ochtend van het verkiezingsdebat werd Winona ver voor het
aanbreken van de dag wakker en kon ze niet meer slapen. Ze bleef
heel lang in haar bed naar buiten liggen staren, naar de grauwe no-
vemberochtend.

Om acht uur gooide ze eindelijk de dekens af en stapte uit bed.
Nadat ze op haar blote voeten naar beneden was gelopen, zette ze
een pot koffie, schonk daarvan een flinke mok in en liep met de koffie en haar aantekeningen weer naar boven.

De volgende vier uur bleef ze in bed zitten om haar aantekeningen
te lezen en te herlezen tot Aurora om twee uur kwam opdagen, gewapend met haar enorme beautycase en nieuwe kleren voor Winona.
Vivi Ann schitterde door afwezigheid.

Aurora wurmde zich langs haar heen naar binnen. 'Ik kon het idee
van weer zo'n vierkante blauwe blazer niet verdragen.'

'Hé, die zijn anders knap duur, hoor.'

'Dat zal best wel. Kijk, ik heb zo'n snoezig pakje van Eileen Fisher
voor je meegebracht. Jolig en toch zakelijk. En wat zou je zeggen
van een halsketting die iets moderner is dan de parels van oma?'

Winona ging op het voeteneind van haar bed zetten. 'Ik laat alles
aan jou over.'

'Mooi zo.'

'Hoe is het met Vivi Ann?'

Aurora kamde haar haar uit en begon het recht te trekken met de
steiltang die ze van thuis had meegebracht. 'Stilletjes. Bang volgens
mij. Noah is ervan overtuigd dat zijn vader nu ieder moment weer
thuis zal komen.' Ze bukte zich even. 'Je weet het toch wel zeker, hè?
Dat het uiteindelijk niet het DNA van Dallas zal blijken te zijn en dat
hij dan vrijgelaten wordt?'

Winona voelde de last van die vraag bijna letterlijk op haar schouders drukken. 'Ik weet alleen maar dat ik geen oog meer dichtdoe,

sinds ik erachter kwam dat hij misschien onschuldig is. Je zou die gevangenis eens moeten zien... en Dallas zelf. Hij ziet er net zo verslagen uit als Vivi Ann.'

'Ja,' zei Aurora terwijl ze heel voorzichtig Winona's haar vastzette met een prachtige opengewerkte haarspeld. 'Ik heb me altijd afgevraagd... Ik bedoel, hij hield zoveel van Vivi Ann, dat ik nooit heb kunnen geloven dat hij met Cat naar bed ging. Dat had ik destijds ook hardop moeten zeggen.'

'Ik zou toch niet naar je geluisterd hebben. Dat zou niemand hebben gedaan.'

'Maar het had Vivi Ann geholpen als ze had geweten dat ze niet alleen was.'

Daar moest Winona even over nadenken. Het was waar dat je soms niet meer nodig had dan de steun van één persoon.

Het uur daarna werd er niet meer over Dallas Raintree gepraat. Ze hadden het alleen maar over het debat, de komende verkiezingen en wat ze met de kerst zouden gaan doen. Aurora mopperde een beetje omdat Ricky veel te weinig belde en dan nooit tijd had om te praten terwijl Winona haar aantekeningen opnieuw doornam.

Toen ze uiteindelijk op het punt stonden om te vertrekken, wist Winona dat ze er niet mooier uit kon zien. Aurora had haar ook perfect opgemaakt, zodat haar donkere ogen en haar blanke huid alle aandacht opeisten. En het pak dat ze had meegebracht bestond uit een loshangend jasje van donkerrode stof met een bijpassende broek en een diep uitgesneden zwart topje.

'Ben je zover?' vroeg Aurora.

'Ja.'

Ze liepen naar buiten en wandelden naar de middelbare school. Daar wachtten ze in de meisjeskleedkamer op de aanvang van het gebeuren.

'Bedankt, Aurora,' zei Winona en ze knuffelde haar zus. 'Jouw steun betekent echt heel veel voor me.'

'Geef ze van katoen, zus.'

Winona keek haar zusje na toen ze de kleedkamer uit liep en ging op een van de gladde houten banken zitten om nog een laatste blik op haar aantekeningen te werpen tot iemand haar kwam halen.

Ze lachte, nerveus en opgewonden tegelijkertijd. Ze was bijna duizelig, zo keek ze hier naar uit. Ze had zich dan ook nooit eerder zo goed voorbereid.

Misschien kon ze hierna zelfs wel een stap verder gaan.

Senator Grey.

Waarom ook niet? Ze liep achter het raadslid aan naar het basketbalveld, waar honderden van haar vrienden en bekenden op metalen vouwstoeltjes zaten. Voor hen waren twee spreekgestoeltes opgesteld, allebei voorzien van een microfoon.

Toen ze binnenkwam, viel er een stilte terwijl de toeschouwers met iets wat op ontzag leek naar haar keken. Het respect dat ze uitstraalden, gaf haar kracht. Ze liep naar een van de microfoons en nam erachter plaats. Een moment later kwam haar opponent binnen met een brede grijns. 'Je ziet er vanavond machtig mooi uit, Winona,' zei hij terwijl hij zijn hand uitstak.

'Nou, dank je wel, Thad. Maar uiterlijk is vanavond niet echt van belang, hoor.'

'Aangezien ik al acht jaar burgemeester ben, denk ik dat ik wel iets beter op de hoogte ben van wat wel of niet van belang is, maar laat je onwetendheid je er niet van weerhouden om je mening te geven.'

Winona schonk hem een stralende glimlach. *Ik kan niet wachten tot ik jou een schop onder de kont kan geven,* dacht ze, maar ze zei hardop: 'Dat zullen we snel genoeg merken.'

Daarna liep Thad naar zijn microfoon, op het tweede podium, en stelde de man die tien jaar geleden burgemeester was geweest, Tom Trumbull, de beide kandidaten voor en vertelde waar ze zich tijdens dit vraag-en-antwoorddebat aan dienden te houden.

'Burgemeester Olssen mag de eerste vraag beantwoorden. Daar heb je twee minuten voor, Thad. Daarna krijgt Winona één minuut om je van repliek te dienen. Zullen we dan maar beginnen?'

Erik Engstrom stond meteen op. 'Burgemeester Olssen. We weten allemaal dat de burgemeester uiteindelijk de verantwoording heeft voor het plaatselijke justitiebeleid. Wat zal uw bewind eraan doen om de burgers een veiliger gevoel te geven?'

Het was een belachelijke vraag van een eersteklas sukkel, maar daar kon ze niets aan doen. Ze keek glimlachend naar de aanwezigen, op zoek naar bekende gezichten. Aurora en Noah zaten helemaal vooraan en knikten haar bemoedigend toe. Vivi Ann en pa zaten ernaast, met strakke gezichten. Natuurlijk waren ze ook gekomen. Pa zou de stad niet aan de neus willen hangen dat er onmin was op Water's Edge. Dan zou er meteen gekletst worden. Voor de verandering was ze blij dat hij zoveel waarde hechtte aan uiterlijk vertoon.

Mark en Cissy zaten ergens achterin, samen met Myrtle.

'Uw beurt om te reageren, mevrouw Grey,' zei Trumbull.

Winona verspilde geen seconde. 'Het plaatselijke politieapparaat heeft recht op financiële ondersteuning en zal zorgvuldig begeleid moeten worden, maar waar ze echt niet op zitten te wachten is op nog meer druk van de overheid, want dat zal hun werk alleen maar belemmeren. Als burgemeester zou ik het als mijn taak zien om sheriff Bailor en zijn medewerkers zoveel mogelijk te helpen en ze niet voor de voeten te lopen.'

Aurora en Noah begonnen luid te applaudisseren.

Winona voelde een spoortje ongerustheid toen ze zag dat de rest van de aanwezigen niet reageerde.

Myrtle Michaelian stond op. 'Winona,' zei ze met een aarzelende stem. 'Ik wil graag weten waarom jij denkt dat je de politie niet voor de voeten loopt als je hen beschuldigt van stommiteiten.'

'Het spijt me, Myrtle, maar ik weet niet waar je het over hebt.'

'Ik heb gehoord dat je ineens van mening bent dat Dallas Raintree onschuldig is. Nou, dat betekent dus dat de politie en de jury dom waren of zich vergist hebben. En dan zul je ook wel denken dat ik een leugenaar ben.'

Winona begreep ineens waarom ze plotseling met al die lange gezichten werd geconfronteerd. Het nieuws van het verzoek dat ze had ingediend was sneller bekend geworden dan ze had verwacht.

Ze haalde diep adem en begon aan een zorgvuldig geformuleerde uitleg, maar toen ze naar de toehoorders keek, wist ze al dat haar woorden geen enkele indruk maakten en het ene oor in en het andere uit gingen. Niemand had er behoefte aan om een vergissing uit het verleden recht te zetten.

Niemand gaf ook maar iets om Dallas Raintree.

Halverwege haar uitleg werd ze door Tom Trumbull geïnterrumpeerd met de mededeling: 'Je tijd is om, Winona.'

Toen applaudisseerden de mensen wel.

Zesentwintig

Dit is echt de akeligste kerstmis ooit. We zijn naar de kerk geweest, maar volgens mij is al dat gezeur over vergiffenis en vertrouwen puur gelul. Ik bedoel maar, er is bijna niemand in de stad die zelfs maar tegen tante Winona wil praten terwijl ze de mensen alleen maar duidelijk probeert te maken dat ze zich misschien in mijn pap vergist hebben.

En hij wil ook niet helpen want hij WIL ME NOG, STEEDS NIET ZIEN. Volgens tante Winona wil hij niet dat ik hem geboeid en achter tralies te zien krijg, maar dat is slap gelul. Ik weet zeker dat het allemaal veel draaglijker zou zijn als ik hem zelf kon horen zeggen dat hij die vrouw niet vermoord heeft.

Ik heb geprobeerd er met Cissy over te praten, maar dat gaat tegenwoordig ook niet meer zo gemakkelijk. We praten nog wel op school met elkaar en zo, maar alleen worden we nu door iedereen in de gaten gehouden. Iedereen staat te wijzen en te fluisteren. Tijdens de bijeenkomst voor de kerstvakantie kon ik haar nergens vinden. Ik weet zeker dat ze zich verstopte omdat ze niet met mij gezien wilde worden. Het ergste is dat ik best snap waarom niet. Ik weet hoe boos haar vader is op tante Winona. En Cissy zegt dat haar grootmoeder niets anders doet dan huilen. Daar word ik echt doodziek van. Waarom wil iedereen zo graag dat mijn vader een moordenaar is? Alleen al bij het IDEE dat hij wel

eens onschuldig zou kunnen zijn wordt iedereen stapelgek.
volgens tante Winona komt het omdat mensen geloof willen
houden in justitie en politie, en dat wij hen angst aanjagen,
maar dat is echt lulkoek.

op kerstavond heb ik nog geprobeerd om er met mam over
te praten toen we terugkwamen van opa. ik wist dat ze
echt verdrietig was, want ze deed precies wat ze altijd
doet als haar iets dwars zit: dan wordt ze stil en gaat uit
het raam zitten kijken alsof ze ergens op zit te wachten.
Maar ze heeft nu opnieuw een kans om in mijn vader te
geloven, misschien zelfs om te hopen dat hij weer thuis kan
komen en ze doet net alsof tante Winona ons hele leven
verpest door dat alleen maar te proberen.

Dus vanavond heb ik het haar gevraagd. ik zei: waarom wil
je niet dat pap weer thuiskomt?

En ze GAF NIET EENS ANTWOORD. ze liep gewoon de keuken
in alsof ik onzichtbaar was. Daarna ben ik naar mijn kamer
gegaan en heb de deur achter me dicht geknald.

wat een schitterend kerstfeest.

P.S. Tante Winona heeft de verkiezingen met overweldigende
meerderheid verloren. Het gerucht gaat dat alleen tante
Aurora en mam op haar gestemd hebben.

Vivi Ann hoorde Noahs kamerdeur dichtslaan. Ze boog haar hoofd
en liet de adem ontsnappen die ze had ingehouden.

Zo konden ze niet verdergaan.

Nadat ze had geprobeerd om de kracht op te roepen die ze al lang
geleden verloren had, rechtte ze haar rug, liep de gang in en klopte
op zijn deur. Zelfs toen hij geïrriteerd riep: 'Kom maar binnen, ik
kan je toch niet tegenhouden' wist ze nog niet wat ze moest zeggen.
Nadat ze de deur had opengedaan en naar binnen was gestapt bleef
ze naar de posters en de foto's staren die op de muur waren geplakt.
'Je vroeg waarom ik niet wilde dat Dallas weer thuiskwam.'

'En jij ging naar buiten zitten kijken.'

Ze draaide zich eindelijk om. 'Ja. Mag ik naast je komen zitten?'

'Ik weet het niet. Kun je dat opbrengen?'

Ze liep naar zijn bed, zei 'schuif eens een eindje op' en ging naast hem zitten. 'Weet je nog dat we hier geen elektriciteit hadden toen je nog klein was? Dan kwam ik met een zaklantaarn naast je zitten om je voor te lezen. Je was dol op *De Duistere Vloed,* weet je nog?'

'Geef nou maar gewoon antwoord op mijn vraag, mam.'

Ze leunde achterover en zuchtte diep. 'Ik had je nooit naar Win moeten sturen. Je hebt haar dobermann-tactiek overgenomen.'

'Ik wil geen kwaad woord over haar horen. Zij is de enige in deze klotefamilie die iets om mijn vader geeft.'

'Ik geef ook om je vader, Noah, echt waar.'

'Lijkt me niet. Je praat nooit over hem. Er is in het hele huis geen foto van hem te vinden. O, wat geef je toch veel om hem. Je hóópt niet eens dat hij uit de gevangenis komt.'

'Je bent nog jong, Noah, dus jij hebt het idee dat hoop iets stralends is. En daar ben ik blij om, echt waar. Alleen heb ik in de loop der jaren het tegendeel ervaren. Het heeft ook donkere kanten.'

'Nou, en? Je laat niet zo maar iemand in de stront zakken.'

Vivi Ann sloot verdrietig haar ogen. 'Dat kun je gemakkelijk zeggen, Noah. Je hebt geen idee wat wij hebben doorgemaakt, Dallas en ik.'

'Heb je hem ooit gevraagd of hij het gedaan heeft?'

'Nee,' zei ze rustig. 'Ik geloofde hem. En ik bleef hem geloven... tot in het oneindige. Maar toen werd zijn laatste verzoek om hoger beroep afgewezen en kwam hij niet meer opdagen tijdens de bezoekuren. Inmiddels was ik helemaal kapot. Kun je je die dag nog herinneren dat we een ongeluk hadden?'

'Ja.'

'Dat wachten tot hij weer thuis zou komen, heeft me bijna mijn leven gekost. Ik wil niet dat jij hetzelfde moet doormaken als ik.'

'Ik moet erin blijven geloven, mam,' zei hij.

'Dat hoort ook zo voor een zoon. En de man met wie ik getrouwd ben, de man van wie ik hield, is dat gevoel meer dan waard. Dat is de man die jouw vader is, niet de moordenaar over wie je je leven lang hebt horen praten. Maar probeer alsjeblieft... te begrijpen waarom ik je hierbij niet kan helpen. Ik kan het gewoon niet meer opbrengen. En daar schaam ik me voor.'

Noah pakte haar hand. 'Maar jij stond er alleen voor. Ik heb jou.'

Winona stond in haar strandhuis bij het raam en keek naar de weg. Het was 9 januari, een koude, winderige dag met regen in de lucht. De laaghangende grauwe wolken pasten bij haar stemming en maakten dat alles buiten er verschoten en doorweekt uitzag. Een onheilspellend begin van het nieuwe jaar.

De schoolbus kwam in het zicht en bleef gedurende een paar ogenblikken bij het eind van Marks oprit staan. Toen de bus weer wegreed, stond ze nog steeds bij het raam naar de kale wintertuin te staren. Het was maandagochtend en ze voelde de eenzaamheid opwellen.

Gisteravond had ze urenlang in haar eenzame bed liggen piekeren hoe ze de toestand met Mark precies moest aanpakken. Ze had hem de tijd gegund om zijn gezond verstand terug te vinden, ervan uitgaand dat hij op een avond wel naar haar toe zou komen om te zeggen dat het hem speet, maar hij was nog steeds zijn huis niet uitgekomen. Terwijl ze ervoor gezorgd had dat ze vaak hier was en tot 's avonds laat het licht aan liet. Maar november werd december en vervolgens het nieuwe jaar en nog steeds had hij zich niet laten zien.

Maar gisteravond had ze zich ineens afgevraagd of hij soms op haar wachtte. Zij was degene die een vergissing had gemaakt (ze had hem moeten vertellen dat ze dat verzoek ging indienen, dat begreep ze nu ook wel), dus misschien wachtte hij af tot zij zich verontschuldigde.

Hoe langer ze erover nadacht, des te logischer het leek.

Ze kleedde zich zorgvuldig aan, pakte haar wollen jas en ging naar het buurhuis. Na een korte aarzeling liep ze het flagstone bordes op en belde aan.

Hij deed vrijwel meteen open, in zijn ochtendjas en op slippers, met haar dat nog steeds nat was van het douchen. 'Hoi,' zei ze met een onzekere glimlach. 'Ik dacht dat je misschien wachtte tot ik zou zeggen dat het me speet.'

De glimlach waar ze zo wanhopig naar verlangde, bleef uit. 'Winona,' zei hij ongeduldig, 'we hebben het hier al eerder over gehad. Te vaak zelfs.'

'Ik weet dat je van me houdt,' zei ze.

'Nee, niet waar.'

'Maar...'

'Heb je zelfs maar overwogen om met mijn moeder te gaan praten? Heb je haar gewaarschuwd dat deze heisa eraan kwam? Ze wordt iedere dag door verslaggevers gebeld. Ze is zo overstuur dat ze nauwelijks haar huis uit durft te komen.'

'Ik heb nooit beweerd dat Myrtle in de getuigenbank leugens heeft verteld.'

'O nee?'

'Het is heel normaal dat ooggetuigen zich vergissen. Ik heb er onderzoek naar gedaan...'

'Hoe je het ook wendt of keert, volgens jou is het haar schuld en zo ziet iedereen in de stad het.'

'Je begrijpt er niets van.'

'Nee, jíj begrijpt er niets van. Je raakt iedereen met die kruistocht van je. Dacht je echt dat we dat maar gewoon accepteren?'

'Ik dacht dat jíj dat in ieder geval wel zou doen, Mark. Jij kent me. Jij weet dat ik zoiets niet zonder reden zou doen. Het is terecht en ik had het al lang geleden moeten doen.'

'Dat is het juist: ik ken je helemaal niet. En kennelijk is dat nooit het geval geweest. Vaarwel.' Hij stapte achteruit en deed de deur dicht.

Terwijl ze terugliep naar haar huis, in de auto stapte en naar de stad reed, hoorde Winona telkens opnieuw zijn stem: *Nee, niet waar.* Ze wist niet waardoor ze zich meer gekwetst voelde, door de gedachte dat hij niet meer van haar hield of door het verontrustende idee dat hij dat nooit had gedaan. Voor het eerst in jaren hunkerde ze ernaar om weer eens met Luke te kunnen praten, om net als toen ze jong was naast hem neer te vallen en te vragen wat er nou eigenlijk mis met haar was. Waarom ze zo gemakkelijk opzij geschoven kon worden en waarom het zo moeilijk was om van haar te houden. Maar in de jaren sinds zijn vertrek was hun vriendschap verwaterd. Hij belde nog maar hooguit een of twee keer per jaar en dan ging het meestal over zijn kinderen of over haar carrière.

In de stad zette ze de auto in de garage en liep om het huis heen naar de voordeur.

Lisa zat achter haar computer. 'Je vader is in de serre. Hij was er al om acht uur, toen ik binnenkwam. Hij zat op de veranda.'

'Bedankt.' Winona deed haar jas uit en liep naar de serre.

Hij zat stram rechtop in de antieke witte rieten stoel naast de openslaande deuren, met zijn voeten stevig op de vloer geplant. Zijn knoestige vingers lagen op zijn in spijkerbroek gehulde dijbenen en trilden zichtbaar. Zijn witte haar zag er dun en onverzorgd uit onder de bruine cowboyhoed vol zweetvlekken en zelfs van opzij kon ze zien hoe strak zijn gezicht stond.

'Hallo, pa,' zei ze terwijl ze naar hem toe liep.

Hij zette zijn hoed af, legde die op zijn schoot en haalde een hand door zijn haar. 'Je moet ermee ophouden, Winona.'

Ze ging op de dure bank tegenover hem zitten en wist dat dit haar kans was om hem alles duidelijk te maken. 'En als we ons nou vergist hebben?'

'We hebben ons niet vergist.'

'Misschien wel.'

'Laat het vallen, Winona. De mensen beginnen te kletsen.'

Winona stond op. 'Natuurlijk is dat weer het enige waar jij je druk over maakt. Over die fijne familie Grey en onze onbetaalbare reputatie. Je zou nog liever een onschuldige man in de gevangenis laten verrekken dan toe te geven dat je de plank hebt misgeslagen. Je denkt alleen maar aan jezelf. Dat heb je altijd gedaan.'

Hij kwam overeind op die hortende en stramme manier die voor hem inmiddels normaal was geworden, maar er was niets breekbaars aan de blik in zijn ogen. Die was kil en donker. 'Praat niet op die manier tegen me.'

'Nee, jíj moet eens op een andere manier tegen míj praten.' Ze schoot bijna in de lach, maar ze was bang dat ze dan hysterisch zou klinken. 'Weet je wel hoe lang ik heb zitten wachten tot jij eens een keer zou zeggen dat je trots op me was?' Haar stem trilde toen ze over iets begon wat haar al een leven lang dwars had gezeten. 'Maar dat zal nooit gebeuren, hè? En zal ik je nu eens iets vertellen? Het kan me geen moer meer schelen. Ik zal ervoor zorgen dat Dallas recht wordt gedaan en als ik tot de ontdekking kom dat ik me heb vergist, zal ik daarmee moeten leven. Maar ik wil niet de rest van mijn leven het idee houden dat ik zo'n belangrijke fout heb gemaakt.'

Meteen daarna draaide ze zich om, liep de serre uit en ging de trap op naar haar slaapkamer. Daar liep ze naar het raam en staarde naar buiten, waar haar vader langzaam over het trottoir naar zijn pick-up schuifelde en instapte. Hij reed weg zonder zelfs maar om te kijken.

Zevenentwintig

❧

Het eind van de winter tot het begin van de lente van 2008 was een periode die tot de natste in de geschiedenis van Oyster Shores behoorde. Tussen half februari en eind maart regende het vrijwel onafgebroken, waardoor de grond veranderde in een sponsachtige mengeling van groen en bruin.

Winona's leven was de afgelopen vijf maanden zo veranderd, dat het af en toe onherkenbaar leek. Het in het verborgen uitvechten van een strijd bracht onverwachte consequenties mee.

Eigenlijk snapte ze daar niets van. In haar eigen ogen was ze zo duidelijk bezig met iets wat gedaan moest worden, dat elke andere opvatting ronduit belachelijk was. Het was heel simpel: als er ook maar de kleinste kans bestond dat er fouten waren gemaakt ten opzichte van Dallas, dan moest dat uitgezocht worden. Hoe konden de mensen met wie ze haar leven lang al optrok dat nou niet begrijpen?

Ze kreeg natuurlijk wel waardering voor haar inspanning, maar daar werd meestal weinig ophef van gemaakt. Aurora en Noah waren haar frontsoldaten. Vivi Ann deed alleen maar voor spek en bonen mee, dat was een van de naarste dingen van de hele onderneming. Het kleine sprankje hoop had haar zusje tot op het bot afgemat, waardoor ze opnieuw lethargisch en een beetje verdoofd aandeed.

En pa was gewoon pisnijdig. Hij vond dat Winona hem met haar pogingen openlijk voor schut zette. Vorige week had iemand hem in de Eagles Hall nog horen zeggen: 'Die meid heeft altijd te veel in de schijnwerpers willen staan. Je zou toch denken dat haar familie op de eerste plaats kwam.'

Dat had vooral pijn gedaan omdat ze dit immers voor Vivi Ann en Noah deed. Maar als ze 's avonds in haar bed – dat zonder Mark nog leger leek dan eerst – lag, wist ze dat haar verlangen om Dallas vrij te krijgen ook iets te maken had met boetedoen. Misschien wel voor hen allemaal, maar toch vooral voor haar.

En dus nam ze het allemaal voor lief. Ze accepteerde dat veel van haar vrienden en bekenden het niet met haar eens waren, dat haar vader het verschrikkelijk vond en dat Vivi Ann erdoor afgeschrikt werd. Dat was de loden last die Winona vrijwillig met zich meedroeg terwijl ze afwachtte of haar verzoek gehonoreerd zou worden.

Maar in april begon ze het wachten beu te worden. Ze was cliënten kwijtgeraakt en zat vaak de hele dag in Seattle om research te doen in de bibliotheek van de rechtskundige faculteit van de universiteit van Washington.

Op donderdag 3 april had ze weer de hele dag in Seattle zitten werken en vervolgens reed ze op haar gemak naar huis. Ze kwam langs haar eigen strandhuis en keek vluchtig naar het bordje met TE HUUR. Sinds het uit was met Mark bracht ze het merendeel van haar tijd in de stad door, want eerlijk gezegd viel het niet mee om zo vlak bij hem te zitten en hem nooit te zien.

Maar in plaats van haar eigen oprit in te slaan, reed ze door naar Water's Edge. Ze had genoeg van het alleenzijn.

Toen ze uitstapte, was het even droog en Winona werd opnieuw getroffen door de schoonheid van dit land als de zon scheen. De weilanden leken op groen vilt, de hekken waren net allemaal weer zwart geschilderd en de bomen langs de oprit – de bomen van Dallas – stonden in volle bloei. Een paar bleekroze bloemblaadjes dwarrelden door de lucht. De afgelopen tien jaar had de ranch succesvol geboerd en van dat succes waren de broodnodige reparaties betaald. Alles zag er goed onderhouden uit, met inbegrip van de gebouwen. Het parkeerterrein was een flink stuk inktzwarte asfalt, dat meestal vol pick-ups en aanhangers stond, maar dat er nu, laat in de middag, vrij leeg uitzag.

Winona liep naar de manege waar het licht aan was.

Vivi Ann stond in haar eentje in de bak te worstelen met een enorm geel olievat, dat ze moeizaam naar de juiste plek rolde.

Winona stapte in het zand en riep: 'Hé, moet ik je even helpen?'

'Blijf daar maar, anders kost het je je schoenen.' Vivi Ann duwde het vat op zijn plaats, veegde het zand van haar handschoenen en liep naar Winona toe. In het vale licht, dat werd gedimd door de vuile aanslag op de tientallen lampen boven hun hoofd, zag ze er tegelijkertijd ontzettend moe en onuitsprekelijk mooi uit. De jaren hadden hun tol geëist van Vivi Ann, ze was peziger geworden en haar gezicht was ingevallen, maar zelfs de kraaienpootjes rond haar ogen deden niets af aan haar schoonheid. Ze was, net als Audrey Hepburn en Helen Mirren, een vrouw die op elke leeftijd mooi zou zijn. Vroeger zou Winona daar jaloers op zijn geworden, tegenwoordig keek ze langs het volmaakte gezicht van haar zusje en zag het verdriet in die groene ogen.

In de blokhut trok Winona haar jas en haar schoenen uit en ging op de bank in de woonkamer zitten. De laatste keer dat ze met z'n tweetjes in één kamer hadden gezeten, zij en Vivi Ann, was al een hele tijd geleden. Waarschijnlijk voordat ze dat verzoek had ingediend. Maar dat begreep Winona best: Vivi Ann was veel te kwetsbaar om over de voortgang te praten en veel te geobsedeerd door de uitslag om over iets anders te praten, dus bleef ze bij Winona uit de buurt. Vivi Ann bleef, zoals ze al jaren had gedaan, haar angst, haar ellende en haar verdriet onder het losse zand in de manege begraven en ging gewoon verder.

Vivi Ann staarde door het raam naar de vallende regen. Haar gezicht werd in de ruit vertekend zodat het leek alsof ze vaag zat te lachen. Het zachte gekletter op het dak voorkwam dat ze met elkaar in gesprek raakten. Daar had Winona het bij kunnen laten, maar ze hield het niet langer uit.

'Ik had al de eerste keer de verdediging van Dallas op me moeten nemen, Vivi,' zei ze. Ze had gewacht op een kans om dat te kunnen zeggen.

'Dat is oud nieuws, Win.'

'Het spijt me dat je zo overstuur bent geraakt door dit nieuwe verzoek, dat wou ik toch even tegen je zeggen.'

'Maar niet dat je de zaak op je hebt genomen?'

'Hoe kan ik daar nou spijt van hebben?'

Vivi Ann draaide zich eindelijk om. 'Hoe komt het toch dat jij altijd zo verdraaid zelfverzekerd bent? Zelfs als je het mis hebt.'

'Ik, zelfverzekerd?' Winona lachte. 'Je houdt me voor de gek.'

'Iedere keer ga je weer als een olifant in de porseleinkast tekeer.'

Winona keek haar zusje aan en zag aan haar ogen hoe kwetsbaar en triest ze was. 'En dan maak ik alles kapot? Dat bedoel je toch?'

'Nee,' zei Vivi Ann, maar dat was niet wat in haar ogen stond te lezen.

Voordat Winona antwoord kon geven ging haar telefoon. Ze trok pakte het toestel uit haar jaszak en zag dat het haar kantoor was. 'Met Winona.'

De deur van de blokhut vloog open en Noah kwam naar binnen rennen, kletsnat van de regen. Zijn haar plakte op zijn hoofd en hij sleepte zijn rugzak achter zich aan. 'Tante Winona's aut...'

'Schoenen,' zei Vivi Ann vermoeid.

Noah liet zijn rugzak vallen en schopte zijn schoenen met zo'n vaart uit dat ze in de eetkamer tegen de muur vlogen en op de grond ploften. 'Weten we al iets?'

Winona stak haar hand op en luisterde naar wat Lisa haar te vertellen had. 'Bedankt,' zei ze uiteindelijk en ze verbrak de verbinding.

'En?' wilde Noah weten.

Winona's hart bonsde zo dat ze er duizelig van werd. 'Ons verzoek is geaccepteerd,' zei ze terwijl ze vol verwachting opstond. 'Ze gaan het DNA-materiaal dat op de plaats van het misdrijf is aangetroffen analyseren.'

Noah jubelde het uit. 'Ik wist het! Je hebt het voor elkaar gekregen, tante Win.'

'Dat hebben we samen gedaan,' zei ze. Ze kon het nog steeds niet geloven.

'Vertel het hem nu maar,' zei Vivi Ann met een stem die even kil en breekbaar klonk als een plak ijs. Ze hield zich met twee handen vast aan het tafeltje naast de bank.

'Wat moet ik hem vertellen?' vroeg Winona fronsend.

'Wat er vanaf nu allemaal mis kan gaan. Heb niet het lef om hem naar bed te sturen met het idee dat dit een makkie was, zodat hij kan gaan dromen over wat hij allemaal tegen Dallas zal zeggen als hij vrij is.'

Winona had haar diep gekwetste zusje het liefst in haar armen genomen om haar te troosten, zoals ze vroeger ook altijd had gedaan. In plaats daarvan zei ze met een stem die nog zachter klonk dan daarvoor: 'Laat hem nou maar van zijn triomf genieten.'

'Je weet niet waar je het over hebt. Maar toch gefeliciteerd,' zei ze. 'Dallas mag van geluk spreken dat hij jou heeft.' Daarna liep ze langs hen heen naar haar slaapkamer en sloeg de deur achter zich dicht.

'Let maar niet op haar,' zei Noah. 'Wat je ook doet, ze wordt alleen maar chagrijnig of ze gaat zitten huilen. Gewoon zielig. Dus als nu blijkt dat het niet het DNA van pap is, laten ze hem vrij?'

'Dat staat nog niet vast. Maar die kans is er wel.'

'Bedoel je dat hij misschien toch nog voorgoed in de gevangenis moet blijven? Zelfs als het zijn DNA niet is?'

'Ja,' zei ze met een blik op de slaapkamerdeur van haar zusje. Deze beslissing had alles totaal veranderd. Als het verzoek afgewezen was, waren ze allemaal weer terug bij Af geweest en dan hadden ze na verloop van tijd weer vrede met elkaar kunnen sluiten. Daarna hadden ze de draad weer op kunnen pakken, net als ze al eerder hadden gedaan. Maar dit veranderde de zaak. Dit was het punt waarop ze allemaal weer hoop konden gaan koesteren. Plotseling begreep ze precies wat Vivi Ann haar duidelijk had willen maken.

Daarvoor had ze niet echt naar haar geluisterd, doof en verblind als ze was door haar twee zwakke punten: ambitie en zelfverzekerdheid. Ze had zich geconcentreerd op het herstellen van een onrecht, op het corrigeren van haar eigen fouten en op de verlossing die daarop zou volgen. Nu begreep ze ineens waartegen Vivi Ann haar zoon probeerde te beschermen. Haar zusje had al die tijd geweten dat ze de oorlog nog steeds konden verliezen, ook al wonnen ze de veldslag.

In de maanden daarna vroeg Winona zich vaak af hoe Dallas het in de gevangenis uithield. Het wachten op de uitslag van het onderzoek leek op een kraan die ergens in je achterhoofd constant bleef druppelen. Ze wist dat Noah er even nerveus van werd als zij. Precies zoals

Vivi Ann had voorspeld zakte hij met de dag verder door het ijs: hij veroorzaakte moeilijkheden, hij spijbelde en hij kreeg onvoldoendes.

Maar ze zat toch voornamelijk in over Dallas. Ze zorgde ervoor dat ze hem om de week opzocht en dan zaten ze steeds vaker tegenover elkaar zonder iets te zeggen. April ging over in mei wat weer geruisloos plaatsmaakte voor juni. De toeristen waren terug in Oyster Shores, compleet met alle bijbehorende herrie, geld en verkeersopstoppingen, maar hier in de gevangenis veranderde nooit iets. Het leven mocht buiten deze muren dan nog zo intens en vrolijk zijn, erbinnen was het altijd grauw en donker.

'Je zou eens wat meer moeten slapen,' had ze bij haar laatste bezoek tegen hem gezegd. Dat was het enige waarom hij die dag had gelachen.

'Misschien had ik dat moeten bedenken voordat we aan deze hele toestand begonnen.'

'Ben je bang?' had ze gevraagd.

'Bang zijn hoort wat mij betreft bij het leven,' had hij geantwoord terwijl hij zijn smerige haren uit zijn ogen streek.

Winona wist niet wat ze daarop moest zeggen. Dus was ze maar over iets anders begonnen in de wetenschap dat hoop ook op het lijstje hoorde met onderwerpen die vermeden moesten worden.

Maar wat kon de toestand in anderhalve week toch omslaan. Dat was wat haar deze woensdagmiddag door het hoofd speelde toen ze achter de bewaker aanliep naar haar afspraak met Dallas.

Zodra ze in de kamer was, stond ze ongeduldig op zijn komst te wachten en wiebelde van haar ene voet op de andere, omdat ze te opgewonden was om te gaan zitten.

Eindelijk ging de deur open en daar was Dallas. Zijn haar was smerig en vet, zijn gezicht was bleek en hij bewoog zich moeizaam, alsof zijn hele lichaam pijn deed. Hij was zoals gewoonlijk aan handen en voeten geboeid. 'Hoi, Winona,' zei hij.

'Je klinkt alsof je ziek bent. Heb je een dokter nodig?'

Daar moest hij om lachen, een geluid dat overging in een hoestbui. 'Dat komt gewoon omdat het juni is. Ik ben allergisch voor iets hier. Ik denk dat het prikkeldraad is.'

'Ga zitten, Dallas.'

Hij keek op en schudde zijn haar naar achteren. Ze wist dat hij het vervelend vond om dat met zijn handen te doen, met die rinkelende kettingen vlak voor zijn neus en het gênante gevoel dat daardoor veroorzaakt werd. Hij had ook een keer gevraagd of zij het wilde doen en haar hand had bijna getrild. Dat was ook de enige keer dat ze in de staalgrijze ogen van Dallas een glimp had opgevangen van het mishandelde jongetje dat hij ooit was geweest. Waarschijnlijk was ze tegenover een man nooit eerder zo teder geweest als toen ze zijn haar achter zijn oor streek. 'Ik blijf staan,' zei hij.

'De uitslag van het onderzoek is bekend. Het sperma is niet van jou.' Ze glimlachte en wachtte tot hij hetzelfde zou doen, maar hij bleef haar gewoon aankijken. 'Heb je me niet verstaan? Het DNA dat op de plaats van het misdrijf is aangetroffen was niet van jou.'

'En nu?'

'Je lijkt niet echt blij.'

'Je vergeet iets, Winona. Ik heb altijd geweten dat het niet mijn DNA was.'

Die woorden maakten een enorme indruk op haar en heel even kon ze zich echt voorstellen hoe zijn leven er al die lange jaren uit had gezien. Een onschuldige man in de gevangenis. Haar stem klonk zachter toen ze zei: 'Ik heb het kantoor van de officier van justitie al gebeld en hen gevraagd om mij te steunen bij mijn verzoek om een herziening van het vonnis.'

'Hou je me nou voor de gek?'

Winona fronste. 'Ik weet wel dat ik dat verzoek ook zelf kan indienen, maar dan gaan ze daar vast tegen in. Als we hen zover kunnen krijgen dat ze het bewijsmateriaal accepteren en het met ons eens zijn dat er sprake is van een gerechtelijke dwaling, kunnen we ook een gezamenlijk verzoek tot invrijheidsstelling indienen. Dat komt er dan geheid door.'

'Je bent al even naïef als Vivi Ann. Ik zal je vertellen wat er gaat gebeuren: ze zullen gewoon erkennen dat ik niet met Cat naar bed ben geweest, maar volhouden dat ik haar heb vermoord. Misschien komen ze wel ineens met de veronderstelling dat ik een medeplichtige heb gehad. Wat ze niet zullen zeggen is: *Goh, Winona, dat heb je knap voor elkaar gekregen.*'

Ze ging op de harde stoel zitten. 'Als je dat al die tijd hebt gedacht, waarom vond je het dan goed dat ik hieraan begon?'

'Vanwege Noah,' zei hij eenvoudig. 'Hij zal wel op zijn moeder lijken. Ik wist dat hij het nooit op zou geven.'

'Dus je hebt Noah en mij maar aan laten rotzooien in de veronderstelling dat je onschuldig bent, om nu gewoon met je handje te zwaaien en tot je dood weer in die cel te gaan zitten? Is dat écht je bedoeling?'

'Het is de harde werkelijkheid, Win. Als je de moeite had genomen om met Vivi Ann te praten, had zij je wel verteld hoe het zou aflopen. We hebben dit al eerder meegemaakt, weet je nog?'

'Ik geloof er niets van. Ik weiger dat te accepteren. Je vergist je.'

'Later,' zei hij zacht, 'als je begrijpt hoe alles precies in elkaar zit, zou je me dan één genoegen willen doen?'

'Wat?'

'Tegen Noah zeggen dat ik het gedaan heb. Anders zal hij me nooit uit zijn hoofd kunnen zetten. Dat is het laatste waar hij behoefte aan heeft.'

'Dat doe ik niet. Geen denken aan.'

Hij knikte en zei: 'Bedankt, Win. Dat meen ik echt. Als het je bedoeling was om boete te doen, dan heb je je schuld inmiddels wel betaald. Ga nu maar naar huis en zorg voor mijn gezin.' Daarna liep hij de kamer uit.

Ze keek hem na terwijl er een ziedende, krachteloze woede in haar opwelde.

'Hij vergist zich,' zei ze tegen de bewaker die geen krimp gaf. 'Ik heb niet voor niets al die moeite gedaan.'

Toen ze de gevangenis uit liep, mompelde ze op weg naar haar auto: 'Hij is gewoon cynisch. Natuurlijk kan hij alleen maar het ergste denken, na alles wat hij heeft meegemaakt.' Ze begon al te piekeren over hoe ze kon aantonen dat het wel goed nieuws was.

Noah zou het geweldig vinden.

Daar moest ze zich op concentreren, op de mooie kanten. Optimisme was altijd een kwestie van keuzes maken en ze weigerde om van instelling te veranderen, zeker nu ze dat gevoel hard nodig had.

Ze was halverwege op weg naar huis toen haar mobiele telefoon overging. Het was Lisa, die haar vertelde dat de officier van justitie net had gebeld om te zeggen dat ze de uitslag had gezien en bereid was om toe te geven dat Dallas die avond geen seksueel contact had gehad met het slachtoffer, maar dat ze er nog steeds vast van overtuigd was dat hij haar had vermoord. De komende week zouden zij een motie indienen om het vonnis in stand te houden.

Misschien, had de officier tegen Lisa gezegd, had Dallas wel een medeplichtige gehad.

Vivi Ann stond in de keuken van de boerderij een stoofpot te maken voor het avondeten, toen de tv met het verhaal kwam. Ze stond niet echt te luisteren, maar neuriede mee met een liedje dat door haar hoofd speelde toen ze ineens de naam van Dallas hoorde.

Ze draaide zich langzaam om en duwde met haar heup de ovendeur dicht. Terwijl ze naar de woonkamer liep, maakte ze zichzelf wijs dat haar verbeelding op hol was geslagen, maar toen ze het gezicht van haar vader zag, wist ze dat het wel degelijk waar was.

Zonder iets te zeggen pakte Vivi Ann de afstandsbediening op en drukte op de terugspeelknop, voor het eerst dankbaar dat Winona haar vader zover had gekregen dat hij digitale tv nam.

Toen ze weer op de knop drukte, verscheen er een verslaggever van het plaatselijke station op het scherm die voor de onheilspellende grijze gevangenismuren stond. Boven in de hoek was de officiële politiefoto van Dallas te zien.

'... het DNA-onderzoek heeft aangetoond dat Dallas Raintree niet de laatste man is geweest die seksueel contact had met het slachtoffer, Catherine Morgan. De advocaat van de verdediging was niet beschikbaar voor commentaar, maar officier van justitie Sara Hamm is wel bij ons.'

Sara Hamm verscheen in beeld, ouder en nog statiger geworden. 'Dit is gewoon een juridisch steekspel. Het vonnis van meneer Raintree was gebaseerd op een grote hoeveelheid feiten en bijkomende omstandigheden. Het DNA is tijdens het proces niet eens als bewijsmiddel aangedragen, dus daarop is hij niet veroordeeld. Vandaar dat de uitslag van dit onderzoek niets verandert, behalve dat de plaatselijke justitie zich inmiddels heeft gebogen over de mogelijkheid dat meneer Raintree niet alleen heeft gehandeld toen hij mevrouw Morgan vermoordde.'

De verslaggever kwam weer in beeld. 'Dat was Sara Hamm...'

Vivi Ann drukte op de stopknop en het beeld verdween.

Haar vader pakte zijn drankje weer op. De ijsblokjes tinkelden in het glas dat hij naar zijn lippen bracht.

'Nou, dat zal dan dat wel weer zijn,' zei ze, met het gevoel alsof er iets uit haar wegvloeide. Maar dat was belachelijk, want ze had niet anders verwacht. Ze was hierop voorbereid geweest.

'Goddank. Hij heeft ons alleen maar ellende gebracht.'

'En als wij hem nu eens ellende hebben gebracht?'

Dat wuifde pa ongeduldig weg met een knoestige hand. 'Hij heeft dat mens vermoord, zo is het en niet anders. En zijn zoon is geen haar beter.'

Vivi Ann had het gevoel dat hij haar weer, net als jaren geleden, een klap in het gezicht had gegeven. Ze keek naar de man van wie ze ooit net zoveel had gehouden als van Dallas, net zoveel als van Noah, en kreeg het gevoel dat ze hem voor het eerst zag. Was hij een product van haar verbeelding geweest, of was hij veranderd? Waren het de teleurstelling en alles wat hij had verloren die hem hadden gemaakt tot wat hij nu was? Ze wist hoe dat ging, hoe je van eenzaamheid een ander mens kon worden. 'Je hebt het toevallig wel over mijn zoon. Je eigen kleinzoon.' Ze liep naar haar vader toe en keek hem strak aan. De voren in zijn gezicht waren diepe ravijnen geworden, de ogen overschaduwd door zware oogleden. 'Toen mam stierf, zag ik je huilen,' zei ze rustig, terwijl de herinnering aan die nacht zich van alle kanten aan haar opdrong. 'Je stond naast haar bed.'

Hij zei niets, gaf het niet toe noch ontkende het, maar ineens begon Vivi Ann te twijfelen aan de waarde van een herinnering die ze altijd had gekoesterd.

'Al die jaren heb ik dat altijd heel romantisch gevonden, maar ondertussen was de werkelijkheid gewoon totaal anders. Aurora was de eerste die dat begreep. Winona wil er nog niet aan. En die warrige Vivi heeft nooit iets in de gaten gehad. Tot op dit moment. Als je écht heb staan huilen, dan was dat niet om wat ik dacht. Want je hebt werkelijk geen flauw idee waar het bij liefde om draait, hè?'

'Als je het over die indiaan hebt...'

'Zo is het wel mooi geweest,' snauwde Vivi Ann hem toe en ze zag tot haar verbazing dat hij voor die uitval terugdeinsde. 'Ik wil uit jouw mond geen woord over hem horen.'

Voordat pa iets kon zeggen, vloog de deur open. Ze hoorde hollende voetstappen in de gang en een stem die haar naam riep.

Aurora kwam de woonkamer binnen. 'Vivi Ann,' zei ze. 'Ik heb net het nieuws gezien. Is alles goed met je?'

Vivi Ann keek haar vader aan en in die laatste snelle blik voelde ze hoe de laatste steen van de muur uit haar jeugd afbrokkelde. Voor het eerst keek ze niet alleen naar hem, ze zag hem ook. 'Ik heb medelijden met je,' zei ze en ze zag hoe zijn gezicht vertrok.

Ze liep langs hem heen en haakte haar arm door die van Aurora. Samen liepen ze door het huis naar buiten, waar de vroege avond een zalmroze tint had.

'Waar ging dat in vredesnaam over?'

'Hij is een klootzak,' zei Vivi Ann.

Aurora schoot in de lach. 'Hoog tijd dat je daar een keer achter kwam.'

'Hoe kon ik dat niet in de gaten hebben?'

'We zien alleen wat we willen zien.'

Vivi Ann sloeg haar armen om haar zusje heen en fluisterde: 'Bedankt dat je gekomen bent.'

'Hoe voel je je?'

'Ik wist dat dit zou gebeuren. Ik hoopte op het tegendeel, maar ik wist het gewoon.'

'En Noah?'

Vivi Ann zuchtte. 'Dit nieuws zal een behoorlijke klap voor hem zijn. Hij vertrouwde op een goede uitkomst.'

'Wat ga je tegen hem zeggen?'

Het idee aan dat gesprek werd haar te veel. 'Dat weet ik niet. Als je moet wachten zijn woorden goedkoop.' Ze onderbrak zichzelf omdat ze die gedachte niet verder wilde uitwerken. 'Het zal er wel op neerkomen dat ik zeg dat ik van hem hou. Wat blijft er anders over?'

359

Ik had nauwelijks tijd om een gat in de lucht te springen vanwege het nieuws dat het DNA van mijn vader niet overeenstemde met het materiaal dat op de plaats van het misdrijf is aangetroffen, toen tante Winona me meteen weer ondersteboven kegelde met de mededeling dat het openbaar ministerie een motie had ingediend om hem achter de tralies te houden.

Maar hij is onschuldig, zei ik.

Als hij aan de hand van dat DNA was veroordeeld, dan was hij nu misschien meteen vrijgekomen, zei ze, maar er was nog veel meer bewijsmateriaal tegen hem geweest.

Maar het gaat toch door. Tante Winona heeft haar verzoek ingediend en het openbaar ministerie heeft hetzelfde gedaan en volgende week moeten we allemaal naar de rechtbank om te zien wat er nu gaat gebeuren, maar ik zie de bui al hangen. Tante Winona heeft met een heleboel andere advocaten gesproken, en die zeggen allemaal hetzelfde: hou vol, maar denk niet dat je er al bent. De officier van justitie zei in de krant dat pap die vrouw misschien wel in een aanval van jaloezie heeft vermoord omdat ze zich door een andere vent had laten neuken.

Ze hebben overal een antwoord op.

Weet u wat nou zo raar is, mevrouw I? Ook al hebt u dit jaar helemaal niks gelezen van wat ik heb geschreven, toch heb ik het gevoel dat het wel zo is. Ik zou er heel wat voor over hebben als u nu weer met zó'n stomme vraag op de proppen zou komen, bijvoorbeeld 'wie ben ik?' of 'wat verwacht ik van het leven?' of 'Hoe maak je vrienden?'

Ik heb lang niet zoveel moeite met al die shit van school, het is mijn gewone leven dat me dwars zit. Ik wou dat ik er eens met Cissy over kon praten. Zij zorgt altijd dat ik me beter voel over al die onzin. Maar die kloterige vader van haar denkt nog steeds dat ik een soort terrorist ben en vindt het niet goed dat we elkaar na schooltijd zien. Daardoor duurt de tijd als ik niet op school zit nog veel langer.

Het goede nieuws is dat ik mezelf redelijk kan beheersen. Dat lukte in ieder geval toen ik nog dacht dat mijn vader vrij zou komen.

Maar wie weet wat ik straks ga doen?

Toen ik vanavond de paarden ging voederen kwam Renegade naar het hek en gaf me zo'n zet met zijn neus dat ik omviel. Het was echt krankzinnig, want normaal blijft hij gewoon op een afstandje staan kijken hoe ik zijn hooi over het hek gooi. Hij is de enige van al onze paarden die kennelijk niets om eten geeft. Nadat hij me in die modderplas had gedumpt begon ik tegen hem te schreeuwen en gooide hem een bundeltje hooi recht in zijn smoel.

Op dat moment kwam mijn moeder aan lopen. Ik zei tegen haar dat dat paard volgens mij krankjorum was en toen vroeg ze: Heb ik je wel eens verteld over die dag dat ik Renegade heb opgehaald?

Ja, dat hij een wandelend skelet was en zo, zei ik. Ik was nog steeds bloedlink over alles, over die klote rechtbanken en mijn pap die me niet wil zien en dat paard dat me omver gekegeld had. Allerlei dingen waarom ik boos op mam was. Maar dat is volgens mij al een hele tijd zo.

Ze legde haar armen op de bovenste plank van het hek en keek naar dat sjofele zwarte paard alsof hij iets heel bijzonders was. Als hij dat wilde, kon je vader dat paard het zwanenmeer laten dansen, zei ze. Ik heb nooit iemand gezien die beter kon rijden dan hij.

Ik wou dat ik een woord kende dat precies aangaf hoe ik me voelde toen ze dat zei. Ongeveer alsof ik een hele generatie nieuwe videospelletjes voorgeschoteld kreeg voordat iemand anders ze zag. Dat heb je me nog nooit verteld, zei ik, en toen zei zij dat er eigenlijk een heleboel dingen waren die ze me had moeten vertellen.

Zoals dat ik, toen ik nog klein was, iedere ochtend bleef huilen tot mijn pap me oppakte. En dan fluisterde hij je iets toe, zei ze. Ik heb nooit geweten wat het was, maar jij

361

wachtte er gewoon op. Mam glimlachte toen ze zei dat
iedereen me altijd een vaderskindje noemde. Volgens haar
is dat nooit veranderd.

Ik zei dat ik vermoedde dat hij niet vrij zou komen en
mam knikte alleen maar, dus vroeg ik of ze dat aldoor al
had geweten. Ze zei dat je dat soort dingen nooit echt
kon weten, maar dat ze trots op me was omdat ik zo
hardnekkig was.

Maar waarom voel ik me dan zo belazerd, zei ik, terwijl
ik alles goed heb gedaan?

Mam sloeg haar arm om me heen en zei dat het leven af
en toe gewoon zo was. We bleven daar nog een hele tijd staan
kijken naar Renegade, die geen enkele aanstalten maakte
om aan zijn hooi te beginnen.

Waarom komt hij niet in beweging? vroeg ik ten slotte.
Waarom is hij zo'n idioot?

Hij wacht al een hele tijd tot Dallas weer thuiskomt.

Het was volkomen krankzinnig, maar toen ze dat zei,
leek het net alsof ik dat allang wist en toen ik dat paard
aankeek, zag ik iets in zijn ogen dat op verdriet leek.

Daarom is hij zo verknipt, zei mam rustig. Het hakt erin,
hoor, al dat wachten.

Ik zei dat ik wou dat ik wist hoe ik daarmee op kon
houden.

Ik ook, manneke, zei mam tegen me. Ik ook.

Achtentwintig

❦

Winona was kapot. De afgelopen vierentwintig uur had ze nonstop gewerkt. Ze had het hele procesverslag weer doorgelezen, haar mondelinge pleidooi gerepeteerd en zich opgemaakt voor wat misschien wel de belangrijkste dag van haar leven kon worden.

Een maand geleden zou ze nog zeker zijn geweest van de afloop van het proces van vandaag. Toen had ze nog dat zelfvertrouwen gehad dat voortsproot uit de overtuiging dat de wereld op een voorspelbare manier in elkaar stak en dat een uitslag voorspeld kon worden aan de hand van inzicht in alles wat zich daarvoor had afgespeeld.

Nu wist ze wel beter. De koppigheid waarmee het Openbaar Ministerie kennelijk van plan was om het vonnis te handhaven bewees dat Vivi Ann het bij het rechte eind had gehad. Ze hadden zelfs het belachelijke argument aangedragen dat vonnissen altijd gehandhaafd dienden te worden, alsof betrouwbaarheid belangrijker was dan eerlijkheid. Er mocht dan iets bestaan wat de volmaakte waarheid heette, maar dat was iets dat je niet onder een noemer kon vangen en zeker justitie niet. In de research die ze had gepleegd voor de zaak van Dallas, had ze gelezen dat er meer dan honderd mannen in de afgelopen vijf jaar uit de gevangenis waren ontslagen op grond van DNA-onderzoek... en dat er nog meer waren voor wie dat niet gold. Die ongelukkige figuren verkeerden vrijwel allemaal in dezelfde omstandigheden als Dallas: uit het DNA-bewijsmateriaal kon niet onomstotelijk worden geconcludeerd dat ze niet bij de misdaad betrokken waren, maar er kon evenmin uit opgemaakt worden dat dat wél het geval was. Winona kwam er tot haar verbazing – en schaamte – achter dat het Openbaar Ministerie en de politie maar al te vaak niet van toegeven wisten als ze eenmaal besloten hadden dat iemand schuldig was. Zelfs een overdaad aan bewijsmateriaal kon hen niet van hun standpunt afbrengen en dus bleven ze maar doorvechten en soms belachelijke, ogenschijnlijk oprechte argumenten aanvoeren om onschuldige mensen nog tientallen jaren achter de tralies te houden.

'Adem maar diep in,' beval Aurora naast haar.

'Ik val vast flauw.'

'Geen denken aan. Gewoon ademhalen,' zei Aurora opnieuw, dit keer iets vriendelijker, terwijl ze met haar meeliep naar de lange, lage tafel links in de rechtszaal. 'Succes,' fluisterde ze en ze liep weg.

Winona ging zitten en staarde met glazige ogen naar de gele aantekenbloks, de dozen met dossiers en de stapels pennen die voor haar lagen. Een opengeklapte laptop keek haar wezenloos aan. Ze hoorde hoe de rechtszaal volliep en had zich het liefst omgedraaid en om zich heen gekeken, maar ze wist dat ze dan nog nerveuzer zou worden. Er zouden veel te veel van haar vrienden en bekenden aanwezig zijn, die allemaal waren gekomen om gerustgesteld te worden en te horen dat het justitiële apparaat onfeilbaar was.

Daarna hoorde ze een deur opengaan en het gekletter van kettingen. Het werd stil in de rechtszaal.

Winona stond eindelijk op en draaide zich om.

Een paar bewakers in uniform brachten Dallas naar haar toe. Hij had het nieuwe blauwe pak aan dat ze voor hem had gekocht en zijn haar zat in een losse paardenstaart. Ondanks al die kettingen waardoor hij alleen korte pasjes kon maken en zijn handen niet kon gebruiken, leek hij zijn omgeving nog steeds te tarten. Dat kwam door die lichte, grijze ogen. Ze zag dat hij de gezichten van de aanwezigen bestudeerde tot hij Vivi Ann ontdekte. Pas toen leek zijn boze, uitdagende houding af te zwakken.

Vivi Ann stond kaarsrecht overeind, maar toen ze Dallas zag, leek ze helemaal weg te smelten. Het was net alsof Aurora en Noah, die vlak naast haar stonden, haar vasthielden om te voorkomen dat ze door de knieën zou gaan.

Dallas schuifelde met rammelende boeien naar Winona toe en ging in de stoel naast haar zitten. 'Ze ziet er uit alsof...' Zijn stem stierf weg. 'En Noah... mijn god...'

'Wil je dat ik ze hiernaartoe laat komen om met je te praten? Ik weet zeker...'

'Nee.' Nauwelijks hoorbaar. 'Niet op deze manier.'

Winona legde haar hand op de zijne en zijn gezicht vertrok, waardoor ze ineens bedacht dat het waarschijnlijk al heel lang geleden was dat iemand hem bij wijze van troost even had aangeraakt.

De rechter kwam binnen en ging op zijn plaats zitten. 'U mag gaan zitten,' zei hij terwijl hij zijn bril opzette en neerkeek op zijn paperassen. 'We zijn hier voor de mondelinge behandeling van het verzoek van de beklaagde om het vonnis en de straf nietig te verklaren en de vervolging te staken.'

Sara Hamm stond op. 'Officier van justitie Sara Hamm, edelachtbare. Dat is juist.'

'Ik geef het woord aan de verdediging,' zei de rechter.

Winona liet Dallas' hand los en stond op. 'Winona Grey, namens de verdachte, Dallas Raintree. Zoals u uit ons pleidooi kunt opmaken is ons verzoek gebaseerd op nieuw bewijsmateriaal, met name de uitslag van het DNA-onderzoek. Bij het proces...'

Bijna een uur lang verdedigde ze haar zaak, waarbij ze niet alleen argumenten aanvoerde uit eerdere rechtszaken, maar ook wees naar morele verplichtingen. Afsluitend zei ze: 'Wat ons justitiële apparaat Dallas Raintree heeft aangedaan is een aanfluiting van het recht. Het is hoog tijd om oude fouten te herstellen en hem vrij te spreken.'

In de rechtszaal brak geroezemoes uit. Iedereen begon tegelijk te praten.

De rechter gebruikte zijn hamer en zei: 'Stilte.' Daarna keek hij Sara aan. 'Wat is daarop het antwoord van het Openbaar Ministerie, mevrouw Hamm?'

De officier van justitie stond op, een toonbeeld van kalmte vergeleken bij Winona's nervositeit. 'Uit het procesverslag van deze zaak blijkt duidelijk dat het aangevoerde DNA-bewijs op geen enkele manier kan leiden tot vrijspraak voor de beklaagde. Als dat zo was, zouden we het verzoek van de verdediging gesteund hebben. Het

Openbaar Ministerie is er niet op uit om onschuldige mensen in de gevangenis te houden. Integendeel zelfs, maar in dit geval heeft een jury al het bewijsmateriaal onder ogen gekregen en Dallas Raintree zonder ook maar een spoor van twijfel schuldig bevonden. En wat was dat bewijsmateriaal nu precies? Ik zal het nog even voor u doornemen.'

Bijna twee uur lang smeet Sara Hamm haar bewijsmateriaal op tafel. Toen ze klaar was, keek ze op naar de rechter. 'Daaruit blijkt dus duidelijk dat in 1996 de juiste man veroordeeld is, edelachtbare. Het Openbaar Ministerie verzoekt u het vonnis te handhaven.'

Winona had een droge keel. Het kostte haar de grootste moeite om in stilte af te wachten terwijl de rechter de pleidooien doornam.

Uiteindelijk sloeg hij de laatste bladzijde om en keek op. 'Ik zie geen reden om de zaak in overweging te nemen. De feiten en de argumenten zijn zo helder als glas. Het verzoek van de beklaagde is afgewezen. De gevangene blijft in hechtenis.' Toen hij zijn hamer opnieuw gebruikte, klonk dat als een donderslag. 'Volgende zaak.'

Er klonk opnieuw rumoer in de rechtszaal.

Winona bleef aangeslagen zitten.

'Leuk geprobeerd,' zei Dallas. 'Zeg maar tegen Vivi...'

En toen kwamen de bewakers hem alweer ophalen. Ze hoorde dat Noah iets riep. Hij probeerde kennelijk zich door de meute te worstelen, maar tevergeefs, het was al te laat.

Toen ze zich langzaam omdraaide, zag ze dat Vivi Ann haar armen om Noah heen had geslagen. Ze stonden allebei te huilen.

Winona viel neer op haar stoel en bleef dof naar de balie staren. Achter haar hoorde ze hoe de rechtszaal leegliep en de luide stemmen van de toeschouwers die *Zie je nou wel* tegen elkaar zeiden. Ze wist dat Aurora nu stond te aarzelen, omdat ze niet wist welk zusje haar het hardst nodig zou hebben. Maar uiteindelijk zou de schok voor Vivi Ann toch het grootst lijken en zou Aurora voor haar kiezen. En terecht.

'Je was fantastisch.'

Ze hunkerde zo naar een beetje troost, dat ze een beetje gek was geworden en zich verbeeldde dat hij het had gezegd. Toen ze naar links keek, verwachtte ze dan ook niets te zien.

Maar daar stond Luke en hij stak haar zijn hand toe, nog net niet glimlachend. 'Kom op.'

Dertig jaar geleden had hij precies hetzelfde gedaan en dat was het begin van hun vriendschap geweest. *Het slijt,* had hij toen gezegd en die twee woordjes waren een soort piepschuim geweest dat haar hielp het hoofd boven water te houden. En nu was hij er weer, precies op het moment dat ze een vriend nodig had. Ze pakte haar koffertje op en gebaarde dat Luke haar met de dossiers moest helpen. Het kostte bijna een uur om alle nutteloze aantekeningen en dossiers die ze had verzameld bij haar pogingen om Dallas weer vrij te krijgen naar haar kantoor te brengen. Toen dat gebeurd was, schonk ze twee glazen vol en liep achter hem aan naar de veranda waar ze op de schommelbank gingen zitten.

'Wil je erover praten?' vroeg hij toen ze allebei zaten.

'Er valt niet veel te zeggen. Vivi Ann had gelijk. Uiteindelijk heb ik hun alleen verdriet bezorgd.' Ze keek hem aan. 'En nu zul jij wel zeggen dat ik altijd zo ben geweest.'

'Nee.'

Er klonk iets door in zijn stem, dat haar deed opkijken. Een spoor van verdriet. 'Waarom ben je eigenlijk gekomen, Luke?'

'Ik dacht dat je wel een vriend zou kunnen gebruiken.'

Toen ze hem aankeek, zag ze dat er meer aan de hand was. 'En?'

Daar moest hij om glimlachen. 'En daar had ik zelf ook behoefte aan.'

'Problemen met je vrouw?'

'Ex-vrouw.'

Winona fronste. 'Sinds wanneer?'

'Drie jaar geleden.'

'En daar heb je nooit iets over gezegd? Waarom niet?'

'Ik geneerde me. Volgens mij heb ik een keer tegen je gezegd dat ze echt de ware was.'

'Meer dan eens, om precies te zijn.'

Hij glimlachte een beetje triest en leek ineens een jongetje dat op heterdaad betrapt wordt. 'Ik ben bang dat mijn ware jacoba het ineens niet meer zag zitten. Ze ging op een dag boodschappen doen en is nooit meer teruggekomen. We hebben vorige week de scheidingspapieren ondertekend. Het ergste is dat ze de meisjes niet eens meer wil zien.'

'O, Luke. Hoe is het met ze?'

'Niet zo best. Ze zijn pas vier en zes jaar, dus ze snappen er helemaal niets van en blijven maar vragen wanneer ze terugkomt. Misschien is het niet verstandig om in een huis te blijven zitten waar zoveel spookbeelden rondzweven.'

'Of in een stad,' zei Winona, die zich afvroeg hoe lang het zou duren voordat zij niet meer aan Dallas zou denken als ze over Shore Drive reed, of naar Water's Edge. Ze leunde achterover en keek naar haar tuin. In de invallende duisternis leek alles zilverkleurig en een beetje onwerkelijk. 'Misschien moet je maar eens op bezoek gaan bij Vivi Ann. Die kan momenteel wel wat steun gebruiken.'

'Ik ben speciaal voor jou teruggekomen,' zei hij rustig en ineens stond hun hele verleden tussen hen in, met alle lichte en donkere kantjes. Hij pakte haar hand. 'Ik was vandaag heel trots op je.'

'Dank je wel,' zei ze, verrast dat het eenvoudige complimentje zoveel voor haar betekende. Door alle emoties die ze de afgelopen tijd los had gemaakt en haar verlies was ze bijna vergeten hoeveel waarde ze er vroeger aan hechtte dat haar beweegredenen correct waren geweest. Jammer dat je daardoor alleen nog verdrietiger werd.

Ik heb zelfs geen woord met hem kunnen wisselen. Het ging allemaal zo snel. Het ene moment zaten we nog te luisteren naar al die leugens die dat kreng over mijn vader stond te vertellen en meteen daarna was het al voorbij. Iedereen stond op en hij werd geboeid afgevoerd.

Mam zei: wees maar niet bang, Noah, je komt er echt weer overheen, dat beloof ik je. Maar hoe kan ik er nou niet over inzitten dat hij daar weer alleen is?

Mam had gelijk. Ik wou dat ik er nooit aan begonnen was. Het doet ontzettend veel pijn.

'Hoe gaat het met haar?' vroeg Winona.

'Je weet hoe Vivi is. Ze is nog stiller dan anders en ze komt nauwelijks de deur uit. En ik heb gehoord dat Noah weer moeilijkheden heeft op school.' Aurora hield even op. Ze was bezig met het ontwerpen van reclamemateriaal voor de winkel. 'Maar ze komen er wel weer bovenop. Het is nog maar een week geleden. Ze redt het wel.'

Winona draaide zich om. Ze wilde het begrip in de ogen van haar zusje niet zien. Ze liep doelloos rond door de winkel en deed net alsof ze alle leuke hebbedingetjes bestudeerde: de windklokjes van mondgeblazen glas, de paarlemoeren oorbellen en de leuke ruitjes van gebrandschilderd glas met afbeeldingen van het Canal en de bergen.

'Misschien krijgen we haar zover dat ze dit weekend meegaat naar de Outlaw,' zei Aurora, die achter haar kwam staan.

Zo ging dat altijd in zijn werk. Ze zouden de draad weer oppakken en na een tijdje zou ook dit fiasco in de vergetelheid raken. Bijna. 'Mij best.'

Achter hen tinkelde het koperen belletje boven de deur.

Aurora stootte Winona aan en ze draaide zich om.

Mark stond naast een vitrine vol natuurparels. Hij zag er nog precies hetzelfde uit – vrijetijdskleren, kalend hoofd, brede schouders – en dat verbaasde Winona om de een of andere reden. Er was de laatste tijd zoveel gebeurd dat ze min of meer verwachtte dat iedereen veranderd was.

Ze zag de verbaasde blik in zijn ogen en verroerde zich niet. Er kon zelfs geen glimlachje af. Heel even werd de sfeer in het kleine cadeauwinkeltje onbehaaglijk, toen kwam Mark met een gedwongen glimlach naar haar toe.

Ze dwong zichzelf terug te glimlachen en deed een stapje in zijn richting. 'Hallo, Mark.'

'Ik heb je al een tijdje willen bellen,' zei hij. 'Maar je bent nooit meer in het strandhuis.'

'Dat heb ik te huur gezet.'

'Ja.' Hij keek even naar Aurora en toen weer naar haar. 'Kunnen we even praten?'

'Natuurlijk.'

Ze ving de vragende blik van Aurora op en schokschouderde terwijl ze achter Mark aan naar de deur liep.

Buiten was het heerlijk weer. Ze liepen Shore Drive af naar het park langs het strand en gingen aan een lege picknicktafel zitten. Normaal gesproken zou Winona de stilte hebben verjaagd met nerveus gekwebbel, maar in de afgelopen maanden had ze het een en ander opgestoken. Soms moest je gewoon wachten op woorden die ertoe deden.

'Ik heb me vergist,' zei hij ten slotte. 'Ik vind nog steeds dat je mijn moeder en mij had moeten waarschuwen, maar ik had moeten begrijpen dat je verplicht was om te doen wat je hebt gedaan.'

'Uiteindelijk heeft het helemaal niets opgeleverd.'

Hij wist kennelijk niet wat hij daarop moest zeggen, dus hij hield zijn mond.

'Maar ik stel dit wel op prijs,' zei ze.

'Ik weet niet of het er iets toe doet, maar mijn moeder is er nog steeds van overtuigd dat hij het was.'

'En ik weet zeker dat hij het niet was. Maar ik weet ook dat je moeder niet liegt. Zeg dat maar tegen haar. Ik denk alleen dat ze zich vergist.'

'Het zal niet veel helpen, maar ik zal het zeggen.'

Winona knikte. Ze wist niet wat ze verder nog moest zeggen, dus stond ze maar op. 'Goed, ik...'

Hij pakte haar hand vast. 'Ik mis je. Kunnen we het niet nog eens samen proberen?'

Dat overviel Winona. Ze draaide zich om en keek hem aan. Ze zag een man die ze eerst graag mocht en van wie ze had willen houden. Maar zover was het nooit gekomen. Dat plotselinge besef kwam als een bevrijding. In de rechtszaal had ze liefde gezien toen Dallas naar Vivi Ann keek en Winona wist dat zij hetzelfde wilde. Ze zou nooit meer akkoord gaan met een slappe imitatie van dat gevoel. 'Nee,' zei ze, terwijl ze haar stem iets dempte. 'We zijn nooit verliefd op elkaar geworden. Maar als je vriendschap wilt, ben ik daar wel toe bereid.'

Hij lachte en zag er zelfs een beetje opgelucht uit. 'Vriendschap met wat extra's?'

Daar moest Winona om lachen en ze bedacht hoe prettig het was als iemand je begeerde. En hoe machtig je je voelde als je gewoon rustig kon zeggen: 'Ik dacht het niet.'

Winona las het verslag van de laatste rechtszaak over de onbetrouwbaarheid van haaranalyse en vroeg zich af of dat genoeg reden zou zijn om weer hoger beroep aan te tekenen.

Haar intercom zoemde.

'Winona? Vivi Ann is hier voor je.'

Winona zuchtte. 'Stuur haar maar door.' Ze stond op, liep naar het raam en staarde naar buiten. De tuin weerspiegelde de wisseling van de seizoenen. Felle zomerkleuren hadden plaatsgemaakt voor de warme, rijke tinten van de herfst. De petunia's waren sliertig en uitgebloeid, de rozen slungelig en wild. De zomer was voorbij en dat was haar nauwelijks opgevallen.

Eigenlijk was haar in de maanden sinds ze de rechtszaak had verloren helemaal niets opgevallen. In plaats dat ze bevrijd was van haar obsessie had het verlies haar nog fanatieker gemaakt. Het was net alsof ze voortdurend het beeld van Dallas in de gevangenis voor ogen had. Dat ze iedere week bij hem op bezoek ging, werkte daar natuurlijk aan mee. Dallas had de moed volledig opgegeven, als hij al ooit een sprankje hoop had gevoeld.

'Hoi, Win.'

'Eigenlijk raar dat ik zo vaak Win wordt genoemd, hè?' zei ze zonder haar zusje aan te kijken. Ze had haar kantoor op moeten ruimen. Nu zag Vivi Ann die hele rij van gele plakbriefjes en al die opengeslagen dossiers.

'Is dat allemaal over Dallas?' vroeg ze.

Winona knikte. Leugens werden er tegenwoordig niet meer verteld. 'Procesverslagen, processen-verbaal, verklaringen, aantekeningen van verhoren.' Ze wist dat ze eigenlijk haar mond moest houden, maar dat was het probleem met een verslaving, je had jezelf niet meer in de hand als je onder invloed was. 'Alles zit erbij. En ik heb het nu al zo vaak doorgelezen dat ik bijna blind ben geworden. Er is zoveel waar geen moer van klopt. De tatoeage, het gebrek aan onderzoek, de haast waarmee het oordeel werd geveld, Roys belachelijk ontoereikende verdediging, het DNA... Maar in termen van de wet heeft het allemaal niets te betekenen. Ook al betekent het alles.'

'Ik weet het.'

'Je hebt het altijd geweten.'

'Ik heb hem niet meteen in de steek gelaten,' zei ze rustig. 'Ik heb jaren geloofd in een goede afloop.'

Winona keek haar zusje eindelijk aan. 'Ik ben ten opzichte van hem in gebreke gebleven. En ten opzichte van Noah. En van jou.'

'Je bent niet in gebreke gebleven,' zei Vivi Ann. 'Soms kunnen we de mensen van wie we houden gewoon niet redden.'

Winona wist niet hoe ze verder moest leven in een wereld waarin dat waar was, maar ze wist ook dat ze eigenlijk geen keus had. 'Hoe is het met Noah?'

'Niet zo best. Hij blijft maar spijbelen. Vorige week heeft hij zijn middelvinger opgestoken tegen zijn natuurkundeleraar.'

'Meneer Parker?'

'Uiteraard. Maar als ik me goed herinner, heeft Aurora dat vroeger ook een keer gedaan.'

'Ik praat wel met hem.'

'Wat wou je dan tegen hem zeggen?'

'Dat ik het niet opgeef.'

'Denk je dat hij dat wil horen?'

'Wat zou jij dan zeggen? Laat maar zitten? Geef het op en laat je vader maar in zijn eentje verrekken?' Zodra die woorden over haar lippen waren gekomen wist Winona al dat ze te ver was gegaan. 'Het spijt me. Zo bedoelde ik het niet.'

'Je hebt tegenwoordig altijd spijt.' Vivi Ann zuchtte diep. 'Denk je soms dat ik er niet van droom om de tijd terug te draaien en weer naast hem te kunnen staan?'

'Dat weet ik best.'

'Ergens ben ik zelfs een beetje blij dat ik die dag in de rechtszaal geen kans heb gehad om met hem te praten. Hoe kan hij me ooit vergeven?'

'Hij houdt van je,' zei Winona.

Vivi Ann deinsde terug toen ze dat zei, maar ze ging stug door, als een bokser die net een klap in ontvangst heeft genomen. 'Hij zit achter slot en grendel en jij en ik en Noah zijn vrij. Het is niet anders. En zo zal het blijven ook.'

Winona wist wat daarop zou volgen en ze schudde haar hoofd, alsof ze daarmee de woorden kon afweren.

'Ik ben hier nu naartoe gekomen om tegen jou hetzelfde te zeggen wat je een keer tegen mij hebt gezegd: het wordt hoog tijd om alles te vergeten. Dat DNA-onderzoek was een slimme zet, maar die is mislukt. We weten allebei dat het voor Dallas jaren geleden al voorbij was. Het maakt niet uit wiens DNA daar is aangetroffen.'

'Ik kan niet...' Winona hield ineens haar mond. Ze keek op naar Vivi Ann. 'Wat zei je daar?'

'Het is hoog tijd om alles te vergeten. Het maakt niet uit wiens DNA daar is aangetroffen.'

'Jezus,' zei Winona en ze holde terug naar haar bureau. Ze begon tussen de papieren te rommelen, op zoek naar de uitslag van het DNA-onderzoek. Toen ze dat had gevonden, pakte ze het dossier op, sloeg vervolgens haar armen om Vivi Ann heen en kuste haar hard op de mond. 'Je bent een genie.'

'Wat...'

'Ik moet ervandoor. Bedankt dat je langskwam. Zeg maar tegen Noah dat ik dit weekend op bezoek kom.'

'Heb je nou gehoord wat ik zei? Ik probeer je te helpen.'

'En ik probeer jou te helpen,' zei Winona voordat ze haar kantoor uit draafde.

'Gus heeft gezegd dat Noah zijn handen niet uit de mouwen steekt,' zei pa tegen Vivi Ann toen ze op een koele septemberochtend naast elkaar op de veranda stonden. Het begon net licht te worden en in de dageraad leek het metalen dak van de manege op zilveren vuurwerk.

'Hij heeft het moeilijk met deze hele toestand. Hij dacht echt dat Winona Dallas vrij zou krijgen.'

'Winona,' zei pa en Vivi Ann hoorde het giftige ondertoontje in zijn stem. Was dat er altijd geweest als hij het over zijn oudste dochter had? Hoe vaker ze hem tegenwoordig zag, hoe meer ze hem probeerde te ontlopen. Ze vond het helemaal niet erg als ze dagenlang geen woord met hem wisselde. Niet omdat ze boos op hem was, integendeel zelfs. Maar nu ze wist hoe verbitterd hij vanbinnen was, kon ze daar niet meer omheen.

Ze keek op en zag Noah de blokhut uit komen. Hij liep de heuvel af op die slungelige manier, los vanuit de heupen, die haar altijd aan

373

Dallas deed denken. Haar zoon groeide als kool. Sinds zijn vijftiende verjaardag kon hij op haar neerkijken, als hij haar tenminste al wilde aankijken. Onder aan de heuvel bleef hij bij de paddock staan.

Renegade draaide zich om, keek hem aan en hinnikte, maar hij kwam niet naar hem toe, zelfs niet toen Noah hem een wortel voorhield.

'Ik heb nog nooit een paard gezien dat iets te eten afsloeg,' zei haar vader.

'Sommige harten kunnen breken,' zei Vivi Ann, die intens meevoelde met haar zoon. Ze wist waar hij behoefte aan had, maar ze wist ook dat ze hem dat niet kon geven. Een moeder zou zich nooit zo hulpeloos mogen voelen tegenover haar eigen kind. Ze liep naar de verandatrap.

Het was tijd om Noah hetzelfde te vertellen als ze Winona had verteld.

'Ik neem een dagje vrij, pa.' Zonder op zijn toestemming of zelfs maar op zijn instemming te wachten liep ze door het bedauwde gras naar de heuvel, waar ze naast Noah ging staan.

'Hoe vertellen we hem dat pap nooit terugkomt?'

Vivi Ann streelde over het gladde zwarte haar van haar zoon. 'Als Renegade dat zou weten, zou hij volgens mij gaan liggen om te sterven.'

'Ik weet precies hoe hij zich voelt.'

Vivi Ann bleef samen met haar zoon nog even naar het zwarte paard kijken en zei toen: 'Ga je jas maar halen. We gaan ervandoor.'

'Maar ik moet pas over anderhalf uur op school zijn.'

'Dat weet ik wel. Ga je jas halen.'

'Maar...'

'Ik hou je voor een dagje thuis van school. Graag of niet.'

'Graag!'

Een kwartier later stapten ze in de pick-up. 'Dit is echt hartstikke cool, mam,' zei Noah toen ze langs de school reden.

De volgende tweeëneenhalf uur zaten ze over van alles en nog wat te praten en pas toen Vivi Ann de snelweg verliet en aan de lange klim naar het Olympic National Park begon, leek Noah zich bewust te worden van zijn omgeving. Hij ging rechtop zitten. 'Dit is de weg naar Sol Duc.'

'Dat klopt.'

Noah keek haar aan. 'Hier heb ik geen zin in, mam.'

'Dat weet ik,' zei ze. 'Ik heb het ook altijd voor me uit geschoven, maar er zijn dingen die je gewoon onder ogen moet zien.'

Het was net negen uur geweest toen ze bij de parkeerplaats kwamen. Die was nu, midden in september, vrijwel leeg. Ze stapten uit en Vivi Ann trok haar windjack aan. Hier mocht het dan zonnig zijn, maar ze bevonden zich diep in het regenwoud, waar het weer niet altijd betrouwbaar was.

Noah stond aan de andere kant van de pick-up naar haar te kijken. 'Ik wil niet naar boven.'

Vivi Ann pakte hem bij zijn hand zoals ze al veel eerder had moeten doen. 'Kom op.' Ze trok hem mee en voelde hoe hij heel even tegenstribbelde voordat hij toegaf.

Ze liepen een wereld vol leven binnen over het pad dat aan weerszijden omgeven werd door enorme naaldbomen. Alles was hier groen en weelderig, alles was groot. Het pad leidde steeds dieper het bos in en nam haar mee naar haar eigen verleden.

Bij de waterval waren ze met z'n tweetjes, moeder en zoon in plaats van zoals vroeger man en vrouw. Het geluid van het vallende water bulderde om hen heen en de druppels spattn schrijnend tegen hun wangen.

Noah liep naar de reling en keek naar de waterval.

Vivi Ann sloeg een arm om hem heen. 'Hij vond het hier fantastisch, net als jij.'

Noah beet als antwoord zijn kaken op elkaar. Ze wist dat hij bang was dat zijn stem zou breken of hem zou verraden als hij zijn mond opendeed.

Ze stak haar hand uit om de nevel op te vangen. 'Hij noemde dit *skukum lemenser*. Sterke medicijn.' Ze drukte haar natte vingertoppen tegen de slaap van haar zoon alsof er wijwater aan zat. 'Ik had je veel meer moeten bijbrengen over hem en zijn volk. Maar ik heb er nooit veel van geweten. Misschien kunnen we daar samen iets aan doen. Door naar het reservaat te gaan of zo.'

Hij draaide zich om, wreef in zijn ogen en liep naar het prieeltje onder de ceder.

Vivi Ann had zich tijdens de lange rit hiernaartoe voorbereid, maar nu het eropaan kwam, was ze bang. Ze liep achter Noah aan en ging naast hem zitten.

D.R. houdt van V.G.R., 21/8/92. Ze staarde naar het hart in de boom. Die dag stond in haar geheugen gegrift. Het meisje dat toen hier was, had geloofd in de liefde en in een goede afloop. Ze was sterk geweest en zelfverzekerd, omdat ze getrouwd was met de man van wie ze hield, ook al had de hele wereld haar daarom veracht. Dat meisje zou net als haar zoon gevochten hebben om dat DNA-onderzoek erdoor te krijgen en het lef hebben gehad om in de waarheid te geloven. 'Jij had gelijk en ik niet. Je kunt niet weglopen voor je eigen hart. Dat was de fout die ik heb gemaakt.'

'Ik weet waarom je niet wilde dat tante Winona en ik alles weer zouden oprakelen. Dat begrijp ik nu pas.' Noah leunde tegen de boom. 'Hij komt nooit meer vrij, hè?'

Vivi Ann legde haar hand tegen zijn wang en herkende Dallas in het gezicht van haar zoon. 'Nee, Noah. Hij komt nooit meer uit de gevangenis.'

Negenentwintig

Vrijwel haar hele leven was Winona van één ding overtuigd geweest: haar intellectuele superioriteit. Ze kon zich druk maken over haar gewicht, of haar uiterste best doen om een schouderklopje van haar vader te krijgen, of zich zorgen maken dat er nooit een man zou komen die echt van haar hield, maar zolang ze zich kon herinneren had ze altijd het gevoel gehad dat er niemand slimmer was dan zij.

Maar die overtuiging had de laatste tijd, net als andere dingen, een flinke deuk opgelopen. Nu bleef ze maar piekeren, vraagtekens zetten bij alles wat ze deed, zich afvragen wat ze over het hoofd had gezien en vrezen dat ze weer de plank mis had geslagen. De herinnering aan de dag van de rechtszaak, toen ze de rechter niet eens had kunnen overtuigen om de zaak in overweging te nemen, bleef haar dwarszitten.

Haar leven lang was er altijd van haar gezegd dat ze een soort bulldozer was, die overal dwars doorheen denderde om haar doel te bereiken.

Maar het afgelopen jaar had ze geleerd voorzichtig te zijn. En bescheiden. Zelfs bang. 's Nachts vroeg ze zich wel eens af hoe het zou voelen als het zo zou blijven, als voorzichtigheid en angst voortaan altijd haar metgezellen zouden zijn. Zou ze er wel tegen kunnen om nooit meer zeker van zichzelf te zijn?

Ze zat in haar auto en staarde door de natte voorruit naar het gerechtsgebouw. Een Amerikaanse vlag die slap langs de vlaggenstok hing, zorgde voor de enige kleur op deze grauwe dag. De herfstkleuren aan de overkant van de straat werden door het chagrijnige weer afgezwakt en versomberd.

Winona pakte het koffertje dat naast haar stond, stapte de auto uit en liep verder met het gevoel alsof iedere pas haar dieper in vijandig gebied bracht. Ze probeerde iets van haar vroegere zelfvertrouwen te herwinnen, maar in al die nattigheid om haar heen glipte dat haar ook door de vingers.

Bij de balie zei ze: 'Winona Grey. Ik heb om tien uur een afspraak met Sara Hamm.'

De receptioniste knikte en stuurde Winona op weg door de doolhof van veiligheidsmaatregelen die zelfs in de meest afgelegen districten de normaalste zaak van de wereld waren geworden. Ze speldde haar bezoekersinsigne op, liep door de metaaldetector, liet tweemaal op verzoek haar identiteitsbewijs zien en werd vervolgens naar het kantoor van de officier van justitie gebracht.

Het was een koel, professioneel ogend vertrek, zonder planten of familiefoto's. Een groot raam bood uitzicht op het parkeerterrein.

Maar het was voornamelijk de vrouw achter het bureau naar wie Winona's aandacht uitging.

De jaren waren vriendelijk geweest voor Sara Hamm. Ze was lang en mager, met het pezige uiterlijk van een lange-afstandsloper. Winona schatte haar in als het soort vrouw dat meteen naar haar sportschoenen greep als ze gestrest was in plaats van naar de koelkast te lopen.

'Mevrouw Grey,' zei ze terwijl ze haar stoel achteruit duwde. 'Wat een verrassing. Ik had niet verwacht dat ik nog iets van u zou horen.'

Winona ging zitten. 'Ik stel het op prijs dat u bereid was om op deze korte termijn een afspraak met me te maken. Ik moet die eerste keer toch geen al te beste indruk op u gemaakt hebben.'

Daarmee scheen ze Sara te overvallen. De volmaakte boogjes van haar wenkbrauwen kropen naar elkaar toe. 'Integendeel. Ik vond uw passie bijzonder indrukwekkend, ook al was het misplaatst. Maar u bent zijn schoonzus, dus ik had niet anders verwacht. Mag ik u vragen waarom u de zaak niet meteen vanaf het begin op u hebt genomen? Aangezien u zich er kennelijk zo bij betrokken voelt.'

'Het meest voor de hand liggende antwoord is dat ik nauwelijks ervaring met strafzaken had.'

'En dat is nu wel het geval?'

Geen wonder dat deze vrouw zo snel carrière had gemaakt. Ze had alles meteen door. 'Nee.' Winona boog zich voorover. 'Wat vond u van Roys aanpak?'

'Redelijk competent.'

'Dat is niet waar en dat weet u net zo goed als ik.'

'Wilt u het nu over die boeg gooien? Dat zal niet meevallen. In feite zou hij daarvoor bijna letterlijk tijdens het proces in slaap moeten zijn gevallen en ik weet niet eens of dat wel voldoende zou zijn.'

'Ik weet het.' Winona zuchtte. 'Geloof me, ik heb alle mogelijkheden voor een hoger beroep uit en te na bestudeerd.'

'En dat DNA bleek uw beste kans.'

Winona was er niet zeker van of het een vraag was geweest. Misschien wel. Hoe dan ook, dit was het cruciale moment. Ze vermande zich en zei: 'Volgens mij niet. Niet mijn beste kans, bedoel ik.'

Weer zo'n nauwelijks waarneembare frons. 'O nee?'

Winona probeerde diep adem te halen zonder het te laten merken. *Laat me dit alsjeblieft op de juiste manier aanpakken.* Ze had haar laatste informatie voorgelegd aan de advocaten van het PROJECT ONSCHULDIG VEROORDEELD en die hadden haar geraden om heel omzichtig te werk te gaan met deze motie. Als zij Sara Hamm kon overtuigen – echt overtuigen – was een gezamenlijke motie de beste manier om het vonnis van Dallas nietig te verklaren. Op elke andere manier zou het een gevecht worden en Winona wilde het niet opnieuw tegen het Openbaar Ministerie opnemen. 'Ik zou u graag eerst willen vertellen wat mijn mening is. Roy was op zijn minst een ondeugdelijk raadsman. Hij heeft nooit een privédetective in de arm genomen om de plaats delict te bestuderen of de omstandigheden grondig door te spitten. Als hij dat wel zou hebben gedaan, zouden de tegenstrijdigheden in de getuigenis van Myrtle Michaelian meteen aan het licht zijn gekomen. Zij getuigde dat ze die avond de tatoeage van Dallas herkende, maar dat kon helemaal niet. Zijn tatoeage zit op zijn linkerarm...'

'Dat hebt u allemaal ook al in uw verzoek vermeld, mevrouw Grey. Dat hoeft u me niet nog eens te vertellen.'

'Dat weet ik, maar ik wil dat u dit wel in uw achterhoofd houdt. Samen met het feit dat het aangetroffen DNA niet dat van Dallas was. En u weet net zo goed als ik dat die getuigenis omtrent het schaamhaar wetenschappelijk helemaal niets te betekenen heeft. In dat opzicht zijn er in de afgelopen tien jaar meer dan voldoende precedenten geweest. Als hij een nieuw proces krijgt, kan ik er vrijwel zeker voor zorgen dat het niet toegelaten wordt.'

'Een nieuw proces? Heb ik iets gemist? Tot nog toe was het allemaal oud nieuws. Daar is al een uitspraak over gedaan. De rechter bepaalde dat het vonnis gehandhaafd werd.'

Winona pakte een dossier uit haar koffertje. Ze legde het op Sara's bureau en duwde het naar haar toe. 'Dit is wel nieuw.'

Sara sloeg de bruine kartonnen map open en las het document dat bovenop lag. 'Een tweede verzoek om het vonnis en de straf nietig te verklaren? En u wilt dat wij u daarin steunen? Denkt u nou echt dat ik ook maar enigszins van plan ben om dat te doen? U lijkt wel niet goed wijs, mevrouw Grey.'

'Lees maar door,' zei Winona. 'Alstublieft,' voegde ze eraan toe. Ze zou haar laatste kans, haar beste kans – en misschien wel haar enige kans – krijgen als ze deze vrouw kon overtuigen. Als het Openbaar Ministerie haar verzoek om het proces nietig te verklaren en de zaak te seponeren zou ondersteunen, zou de rechter daar geen problemen mee hebben.

Sara pakte de volgende bladzijde en keek toen abrupt op. 'Wanneer is dit bekend geworden?'

Winona wist precies wat de aandacht van de officier had getrokken. Het was de uitslag van het onderzoek waarop ze bijna een maand had zitten wachten. 'Gisteren.'

'O mijn god,' zei Sara Hamm.

'Het drong ineens tot me door dat ik dat sperma alleen maar had laten onderzoeken om te zien of het DNA overeenstemde met dat van mijn cliënt. Zoals u weet, was dat niet het geval. Maar ik was zo onervaren, dat ik met die gegevens aan de slag ging, omdat ik ervan overtuigd was dat ze hem vrij zouden pleiten. Maar een maand geleden zat ik met mijn zusje te praten, zijn vrouw, en die maakte een opmerking over dat DNA waardoor ik ineens besefte dat ik nooit had laten controleren van wie het dan wel was. Dus heb ik de gegevens naar de nationale databank gestuurd en nu blijkt dat ze overeenstemmen met het DNA van een man die Gary Kirschner heet. Hij zit momenteel een straf uit van negen jaar wegens verkrachting. Zodra zijn naam bekend was, hebben we ook het pistool laten onderzoeken. U weet toch nog wel dat daar een niet-geïdentificeerde vingerafdruk op zat?'

'Ja, natuurlijk,' zei Sara fronsend.

'En die blijkt ook van Gary Kirschner te zijn.'

'Waarom hebben we zijn vingerafdrukken in 1996 dan niet kunnen vinden?'

'Omdat hij toen nog nooit gearresteerd was. Hij was een zwerver, een speedfreak die op weg naar het noorden heel wat plaatsen hier in de buurt heeft aangedaan. En voordat u het vraagt, kan ik u vertellen dat Dallas Raintree en Gary Kirschner elkaar nooit ontmoet hebben.'

Sara keek neer op de stapel papieren en las alles nog eens door. 'Ik zal dit moeten laten onderzoeken. Ik wil geen overhaaste beslissing nemen. Maar dat kan wel even duren.'

Winona stond op. 'Dank u, mevrouw Hamm.'

Sara knikte en las door.

Winona liep de deur uit.

Dit weekend is de grote kermis ter gelegenheid van Halloween op Water's Edge. Yippie. Ik hoop dat mijn sarcasme tot u doordringt, mevrouw I. Hoewel u dit dagboek niet meer onder ogen krijgt. Raar hè, dat ik nog steeds aan u zit te schrijven. Waarom zou ik dat eigenlijk doen? Dat zal ook wel een van uw grote levensvragen zijn. Misschien moet ik u dat maar eens een keer vragen.

Maar goed, na school ging ik rechtstreeks naar huis om een handje te helpen op de ranch. Sommige lui zouden daar misschien de pee over in hebben gehad, maar dat zijn figuren die vrienden hebben. Als dat niet zo is, dan is er niets mis

mee om direct vanuit school naar huis te gaan. Die tien
minuten nadat de bel is gegaan zijn het ergst van allemaal.
Dan staat iedereen met elkaar te kletsen en als je dan
in je eentje staat, kun je je heel eenzaam voelen.

De enige om wie ik iets geef, is Cissy. Vandaag glimlachte ze
vaag naar me en mijn hart stond bijna stil. Ik weet dat ik
niet goed wijs ben, maar af en toe krijg ik toch het gevoel
dat ze nog steeds van me houdt.

Alsof dat iets uitmaakt. Ze is veel te bang voor die stomme
vader van haar. Ach, waar maak ik me druk over?

Winona had Luke aan de telefoon toen er aangebeld werd. 'O heer-lijk, er staat iemand op de stoep,' zei ze sarcastisch. Ze had net zit-ten jammeren dat het zo lang duurde voordat de officier van justitie een besluit nam. Luke was de enige met wie ze erover kon praten, dus af en toe maakte ze daar misbruik van. Dat was niet echt ver-bazingwekkend, maar waar ze wel van opkeek, was dat hij haar bleef bellen. Vrijwel iedere zaterdagavond in september en oktober had ze op haar veranda of voor de open haard met hem zitten klet-sen. De manier waarop ze vroeger met elkaar konden praten was ineens weer terug.

'Je moet geduld hebben,' zei Luke. Dat had hij al weken achter elkaar tegen haar gezegd. 'Het is nog steeds oktober. Ze belt je heus wel.'

'Ik word gek van het wachten,' zei ze. 'Ik ben zelfs afgevallen, voor het eerst sinds ik in de zesde groep zat. Misschien heb ik mazzel en word ik eindelijk mooi terwijl Dallas daar in die cel zit te verrekken.'

'Je bent altijd mooi geweest, Win.'

Er werd opnieuw aangebeld.

'Ja, vast,' mompelde ze. 'Daarom werd je ook verliefd op mijn zus terwijl ik op je wachtte. Ik moet er nu echt vandoor, Luke. Ik bel je straks wel terug.'

'Oké. Dan maak ik me nu officieel zorgen om je.'

'Dat vind ik heel lief van je. Echt waar,' zei ze. 'Bel me dan mor-gen maar terug.' Voordat hij nog iets kon zeggen, verbrak ze de ver-binding en liep naar de deur. 'Rustig maar, ik kom er al aan.' Ze trok

382

de deur open en zag haar zusjes op de stoep staan. Aurora had zich zo warm ingepakt dat het leek alsof ze naar de noordpool ging, compleet met dikke winterlaarzen en een met imitatiebont gevoerd ski-jack. Ze had een thermosfles in haar hand. Naast haar stond Vivi Ann met een paar kopjes.

'Je gaat met ons mee. Kleed je maar warm aan,' zei Aurora.

'Nee dank je,' zei Winona. Ze was veel te onrustig om zich tegenover haar zusjes normaal te kunnen gedragen.

'Ze is een beetje in de war,' zei Aurora met een blik op Vivi. 'Dat is de laatste tijd wel vaker het geval. Ik vroeg niets, ik zei gewoon dat je meegaat. Schiet maar op.'

'Wat zit er in die thermosfles?'

'Irish coffee. Nou, schiet op.'

'Oké. Maar ik neem wel mijn telefoon mee,' zei Winona. Sinds haar afspraak met Sara Hamm had ze haar telefoon nooit langer dan tien minuten uit het oog verloren.

'Wie denk je dat je bent? Condoleezza Rice?' mopperde Aurora.

Vijf minuten later kwam Winona warm aangekleed weer beneden. 'Waar is Vivi Ann?' vroeg ze terwijl ze de trap af liep.

'Toilet.' Aurora wenkte haar en fluisterde: 'Schiet op.' Toen Winona bij haar stond zei ze: 'Vertel op. Nu meteen.'

'Wat moet ik vertellen?'

'Je ontloopt Vivi en mij al weken. Ik ken je. Het betekent gewoon dat je er nog steeds mee bezig bent.'

'Waarmee?' zei Winona om tijd te winnen.

'Ik kan je ook meteen een schop verkopen.'

Winona haalde diep adem. 'Ik heb nieuw bewijsmateriaal gevonden. Ik moet nu afwachten of het belangrijk genoeg is.'

'En als dat zo is?'

'Dan zou hij vrij kunnen komen.'

'En als het niet zo is, blijft hij zitten.' Aurora sloeg haar armen over elkaar. 'Goddank dat je haar niets verteld hebt. Zoals de zaken nu staan, houdt ze het maar net uit. Maar je moet mij wel op de hoogte houden, verdomme. Ik wil helpen.'

Winona gaf haar zusje een knuffel. 'Bedankt.'

Uiteindelijk kwamen ze terecht op het plekje waar ze vroeger heel vaak met z'n drietjes hadden gezeten, vlak boven de tuin van hun moeder. Niemand had ooit de moed kunnen opbrengen om dat om te spitten of er nieuwe planten in te zetten, dus was alles gewoon verwilderd. Vanaf dit plekje kon je het hele grondgebied van de ranch zien.

'We zijn hier al een hele tijd niet meer geweest,' zei Vivi Ann.

'Ik wilde jullie er alleen maar aan herinneren dat we zusjes zijn,' zei Aurora. 'Wat er ook gebeurt...' Haar blik bleef even op Winona rusten. '...We blijven altijd bij elkaar.'

Winona proostte met haar zusjes en nam een slok van haar drankje. Daarna haalde ze een foto uit haar tas en liet die aan haar zusjes zien. Haar vader stond er op, lachend en knap, met zijn arm bezitterig om mam geslagen.

Aurora en Vivi Ann kropen dicht tegen haar aan en bestudeerden de foto alsof het een archeologische schat was. Er waren maar weinig foto's van mam. Winona dacht vaak dat mam zichzelf bijna uit de familiegeschiedenis had gewist, door alle foto's weg te gooien waarop ze oud, moe of te zwaar leek. Ze had vast niet geweten dat ze nog maar zo kort bij hen zou zijn.

'Hoe kom je daaraan?' vroeg Aurora.

'Van Luke.'

Winona begreep best waarom ze niet meteen reageerden. Luke was min of meer verboden terrein.

Aurora was verstandig genoeg om te wachten tot Vivi Ann iets zou zeggen. Dat zou Winona ook gedaan hebben – gewacht – als ze niet zo zenuwachtig was geworden van de stilte. 'Hij kwam na de hoorzitting naar me toe. Hij had gelezen wat er aan de hand was en dacht dat ik misschien een vriend nodig had.'

'Hij is een fijne vent,' zei Vivi Ann ten slotte. Ze keek Winona aan. 'Hou je nog steeds van hem?'

Winona wist niet wat ze daarop moest zeggen. 'Vergeleken bij jou en Dallas...' Ze maakte haar zin niet af en haalde haar schouders op.

'Het is geen wedstrijdsport,' zei Vivi Ann terwijl ze haar arm even aanraakte. 'Liefde... is er gewoon.'

'Nou ja, het is nu toch te laat. We hebben onze kans gemist. Of misschien hebben we die wel nooit gehad. Ik zou het niet weten.'

Uit Vivi's blik sprak puur verdriet. 'Je weet niet of het te laat is. Als je ook maar een klein kansje hebt, moet je dat aangrijpen, Win. Ondanks al het verdriet om Dallas dank ik de hemel dat ik van hem heb gehouden.'

Winona keek haar aan. 'Over Dallas gesproken....'

Aurora ramde haar elleboog in haar zij. 'Genoeg over mannen. Vanavond zijn we als zusjes op stap.' Ze schonk nog drie kopjes vol uit de thermoskan. 'Op ons,' zei ze en ze namen alle drie een slok.

In de lange stilte die daarop volgde, bleven ze tegen elkaar geleund zitten, op de deken die ooit op het bed van hun grootmoeder had gelegen. 'Misschien moeten we mams tuin maar eens gaan opknappen,' zei Winona ten slotte.

'Ja,' zeiden Aurora en Vivi Ann tegelijkertijd. 'Dat wordt hoog tijd,' zei een van de twee. Winona wist niet eens wie het had gezegd, maar ze knikte toch.

'Hoog tijd.'

IK HEB NOOIT GEWETEN DAT HET LEVEN ZO SNEL KON VERANDEREN!

Ik moet echt even mijn pen neerleggen. Mijn hand trilt gewoon. Goed, dan ga ik nu precies opschrijven wat er is gebeurd, zodat ik er NOOIT EEN SECONDE VAN ZAL VERGETEN.

Gisteren was een gewone, doodnormale vervelende schooldag en mam maakte me al vroeg wakker. Wat een mazzel. We zaten samen in de keuken te ontbijten toen tante Winona ineens binnen kwam lopen. Ze klopte niet eens aan. Ze zei alleen maar: Ik heb vandaag mijn neef nodig.

Maar hij moet naar school, zei mam, en over twee dagen begint de Halloween-kermis. Hij moet me wel met duizend dingen helpen.

Alsjeblieft, zei tante Winona. Mam sloeg op haar bekende manier de ogen ten hemel en zei: Nou vooruit dan maar. Hij spijbelt toch om de haverklap.

En toen had ik dus ineens vrij. Tante Winona keek me aan en zei: Ga maar gauw onder de douche en trek een broek aan die je past. Ik wil geen ondergoed zien. Ik stond op het punt om te zeggen dat ze dat op haar buik kon schrijven, maar toen pakte ze mijn hand en zei: Anders blijf je maar hier, dan kun je gewoon naar school.

Dus kleedde ik me netjes aan.

We stapten in de auto van tante Winona en onderweg langs het canal bleef ik alsmaar vragen waar we naartoe gingen. Dat vertelde ze niet, ook al kon ik zien dat ze dat eigenlijk wel wilde. Ze bleef maar lachen. En ik bleef maar zeuren, zodat ik niet eens in de gaten had dat we de snelweg af reden. Maar toen zag ik ineens het bord waarop de gevangenis stond aangegeven.

Neem je me nou in de maling? zei ik. Daarvoor had ik steeds zitten lachen en haar in haar zij gepord, maar toen ik dat bord zag, leek mijn bloed in ijswater te veranderen.

Ik wilde niets tegen je moeder zeggen, voor het geval er toch nog iets tussenkwam, zei tante Winona. Ze keek me even aan. Er kan altijd op het laatste moment nog iets fout gaan. Dat heb ik inmiddels wel geleerd.

Maar hoe kan dat nou? was het enige wat ik uit kon brengen.

Ik heb dat DNA opnieuw laten onderzoeken en toen kwamen we erachter wie er die avond werkelijk in het huis van Cat was geweest. En dat was niet je vader, zei ze. Dus heeft de officier van justitie besloten om mijn verzoek tot nietig-verklaring te steunen.

Morgenochtend, zei ze, hebben alle kranten het verhaal, dus breng ik je nu naar hem toe, voordat er allerlei camera's op jullie gericht zijn.

Maar mam dan? vroeg ik.

Zit daar maar niet over in, zei tante Winona. Aurora zal haar de hele dag bezighouden en ervoor zorgen dat het hek naar de ranch op slot blijft en dat de telefoon van de haak ligt. Ik wil niet dat je moeder ook maar iets te horen krijgt, voordat hij echt vrij is. Alleen maar voor het geval dat. Ze kan niet nog zo'n teleurstelling verwerken.

we reden naar de gevangenis en die zag er nog precies zo uit als ik me herinnerde. Alles grijs en lelijk. we stopten op de parkeerplaats en stapten uit. In de uitkijktoren liep een vent met een geweer heen en weer.

Ik ben mijn identiteitsbewijs vergeten, zei ik ineens. Mag ik hem dan wel zien? voordat tante winona antwoord kon geven, klonk er een zoemer en zwaaiden die grote zwarte hekken langzaam open.

En toen zag ik hem. Mijn vader. Hij kwam de gevangenis uit lopen, samen met een grote bewaker. Hij had een zwarte spijkerbroek aan, die hem te groot was, en een verkreukeld zwart overhemd. Ik kon niet zien hoe lang zijn haar was, want dat zat in een paardenstaart.

Ik liep naar hem toe en keek alleen maar naar dat gezicht dat zoveel op het mijne leek.

Noah, zei hij. en toen besefte ik dat ik de stem van mijn vader nog nooit had gehoord.

Je bent er echt, zei hij, en hij was degene die het eerst begon te huilen. Hij zei iets dat ik niet verstond, maar het klonk me heel bekend in de oren. En ineens wist ik het, dat zei hij ook altijd tegen me toen ik nog een baby was, die woorden die mijn moeder niet eens kende. Het was iets tussen ons tweetjes, tussen mij en mijn pa.

Het betekent Rijd als de wind in de taal van mijn moeder, zei hij. God, zei hij toen. Ik heb een klein joch in de armen van zijn moeder achtergelaten en nu sta je hier, als een man.

Daarna trok hij me in zijn armen en zei: Ik heb je gemist, kleine man.

Dertig

❦

Er waren letterlijk nog wel honderd dingen te doen voordat de Halloween-kermis vrijdag kon beginnen. Zonder Noah zou Vivi Ann er een hele klus aan hebben om alles klaar te krijgen. Aurora kwam rond het middaguur opdagen en hoewel ze niet veel aan haar had, bleef ze vrijwel de hele dag achter Vivi Ann aanlopen en ging vervolgens samen met haar op de veranda zitten tot het donker werd.

Daar zaten ze samen te kletsen, af en toe te lachen en soms ook gewoon stil naast elkaar. Eigenlijk was het de hele dag al verrassend rustig geweest op de ranch, er was niet één pick-up de oprit opgereden en er was helemaal niet gebeld. Uiteindelijk keek Aurora om een uur of negen op haar horloge en zei: 'Nou, volgens mij ben ik hier al lang genoeg geweest. Ik denk dat ik er maar vandoor ga.'

Nadat ze weg was, ging Vivi Ann naar binnen om Noah te bellen. Toen ze geen kiestoon kreeg, keek ze even om zich heen en ontdekte al snel waar dat aan lag: de stekker lag eruit. Geërgerd deed ze die weer in het stopcontact en belde Noah op zijn mobiel. Nadat die een paar keer was overgegaan nam hij op.

'Hoi mam. Ik heb echt geprobeerd je te bellen.'

'Ja, dat snap ik, maar op de een of andere manier zat de stekker er niet in. Ben je al op weg naar huis? Je moet morgen weer naar school.'

'Eh... ik eh... heb tante Winona de hele dag moeten helpen met allerlei spullen die van de zolder naar beneden moesten en we zijn nog steeds niet klaar. Mag ik hier blijven slapen? Dan brengt zij me morgen wel naar school.'

'Geef haar maar even.'

Winona kwam aan de lijn. 'Ik ben hier echt en alles is in orde. Ik zorg er wel voor dat hij morgen op tijd op school is.'

Vivi Ann wilde eigenlijk nee zeggen en dat haar zoon weer thuis moest komen, maar dat was alleen maar omdat ze zich een beetje eenzaam voelde. Dus zei ze: 'Vooruit dan maar. Zeg maar dat ik van hem hou.'

'Zal ik doen.'

Ze ging op de bank zitten, trok haar voeten onder zich, zette een koptelefoon op en luisterde naar de muziek op haar iPod. Toen ze uiteindelijk haar ogen niet meer open kon houden, ging ze naar bed. Het voelde raar aan om alleen thuis te zijn. Ze hoorde allerlei vreemde geluiden. Voor het eerst kon ze zich voorstellen hoe het zou zijn als Noah volwassen en het huis uit was. Dan zou het wel heel stil worden in de blokhut.

Met een zucht dommelde ze weg.

Een tijdje later werd ze wakker van een regelmatig *ka-doeng, ka-doeng, ka-doeng*. Het gedempte geluid klonk regelmatig, alsof een schommelstoel op de droge aarde heen en weer wiebelde. Of als een man die in het donker op een paard reed.

Dallas. Ze gaf zich over aan haar herinneringen en liet zich meevoeren...

Toen drong het ineens tot haar door dat het geen droom was. Het geluid was echt. Ze gooide de dekens van zich af, stapte uit bed en pakte haar badjas die over het voeteneind van het bed hing. Nadat ze de versleten ceintuur strak om haar middel had getrokken liep ze luisterend door het stille huis.

Daarna maakte ze openslaande deuren open, stapte op de veranda en trok ze weer achter zich dicht. In de verte boven de bergen hing een volle maan met de kleur van paarlemoer. Het licht ervan was zo fel dat ze de man die zonder zadel op het paard zat duidelijk kon zien.

Ze was dus eindelijk krankzinnig geworden. Na al die jaren was er dan toch iets geknapt.

Ze liep naar het hek en genoot zo van wat ze zag, dat het haar niet kon schelen dat ze gek was. Vanaf het punt waar ze stond, kon ze alleen zijn witte T-shirt onderscheiden, dat in het maanlicht fel oplichtte. Onder hem was Renegade in het donker vrijwel onzichtbaar, maar ze kon wel zien dat hij zich op een vloeiende, soepele manier bewoog, even moeiteloos als vroeger toen hij een echte kampioen was geweest. Dat kwam natuurlijk ook door haar krankzinnigheid, dat Renegade ineens weer gezond was. Natúúrlijk.

Ze probeerde te blijven staan, maar net als zestien jaar geleden kon ze geen weerstand bieden. De houten planken van de veranda kraakten onder haar voeten toen ze naar de trap liep en via het natte gras van de heuvel naar de omheining van de paddock.

Ze schoven langs haar heen, draaiden een kring midden in het weiland en toen ze recht voor haar stonden, bleven ze staan. De zware, snuivende ademhaling van Renegade was het enige geluid in kilometers omtrek, zelfs de zee leek verstild van verwachting.

'Vivi,' zei Dallas en het geluid van zijn stem maakte haar zo duizelig dat ze zich aan de bovenste plank van de omheining vast moest houden.

'Je bent het niet echt...'

Ze hield op. Praten vereiste kennelijk meer dan ze op dat moment kon opbrengen. Ze had het gevoel dat de woorden werden gevormd in een deel van haar dat langzaam begon op te lossen.

'Jawel hoor.'

Hij liet zich van Renegade afglijden, nam even de tijd om het paard achter de oren te kriebelen en over zijn neus te strelen en kwam toen naar Vivi toe. Hij dook onder de laagste planken van het hek door en kwam vlak voor haar overeind.

Voor het eerst in jaren was er niemand die hen in de gaten hield en was er geen vuile glazen wand tussen hen in. Hij zag er ouder en wat triester uit. De lijnen in zijn gezicht leken er met een zwarte marker op getekend. Vanbinnen welde een pijn op die zo groot was dat ze erin verdronk. 'Ik heb je daar alleen gelaten. Ik weet dat je me dat nooit kunt vergeven. Ik zal het mezelf nooit vergeven, maar...'

Hij kwam dichterbij, liet zijn hand over haar wang en langs haar hals glijden en legde die ten slotte in haar nek. Met die ene hand trok hij haar naar zich toe.

Ze voelde hoe ze in zijn armen weer tot leven kwam en klampte zich aan hem vast uit angst dat hij weer zou verdwijnen, doodsbang dat ze met haar ogen zou knipperen en tot de ontdekking zou komen dat ze zich alles had verbeeld.

Ze raakte zijn gezicht aan en wreef met haar vingertoppen zijn tranen weg. 'Dallas,' zei ze. 'Niet huilen…'

Hij tilde haar met een zwaai op en droeg haar over de glibberige helling en de veranda naar de blokhut die ooit hun geheime ontmoetingsplaats was geweest en vervolgens hun huis dat hij bijna niet meer herkende. Maar hun slaapkamer was nog op dezelfde plek, dus daar liep hij naar toe en schopte de deur open.

Hij legde haar op het bed en knielde naast haar neer. Het maanlicht viel door het raam op de witte lakens. Ze ging zitten om hem halverwege tegemoet te komen, met een plotseling en wanhopig verlangen om hem uit te kleden. Haar snelle vingers ontdeden hem snel van zijn overhemd en knoopten zijn broek los, terwijl hij haar badjas lostrok en de versleten stof van haar schouders duwde tot het een zachte deken onder hen werd.

Ze betastten elkaar met een wanhoop die alleen het gevolg kon zijn van tien jaar wachten. Hun ademhaling klonk schurend en hun wangen waren nat van elkaars tranen toen ze zich opeens herinnerden hoe moeiteloos hun lichamen zich altijd samen hadden gevoegd. En toen hij eindelijk bij haar binnengleed, schreeuwde ze de naam die ze al die lange en lege jaren in had gehouden.

Winona, Aurora en Noah zaten rond het kaarttafeltje in Winona's zitkamer een beetje loom te hartenjagen. Natuurlijk werd er vooral over Vivi Ann en Dallas gepraat, maar het kaartspelletje zorgde ervoor dat ze met hun voeten op de grond bleven. Ze zaten zo barstens vol adrenaline, dat het moeilijk was om hun gedachten erbij te houden. Winona had net tevergeefs geprobeerd om alle kaarten binnen te halen toen haar mobiele telefoon ging.

Ze gooiden allemaal hun kaarten neer en Winona sprong op om het gesprek aan te nemen. 'Hallo?'

'Hoi, Winona. Sorry dat ik nog zo laat bel.'

Het was de stem van haar makelaar en ze zuchtte. 'Hallo, Candace.'

Noah en Aurora gingen weer zitten.

'Wat kan ik voor je doen?' vroeg Winona, terwijl ze haar teleur-stelling probeerde te onderdrukken. Ze had niet echt verwacht dat Vivi Ann vanavond zou bellen, maar toch...

'Ik heb net een telefoontje gehad van een dokter die je strandhuis wil huren. Hij is daar nu en wil het zien. Normaal gesproken zou ik alles uit mijn handen laten vallen en er meteen naartoe rennen, maar de kinderen liggen al in bed. En aangezien er maar zo weinig inte-resse voor is geweest...'

'Ik ga wel,' zei Winona. Het was precies de afleiding die ze nodig had. 'Bedankt.' Ze verbrak de verbinding, legde aan Noah en Aurora uit wat er aan de hand was en liep naar haar auto.

De lange donkere rit naar de kust was perfect. Terwijl ze over de bekende wegen reed en keek naar het landschap dat baadde in het licht van een zilverkleurige volle maan, liet ze de gebeurtenissen van die dag nog eens passeren. Het was zonder twijfel de mooiste dag van haar leven geweest. Ze zou er nooit ook maar een moment van vergeten, van de manier waarop Dallas haar in zijn armen had ge-klemd, tot zijn zacht uitgesproken *Bedankt* en de manier waarop Noahs gezicht veranderde toen hij voor het eerst in jaren zijn vader weer ontmoette.

Ze stopte op de sjofele oprit naast een grote blauwe pick-up en zat nog steeds aan Dallas te denken toen de schaduwen naast haar in beweging kwamen en naar haar toe liepen.

Luke.

Hij was er ineens.

'Wat doe jij hier nou?' vroeg ze. 'Jij hoeft mijn huis helemaal niet te huren.'

'Nee. Ik wilde je gewoon alleen zien. Ik heb de hele dag gereden.'

Ze begreep er niets van. 'Ik heb toch gezegd dat ik je morgen zou bellen, nadat...'

'Toen je me vertelde wat je voor Vivi Ann en Dallas had gedaan, kon ik er alleen nog maar aan denken hoe het zou zijn om jou aan mijn zijde te hebben.'

Ze deed een stapje achteruit en fronste. Ze wilde geen misverstand over wat er precies aan de hand was, geen betekenis aan zijn woorden en zijn blik hechten die er niet was. 'Ik heb altijd jouw kant gekozen, Luke, zelfs toen ik dat niet had moeten doen.'

'Maar omgekeerd was dat niet zo, hè?'

'Nee.' En daar was het ineens: alles wat altijd mis was geweest tussen hen. Ze stond ervan te kijken dat hij dat als eerste had begrepen.

'Het spijt me,' zei hij alleen maar.

Ze wist niet hoe ze daarop moest reageren. Ze had Luke – en zichzelf – al een hele tijd geleden vergiffenis geschonken. 'Het is niets nieuws, Luke.'

Hij kwam nog dichter naar haar toe en toen hij op haar neerkeek, zag ze hun hele leven terug in zijn ogen, alles wat ze samen hadden gedeeld – de dingen die zich tussen hen hadden afgespeeld en de dingen die ze hadden gemist – en die ene blik vertelde haar dat zij niet als enige was veranderd. 'Geloof jij in tweede kansen?'

'Ja natuurlijk.'

Hij pakte haar hand, zoals hij zo vaak op kritieke momenten in haar leven had gedaan. 'Wil je mijn dochters leren kennen? Ze hebben me al jaren over je horen praten.'

'Wanneer kunnen we naar hen toe?'

Winona had die vraag van haar neef verwacht, ze had zelfs geweten dat dit het eerste was wat hij vanmorgen zou zeggen. Ze sloeg een arm om hem heen, nog steeds met die glimlach van gisteravond. 'Zo meteen.'

'Mijn pa is cool, hè?' zei Noah. In de afgelopen vierentwintig uur had Winona gezien hoe de jongen ineens in staat was om van binnenuit te lachen. Er was geen spoor meer over van die chagrijnige lastpak die zich achter zijn haar verschool. Die had plaatsgemaakt voor een jongeman die een moeilijke tijd achter de rug had en er toch weer bovenop was gekomen. Een jongeman die voorgoed zou begrijpen dat, ook al gebeurden er nare dingen, de fijne dingen toch de overhand konden krijgen.

En dat had Winona hem geschonken.

'Bedankt, tante Winona,' zei Noah alsof hij haar gedachten kon lezen. Maar daar keek ze eigenlijk niet van op. Ze wist tegenwoordig ook precies waar hij aan dacht.

'Nee, ik moet jou bedanken, Noah.' Ze draaide zich om en keek hem aan. 'Ik heb een fout gemaakt ten opzichte van je ouders. De grootste fout van mijn leven. Tot jij kwam opdagen met je gekreukelde dollarbiljet dacht ik altijd dat een verontschuldiging het enige was dat ik hun kon bieden. Niet meer. Maar jij hebt me de kans geboden om mijn fout te herstellen. Dus: dank je wel.'

Rond een uur of negen kwam het eerste telefoontje van een verslaggever. 'Geen commentaar,' zei Winona en ze verbrak de verbinding, maar ze wist dat er een eind was gekomen aan hun vertrouwelijke samenzijn. Ze liep naar de logeerkamer en maakte Aurora wakker, die tot diep in de nacht had zitten luisteren naar Winona's verhalen over Luke. 'Opstaan, kleine zus. Het is tijd om ervandoor te gaan. Het nieuws is bekend.'

Een paar minuten later, toen Noah de trap af kwam in schone kleren en met gewassen en gedroogde haren die hij achter zijn oren streek, zei ze: 'Kom op, dan gaan we het aan pa vertellen.'

Aurora kreunde. 'Ik zou nog liever met Richard hertrouwen.'

Winona lachte, maar dreef ze toch naar buiten, naar haar auto. De rit naar de ranch nam vrijwel geen tijd in beslag, maar zoals ze al had gevreesd stonden er verslaggevers bij het hek.

'Eigen terrein,' wreef Winona hen nog eens onder de neus nadat ze het hek weer achter de auto dichtdeed.

'Wat zal opa zeggen?' vroeg Noah een paar minuten later, toen ze uitstapten.

'Hij is vast blij,' zei Winona, die wenste dat het waar zou zijn.

Aurora lachte.

Ze liepen de verandatrap op, klopten aan en gingen naar binnen.

Pa zat in de woonkamer op de bank en keek hen met boze, samengeknepen ogen aan. 'Is het waar?'

'Dallas is gisteren vrijgelaten. Hij is nu bij Vivi,' zei Winona.

Pa haalde diep adem en zuchtte. 'God. Wat zullen de mensen zeggen?'

'Dat we een fout gemaakt hebben,' zei Winona.

'En dat Winona alles weer rechtgezet heeft,' zei Aurora met een kneepje in haar hand.

'Rechtgezet? Denk je dan dat we nu beter af zijn?'

Die reactie had Winona verwacht. 'Ik heb iets goeds gedaan, pa.

394

Of jij dat nu wel of niet inziet, ík weet het in ieder geval zeker. En nu gaan we allemaal samen als één familie naar hun blokhut om Dallas te verwelkomen.'

Haar vader bleef zonder iets te zeggen zitten en balde alleen keer op keer zijn vergroeide handen. Ze zag dat zijn mond strak was van kwaadheid, maar tegelijkertijd ook trilde, en dat hij zijn dochters niet eens aan kon kijken. Voor het eerst van haar leven zag ze hem precies zoals Vivi Ann hem zag: als een man die niet in staat was om ook maar een spoor van emotie te tonen.

Ze liep naar hem toe en knielde voor hem neer. Ze had zich haar leven lang zwakker gevoeld in zijn nabijheid, nu wist ze dat zij sterker was dan hij. Misschien was dat altijd al zo geweest. 'Ga met ons mee, pa. We zijn toch de familie Grey. Dat is belangrijk. Toon ons je ware gezicht, de persoon die je vroeger was.'

Hij keek haar niet aan, waarschijnlijk omdat hij niet durfde. Hij stond gewoon op, liep naar zijn werkkamer en sloeg de deur achter zich dicht. Ze hoefde die niet open te doen om te zien wat hij deed: hij zou op zijn vaste plekje staan staren naar zijn tuin en naar zijn land, terwijl hij – ook al was het nog maar ochtend – een borrel inschonk.

Ging hij vanbinnen kapot of lachte hij hen uit? Trok hij zich iets aan van alles wat hij niet wilde doen en niet wilde zeggen, of was hij gewoon hol vanbinnen? De tragiek was dat ze het niet wist en waarschijnlijk nooit zou weten ook. Wat hij al dan niet voelde, hield hij strikt voor zichzelf. Het enige wat ze wel wist, was dat ze voor de verandering met hem meevoelde. Zijn keuze maakte hem tot een eiland, afgezonderd en alleen. 'Kom op, we gaan,' zei ze met een veelbetekenende blik op Aurora. 'Hij heeft zijn besluit genomen.'

Vivi Ann en Dallas bleven de hele nacht met elkaar vrijen en leerden elkaar weer helemaal opnieuw kennen, terwijl ze praatten over wat Winona voor hen had gedaan. Pas toen de zon aan een korenbloemblauwe hemel stond, gingen ze rechtop zitten met de dekens slobberend om hun naakte lijven, en begonnen te praten over alles wat echt belangrijk was.

'Noah is een fantastische knul, Vivi. Je hebt echt geweldig werk afgeleverd met hem. We hebben gisteren de dag met elkaar door-gebracht.'

'Ik heb hem helemaal niet goed aangepakt,' zei ze rustig en ze schaamde zich opnieuw omdat ze zonder Dallas volkomen ingestort was.

'Laat maar,' zei hij. 'We hebben al genoeg tijd verloren. Treur niet, Denk je soms dat ik me niet voor mijn kop kan slaan omdat ik niet naar je toe ging als je op bezoek kwam? Ik moest zo nodig edel-moedig zijn.'

'Maar ik heb het wel opgegeven.'

Hij keek glimlachend op haar neer, streek het vochtige, bezwete haar uit haar ogen en kuste haar opnieuw. 'En ik hield mijn poot stijf. Maar dat doet er allemaal niet meer toe.'

Ze stond op het punt hem nog iets te vragen toen er op de deur werd geklopt.

'Dat zal pa wel zijn,' zei Vivi Ann, 'die voor de donder wil weten waarom hij geen ontbijt krijgt.'

Ze stapte uit bed, trok haar badjas aan en liep naar de deur.

Haar hele familie stond op de veranda en lachte haar toe. Nou ja, bijna haar hele familie. Haar vader was er niet bij. Dat stak toch een beetje en deed haar denken aan dingen die ze liever wilde vergeten, een relatie die het loodje had gelegd of die nooit had bestaan. Zelfs nu was ze daar nog niet zeker van.

'Hoi, mam,' zei Noah, waardoor haar blik weer naar de mensen dwaalde die voor haar stonden.

Eerst naar Winona voor wie ze zoveel liefde voelde, dat ze zich bijna niet meer in kon houden. 'Je bent mijn grote heldin,' zei ze een tikje onvast. Daarna sprong ze op haar zusje af, sloeg haar armen stijf om haar heen en fluisterde: 'Dank je wel.' Toen ze achteruit stapte, stonden ze allebei te huilen.

Dallas dook naast haar op en legde zijn arm met een bezitterig ge-baar om haar middel. Dat werkte kennelijk bevrijdend, want ineens stonden ze elkaar allemaal huilend en lachend te knuffelen. En toen dat voorbij was, kwam Vivi Ann tot de ontdekking dat ze hand in hand met haar man op het gras van Water's Edge stond en door haar tranen heen naar haar familie – de Greys – keek en naar het land waaraan ze hun identiteit ontleenden. Van hieruit kon ze de enorme naaldbomen zien die achter de blokhut omhoog rezen, met hun wortels stevig in de vruchtbare aarde, en de glooiende groene velden, die er in deze koele herfstmaand afgestorven uitzagen, maar die weer tot wasdom zouden komen zodra ze het lentezonnetje voelden. Achter de manege lag het huis waar ze was opgegroeid, in een huishouden vol meisjes en altijd met het besef dat ze ergens bijhoorde. Dat was iets wat ze door zou geven, niet alleen aan haar zoon, maar ook aan haar man die nog steeds niet begreep dat hij hier ook thuishoorde, op dit land, op deze plek. Dat zou hun geschenk aan hem zijn, de wetenschap dat een thuis niet werd afgebakend door prikkeldraad of grenspalen. Het ging alleen om jou en om de mensen die je in je hart had gesloten en die je ook in moeilijke tijden bleven steunen.

U zult waarschijnlijk niet eens beseffen dat u me met uw stomme vragen eigenlijk gered hebt, mevrouw I.

Wie ben ik? Dat was de vraag die me raakte. Ik wist echt niet wie ik was of wie ik wilde zijn en ik was absoluut niet van plan om ernaar te vragen. Maar nu wil ik dat wel.

Toen mijn vader thuiskwam, werd alles anders. Zodra we op Water's Edge waren, kwamen er al mensen opdagen. De eersten waren Myrtle en Cissy Michaelian met haar vader.

We bleven eerst even naar elkaar staan kijken, zij bij hun pick-up en wij bij de manege. Maar toen liep Myrtle naar mijn vader toe en zei: Ik heb me kennelijk vergist.

Dat geeft niet, zei hij heel rustig.

Ik zag hoeveel het voor Cissy's grootmoeder betekende dat hij haar alles vergaf en toen voelde ik voor het eerst van mijn leven hoe het is om trots op mijn vader te zijn.

Daarna liep hij naar Cissy toe en zei: Dus jij bent het meisje van wie mijn zoon houdt.

En Cissy knikte en begon te huilen en zei: Ik hoop van wel. Jij hebt alles in beweging gezet, zei pap. Dank je wel.

Daarna kwam Cissy naar mij toe en gaf me een kus en toen leek het net alsof er helemaal niets gebeurd was, maar dat was wel zo en daar was ik blij om, want daardoor dacht ik ineens: Dit ben ik dus.

Ik ben een Grey en een Raintree en dit land, waar ik nooit iets om heb gegeven, is waar ik thuishoor en deze stad is niet zoals ik dacht. O, er zijn ook mensen die niet in mijn vader en mij geloven, en die dat waarschijnlijk ook nooit zullen doen, maar dat maakt niet uit. omdat wij wel in onszelf geloven en weer bij elkaar zijn. En er kwamen een heleboel mensen om mijn pa welkom thuis te heten. Behalve opa natuurlijk. Daar was ik echt pissig over, maar toen ik dat tegen mijn pa zei, lachte hij maar een beetje en zei: ik snap het wel. Laat die ouwe maar even met rust. Dus dat moet ik maar proberen.

En 's avonds, toen iedereen weg was en ik alleen met mam en pap in ons huis was achtergebleven, keek ik naar buiten en zag Renegade naar ons staren. Pap kwam naast me staan, legde zijn arm om me heen en zei: Ik heb iedere avond aan je gedacht, Noah. Iedere avond.

Op hetzelfde moment kwam mam naar ons toe en zei: waarom staan mijn jongens hier zo met z'n tweetjes?

En ik zei het enige wat me te binnen schoot: we wachten op jou.

Maar dat is nu voorbij, zei mam. Dit gezin heeft lang genoeg gewacht. Heeft er iemand zin om te kaarten?

En mijn pa zei: Hè ja. Het is hoog tijd dat ik mijn zoon leer pokeren.

Zijn zoon.

Dat was het antwoord waarop ik had gewacht. Toen wist ik eindelijk wie ik was.

Dankwoord

Wederom, dank aan Kany Levine, voor zijn hulp bij juridische problemen, groot en klein.

Holly Bruhn wordt bedankt omdat ze bereid was al die rare vragen van mij met betrekking tot paarden te beantwoorden en voor de zorgvuldige manier waarop ze alles heeft doorgelezen om de fouten eruit te halen. Ik sta bij je in het krijt.

Mijn dank gaat ook uit naar Andrea Cirillo en de fenomenale ploeg bij het Jane Rotrosen Agency. Hoe zou ik dit allemaal kunnen doen zonder jullie steun en aanmoedigingen?

Het verbazingwekkende personeel van St. Martin's Press wordt eveneens hartelijk bedankt voor alles.

En dank aan alle *Innocence Projects* overal in het land, die van geval tot geval vechten om het recht te laten zegevieren. Ik maak een diepe buiging voor jullie.